A Festa do Bode

MARIO VARGAS LLOSA

A Festa do Bode

TRADUÇÃO
Paulina Wacht e Ari Roitman

9ª reimpressão

ALFAGUARA

Copyright © 2000 by Mario Vargas Llosa

Grafia atualizada segundo o Acordo Ortográfico da Língua Portuguesa de 1990, que entrou em vigor no Brasil em 2009.

Título original
La fiesta del chivo

Capa
Raul Fernandes, a partir de projeto original de Agustín Escudero López

Imagem de capa
© Ambrogio Lorenzetti. *Alegoría del mal gobierno* (fragmento)

Revisão
Ana Kronemberger
Regiane Winarski
Joana Milli

cip-Brasil. Catalogação na fonte
Sindicato Nacional dos Editores de Livros, rj

V426f

    Vargas Llosa, Mario
       A festa do bode / Mario Vargas Llosa ; tradução de Ari Roitman, Paulina Wacht. — 1ª ed. — Rio de Janeiro : Objetiva, 2011.

       isbn 978-85-7962-063-8
       Tradução de: La fiesta del chivo.

       1. República Dominicana — Política e governo — Ficção. 2. Romance peruano. i. Roitman, Ari. ii. Wacht, Paulina. iii. Título.

10-6487

cdd: 868.99353
cdu: 821.134.2(85)-3

Todos os direitos desta edição reservados à
editora schwarcz s.a.
Praça Floriano, 19, sala 3001 — Cinelândia
20031-050 — Rio de Janeiro — rj
Telefone: (21) 3993-7510
www.companhiadasletras.com.br
www.blogdacompanhia.com.br
facebook.com/editora.alfaguara
instagram.com/editora_alfaguara
twitter.com/alfaguara_br

A Festa do Bode

*A Lourdes e José Israel Cuello,
e a tantos amigos dominicanos.*

"O povo festeja com grande entusiasmo
a Festa do Bode em trinta de maio."

Mataram o Bode
Merengue dominicano

I

Urania. Os pais não lhe fizeram um grande favor; seu nome dava a ideia de um planeta, de um mineral, de tudo menos daquela mulher espigada e de traços finos, rosto liso e grandes olhos escuros, um pouco tristes, que o espelho lhe devolvia. Urania! Que coisa. Felizmente ninguém mais a chamava pelo nome, e sim de Uri, Miss Cabral, Mrs. Cabral ou Doutora Cabral. Que ela se lembrasse, desde que saíra de Santo Domingo ("Quer dizer, de Trujillo", na época ainda não tinham devolvido o antigo nome à capital), ninguém em Adrian, nem em Boston, nem em Washington D.C., nem em Nova York voltara a chamá-la de Urania, como faziam em casa e no Colégio Santo Domingo, onde as *sisters* e suas colegas pronunciavam corretissimamente o nome disparatado que haviam lhe infligido quando nasceu. Tinha sido ideia dele, dela? Tarde demais para descobrir, garota; sua mãe estava no céu e o pai, morto em vida. Você nunca vai saber. Urania! Era tão absurdo como insultar a antiga Santo Domingo de Guzmán chamando-a de Trujillo. Seria também ideia do seu pai?

Ela está esperando que o mar apareça pela janela do seu quarto, no nono andar do Hotel Jaragua, e afinal o vê. A escuridão recua em poucos segundos e o resplendor azulado do horizonte, crescendo depressa, inicia o espetáculo que ela está esperando desde que acordou, às quatro, apesar do comprimido que tomara a despeito de sua prevenção contra os soníferos. A superfície azul-escura do mar, turbada por manchas de espuma, se encontra com um céu de chumbo na remota linha do horizonte e aqui, na costa, explode em ondas sonoras e espumosas contra o *malecón*, do qual vê pedaços de calçada entre as palmeiras e amendoeiras que o cercam. Naquela época, o Hotel Jaragua ficava de frente para o *malecón*. Agora, de lado. A memória lhe devolve a imagem — daquele dia? — da menina de mãos dadas com o pai, entrando no restaurante do hotel para almoçarem, os dois sozinhos. Deram-lhes uma mesa ao lado da janela, e, através das cortinas, Uranita divisava o vasto jardim e a piscina com trampolins e banhistas. Uma orquestra tocava merengues no Pátio Espanhol, rodeado de azulejos e de vasos com cravos. Foi naquele dia? "Não", diz em voz alta. Aquele Hotel Jaragua tinha sido demolido e substituído por este volumoso edifício em tom de pantera cor-de-rosa que tanto a surpreendeu ao chegar a Santo Domingo, três dias antes.

Tinha feito bem em voltar? Você vai se arrepender, Urania. Desperdiçar uma semana de férias, logo você, que nunca tem tempo para conhecer tantas cidades, regiões, países que gostaria de ver — as cordilheiras e os lagos nevados do Alasca, por exemplo —, voltando àquela ilhinha onde jurou que nunca mais botaria os pés. Sinal de decadência? Sentimentalismo da maturidade? Curiosidade, só isso. Para provar a si mesma que pode andar pelas ruas desta cidade que não é mais sua, percorrer este país alheio sem sentir tristeza, nostalgia, ódio, amargura, raiva. Ou será que veio para encarar a ruína em que seu pai se transformou? Descobrir que impressão lhe dá revê-lo, depois de tantos anos. Um calafrio a percorre da cabeça aos pés. Urania, Urania! Imagine se você descobre, depois de todos esses anos, que debaixo dessa sua cabecinha voluntariosa, organizada, impermeável ao desânimo, atrás dessa fortaleza que os outros tanto admiram e invejam há um coraçãozinho terno, assustadiço, fraco, sentimental. Dá uma risada. Chega de bobagem, garota.

Põe o tênis, a calça, o agasalho esportivo, prende o cabelo com uma rede. Bebe um copo de água gelada e vai ligar a televisão para ver a CNN, mas muda de ideia. Fica ao lado da janela, olhando o mar, o *malecón*, e depois, virando a cabeça, o bosque de telhados, torres, cúpulas, campanários e copas de árvores da cidade. Como cresceu! Quando ela saiu de lá, em 1961, tinha trezentas mil almas. Agora, mais de um milhão. Estava cheia de bairros, avenidas, parques e hotéis. Na véspera, Urania se sentira uma estranha circulando num carro alugado pelos elegantes condomínios de Bela Vista e pelo imenso parque El Mirador, onde havia tantos *joggers* como no Central Park. Na infância dela, a cidade terminava no Hotel El Embajador; a partir dali tudo eram chácaras, plantações. O Country Club, aonde seu pai a levava à piscina aos domingos, era rodeado de descampados, e não de asfalto, casas e postes de luz como agora.

Mas a cidade colonial não se remoçou, nem Gazcue, o seu bairro. E ela tem certeza absoluta de que sua casa quase não mudou. Devia estar igual, com o pequeno jardim, a velha mangueira e o flamboaiá de flores vermelhas encostado na varanda onde eles costumavam almoçar ao ar livre nos fins de semana; o telhado de duas águas e a varandinha do seu quarto, onde ia esperar suas primas Lucinda e Manolita, e naquele último ano, 1961, espiar aquele rapaz que passava de bicicleta, olhando-a de esguelha, sem se atrever a lhe dirigir a palavra. Será que por dentro estaria igual? O relógio austríaco que marcava as horas tinha números góticos e uma cena de caçada. Seu pai, estaria igual? Não. Viu como ele decaíra nas fotos que recebia de tantos em tantos meses ou anos da tia Adelina e de outros parentes remotos que continuaram lhe escrevendo, embora ela nunca respondesse às cartas.

Ela se joga numa poltrona. O sol do alvorecer atinge o centro da cidade; a cúpula do Palácio Nacional e o ocre pálido dos seus muros brilham suavemente sob a concavidade azul. Saia logo de uma vez, senão o calor vai ficar insuportável. Fecha os olhos, dominada por uma inércia que não era comum nela, acostumada a estar sempre em atividade, a não perder tempo fazendo aquilo que, desde que pôs os pés em terra dominicana, ocupa a sua mente noite e dia: lembrar. "Esta minha filha está sempre trabalhando, até dormindo ela recita a lição." Era o que dizia o senador Agustín Cabral, o ministro Cabral, Craninho Cabral, gabando-se com os amigos da menina que ganhava todos os prêmios, a aluna que as *sisters* apontavam como exemplo. Será que também se gabava com o Chefe das proezas escolares de Uranita? "Eu gostaria muito que o senhor a conhecesse, a menina ganha o prêmio de melhor aproveitamento todos os anos, desde que entrou no Santo Domingo. Para ela, conhecer o senhor, apertar a sua mão, seria uma felicidade. Uranita reza toda noite para que Deus o conserve com esta saúde de ferro. E também por dona Julia e dona María. Dê-nos essa honra. Quem lhe pede, roga, implora é o mais fiel dos seus cães. O senhor não pode me negar isto: receba-a. Excelência! Chefe!"

Você o detesta? Você o odeia? Ainda? "Não odeio mais", diz em voz alta. Não teria voltado se a mágoa continuasse crepitando, a ferida sangrando, a decepção destruindo, envenenando você como acontecia em sua juventude, quando estudar ou trabalhar se transformaram em um remédio obsessivo para não lembrar. Na época você o odiava, sim. Com todos os átomos do seu ser, com todos os pensamentos e sentimentos que cabiam no seu corpo. Você lhe desejou desgraças, doenças, acidentes. Deus fez a sua vontade, Urania. O diabo, mais provavelmente. Não basta que esse derrame cerebral o tenha matado em vida? Não é uma doce vingança vê-lo há dez anos numa cadeira de rodas, sem andar nem falar, dependendo de uma enfermeira para comer, deitar, vestir-se, despir-se, cortar as unhas, fazer a barba, urinar, defecar? Você se sente vingada? "Não."

Bebe outro copo de água e sai. São sete da manhã. No térreo do Jaragua o barulho a envolve, uma atmosfera já familiar de vozes, motores, rádios a todo volume, merengues, salsas, *danzones* e boleros, ou rock e rap misturados, agredindo-se e agredindo-a com aquela gritaria. Um caos animado, uma necessidade profunda de se aturdir para não pensar, e talvez nem sentir, daquele que já foi o seu povo, Urania. Também, uma explosão de vida selvagem, imune às ondas de modernização. Alguma coisa, nos dominicanos, se aferra a essa forma pré-racional, mágica: o apetite pelo barulho. ("Pelo barulho, não pela música.")

Não lembra que houvesse, quando era pequena e Santo Domingo se chamava Trujillo, tanto ruído nas ruas. Talvez não houvesse; talvez, trinta e cinco anos antes, quando a cidade era três ou quatro vezes menor, provinciana, isolada e anestesiada pelo medo e pelo servilismo, e tinha a alma encolhida de reverência e pânico pelo Chefe, o Generalíssimo, o Benfeitor, o Pai da Pátria Nova, Sua Excelência o Doutor Rafael Leonidas Trujillo Molina, fosse mais silenciosa, menos frenética. Hoje, todos os sons da vida, os motores de carros, toca-fitas, discos, rádios, buzinas, latidos, grunhidos, vozes humanas, tudo parece estar a todo volume, manifestando-se em sua capacidade máxima de ruído vocal, mecânico, digital ou animal (os cachorros latem mais alto e os pássaros piam com mais vontade). E Nova York ainda tinha fama de ser barulhenta! Em seus dez anos de

Manhattan, seus ouvidos nunca registraram nada parecido com esta sinfonia brutal, desafinada, em que está imersa há três dias.

O sol acende as palmeiras de copas altas, a calçada rachada que parecia ter sido bombardeada devido à quantidade de buracos e aos montes de lixo acumulado que umas mulheres de lenço na cabeça varrem e recolhem em sacos sempre insuficientes. "Haitianas." Agora estão caladas, mas ontem cochichavam entre si em *creole*. Um pouco mais adiante, vê dois haitianos descalços e seminus sentados em umas caixas, ao pé de dezenas de pinturas de cores vivíssimas, penduradas em um muro. É verdade, a cidade, talvez o país, está cheia de haitianos. Antes não era assim. Como dizia o senador Agustín Cabral, "Do Chefe podem dizer o que quiserem, mas a História pelo menos vai reconhecer que ele modernizou o país e pôs os haitianos no seu lugar. Para grandes males, grandes remédios!" O Chefe encontrara um paiseco barbarizado pelas guerras de caudilhos, sem lei e sem ordem, depauperado, quase perdendo a identidade, invadido por aqueles vizinhos famintos e ferozes. Eles vadeavam o rio Masacre e vinham roubar bens, animais, casas, tiravam o trabalho dos nossos trabalhadores agrícolas, pervertiam nossa religião católica com suas bruxarias diabólicas, estupravam nossas mulheres, destruíam nossa cultura, nossa língua e nossos costumes, ocidentais e hispânicos, para nos impor os deles, africanos e bárbaros. O Chefe cortou o nó górdio: "Chega!" Para grandes males, grandes remédios! Ele não apenas justificava o massacre de haitianos em 1937, mas também o considerava uma façanha do regime. Aquilo não tinha salvado a República de ser prostituída, pela segunda vez na história, por aquele vizinho rapinante? O que são cinco, dez, vinte mil haitianos quando se trata de salvar todo um povo?

Ela anda rápido, reconhecendo os marcos da cidade: o Cassino da Güibia, transformado em clube, e o balneário agora poluído por esgotos; logo vai chegar à esquina do *malecón* com a avenida Máximo Gómez, o itinerário do Chefe nas suas caminhadas vespertinas. Desde o dia em que os médicos lhe disseram que andar fazia bem ao coração, ele ia da Estância Radhamés até a Máximo Gómez, fazendo uma escala na casa de dona Julia, a Excelsa Matrona, onde Uranita um dia foi fazer um discurso que quase não conseguiu pronunciar, e descia até este *malecón* George Washington, dobrava naquela esquina e continuava até o obelisco copiado do de Washington, num passo ágil, cercado de ministros, assessores, generais, ajudantes e cortesãos a uma distância respeitosa, com os olhos alertas, o coração esperançoso, aguardando um gesto, um sinal que os autorizasse a se aproximar do Chefe, ouvi-lo, merecer algumas palavras, mesmo que fosse uma recriminação. Tudo, menos ser mantidos longe, no inferno dos esquecidos. "Quantas vezes você passeou com eles, papai? Quantas vezes mereceu que o Chefe falasse com você? E quantas vezes voltou triste porque ele não o chamou, com receio de não estar mais no círculo dos escolhidos, de ter caído entre os réprobos. Você vivia sempre apavorado de que se repetisse a história de Anselmo Paulino. E se repetiu, papai."

Urania ri, e um casal de bermudas que vem na direção contrária pensa que é com eles: "Bom dia." Mas não era com eles, ela tinha rido da imagem do senador Agustín Cabral trotando toda tarde neste *malecón*, entre os serviçais de luxo, atento, não à brisa cálida, aos rumores do mar, à acrobacia das gaivotas nem às radiantes estrelas do Caribe, e sim às mãos, aos olhos, aos movimentos do Chefe, que talvez fosse chamá-lo, preferindo-o aos outros. Chegou ao Banco Agrícola. Depois vem a Estância Ramfis, onde continua funcionando a Secretaria de Relações Exteriores, e o Hotel Hispaniola. E meia-volta.

"Rua César Nicolás Penson, esquina com Galván", pensa. Iria até lá, ou voltaria para Nova York sem dar sequer uma olhada na sua casa? Você vai entrar e perguntar à enfermeira pelo inválido e subir até o quarto e a varanda onde o deixam cochilando, aquela varanda que ficava toda vermelha com as flores do flamboaiã. "Oi, papai. Como vai, papai. Não me reconhece? Sou a Urania. Claro, você não pode me reconhecer. Na última vez eu tinha quatorze anos e agora estou com quarenta e nove. Um bocado de anos, papai. Não era esta a idade que você tinha quando eu fui para Adrian? Sim, quarenta e oito ou quarenta e nove anos. Um homem em plena maturidade. Agora, está com quase oitenta e quatro. Você ficou velhíssimo, papai." Se ainda estiver em condições de pensar, deve ter tido bastante tempo, em todos esses anos, para fazer um balanço da sua longa vida. Deve ter pensado na sua filha ingrata, que em trinta e cinco anos não lhe respondeu uma só carta, não enviou uma foto, uma mensagem de aniversário, Natal ou ano-novo, que não veio sequer quando você teve o derrame e todos os tios, tias, primos e primas achavam que estava morrendo. Não veio nem indagou por sua saúde, que filha malvada, papai.

A casinha da rua César Nicolás Penson, esquina com Galván, na certa não recebe mais os visitantes, no vestíbulo da entrada, onde ficava a imagem da Virgenzinha da Altagracia, com uma jactanciosa placa de bronze: "Nesta casa Trujillo é o Chefe." Ou será que você a conservou, como prova de lealdade? Deve ter jogado no mar, como fizeram os milhares de dominicanos que compraram essas placas e as penduraram no ponto mais visível da casa, para que ninguém fosse duvidar da sua fidelidade ao Chefe, e cujas pegadas, quando o feitiço acabou, quiseram apagar, envergonhados com o que aquilo representava: sua covardia. Aposto que você também se livrou da sua, papai.

Chegou ao Hispaniola. Urania está suando, o coração acelerado. Pela avenida George Washington passa um duplo rio de carros, caminhonetes e caminhões, e ela tem a impressão de que todos estão com os rádios ligados e o barulho vai arrebentar os seus tímpanos. Às vezes surge uma cabeça masculina em algum veículo e por um instante seus olhos cruzam com uns olhos varonis que espreitam seus peitos, suas pernas, seu traseiro. Esses olhares. Ela está esperando para atravessar e pensa outra vez, como ontem, como anteontem, que está em terra dominicana. Em Nova York ninguém mais olha as mulheres com esse descaramento. Medindo, avaliando, calculando quanta carne há em cada peito e em cada coxa, quantos pelos em seu púbis e a curva exata das suas nádegas. Fecha os olhos, sentindo uma ligeira vertigem. Em Nova York, nem os latinos, dominicanos, colombianos, guatemaltecos olham mais assim. Eles aprenderam a se reprimir, entenderam que não podem olhar as mulheres como os cachorros olham as cadelas, os cavalos as éguas, os porcos as porcas.

Numa brecha entre os veículos, atravessa, correndo. Em vez de dar meia-volta e regressar para o Jaragua, seus passos, não sua vontade, a fazem contornar o Hispaniola e voltar pela Independencia, uma avenida que, se não lhe falha a memória, avança a partir daqui, recheada com uma dupla alameda de loureiros frondosos cujas copas se abraçam sobre as calçadas, refrescando--as, até se bifurcar e desaparecer já em plena cidade colonial. Quantas vezes caminhou de mãos dadas com o pai, debaixo da sombra rumorosa dos loureiros da Independencia. Vinham pela César Nicolás Penson até esta avenida e depois seguiam até o parque Independencia. Na sorveteria italiana, do lado direito, no começo de El Conde, tomavam um sorvete de coco, manga ou goiaba. Como se sentia orgulhosa de mãos dadas com aquele senhor — o senador Agustín Cabral, o ministro Cabral. Todos o conheciam. Chegavam perto, davam a mão, tiravam o chapéu, faziam mesuras, e policiais e militares batiam os calcanhares ao vê-lo passar. Como você deve ter sentido falta desses anos em que era tão importante, papai, depois que virou um pobre diabo como qualquer outro. Eles se contentaram insultando você no "Foro Público", mas não o prenderam como fizeram com Anselmo Paulino. Era isso que você mais temia, não é mesmo? Que, um belo dia, o Chefe ordenasse: metam o Craninho na cadeia! Você teve sorte, papai.

Já estava andando havia quarenta e cinco minutos e ainda faltava um bom pedaço até o hotel. Se tivesse trazido dinheiro, entraria em algum bar para tomar o café da manhã e descansar. O suor a faz enxugar o rosto o tempo todo. Os anos passam, Urania. Aos quarenta e nove ninguém é mais jovem, embora você se conserve melhor que outras. Mas não é de se jogar fora, a julgar pelos olhares que, à direita e à esquerda, pousam no seu rosto e no seu corpo, insinuantes, ambiciosos, descarados, insolentes, de machos acostumados a despir todas as fêmeas da rua com os olhos e os pensamentos. "Quarenta e nove anos maravilhosamente bem vividos, Uri", disse Dick Litney, seu amigo e colega de trabalho em Nova York, no dia do seu aniversário, audácia que nenhum homem do escritório se permitiria a menos que tivesse, como Dick naquela noite, entornado dois ou três uísques. Pobre Dick. Ficou todo vermelho e confuso quando Urania o congelou com um olhar lento desses que usava havia trinta e cinco anos para enfrentar as cantadas, piadas atrevidas, gracejos, alusões ou canalhices dos homens e, às vezes, das mulheres.

Ela para, tentando recuperar o fôlego. Sente o coração descontrolado, subindo e descendo dentro do peito. Está na esquina da Independencia com a Máximo Gómez, esperando para atravessar no meio de um grupo de homens e mulheres. Seu nariz registra uma variedade de aromas tão grande quanto o sem-fim de sons que martelam os seus ouvidos: o óleo que os motores dos ônibus queimam e os escapamentos expelem, línguas de fumaça que se desmancham ou ficam flutuando sobre os pedestres; cheiro de gordura e fritura, vindo de uma barraca onde crepitam duas frigideiras e se vendem lanches e bebidas, e o aroma denso, indefinível, tropical, de resinas e folhagem em decomposição, de corpos suando, um ar impregnado de essências animais, vegetais e humanas que o sol protege, atrasando sua dissolução e evanescência. É um aroma quente, que toca em alguma fibra íntima da sua memória e a devolve à infância, às buganvílias multicoloridas penduradas nos tetos e nas sacadas, a esta avenida Máximo Gómez. O Dia das Mães! É claro. Maio de sol radiante, chuvas diluviais, calor. As meninas do Colégio Santo Domingo escolhidas para entregar flores a Mamãe Julia, a Excelsa Matrona, genitora do Benfeitor, espelho e símbolo da mãe dominicana. Vieram num ônibus do colégio, com seus uniformes brancos imaculados, acompanhadas pela superiora e pela *sister* Mary. Você estava ardendo de curiosidade, orgulho, carinho e respeito. Ia entrar, representando o colégio, na casa de Mamãe Julia. Ia recitar para ela o poema "Mãe e mestra, Matrona Excelsa", que tinha escrito, decorado e recitado dezenas de vezes na frente do espelho, diante de suas colegas, de Lucinda e Manolita, do papai, das *sisters*, e que repetiu em silêncio para ter certeza de não esquecer uma sílaba. Quando chegou o momento glorioso, na grande casa rosada de Mamãe Julia, aturdida com tantos militares, senhoras, ajudantes e delegações que lotavam os jardins, quartos e corredores, embargada de emoção e de ternura, ao dar um passo à frente, a um metro da velhinha que lhe sorria com benevolência em sua cadeira de balanço, com a braçada de rosas que a superiora acabava de lhe entregar, a garganta se fechou e houve um branco em sua mente. Você começou a chorar. Ouviu risos, palavras de encorajamento, das senhoras e dos senhores que rodeavam Mamãe Julia. A Excelsa Matrona lhe disse, risonha, para se aproximar. Então Uranita reagiu, enxugou as lágrimas, se aprumou e, firme e rápida, embora sem a entonação devida, recitou "Mãe e mestra, Matrona Excelsa" de um só fôlego. Todos aplaudiram. Mamãe Julia lhe acariciou o cabelo e, com sua boquinha franzida em mil rugas, beijou-a.

    Afinal, a luz muda de cor. Urania continua o seu caminho, protegida do sol pela sombra das árvores da avenida Máximo Gómez. Já faz uma hora que está andando. É agradável caminhar sob os loureiros, descobrir esses arbustos de florzinhas vermelhas e pistilo dourado, o hibisco, aqui conhecido como sangue-de-cristo, absorta em seus pensamentos, embalada pela anarquia de vozes e músicas, porém atenta aos desníveis, buracos, poças, deformações das calçadas, sempre a um triz de tropeçar ou de meter o pé nas porcarias que os vira-latas farejam. Você era feliz naquela época? Quando foi levar flores e recitar o poema para a Excelsa Matrona com o grupo de alunas do Santo Domingo, no Dia das Mães, era. Se bem que, desde que a figura protetora, belíssima da sua infância sumiu da casinha da rua César Nicolás Penson, talvez a noção de felicidade também tenha se evaporado da vida de Urania. Mas seu pai e seus tios — principalmente tia Adelina e tio Aníbal, e as primas Lucindita e Manolita — e os velhos amigos fizeram o possível para preencher a ausência da mãe com paparicos e mimos, para que você não se sentisse sozinha, diminuída. O seu pai, naqueles anos, foi pai e mãe. Por isso você o amava tanto. Por isso havia doído tanto, Urania.

Quando chega à entrada dos fundos do Jaragua, um portão largo, na grade, por onde entram os carros, os mordomos, os cozinheiros, as garçonetes, os faxineiros, você não para. Para onde está indo? Você não havia decidido nada. Nem lhe passava pela cabeça, concentrada na sua infância, no colégio, nos domingos em que ia com tia Adelina e as primas às sessões infantis do Cinema Elite, a ideia de não entrar no hotel para tomar o café da manhã e um banho. Foram seus pés que decidiram continuar. Ela caminha sem hesitar, certa do rumo, entre os pedestres e os carros impacientes com os sinais de trânsito. Você tem mesmo certeza de que quer ir aonde está indo, Urania? Agora sabe que vai, por mais que depois tenha que lamentar.

Dobra à esquerda na rua Cervantes e avança até a Bolívar, reconhecendo, como se estivesse em um sonho, as casas de um ou dois andares, com cercas e jardins, varandas abertas e garagens, que despertam nela um sentimento familiar, aquelas imagens preservadas, deterioradas, ligeiramente desbotadas, lascadas, enfeadas com acréscimos e colagens, quartinhos construídos nos terraços, agregados nas laterais, ou no meio dos jardins, para alojar os descendentes que se casam e não podem morar sozinhos e vêm se somar às famílias, exigindo mais espaço. Passa por lavanderias, farmácias, floriculturas, bares, placas de dentistas, médicos, contadores e advogados. Na avenida Bolívar, anda como se quisesse alcançar alguém, como se fosse começar a correr. Seu coração quase salta pela boca. A qualquer momento você vai desabar no chão. Na altura da Rosa Duarte, vira à esquerda e corre. Mas o esforço é excessivo e volta a andar, agora mais devagar, bem perto do muro quase branco de uma casa, para o caso de que a vertigem se repita e você precise se apoiar nele para recuperar o fôlego. Tirando um ridículo prédio estreitíssimo de quatro andares, onde ficava a casinha cercada de arame farpado do doutor Estanislas, que a operou das amídalas, nada tinha mudado; poderia jurar que aquelas empregadinhas que estão varrendo os jardins e as fachadas vêm cumprimentá-la: "Oi, Uranita. Tudo bem, garota. Como você cresceu, menina. Aonde vai tão apressada, minha mãe de Deus."

A casa também não mudou muito, embora em sua memória o cinza das paredes fosse mais intenso e agora está desbotado, cheio de manchas, descascado. O jardim se transformou num matagal de capim, folhas mortas e grama seca. Ninguém devia regar nem podar há anos. Lá está a mangueira. O flamboaiã era este? Possivelmente, quando tinha folhas e flores; agora, é um tronco de braços cortados e raquíticos.

Urania se encosta na porta de ferro batido que dá para o jardim. O caminho de lajotas com grama nas juntas está bolorento e, na varanda, vê uma cadeira torta, com um pé quebrado. Os móveis de cretone amarelo sumiram. Também sumiu a luzinha do canto, com vidros esmerilhados, que iluminava a varanda, em volta da qual as borboletas se aglomeravam de dia e à noite zumbiam os insetos. A sacadinha do seu quarto não tem mais a buganvília malva que a cobria: agora é um alpendre de cimento, com manchas de ferrugem.

No fundo da varanda uma porta se abre com um longo gemido. Uma figura feminina, de uniforme branco, a encara com curiosidade:

— Está procurando alguém?

Urania não consegue responder; está muito agitada, emocionada, assustada. Fica muda, olhando para a desconhecida.

— O que deseja? — pergunta a mulher.

— Eu sou Urania — diz, afinal. — A filha de Agustín Cabral.

II

Acordou paralisado por uma sensação de catástrofe. Imóvel, ficou piscando na escuridão, aprisionado em uma teia de aranha e a ponto de ser devorado por um inseto peludo e cheio de olhos. Por fim conseguiu esticar a mão até a mesinha onde ficavam o revólver e a metralhadora destravada. Mas, em lugar da arma, pegou o despertador: dez para as quatro. Respirou. Agora sim, estava totalmente acordado. Pesadelos, de novo? Ainda tinha alguns minutos, porque, maníaco da pontualidade, não se levantava da cama antes das quatro. Nem um minuto antes, nem um minuto depois.

"Devo tudo o que sou à disciplina", pensou. E essa disciplina, norte da sua vida, ele a devia aos *marines*. Fechou os olhos. As provas que fez em San Pedro de Macorís para ser admitido na Polícia Nacional Dominicana, que os americanos decidiram criar no terceiro ano de ocupação, foram muito duras. Ele passou sem dificuldade. No treinamento, metade dos aspirantes tinha sido eliminada. Ele desfrutou de todos os exercícios de agilidade, arrojo, audácia ou resistência, e até daqueles, ferozes, destinados a provar a força de vontade e a obediência aos superiores, como entrar em pântanos com todo o equipamento de campanha ou sobreviver na selva bebendo a própria urina e mastigando caules, ervas, gafanhotos. O sargento Gittleman lhe deu a mais alta qualificação: "Você vai longe, Trujillo." Foi, sim, graças a essa disciplina desumana, de heróis e místicos, que os *marines* lhe ensinaram. Pensou com gratidão no sargento Simon Gittleman. Um gringo leal e desinteressado, naquele país de sacanas, vampiros e imbecis. Por acaso os Estados Unidos tiveram algum amigo mais sincero do que ele nos últimos trinta e um anos? Que governo os apoiou mais na ONU? Qual foi o primeiro país a declarar guerra à Alemanha e ao Japão? Quem recheou com mais dólares os bolsos dos representantes, senadores, governadores, prefeitos, advogados e jornalistas dos Estados Unidos? O pagamento que recebia: as sanções econômicas da OEA, para agradar aquele escurinho do Rómulo Betancourt e continuar mamando o petróleo venezuelano. Se Johnny Abbes tivesse feito as coisas direito, e a bomba tivesse arrancado a cabeça daquele veado do Rómulo, não haveria sanções e os imbecis dos americanos não ficariam amolando com essa história de soberania, democracia e direitos humanos. Mas, nesse caso, ele não descobriria que, naquele país de duzentos milhões de escrotos, tinha um amigo como Simon Gittleman. Capaz de iniciar uma campanha pessoal em defesa da República Dominicana, lá em Phoenix, Arizona, onde tinha negócios desde que saiu dos *marines*. Sem pedir um tostão! Ainda havia homens assim entre os *marines*. Sem pedir nem cobrar! Que lição para os sanguessugas do Senado e da Câmara de Representantes que ele engordava havia tantos anos, sempre querendo mais cheques, mais concessões, mais decretos, mais renúncias fiscais, e que agora, quando mais precisava deles, se faziam de desentendidos.

Olhou o relógio: ainda faltavam quatro minutos. Um gringo magnífico, Simon Gittleman! Um verdadeiro *marine*. Largou todos os seus negócios no Arizona, indignado com a ofensiva da Casa Branca, a Venezuela e a OEA contra Trujillo, e bombardeou a imprensa americana com cartas lembrando que, durante toda a Era Trujillo, a República Dominicana foi um baluarte do anticomunismo, o melhor aliado dos Estados Unidos no hemisfério ocidental. Como se não bastasse, fundou — pagando do próprio bolso, cacete! — comitês de apoio, lançou publicações, organizou conferências. E, para dar o exemplo, veio com a família morar em Trujillo e alugou uma casa no *malecón*. Simon e Dorothy iam almoçar com ele no Palácio ao meio-dia e o ex-*marine* receberia a Ordem de Mérito Juan Pablo Duarte, a mais alta condecoração dominicana. Um verdadeiro *marine*, sim senhor!

Quatro em ponto, agora sim. Acendeu o abajur da mesinha, calçou os chinelos e se levantou, sem a agilidade de antigamente. Seus ossos doíam e sentia os músculos das pernas e das costas, como acontecera uns dias antes, na Casa de Caoba, na maldita noite daquela garotinha insossa. O desagrado o fez ranger os dentes. Quando se dirigia para a cadeira onde Sinforoso tinha deixado seu agasalho e as alpargatas, uma suspeita o deteve. Ansioso, observou os lençóis: uma manchinha cinzenta sem forma maculava a brancura do linho. Tinha escapado, outra vez. A indignação apagou a lembrança desagradável da Casa de Caoba. Porra! Porra! Aquilo não era um inimigo que ele pudesse derrotar como as centenas, milhares de inimigos que havia enfrentado e vencido, ao longo dos anos, comprando, intimidando ou matando. Vivia dentro dele, carne da sua carne, sangue do seu sangue. E o estava destruindo justamente quando mais precisava de força e saúde. A garotinha-esqueleto lhe dera azar.

Encontrou imaculadamente lavados e passados o suporte, o short, a camiseta, o tênis. Vestiu-se, com esforço. Nunca tinha precisado de muitas horas de sono; desde jovem, em San Cristóbal, ou quando era chefe de guardas rurais no engenho Boca Chica, quatro ou cinco horas eram suficientes, mesmo se tivesse bebido e trepado até o amanhecer. Sua capacidade de recuperação física, com um mínimo de repouso, contribuiu para lhe criar uma aura de ser superior. Isso acabou. Agora acordava cansado e não conseguia dormir nem quatro horas; duas ou três, no máximo, e ainda por cima sobressaltadas por pesadelos.

Na noite anterior ficara sem dormir, na escuridão. Pelas janelas via as copas de algumas árvores e um pedaço de céu adornado de estrelas. Na noite clara lhe chegava, vez por outra, o falatório daquelas velhas tresnoitadas declamando poemas de Juan de Dios Peza, de Amado Nervo, de Rubén Darío (o que o fez suspeitar que o Imundície Ambulante, que sabia Darío de cor, estava entre elas), os *Vinte poemas de amor* de Pablo Neruda e as décimas picantes de Juan Antonio Alix. E, naturalmente, os versos de dona María, escritora e moralista dominicana. Deu uma risada quando subiu na bicicleta ergométrica e começou a pedalar. Sua mulher acabara levando a coisa a sério e, de vez em quando, organizava noitadas literárias no salão de patinação da Estância Radhamés para as quais convidava declamadoras que recitavam versos idiotas. O senador Henry Chirinos, que era metido a poeta, costumava participar desses saraus, onde alimentava a sua cirrose por conta do erário. Para caírem nas graças de María Martínez, aquelas velhas idiotas, tal como o próprio Chirinos, tinham decorado páginas das *Meditações morais* ou monólogos da pecinha de teatro *Falsa amizade*, que recitavam e depois todas as periquitas aplaudiam. E sua mulher — pois aquela velha gorda e imbecil, a Excelsa Dama, era sua mulher, afinal de contas — tinha levado mesmo a sério essa história de escritora e moralista. Por que não? Não era o que diziam os jornais, as rádios, a televisão? As suas *Meditações morais*, prefaciadas pelo mexicano José Vasconcelos, reimpressas de dois em dois meses, não era um livro de leitura obrigatória nas escolas? *Falsa amizade* não fora o maior sucesso teatral dos trinta e um anos da Era Trujillo? Não tinha sido enaltecida pelos críticos, jornalistas, professores universitários, padres, intelectuais? Não dedicaram um seminário no Instituto Trujilloniano para debatê-la? Os seus conceitos não tinham sido elogiados pelos homens de batina, os bispos, esses corvos traidores, esses judas, que depois de mamarem nos seus bolsos agora também começaram, como os ianques, a falar de direitos humanos? A Excelsa Dama era escritora e moralista. Não graças a si mesma, mas a ele, como tudo o que acontecia neste país havia três décadas. Trujillo podia fazer a água se transformar em vinho e os pães se multiplicarem, se lhe desse na telha. Ele lembrou essas coisas a María na última briga que tiveram: "Já se esqueceu que quem escreveu essas bobagens não foi você, que não sabe escrever o próprio nome sem erros de gramática, foi o galego traidor José Almoina, pago por mim. Sabe o que o povo diz? Que as iniciais de *Falsa amizade*, F e A, querem dizer: Foi Almoina." Teve outro ataque de riso, franco, alegre. A amargura tinha desaparecido. María começou a chorar, "Como você me humilha!", e ameaçou se queixar com a Mamãe Julia. Como se a sua pobre mãe, aos noventa e seis anos, estivesse interessada em problemas de família. Tal como seus irmãos, sua mulher sempre recorria à Excelsa Matrona para chorar as mágoas. Para fazer as pazes, ele teve que molhar sua mão mais uma vez. Era verdade aquilo que os dominicanos diziam em voz baixa: a escritora e moralista era mesmo mesquinha, uma alma podre. E isso desde que os dois eram amantes. Ainda jovenzinha, ela teve a ideia de montar a lavanderia para os uniformes da Polícia Nacional Dominicana, com a qual ganhou os seus primeiros pesos. Pedalar tinha aquecido o seu corpo. Estava se sentindo em forma. Quinze minutos: era suficiente. Mais quinze de remo, antes de começar a batalha do dia.

O remo ficava num quartinho anexo, abarrotado de aparelhos de exercícios. Quando estava começando a remar, um relincho vibrou na quietude do amanhecer, longo, musical, como um alegre louvor à vida. Quanto tempo fazia que não andava a cavalo? Meses. Isso nunca o cansara, depois de cinquenta anos ele continuava adorando montar, como o primeiro gole de uma taça de *brandy* espanhol Carlos I ou o primeiro olhar no corpo nu, branco, de formas opulentas, de uma fêmea desejada. Mas a lembrança da magrela que aquele filho da puta conseguiu meter na sua cama envenenou essa ideia. Teria feito aquilo sabendo da humilhação que ele passaria? Ele não tinha colhões para isso. A menina deve ter contado e, ele, rido às gargalhadas. O caso já devia estar circulando pelas bocas mexeriqueiras, nos botecos de El Conde. Tremeu de vergonha e de raiva, sem parar de remar com regularidade. Já estava suando. Se o vissem! Outro mito que repetiam ao seu respeito era: "Trujillo nunca sua. Em pleno verão, ele usa aqueles uniformes pesados, tricórnio de veludo e luvas, e não se vê um brilho de suor na sua testa." Ele não suava quando não queria. Mas, na intimidade, quando fazia os seus exercícios, autorizava o corpo a suar. Nesta última época, difícil, cheia de problemas, tinha se privado dos cavalos. Quem sabe esta semana iria a San Cristóbal. E lá cavalgaria sozinho, sob as árvores, junto ao rio, como antigamente, e se sentiria rejuvenescido. "Nem mesmo os braços de uma fêmea são tão afetuosos como o lombo de um alazão."

Parou de remar quando sentiu uma cãibra no braço esquerdo. Depois de enxugar o rosto, olhou para a calça, na altura da braguilha. Nada. Ainda estava escuro. As árvores e os arbustos dos jardins da Estância Radhamés eram manchas pretas, sob um céu limpo, cheio de luzinhas cintilantes. Como era o verso de Neruda que as periquitas amigas da moralista tanto apreciavam? "E tiritam, azuis, os astros a distância." Aquelas velhas tiritavam sonhando que algum poeta coçava as suas comichões. E só tinham por perto o Chirinos, aquele Frankenstein. Soltou outra risadinha aberta, coisa que raramente lhe acontecia nos últimos tempos.

Tirou a roupa e, de chinelos e roupão, foi se barbear no banheiro. Ligou o rádio. Na Voz Dominicana e na Rádio Caribe davam as notícias dos jornais. Até alguns anos antes, os boletins começavam às cinco. Mas quando seu irmão Petán, proprietário da Voz Dominicana, soube que ele acordava às quatro, adiantou o noticiário. As outras emissoras o imitaram. E, como sabiam que ele ouvia rádio enquanto fazia a barba, tomava banho e se vestia, todas caprichavam.

A Voz Dominicana, depois de um *jingle* do Hotel Restaurante El Conde sobre uma noite dançante com Los Colosos del Ritmo dirigidos pelo professor Gatón e com o cantor Johnny Ventura, noticiou a entrega do prêmio viúva Julia Molina Trujillo à Mãe Mais Prolífica. A vencedora, dona Alexandrina Francisco, com vinte e um filhos vivos, declarou ao receber a medalha com a efígie da Excelsa Matrona: "Meus vinte e um filhos dão a vida pelo Benfeitor, se ele pedir." "Não acredito, babaca."

Escovou os dentes e agora estava se barbeando, com a mesma minúcia com que o fazia desde que era um jovem que vivia na penúria, em San Cristóbal, quando nunca sabia se a coitada da sua mãe, a quem o país inteiro prestava homenagens no Dia das Mães ("Manancial de caridosos sentimentos e genitora do ilustre homem que nos governa", disse o locutor), teria feijão e arroz à noite para dar às oito bocas da família. A limpeza, o cuidado com o corpo e com o vestuário eram, para ele, a única religião que praticou com rigor.

Depois de outra longa lista de pessoas que haviam ido à casa de Mamãe Julia felicitá-la pelo Dia das Mães (pobre velha, recebendo impassível aquela caravana de colégios, associações, institutos, sindicatos, e agradecendo as flores e agrados com sua vozinha fraca), começaram os ataques aos bispos Reilly e Panal, "que não nasceram sob o nosso sol nem sofreram sob a nossa lua" ("Bonito", pensou), "e se metem na nossa vida civil e política, ultrapassando os limites da lei". Johnny Abbes queria entrar no Colégio Santo Domingo e arrancar o bispo americano do seu refúgio. "O que pode acontecer, Chefe? Os gringos vão protestar, é claro. Eles não protestam por tudo, há muito tempo? Por causa de Galíndez, do piloto Murphy, das Mirabal, do atentado contra Betancourt e mil outras coisas. Não faz diferença que rosnem em Caracas, Porto Rico, Washington, Nova York, Havana. Importa o que acontece aqui. A Igreja só vai parar de conspirar quando levar um susto." Mas não. Ainda não havia chegado o momento de acertar as contas com Reilly, ou com aquele outro filho da puta, o espanholzinho bispo Panal. A hora deles ia chegar, e eles pagariam direitinho. Seu instinto nunca falhava. Por enquanto, ele não ia tocar num fio de cabelo dos bispos mesmo que continuassem azucrinando, como faziam desde o dia 25 de janeiro de 1960 — um ano e meio já! —, quando a Carta Pastoral do Episcopado foi lida em todas as missas, inaugurando a campanha da Igreja Católica contra o regime. Malditos! Corvos! Eunucos! Como podiam fazer isso com ele, condecorado por Pio XII no Vaticano com a Grã-Cruz da Ordem Papal de São Gregório. Na Voz Dominicana, Paíno Pichardo lembrava, num discurso pronunciado na véspera, em sua condição de secretário de Estado do Interior e dos Cultos, que o Estado havia gastado sessenta milhões de pesos com essa Igreja cujos "bispos e sacerdotes agora fazem tanto mal à grei católica dominicana". Rodou o dial. Na Rádio Caribe era lida uma carta de protesto de centenas de operários porque suas assinaturas não foram incluídas no Grande Manifesto Nacional "contra as maquinações subversivas do bispo Tomás Reilly, traidor de Deus, de Trujillo e da sua condição de homem, pois, em vez de permanecer na sua diocese de San Juan de la Maguana, foi se esconder correndo em Trujillo, como um rato assustado, entre as saias das freiras americanas do Colégio Santo Domingo, celeiro de terrorismo e de conspiração." Quando ouviu que o Ministério da Educação havia retirado o caráter oficial do Colégio Santo Domingo por "envolvimento dessas freiras forâneas com as intrigas terroristas dos cardeais de San Juan de la Maguana e de La Vega contra o Estado", voltou à Voz Dominicana, a tempo de ouvir o locutor anunciar outra vitória do time dominicano de polo, em Paris, onde, "no bonito campo de Bagatelle, depois de derrotar os Leopards por cinco a quatro, conquistou a Taça Aperture, deslumbrando o exigente público ali presente." Ramfis e Radhamés, os jogadores mais aplaudidos. Mentira, para enrolar os dominicanos. E ele. Sentiu na boca do estômago a acidez que o atacava toda vez que pensava nos filhos, uns fracassos bem-sucedidos, umas desilusões. Jogando polo em Paris e comendo as francesas, enquanto o pai enfrentava a batalha mais dura da sua vida!

Lavou o rosto. Seu sangue se avinagrava sempre que pensava nos filhos. Meu Deus, não era ele quem tinha falhado. Sua raça era saudável, sempre foi um garanhão reprodutor de alto nível. Como prova, tinha os filhos que sua seiva gerou em outros ventres, no de Lina Lovatón sem ir mais longe, robustos, enérgicos, que mereciam mil vezes ocupar o lugar desses dois parasitas, dessas nulidades com nomes de personagem de ópera. Por que tinha permitido que a Excelsa Dama pusesse nos filhos os nomes da ópera *Aída*, que numa hora infeliz vira em Nova York? Esses nomes deram azar; fizeram deles uns palhaços de opereta em vez de homens de cabelo nas ventas. Uns boêmios, uns desocupados sem caráter nem ambição, bons só para a farra. Os dois tinham puxado aos seus irmãos, não a ele. Uns inúteis, como o Negro, Petán, Pipí, Aníbal, a cambada de safados, parasitas, zangões e zés-ninguém que eram seus irmãos. Nenhum deles tinha um milionésimo da sua energia, vontade ou visão. O que iria acontecer com este país quando ele morresse? Vai ver, Ramfis nem era tão bom de cama como dizia a fama que os puxa-sacos lhe davam. Comeu a Kim Novak! Comeu a Zsa Zsa Gabor! Traçou Debra Paget e a metade de Hollywood! Grandes coisas. Dando Mercedes, Cadillacs e casacos de visom de presente, até o doido Valeriano comia a Miss Universo e Elizabeth Taylor. Coitado do Ramfis. Desconfiava que ele nem mesmo gostava muito de mulher. Gostava é das aparências, que dissessem que ele é o maior fodedor do país, melhor que Porfirio Rubirosa, o dominicano famoso no mundo inteiro pelo tamanho do pau e por suas proezas de garanhão internacional. Será que também jogava polo com seus filhos, lá em Bagatelle, o Grande Estuprador? A simpatia que ele sentia por Porfirio desde que este integrava o seu corpo de ajudantes de ordens, um sentimento que se conservou apesar do fracasso do seu casamento com a sua filha mais velha, Flor de Oro, melhorou o seu humor. Porfirio era ambicioso e comeu grandes mulheres, da francesa Danielle Darrieux à multimilionária Barbara Hutton, sem dar a elas sequer um buquê de flores; ao contrário, extorquindo-as, enriquecendo à custa delas.

    Encheu a banheira com sais e bolhas e mergulhou nela com a satisfação intensa de todas as manhãs. Porfirio sempre levou uma boa vida. Seu casamento com Barbara Hutton tinha durado um mês, o necessário para arrancar dela um milhão de dólares em dinheiro e outro em propriedades. Se Ramfis ou Radhamés pelo menos fossem como Porfirio! Aquele homem-piroca jorrava ambição. E, como todo vitorioso, tinha inimigos. Sempre vinham lhe fazer intrigas, recomendações de que tirasse Rubirosa da carreira diplomática porque seus escândalos manchavam a imagem do país. Invejosos. Que melhor propaganda podia haver para a República Dominicana que um pau assim. Desde que ele se casou com Flor de Oro, todos queriam que o Chefe arrancasse a cabeça daquele mulato fornicador que seduziu a sua filha, conquistando sua admiração. Não ia fazer isso. Ele conhecia os traidores, já os farejava antes que eles mesmos soubessem que iam trair. É por isso que ainda estava vivo, enquanto tantos judas apodreciam em La Quarenta, La Victoria, na ilha Beata, na barriga dos tubarões, ou engordavam os vermes da terra dominicana. Pobre Ramfis, pobre Radhamés. Ainda bem que Angelita tinha um pouco de caráter e permanecia ao seu lado.

Saiu da banheira e tomou uma chuveirada rápida. O contraste da água quente com a fria o estimulou. Agora sim estava com ânimo. Enquanto passava desodorante e talco, prestou atenção na Rádio Caribe que divulgava as ideias e lemas do "malvado inteligente", como ele chamava Johnny Abbes quando estava de bom humor.

Diziam impropérios contra "o rato de Miraflores", "a escória venezuelana", e o locutor, fazendo propositalmente uma voz de veado, afirmava que, além de matar de fome o povo venezuelano, o Presidente Rómulo Betancourt não dava muita sorte à Venezuela, pois viram como tinha explodido outro avião da Linha Aeropostal Venezuelana, deixando sessenta e dois passageiros mortos? Aquela bichona não ia se sair bem. Havia conseguido que a OEA impusesse as sanções, mas quem ri por último ri melhor. Nem o rato do Palácio de Miraflores, nem Muñoz Marín, o viciado de Porto Rico, nem Figueres, o pistoleiro costa-riquenho, o preocupavam. A Igreja, sim. Perón lhe avisara, quando partiu de Trujillo rumo à Espanha: "Tome cuidado com os padres, Generalíssimo. Quem me derrubou não foi a oligarquia nem os militares; foram os padrecos. Faça um pacto com a Igreja ou acabe com ela de uma vez." Mas não iriam derrubá-lo. Chateavam, isso sim. Desde aquele fatídico dia 25 de janeiro de 1960, há exatamente um ano e quatro meses, não tinham deixado de chatear um só dia. Cartas, memoriais, missas, novenas, sermões. Tudo o que os canalhas de batina faziam e diziam contra ele repercutia no exterior, e os jornais, rádios e televisões falavam de uma queda iminente de Trujillo, agora que "a Igreja lhe virou as costas".

  Vestiu a cueca, a camiseta e as meias, que Sinforoso deixara dobradas na véspera, perto do armário, ao lado do cabide onde estavam pendurados o terno cinza, a camisa branca e a gravata azul de bolinhas brancas que ia usar esta manhã. Em que será que o bispo Reilly no Santo Domingo empregava seus dias e suas noites? Estaria trepando com freiras? Elas eram horríveis, algumas tinham pelos no rosto. Ele se lembrava bem, Angelita estudara nesse colégio, o colégio das pessoas de bem. As suas netinhas também. Como essas freiras o bajulavam, até a Carta Pastoral. Talvez Johnny Abbes tivesse razão, já era hora de agir. Como os manifestos, artigos, protestos das rádios e da televisão, das instituições, do Congresso não haviam dado uma boa lição a essa gente, pau neles. Foi o povo que fez! Empurrou os guardas que protegiam os bispos estrangeiros, irrompeu em Santo Domingo e no bispado de La Vega, arrastou o gringo Reilly e o espanhol Panal pelos cabelos e os linchou. Vingou a ofensa que eles fizeram à pátria. Mandariam mensagens de pêsames e de desculpas ao Vaticano, ao Santo Padre João Babaca — Balaguer era um mestre para escrevê-las — e castigariam exemplarmente um punhado de culpados, escolhidos entre os criminosos comuns. Será que os outros corvos aprenderiam quando vissem os cadáveres dos bispos esquartejados pela ira popular? Não, não era o momento certo. Nada de dar pretextos para que Kennedy fizesse a vontade de Betancourt, Muñoz Marín e Figueres, e ordenasse um desembarque. Precisava manter a cabeça fria e agir com cautela, como um *marine*.

  Mas o que a razão lhe ditava não convencia as suas glândulas. Parou de se vestir, quase cego. A raiva subia em todos os pontos do seu corpo, um rio de lava se elevando até o cérebro, que parecia crepitar. De olhos fechados, contou até dez. A raiva fazia mal para o governo e para o seu coração, provocava infarto. Na outra noite, na Casa de Caoba, ele quase teve uma síncope. Mal foi se acalmando. Sempre soube controlá-la quando era preciso: disfarçar, mostrar-se cordial, afetuoso, com a pior escória humana, as viúvas, filhos ou irmãos dos traidores, se necessário. Por isso ia completar trinta e dois anos carregando o peso de um país nas costas.

Estava concentrado na complexa tarefa de prender as meias nas ligas, para que ficassem esticadas. Mas era agradável poder soltar a raiva quando isso não significava nenhum risco para o Estado, quando se podia dar a todos os ratos, sapos, hienas e víboras o tratamento que mereciam. As barrigas dos tubarões eram testemunhas de que ele não se privara desse prazer. Prova disso era o cadáver do pérfido galego José Almoina, lá no México. E o do basco Jesus de Galíndez, outra víbora que mordia a mão em que comia. E o de Ramón Marrero Aristy que, por ser escritor famoso, achou que podia dar ao *The New York Times* informações contra o governo que lhe pagava os porres, as edições e as putas. E os das três irmãzinhas Mirabal, que gostavam de brincar de comunistas e de heroínas, também eram testemunhos de que quando ele botava a raiva para fora não havia represa que a contivesse. Até Valeriano e Barajita, os maluquinhos de El Conde, podiam atestar isso.

Ficou com um sapato na mão, lembrando da célebre dupla. Uma verdadeira instituição na cidade colonial. Os dois moravam sob os loureiros do parque Colón, entre os arcos da catedral, e, na hora de maior movimento, apareciam nas portas das elegantes sapatarias e das joalherias chiques de El Conde fazendo o seu número de doidos para que as pessoas lhes dessem uma moeda ou alguma coisa de comer. Ele vira Valeriano e Barajita muitas vezes, com seus farrapos e seus enfeites absurdos. Quando Valeriano achava que era Cristo, vinha arrastando uma cruz; quando se julgava Napoleão, brandia um cabo de vassoura, berrava ordens e avançava contra o inimigo. Um *calié* de Johnny Abbes passou a informação de que o louco Valeriano andava ridicularizando o Chefe, chamando-o de Chapinha. Sentiu curiosidade. Foi espiar, num carro de vidros escuros. O velho, com o peito cheio de espelhinhos e tampas de cerveja, se pavoneava com um ar de palhaço, exibindo suas medalhas para uma roda de gente assustada, na dúvida entre rir ou fugir. "Aplaudam o Chapinha, seus babacas", gritava Barajita, apontando para o peito rutilante do louco. Ele então sentiu uma incandescência percorrer o corpo, cegando-o, urgindo-o a castigar aquele atrevido. Deu a ordem, na hora. Mas na manhã seguinte, pensando que, afinal de contas, os loucos não sabem o que fazem, e que, em vez de castigar Valeriano, devia era apanhar os engraçadinhos que tinham instruído a dupla, ordenou a Johnny Abbes, num amanhecer escuro como este: "Os loucos são loucos. Solte-os." O chefe do Serviço de Inteligência Militar fez uma careta: "Tarde demais, Excelência. Já os jogamos para os tubarões, ontem mesmo. Vivos, como o senhor mandou."

Levantou-se, já calçado. Um estadista não se arrepende das suas decisões. Ele nunca se arrependeu de coisa nenhuma. Também ia jogar vivos esses bispos para os tubarões. Começou a etapa da higiene matutina, que sempre fazia com verdadeiro deleite, lembrando um romance que leu quando jovem, o único que nunca esquecera: *Quo Vadis?* Uma história de romanos e cristãos, da qual sempre recordava a figura do refinado e riquíssimo Petrônio, Árbitro da elegância, ressuscitando toda manhã graças às massagens e abluções, unguentos, essências, perfumes e carícias das suas escravas. Se tivesse tempo, ele faria o mesmo que o Árbitro: passaria a manhã inteira nas mãos de massagistas, pedicures, manicures, cabeleireiros, lavadores, depois dos exercícios para trabalhar os músculos e ativar o coração. Mas só recebia uma massagem curta ao meio-dia, depois do almoço, e, com mais calma, aos domingos, quando podia roubar duas ou três horas às suas absorventes obrigações. Mas os tempos não eram ideais para relaxar com as sensualidades do grande Petrônio. Ele tinha que se contentar com estes dez minutos passando o perfumado desodorante Yardley que Manuel Alfonso lhe mandava de Nova York — coitado do Manuel, como estaria, depois da operação —, o suave creme hidratante francês Bienfait du Matin para o rosto e a água de colônia, com uma ligeira fragrância de milharal, também Yardley, que friccionou no peito. Depois de pentear-se e aparar as pontas do bigodinho fino que usava havia vinte anos, passou talco no rosto com esmero, até esconder, com uma delicadíssima nuvem esbranquiçada, a cor escura dos seus antepassados maternos, os negros haitianos, que ele sempre desprezara nas peles alheias e na própria.

Estava todo vestido, de paletó e gravata, seis minutos antes das cinco. Constatou isso com satisfação: nunca passava da hora. Aquilo era uma das suas superstições; se não entrasse no escritório às cinco em ponto, alguma coisa ruim aconteceria naquele dia.

Foi até a janela. Continuava escuro, como se ainda fosse meia-noite. Mas havia menos estrelas que uma hora antes, pare-

ciam acovardadas. O dia estava prestes a nascer e elas logo desapareceriam. Pegou uma bengala e foi até a porta. Quando a abriu, ouviu os calcanhares dos dois ajudantes de ordens:
— Bom dia, Excelência.
— Bom dia, Excelência.
Respondeu inclinando a cabeça. Com uma olhada, verificou que ambos estavam corretamente uniformizados. Ele não admitia relaxamento, desleixo, em nenhum oficial ou soldado raso das Forças Armadas, mas, no caso dos ajudantes de ordens, o corpo responsável pela sua guarda, um botão faltando, uma mancha ou dobra na calça ou na jaqueta, um quepe mal-colocado eram falhas muito graves, castigadas com vários dias de punição e, às vezes, expulsão e volta aos batalhões normais.

Uma brisa ligeira balançava as árvores da Estância Radhamés quando passou por elas, ouvindo o sussurro das folhas, e, no estábulo, ouviu outra vez o relincho de um cavalo. Johnny Abbes, relatório sobre o andamento da campanha, visita à Base Aérea de San Isidro, relatório de Chirinos, almoço com o *marine*, três ou quatro audiências, reunião com o secretário de Estado do Interior e Cultos, despacho com Balaguer, despacho com Cucho Álvarez Pina, o Presidente do Partido Dominicano, e passeio pelo *malecón*, depois de ver Mamãe Julia. Iria dormir em San Cristóbal, para esquecer o gosto amargo da outra noite?

Entrou em seu gabinete, no Palácio Nacional, quando o relógio marcava exatamente cinco horas. Na escrivaninha encontrou o café da manhã — suco de frutas, torradas com manteiga, café recém-coado —, com duas xícaras. E, em pé, a silhueta flácida do diretor do Serviço de Inteligência, o coronel Johnny Abbes García:
— Bom dia, Excelência.

III

— Ele não vem — exclamou, de repente, Salvador. — Outra noite perdida, vocês vão ver.
— Vem, sim — respondeu imediatamente Amadito, com impaciência. — Ele vestiu o uniforme verde-oliva. Os ajudantes receberam ordem de preparar o Chevrolet azul. Por que não acreditam em mim? Ele vem.

Salvador e Amadito, no banco de trás do carro estacionado em frente ao *malecón*, tiveram esse mesmo diálogo várias vezes, na meia hora em que estavam ali. Antonio Imbert, ao volante, e Antonio de la Maza, ao seu lado, com o cotovelo na janela, continuavam sem fazer qualquer comentário. Os quatro observavam com ansiedade os poucos veículos de Trujillo que passavam à sua frente, perfurando a escuridão com seus faróis amarelos, rumo a San Cristóbal. Nenhum deles era o Chevrolet 1957 azul-claro, com cortininhas nas janelas, que esperavam.

Estavam a algumas centenas de metros da Feira do Gado, onde havia vários restaurantes — o Pony, o mais popular, devia estar cheio de gente comendo churrasco — e alguns bares com música, mas o vento soprava para o leste e não chegava qualquer som de lá, embora se vissem as luzes, entre os troncos e as copas das palmeiras, ao longe. Em contraste, o barulho das ondas estourando no penhasco e o estrondo da ressaca eram tão fortes que eles precisavam falar em voz alta para se ouvir. O carro, de portas fechadas e faróis apagados, estava pronto para arrancar.

— Lembram quando estava na moda vir tomar ar fresco aqui neste *malecón*, sem ligar para os *caliés*? — Antonio Imbert pôs a cabeça para fora da janela e aspirou a brisa noturna a plenos pulmões. — Foi aqui que começamos a falar a sério deste assunto.

Nenhum dos outros respondeu logo, como se estivessem consultando a memória ou não houvessem prestado atenção no que ele disse.

— Sim, aqui, no *malecón*, há uns seis meses — disse Estrella Sadhalá, após uma pausa.

— Foi antes — murmurou Antonio de la Maza, sem se virar. — Quando mataram as irmãs Mirabal, em novembro, nós comentamos o crime aqui. Tenho certeza. E já fazia tempo que vínhamos ao *malecón* de noite.

— Parecia um sonho — divagou Imbert. — Difícil, longínquo. Era como essas fantasias que a gente tem na juventude, de que vai virar um herói, um explorador, um artista de cinema. Eu ainda não consigo acreditar que vai ser esta noite, porra.

— Se ele vier — resmungou Salvador.

— Aposto o que você quiser, Turco — repetiu Amadito, com firmeza.

— O que me faz duvidar é que hoje é terça-feira — grunhiu Antonio de la Maza. — Ele sempre vai a San Cristóbal às quartas, você que está na equipe de ajudantes de ordens sabe disso melhor do que ninguém, Amadito. Por que mudou o dia?

— Não sei por quê — insistiu o tenente. — Mas tem que ir hoje. Ele vestiu o uniforme verde-oliva. Pediu o Chevrolet azul. Tem que ir.

— Deve ter uma xoxota à sua espera na Casa de Caoba — disse Antonio Imbert. — Uma novinha, sem abrir.

— Se não for incômodo, prefiro falar de outra coisa — cortou Salvador.

— Eu sempre esqueço que não se pode falar de xoxota na frente de um beato como você — desculpou-se o homem que estava ao volante. — Digamos que ele tem um casinho em San Cristóbal. Posso falar assim, Turco? Ou também ofende os seus ouvidos apostólicos?

Mas ninguém ali estava com vontade de brincar. Nem o próprio Imbert; ele só falava para preencher de algum modo aquela espera.

— Atenção — exclamou De la Maza, esticando o pescoço.

— É um caminhão — replicou Salvador, dando uma rápida olhada nos faróis amarelos que se aproximavam. — Não sou beato nem fanático, Antonio. Sou apenas um praticante da minha fé, só isso. E, depois da Carta Pastoral dos bispos de 31 de janeiro do ano passado, orgulhoso de ser católico.

Era mesmo um caminhão. Passou rugindo e balançando uma carga alta de caixotes amarrados com cordas; o rugido foi se apagando, até desaparecer.

— E um católico não pode falar de xoxota mas pode matar, Turco? — provocou Imbert. Fazia isso com muita frequência: ele e Salvador Estrella Sadhalá eram os amigos mais íntimos do grupo; estavam sempre fazendo brincadeiras um com o outro, às vezes tão pesadas que os outros pensavam que iam acabar aos socos. Mas os dois nunca brigavam, sua fraternidade era inabalável. Esta noite, porém, o Turco não demonstrava um pingo de humor:

— Matar qualquer um, não. Acabar com um tirano, sim. Você já ouviu a palavra tiranicídio? Em casos extremos, a Igreja permite. Foi santo Tomás de Aquino quem escreveu isso. Sabe por que digo isso? Quando comecei a ajudar o pessoal do 14 de Junho e entendi que algum dia teria que apertar o gatilho, fui consultar nosso diretor espiritual, o padre Fortín. Um sacerdote canadense, de Santiago. Ele me arranjou uma audiência com monsenhor Lino Zanini, o núncio de Sua Santidade. "Seria pecado um fiel matar Trujillo, monsenhor?" O núncio fechou os olhos, refletiu. Eu poderia repetir suas palavras, com o sotaque italiano. E me mostrou a citação de santo Tomás, na *Suma teológica*. Se eu não a tivesse lido, não estaria aqui esta noite, com vocês.

Antonio de la Maza se virou para encará-lo:

— Você consultou isso com o seu diretor espiritual?

Estava com a voz alterada. O tenente Amado García Guerrero receou que fosse explodir num desses ataques que De la Maza vinha tendo desde que Trujillo mandou assassinar seu irmão Octavio, anos atrás. Um ataque como o que quase destruiu sua amizade com Salvador Estrella Sadhalá. Este o tranquilizou:

— Faz muito tempo, Antonio. Foi quando comecei a ajudar o pessoal do 14 de Junho. Você pensa que eu sou babaca a ponto de confiar uma coisa dessas a um pobre padre?

— Então explique por que você pode dizer babaca mas não pode bunda, xoxota nem foder, Turco — caçoou Imbert, de

novo tentando aliviar a tensão. — Afinal não são todos os palavrões que ofendem a Deus?
— Não são as palavras que ofendem a Deus, e sim os pensamentos obscenos — o Turco se resignou a entrar no jogo.
— Os babacas que perguntam babaquices talvez não ofendam. Mas devem ser um saco para ele.
— Você comungou esta manhã, para chegar ao grande momento com a alma consagrada? — continuou cutucando Imbert.
— Comungo todos os dias, há dez anos — afirmou Salvador. — Não sei se tenho a alma como um cristão deve ter. Só Deus sabe disso.
"Tem sim", pensou Amadito. De todas as pessoas que ele conheceu em seus trinta e um anos de vida, o Turco, casado com Urania Mieses, uma tia de Amadito de quem ele gostava muito, era a que mais admirava. Desde que era cadete, na Academia Militar Batalla de Las Carreras, dirigida pelo coronel José León Estévez (Peitinho), marido de Angelita Trujillo, ele costumava passar seus dias de folga na casa dos Estrella Sadhalá. Salvador se tornou uma pessoa muito importante em sua vida; ele lhe contava seus problemas, preocupações, sonhos, dúvidas, e pedia seu conselho antes de tomar qualquer decisão. Os Estrella Sadhalá fizeram uma festa para comemorar a formatura de Amadito, como espadim de honra — o primeiro, numa turma de trinta e cinco oficiais! —, com a presença de suas onze tias-avós maternas, e, anos mais tarde, também festejaram aquilo que o jovem tenente pensou que seria a melhor notícia da sua vida: a aceitação do seu pedido de admissão na unidade mais prestigiosa das Forças Armadas: os ajudantes de ordens, encarregados da segurança pessoal do Generalíssimo.
Amadito fechou os olhos e aspirou a brisa salgada que entrava pelas quatro janelas abertas do carro. Imbert, o Turco e Antonio de la Maza permaneciam calados. Ele conhecera Imbert e De la Maza na casa da rua Mahatma Gandhi, e o acaso fez com que fosse testemunha da briga entre o Turco e Antonio, tão violenta que pensou que iam sair tiros, e, meses depois, da reconciliação entre Antonio e Salvador em benefício de um mesmo propósito: matar o Bode. Quem poderia dizer a Amadito, naquele dia de 1959 em que Urania e Salvador lhe deram a festa

em que tantas garrafas de rum foram bebidas, que em menos de dois anos ele estaria, nesta noite morna e estrelada de terça-feira, dia 30 de maio de 1961, esperando ninguém menos que Trujillo para matá-lo. Quantas coisas tinham acontecido desde aquele dia, pouco depois de chegar ao número 21 da rua Mahatma Gandhi, quando Salvador pegou-o pelo braço e o levou para o canto mais escondido do jardim, com um ar grave.

— Preciso lhe dizer uma coisa, Amadito. Pelo afeto que sinto por você. Que todos nesta casa sentimos.

Falava tão baixo que o jovem esticou o pescoço para ouvi-lo.

— O que foi, Salvador?

— É que não quero prejudicar a sua carreira. Vindo aqui, você pode ter problemas.

— Que tipo de problemas?

A expressão do Turco, quase sempre calma, se crispou. Um brilho de alarme surgiu nos seus olhos.

— Estou colaborando com os rapazes do 14 de Junho. Se descobrirem, seria muito grave para você. Um oficial do corpo de ajudantes de ordens de Trujillo. Imagine!

O tenente nunca desconfiaria que Salvador era um conspirador clandestino, ajudando as pessoas a se organizarem para lutar contra Trujillo depois da invasão castrista do movimento 14 de Junho, em Constanza, Maimón e Estero Hondo, que custou tantas vidas. Sabia que o Turco detestava o regime e, embora Salvador e sua mulher se contivessem diante dele, algumas vezes haviam deixado escapar opiniões contra o governo. Logo depois se calavam, pois sabiam que Amadito, embora não tivesse interesse por política, professava, como qualquer oficial do Exército, uma lealdade canina, visceral, ao Chefe Máximo, Benfeitor e Pai da Pátria Nova, que presidia havia três décadas os destinos da República e as vidas e mortes dos dominicanos.

— Nem mais uma palavra, Salvador. Você já falou. Eu ouvi. E já esqueci do que ouvi. Vou continuar vindo aqui, como sempre. Esta é a minha casa.

Salvador o encarou com seu olhar limpo, que transmitia a Amadito uma sensação gratificante da vida.

— Então vamos tomar uma cerveja. Não há por que ficar triste.

E, naturalmente, as primeiras pessoas a quem apresentou sua noiva, quando se apaixonou e começou a pensar em casar, foram, depois da tia-avó Meca — sua preferida entre as onze irmãs da sua mãe —, Salvador e Urania. Luisita Gil! Sempre que se lembrava dela, o remorso torcia as suas tripas e a raiva o deixava transtornado. Puxou um cigarro e o pôs na boca. Salvador acendeu-o com seu isqueiro. A linda moreninha, a graciosa, a brejeira Luisita Gil. Após as manobras, ele tinha ido passear com dois colegas num barquinho a vela, em La Romana. No cais, duas garotas estavam comprando peixe fresco. Puxaram conversa e foram com elas ouvir a retreta municipal. As garotas os convidaram para um casamento. Só Amadito pôde ir, pois tinha o dia livre, os seus companheiros precisavam voltar para o quartel. Ele se apaixonou loucamente por uma moreninha espigada e espirituosa, de olhos faiscantes, que dançava o merengue como uma vedete da Voz Dominicana. E ela por ele. Na segunda saída, um cinema e uma boate, conseguiu beijá-la e acariciá-la. Ela era a mulher da sua vida, nunca mais poderia ficar com outra. O charmoso Amadito tinha dito estas mesmas coisas a muitas mulheres, desde os seus tempos de cadete, mas daquela vez era verdade. Luisa levou-o para conhecer sua família, em La Romana, e ele a convidou para almoçar na casa da tia Meca, em Trujillo, e, um domingo, à casa dos Estrella Sadhalá: estes ficaram encantados com Luisa. Quando Amadito contou que pretendia pedi-la em casamento, todos o animaram: era uma mulher encantadora. Pediu-a formalmente aos pais. Depois, cumprindo o regulamento, solicitou ao comando dos ajudantes de ordens autorização para se casar.

Foi o seu primeiro choque com uma realidade que até então, apesar dos seus vinte e nove anos, suas esplêndidas notas, seu magnífico prontuário de cadete e oficial, ele desconhecia totalmente. ("Como a maioria dos dominicanos", pensou.) A resposta ao seu pedido estava demorando. Explicaram que o corpo de ajudantes passava o caso para o SIM, para que este investigasse a pessoa. Em uma semana ou dez dias conseguiria a autorização. Mas a resposta não chegou nem em dez, nem em quinze, nem em vinte dias. No vigésimo primeiro dia, o Chefe chamou-o ao seu gabinete. Foi a única vez que trocou algumas palavras com o Benfeitor, apesar de ter estado tantas vezes ao seu lado em atos públicos, a primeira vez em que aquele homem que diariamente via na Estância Radhamés pôs os olhos nele.

O tenente García Guerrero ouvia falar desde criança, na sua família — principalmente o avô, o general Hermógenes García —, na escola e, mais tarde, já cadete e oficial, do olhar de Trujillo. Um olhar a que ninguém podia resistir sem baixar os olhos, intimidado, aniquilado pela força irradiada por aquelas pupilas perfurantes, que pareciam ler os pensamentos mais secretos, os desejos e apetites ocultos, que faziam as pessoas se sentirem nuas. Amadito ria de tanta bobagem. O Chefe era um grande estadista, cuja visão, vontade e capacidade de trabalho tinha feito da República Dominicana um grande país. Mas não era Deus. Seu olhar só podia ser o olhar de um mortal.

Foi só entrar no gabinete, bater os calcanhares e se anunciar, com a voz mais marcial que conseguiu tirar da garganta — "segundo-tenente García Guerrero, às ordens, Excelência!" —, para se sentir eletrizado. "Venha", disse a voz aguda do homem que, sentado no outro extremo da sala, atrás de uma escrivaninha forrada de couro vermelho, escrevia sem levantar a cabeça. O jovem deu alguns passos e permaneceu firme, sem mexer um músculo nem pensar, olhando os cabelos grisalhos penteados com esmero, o traje impecável — paletó e colete azul, camisa branca com colarinho imaculado e punhos engomados, gravata prateada presa com uma pérola — e uma das mãos segurando uma folha de papel que a outra cobria, em traços rápidos, de tinta azul. Na esquerda, chegou a ver o anel com a pedra preciosa furta-cor que, segundo os supersticiosos, era um amuleto que lhe fora dado na juventude — quando, como membro da Guarda Constabularia, perseguia os *gavilleros* revoltados contra o ocupante militar americano — por um bruxo haitiano que lhe garantiu que seria invulnerável ao inimigo enquanto não a tirasse.

— Uma boa folha de serviços, tenente — ouviu-o dizer.

— Muito obrigado, Excelência.

A cabeça prateada se mexeu e os olhos grandes, fixos, sem brilho e sem humor, procuraram os seus. "Eu nunca tinha sentido medo na vida", o rapaz confessou mais tarde a Salvador. "Até esse olhar pousar em mim, Turco. É verdade. Foi como se me escavasse a consciência." Houve um longo silêncio, enquanto aqueles olhos examinavam sua farda, suas correias, seus botões, sua gravata, seu quepe. Amadito começou a suar. Sabia que o menor descuido na indumentária provocava no Chefe um desagrado tal que podia fazê-lo irromper em violentas recriminações.

— Você não pode manchar esta folha de serviços tão boa se casando com a irmã de um comunista. No meu governo os amigos e inimigos não se juntam.

Falava com suavidade, sem tirar o olho perfurante de cima dele. Amadito pensou que a qualquer momento aquela vozinha esganiçada ia soltar uma nota estridente.

— O irmão da Luisa Gil é um dos subversivos do 14 de Junho. Você sabia?

— Não, Excelência.

— Agora sabe. — Limpou garganta e, sem alterar a voz, acrescentou: — Não faltam mulheres neste país. Arranje outra.

— Sim, Excelência.

Viu-o fazer um gesto de assentimento, dando por encerrada a entrevista.

— Com sua licença para me retirar, Excelência.

Juntou os calcanhares e bateu continência. Saiu com um passo marcial, escondendo a aflição que o dominava. Um militar obedecia ordens, principalmente se vinham do Benfeitor e Pai da Pátria Nova, que perdera alguns minutos do seu tempo para falar pessoalmente com ele. Se lhe deu essa ordem, a ele, oficial privilegiado, devia ser para o seu bem. Tinha que obedecer. E foi o que fez, apertando os dentes. A carta que escreveu a Luisa Gil não continha uma única palavra que não fosse verdade:

"Com grande pesar, e por mais que meus sentimentos sofram por isso, tenho que renunciar ao meu amor por você, e lhe dizer, com muita dor, que não podemos nos casar. Fui proibido pelos meus superiores, devido às atividades antitrujillistas do seu irmão, coisa que você me ocultou. Entendo por que fez isso. Mas, pela mesma razão, espero que você também entenda a difícil decisão que sou obrigado a tomar, contrariando a minha vontade. Sempre vou me lembrar de você com amor, mas não nos veremos mais. Desejo que você tenha boa sorte na vida. Não me guarde rancor".

Será que a bela, alegre, espigada garota de La Romana o perdoou? Embora nunca mais a tenha visto, não a substituiu no coração. Luisa se casou com um próspero agricultor de Puerto

Plata. Mas, se chegou a perdoá-lo pela ruptura, nunca teria perdoado a outra história, se chegasse a sabê-la. Ele tampouco jamais se perdoaria. Mesmo que, dentro de alguns minutos, tivesse aos seus pés o cadáver do Bode perfurado a balas — naqueles olhos frios de iguana queria meter as balas da sua arma —, nem assim se perdoaria. "Isso, pelo menos, Luisa nunca vai saber." Nem ela nem ninguém, além dos que arquitetaram a emboscada.

E, naturalmente, Salvador Estrella Sadhalá, a cuja casa da rua Mahatma Gandhi nº 21 o tenente García Guerrero chegou nessa madrugada, devastado pelo ódio, o álcool e o desespero, diretamente do bordel de Pucha Vittini, também conhecida como Pucha Brazobán, na parte alta da rua Juana Saltitopa, para onde o levaram, depois do que aconteceu, o coronel Johnny Abbes e o major Roberto Figueroa Carrión, para que esquecesse o mau pedaço com uns goles e uma bela bunda. "Mau pedaço", "sacrifício pela Pátria", "prova de força de vontade", "óbolo de sangue para o Chefe": todas essas coisas lhe disseram. Depois lhe deram parabéns por ter merecido a promoção. Amadito deu uma tragada no cigarro e o jogou na estrada: um minúsculo fogo de artifício ao bater no asfalto. "Se você não pensar em outra coisa, vai acabar chorando", disse para si mesmo, envergonhado com a ideia de que Imbert, Antonio e Salvador o vissem soluçando. Iam pensar que se acovardou. Apertou os dentes até doer. Nunca tivera tanta certeza de alguma coisa como tinha agora. Enquanto o Bode vivesse, ele não viveria, seria apenas o desespero ambulante que era desde aquela noite de janeiro de 1961, quando o mundo caiu e, para não dar um tiro na boca, correu para a rua Mahatma Gandhi nº 21 buscando refúgio na amizade de Salvador. Contou tudo. Não imediatamente. Porque, quando o Turco abriu a porta, surpreso com aquelas batidas ao amanhecer que tiraram ele, sua mulher e seus filhos da cama e do sono, e se deparou na entrada com a figura amarfanhada e fedendo a álcool de Amadito, este não conseguiu pronunciar uma palavra. Abriu os braços e apertou Salvador. "O que foi, Amadito? Quem morreu?" Levaram o rapaz para o quarto, puseram-no na cama, deixaram que ele desabafasse balbuciando incoerências. Urania Mieses lhe deu uma infusão de hortelã, fazendo-o beber aos golinhos, como uma criança.

— Não nos conte nada de que possa se arrepender — disse o Turco.

Por cima do pijama tinha vestido um quimono com ideogramas. Estava sentado numa quina da cama, olhando para Amadito com carinho.

— Vou deixar você e Salvador sozinhos. — Beijou-o na testa tia Urania, levantando-se. — Para conversarem com mais liberdade, para que você diga a ele o que não consegue me contar.

Amadito agradeceu. O Turco apagou a luz de cima. A cúpula do abajur da cabeceira tinha uns desenhos que o clarão da lâmpada avermelhava. Nuvens? Animais? O tenente pensou que, se começasse um incêndio, ele não se mexeria.

— Durma, Amadito. Com a luz do dia, as coisas vão parecer menos trágicas.

— Vai ser igual, Turco. Dia e noite continuarei sentindo nojo de mim mesmo. E pior ainda, quando passar o efeito da bebida.

Tudo começara ao meio-dia, no quartel-general dos ajudantes de ordens, contíguo à Estância Radhamés. Ele tinha acabado de voltar de Boca Chica, onde o major Roberto Figueroa, oficial de ligação do Chefe do Estado-Maior Conjunto com o Generalíssimo Trujillo, o mandara entregar um envelope lacrado ao general Ramfis Trujillo, na Base da Força Aérea Dominicana. O tenente entrou no gabinete do major para prestar contas da missão e este o recebeu com uma expressão marota. Mostrou-lhe uma pasta de capa vermelha que estava na mesa.

— Sabe o que há aqui?

— Uma semaninha de licença para ir à praia, major?

— Sua promoção a primeiro-tenente, rapaz! — comemorou o chefe, entregando-lhe a pasta.

— Fiquei de queixo caído, porque não era a minha vez. — Salvador não se mexia. — Ainda me faltam oito meses para pedir a promoção. Pensei: "Um prêmio de consolação, por ter me negado a autorização para casar."

Salvador, ao pé da cama, fez uma careta, constrangido.

— Você não sabia, Amadito? Seus companheiros, seus chefes, nunca lhe falaram da prova de lealdade?

— Achei que eram boatos — negou Amadito, com convicção, com fúria. — Juro. As pessoas não saem por aí se gabando dessas coisas. Eu não sabia. Tudo isso me pegou desprevenido.

Era verdade, Amadito? Mais uma mentira, mais uma mentira piedosa dessa fieira de mentiras que era a sua vida desde que você entrou na Academia Militar. Desde que nasceu, porque havia nascido quase ao mesmo tempo que a Era. Claro que você devia ter sabido, suspeitado; claro que, na Fortaleza de San Pedro de Macorís, e depois, entre os ajudantes de ordens, tinha ouvido, intuído, descoberto, a partir das brincadeiras, bravatas, gracinhas, fanfarronadas, que os privilegiados, os escolhidos, os oficiais que recebiam os postos de maior responsabilidade eram submetidos a uma prova de lealdade a Trujillo antes de ser promovidos. Ele sabia muito bem que aquilo existia. Mas, agora, o segundo-tenente García Guerrero também sabia que nunca quis se inteirar com muitos detalhes de que se tratava aquela prova. O major Figueroa Carrión apertou sua mão e repetiu uma coisa que, de tanto ouvir, ele havia acabado por acreditar:

— Você está fazendo uma grande carreira, rapaz.

Mandou que fosse buscá-lo em sua casa às oito da noite: iriam beber alguma coisa para festejar sua promoção e resolver um problema.

— Vá com o jipe — despediu-se o major.

Às oito, Amadito estava na casa do chefe. Este não o mandou entrar. Devia estar espiando pela janela, pois apareceu na porta antes de Amadito descer do jipe. Pulou para dentro do veículo e, sem responder à continência do tenente, ordenou, numa voz falsamente natural:

— Para La Cuarenta, Amadito.

— A prisão, major?

— Sim, La Cuarenta — repetiu o tenente. — Lá, você já sabe quem estava nos esperando, Turco.

— Johnny Abbes — murmurou Salvador.

— O coronel Abbes García — retificou, com surda ironia, Amadito. — O chefe do SIM, exatamente.

— Tem certeza de que você quer me contar isso, Amadito? — O jovem sentiu a mão de Salvador no seu joelho. — Não vai me odiar depois, por saber que eu também sei?

Amadito o conhecia de vista. Já o tinha visto deslizando como uma sombra pelos corredores do Palácio Nacional, descendo ou subindo do seu Cadillac blindado preto nos jardins da Estância Radhamés, entrando ou saindo do gabinete do Chefe, coisa que Johnny Abbes, e provavelmente ninguém mais em toda a nação, podia fazer — aparecer no Palácio Nacional ou na residência particular do Benfeitor a qualquer hora do dia ou da noite e ser imediatamente recebido —, e sempre, como muitos dos seus companheiros do Exército, da Marinha ou da Aeronáutica, sentira um secreto tremor revulsivo ante aquela figura flácida e mal-ajambrada no seu uniforme de coronel, a negação encarnada do porte, da agilidade, da marcialidade, da virilidade, da força e da atitude que os militares deviam demonstrar — como sempre dizia o Chefe em seus discursos para os soldados na Festa Nacional e no Dia das Forças Armadas —, aquele rosto bochechudo e fúnebre, com o bigodinho como Arturo de Córdova ou Carlos López Moctezuma, os atores mexicanos na moda, e uma papada de galo capão caindo do pescoço todo enrugado. Embora só confessassem isso na maior intimidade e depois de muitas doses de rum, os oficiais detestavam o coronel Johnny Abbes García porque ele não era um militar de verdade. Não havia conquistado seus galões como eles, estudando, passando pela academia e pelos quartéis, suando para subir na hierarquia, mas como pagamento por serviços certamente sujos, para justificar sua nomeação como todo-poderoso chefe do Serviço de Inteligência Militar. E desconfiavam dele, pelas sombrias façanhas que lhe eram atribuídas, os desaparecimentos, as execuções, as súbitas derrocadas de altos personagens — como a recentíssima, do senador Agustín Cabral —, as terríveis delações, infidelidades e calúnias que saíam toda manhã na coluna "Foro Público" do *El Caribe* e mantinham as pessoas na corda bamba, porque o destino delas dependia do que se falasse ali, as intrigas e operações contra, às vezes, gente apolítica, digna, cidadãos pacíficos que, por alguma razão, haviam caído nas infinitas redes de espionagem que Johnny Abbes García e seu multitudinário exército de *caliés* espalharam por todos os recantos da sociedade dominicana. Muitos oficiais — entre eles o tenente García Guerrero — se sentiam autorizados a desprezar, lá no fundo, esse indivíduo, apesar da confiança que o Generalíssimo depositava nele, porque pensavam, como muitos homens do governo e, parece, o próprio Ramfis Trujillo, que o coronel Abbes García, por sua desfaçatada crueldade, maculava o regime e dava razão aos seus críticos. No entanto, Amadito se lembrava bem de uma discussão em que o seu chefe imediato, o major Figueroa Carrión, após um jantar regado a cerveja com um grupo de ajudantes de ordens, saiu em defesa dele: "O coronel pode ser um demônio; mas é útil ao Chefe: tudo de ruim é atribuído a ele, e a Trujillo só o que é bom. Que favor melhor podia fazer? Para um governo durar trinta anos, é preciso ter um Johnny Abbes para enfiar a mão na merda. E o corpo e a cabeça também, se for necessário. É bom que ele se queime. Que concentre o ódio dos inimigos e, às vezes, dos amigos. O Chefe sabe disso, e por esta razão o mantém ao seu lado. Se o coronel não protegesse a sua retaguarda, talvez ele já tivesse sofrido o mesmo destino que Pérez Jiménez na Venezuela, Batista em Cuba e Perón na Argentina."

— Boa noite, tenente.
— Boa noite, coronel.

Amadito levou a mão ao quepe e bateu continência, mas Abbes García lhe estendeu a mão — uma mão mole como uma esponja, úmida de suor — e lhe deu um tapinha nas costas.

— Venham por aqui.

Junto à guarita onde se reunia meia dúzia de guardas, passando a grade da entrada, havia um quarto pequeno, que devia servir de escritório administrativo, com uma mesa e duas cadeiras. O lugar estava parcamente iluminado por uma única lâmpada, balançando na ponta de um fio comprido cheio de moscas; à sua volta zunia uma nuvem de insetos. O coronel fechou a porta, apontou para as cadeiras. Entrou um guarda com uma garrafa de Johnny Walker red label ("A marca que prefiro, porque esse Joãozinho Caminhante é meu xará", brincou o coronel), copos, um balde de gelo e várias garrafas de água mineral. Enquanto servia as doses, o coronel se dirigia ao tenente, como se o major Figueroa Carrión não estivesse ali.

— Parabéns pelo novo galão. E por sua folha de serviços, eu a conheço muito bem. O SIM recomendou sua promoção. Por seus méritos militares e cívicos. Vou lhe contar um segredo. O senhor foi um dos poucos oficiais que teve negada uma autorização para casar e obedeceu sem pedir reconsideração. Por isso o Chefe o premiou, adiantando sua promoção em um ano. Um brinde com Joãozinho Caminhante!

Amadito bebeu um longo gole. O coronel Abbes García tinha enchido o copo quase até a borda e acrescentado só um dedinho de água, de modo que o líquido desceu como uma descarga no cérebro.

— A essa altura, naquele lugar, com o Johnny Abbes lhe servindo uísque, você não adivinhou o que vinha a seguir? — murmurou Salvador. O jovem detectou a amargura empoçada nas palavras do amigo.

— Que aquilo ia ser duro e feio, sim, Turco — respondeu, tremendo. — Mas, nunca, o que estava para acontecer.

O coronel serve outra rodada. Os três estavam fumando, e o chefe do SIM falou da importância de não deixarem o inimigo interno se assanhar, esmagá-lo assim que tentasse agir.

— Porque, enquanto o inimigo interno for fraco e desunido, o que o inimigo externo fizer não tem importância. Os Estados Unidos podem chiar, a OEA pode espernear, a Venezuela e a Costa Rica podem rosnar, nada nos atinge. Aliás, tudo isso ajuda a unir os dominicanos como um só homem em torno do Chefe.

Tinha uma vozinha arrastada e fugia do olhar do interlocutor. Seus olhinhos pequenos, escuros, rápidos, evasivos, ficavam se mexendo continuamente, como se vissem coisas ocultas para os outros. De quando em quando, enxugava o suor com um grande lenço vermelho.

— Principalmente os militares. — Fez uma pausa, para jogar a cinza do cigarro no chão. — E, principalmente, a nata dos militares, tenente García Guerrero. À qual o senhor já pertence. O Chefe queria que ouvisse isto.

Fez uma nova pausa, bateu com o copo na mesa, bebeu um gole. Só então pareceu descobrir que o major Figueroa Carrión existia:

— O tenente sabe o que o Chefe espera dele?

— Não é preciso que ninguém lhe diga, ele é o oficial de melhor cabeça da turma. — O major tinha cara de sapo, e seus traços inchados tinham se acentuado e avermelhado com o álcool. Amadito teve a impressão de que aquele diálogo era uma comédia ensaiada. — Imagino que já sabe; senão, não merece a promoção.

Houve outra pausa, enquanto o coronel enchia os copos pela terceira vez. Pôs os cubos de gelo com a mão. "Saúde", e bebeu, e eles beberam. Amadito pensou que preferia mil vezes um gole de rum com Coca-cola a uísque, tão amargo. E só nesse momento entendeu aquela conversa de Joãozinho Caminhante. "Que burro, como não percebi", pensou. Como era esquisito aquele lenço vermelho do coronel! Tinha visto lenços brancos, azuis, cinza. Mas, vermelhos! Que ideia.

— O senhor vai ter cada vez mais responsabilidades — disse o coronel, com ar solene. — O Chefe quer ter certeza de que está à altura delas.

— O que devo fazer, coronel? — Tantos rodeios irritavam Amadito. — Sempre cumpri as ordens dos meus superiores. Nunca vou decepcionar o Chefe. É a prova da lealdade, certo?

O coronel, cabisbaixo, olhava para a mesa. Quando levantou o rosto, o tenente viu um brilho de satisfação naqueles olhos furtivos.

— É verdade, para um oficial com colhões, trujillista até a alma, não é preciso dourar a pílula. — Ficou em pé. — O senhor tem razão, tenente. Chega de baboseiras, vamos logo comemorar a sua promoção na casa da Puchita Brazobán.

— O que você tinha que fazer? — Salvador fazia um esforço para falar, com a garganta áspera e uma expressão abatida.

— Matar um traidor com minhas próprias mãos. Ele disse assim: "E sem tremer, tenente."

Quando chegaram ao pátio de La Cuarenta, Amadito sentiu as têmporas zumbindo. Junto ao bambuzal, ao lado do chalé transformado em prisão e centro de torturas do SIM, havia, próximo ao jipe em que viera, um outro, quase idêntico, com as luzes apagadas. No banco de trás, dois guardas com fuzis escoltavam um sujeito de mãos amarradas e com uma toalha cobrindo a boca.

— Venha comigo, tenente — disse Johnny Abbes, sentando-se ao volante do jipe onde estavam os guardas. —Siga-nos, Roberto.

Quando os dois veículos saíram da prisão e pegaram a estrada da costa, caiu uma tempestade e a noite se encheu de trovões e relâmpagos. A tromba d'água os deixou encharcados.

— É melhor que chova, mesmo que a gente se molhe — comentou o coronel. — Vai diminuir o calor. Os camponeses estavam ansiosos por um pouco de água.

Não lembrava de quanto tempo durou o trajeto, mas não deve ter sido longo porque, isto sim, lembrava que quando entrou no bordel da Pucha Vittini, depois de estacionar o jipe na rua Juana Saltitopa, o relógio de parede do vestíbulo marcava dez horas. Tudo aquilo, desde que apanhou o major Figueroa Carrión em casa, tinha durado menos de duas horas. Abbes García saiu da estrada e o jipe pulou e se sacudiu como se fosse se desintegrar no descampado cheio de pedras e capim alto que atravessava, seguido de perto pelo jipe do major, cujos faróis os iluminavam. Estava escuro, mas o tenente percebeu que iam ao lado do mar porque já se ouvia o estrondo das ondas quase dentro das orelhas. Achou que estavam contornando o pequeno porto de La Caleta. Assim que o jipe freou, parou de chover. O coronel pulou para fora e Amadito o imitou. Os dois guardas estavam bem treinados, pois, sem esperar ordens, desceram o prisioneiro aos empurrões. Sob a luz de um relâmpago, o tenente viu que o homem amordaçado estava descalço. Durante todo o trajeto havia mantido uma docilidade absoluta, mas, assim que pôs os pés no chão, parecendo finalmente tomar consciência do que ia acontecer, começou a se contorcer, a urrar, tentando tirar as ligaduras e a mordaça. Amadito, que até então evitara olhar para ele, viu os movimentos convulsos da sua cabeça, querendo libertar a boca, dizer algo, talvez pedir piedade, quem sabe amaldiçoá-los. "E se eu puxar o revólver, atirar no coronel, no major e nos dois guardas, e deixar que ele fuja?", pensou.

	— Em vez de um, haveria dois mortos no penhasco — disse Salvador.

	— Ainda bem que parou de chover — resmungou o major Figueroa Carrión, descendo. — Fiquei ensopado, porra.

	— Está com a sua arma aí? — perguntou o coronel Abbes García. — Não faça o pobre diabo sofrer mais.

	Amadito assentiu, sem dizer uma palavra. Deu alguns passos até ficar ao lado do prisioneiro. Os soldados o largaram e se afastaram. O sujeito não começou a correr, como Amadito pensou que faria. As pernas não deviam mais lhe obedecer, o medo o mantinha preso no capim e na lama desse descampado onde o vento soprava com força. Mas, embora não tentasse fugir, continuou mexendo a cabeça, com desespero, à direita e à esquerda, para cima e para baixo, numa tentativa inútil de se livrar da mordaça. Emitia um rugido entrecortado. O tenente García Guerrero encostou o cano do revólver em sua têmpora e disparou. O tiro o deixou surdo e o obrigou a fechar os olhos por um segundo.

— Acabe o serviço — disse Abbes García. — Nunca se sabe.

Amadito, inclinando-se, apalpou a cabeça do homem caído — estava imóvel e mudo — e voltou a atirar, à queima-roupa.

— Agora sim — disse o coronel, pegando-o pelo braço e empurrando-o para o jipe do major Figueroa Carrión. — Os guardas sabem o que têm que fazer. Vamos para a casa da Puchita, esquentar o corpo.

No jipe, guiado por Roberto, o tenente García Guerrero ficou calado, entreouvindo o diálogo entre o coronel e o major. Lembrava de uma coisa que disseram:

— Vão enterrá-lo lá mesmo?

— Vão jogá-lo no mar — explicou o chefe do SIM. — É a vantagem deste rochedo. Alto, reto como uma lâmina. Lá embaixo há uma entrada de mar, muito profunda, como um poço. Cheia de tubarões e de tintureiras esperando. Eles engolem qualquer coisa em segundos, é ver para crer. Não deixam rastros. Seguro, rápido, e também limpo.

— Você reconheceria esse rochedo? — perguntou Salvador.

Não. Só lembrava que, antes de chegar, haviam passado perto daquela pequena enseada, La Caleta. Mas não conseguia refazer todo o trajeto desde La Cuarenta.

— Vou lhe dar um sonífero. — Salvador pôs a mão em seu joelho de novo. — Para você dormir umas seis, oito horas.

— Ainda não terminei, Turco. Um pouquinho mais de paciência. Depois disso, você vai cuspir na minha cara e me enxotar da sua casa.

Foram para o bordel da Pucha Vittini, também chamada de Puchita Brazobán, uma casa velha com varandas e um jardim seco. Era um bordel frequentado por *caliés*, gente vinculada ao governo e ao SIM, para o qual, segundo boatos, também trabalhava aquela velha desbocada e simpática que era a Pucha, promovida a administradora e gerente de putas na hierarquia profissional depois de ela mesma ter exercido o ofício nos bordéis da rua Dos, desde muito jovem e com grande sucesso. Ela os recebeu na porta e cumprimentou Johnny Abbes e o major Figueroa Carrión como velhos amigos. Pegou no queixo de Amadito: "Gostosura!" Levou-os para o segundo andar e ofereceu uma mesinha ao lado do bar. Johnny Abbes lhe pediu que trouxesse o Joãozinho Caminhante.

— Só entendi que era o uísque depois de um bom tempo, coronel — confessou Amadito. — Johnny Walker. Joãzinho Caminhante. Facílimo, e eu nem percebi.

— Isto é melhor que um psiquiatra — disse o coronel.
— Sem o Joãozinho eu não conseguiria manter o equilíbrio mental, a coisa mais importante no meu trabalho. Para funcionar bem é preciso ter serenidade, sangue-frio e colhões de gelo. Não misturar nunca as emoções com o raciocínio.

Ainda não havia clientes, só um careca de óculos sentado no balcão, bebendo uma cerveja. Da pianola saía um bolero e Amadito reconheceu a voz densa de Toña, a Negra. O major Figueroa Carrión se levantou e foi tirar para dançar uma das mulheres que estavam cochichando num canto, embaixo de um grande cartaz de um filme mexicano com Liberdade Lamarque e Tito Guizar.

— Você tem nervos de aço — aprovou o coronel Abbes García. — Nem todos os oficiais são assim. Já vi muito valente que, na hora agá, se revela. Vi muitos se borrarem de medo. Porque, por incrível que pareça, para matar é preciso ter mais colhão que para morrer.

Serviu os copos e disse: "Saúde." Amadito bebeu, com avidez. Quantas doses? Três, cinco, logo perdeu a noção de tempo e de lugar. Além de beber, dançou com uma índia que acariciou e depois levou para um quartinho iluminado por uma lâmpada coberta de celofane vermelho, que balançava sobre uma cama com uma colcha colorida. Não conseguiu nada. "É porque estou bêbado demais, benzinho", desculpou-se. A verdadeira razão era o nó nas tripas, a lembrança do que tinha acabado de fazer. Afinal tomou coragem e foi dizer ao coronel e ao major que ia embora, porque estava enjoado depois de tanta bebida.

Os três foram até a porta. Lá estavam, à espera de Johnny Abbes, o seu Cadillac preto blindado, com o chofer, e um jipe

com uma escolta de guarda-costas armados. O coronel lhe deu a mão.
— Não tem curiosidade de saber quem era aquele?
— Prefiro não saber, coronel.

A cara molenga de Abbes García se abriu num risinho irônico, enquanto enxugava o rosto com o lenço cor de fogo:

— Assim é fácil, fazer essas coisas sem saber de quem se trata. Sem brincadeira, tenente. Quem cai na água é para se molhar. Era um sujeito do 14 de Junho, o irmão mais novo da sua ex-noiva, acho. Luisa Gil, não é? Bem, até qualquer hora, nós ainda vamos fazer muitas coisas juntos. Se precisar de mim, sabe onde me encontrar.

O tenente voltou a sentir a mão do Turco no joelho.

— É mentira, Amadito — quis animá-lo Salvador. — Pode ter sido qualquer outro. Ele o enganou. Para sacanear, para deixar você mais comprometido, mais escravizado. Esqueça o que ele disse. Esqueça o que você fez.

Amadito assentiu. Lentamente, apontou para o revólver na sua cartucheira.

— A próxima vez que eu atirar, vai ser para matar Trujillo, Turco — disse. — Você e Tony Imbert podem contar comigo para qualquer coisa. Não precisam mais mudar de assunto quando eu entrar nesta casa.

— Olhem, olhem lá, este vem direitinho — disse Antonio de la Maza, levantando o cano serrado à altura da janela, pronto para atirar.

Amadito e Estrella Sadhalá também empunharam as armas. Antonio Imbert ligou o motor. Mas o carro que vinha pelo *malecón* em sua direção, deslizando devagar, tateando, não era o Chevrolet, e sim um pequeno Volkswagen. Foi diminuindo a marcha, até descobri-los. Então, girou para o sentido contrário, onde eles estavam estacionados. Parou ao seu lado, de faróis apagados.

IV

— Não vai subir para vê-lo? — diz afinal a enfermeira.

Urania sabe que a pergunta está lutando para sair dos lábios da mulher desde que ela, ao entrar na casinha da rua César Nicolás Penson, em vez de pedir-lhe que a levasse ao quarto do senhor Cabral, foi para a cozinha e preparou um café. Já o está saboreando, devagar, há uns dez minutos.

— Primeiro vou terminar o meu café — responde, sem sorrir, e a enfermeira abaixa a vista, confusa. — Estou reunindo forças para subir essa escada.

— Sei que houve um distanciamento entre a senhora e ele, ouvi qualquer coisa a respeito — a mulher se desculpa, sem saber o que fazer com as mãos. — Era só por perguntar. Já dei o café da manhã ao senhor Cabral e o barbeei. Ele sempre acorda muito cedo.

Urania assente. Agora está calma e segura. Examina de novo as ruínas à sua volta. Além da pintura deteriorada das paredes, o tampo da mesa, a pia, o armário, tudo parece menor e torto. Seriam os mesmos móveis? Não reconheceu nada.

— Alguém vem visitá-lo? Da família, quero dizer.

— As filhas da senhora Adelina, a senhora Lucindita e a senhora Manolita, vêm sempre, por volta de meio-dia. — A mulher, alta, já bastante madura, de calça comprida embaixo do uniforme branco, em pé na porta da cozinha, não disfarça o mal-estar. — Sua tia vinha diariamente, antes. Mas, desde que quebrou o quadril, não sai mais.

Tia Adelina era bem mais nova que seu pai, devia ter uns setenta e cinco anos, no máximo. Então quebrou o quadril. Será que continuava tão beata? Era de comungar todo dia, naquela época.

— Ele está no quarto? — Urania toma o último gole de café. — Bem, onde mais pode estar. Não, não venha comigo.

Sobe a escada de corrimão desbotado e sem os vasos de flores que ela lembrava, ainda com a sensação de que a casa havia encolhido. Quando chega ao andar de cima, nota os ladrilhos lascados, alguns soltos. Naquele tempo, era uma casa moderna, próspera, mobiliada com bom gosto; agora está em decadência, é um barraco em comparação com as residências e condomínios que vira na véspera em Bella Vista. Para em frente à primeira porta — aqui era o seu quarto — e, antes de entrar, bate algumas vezes com os dedos.

É recebida por uma luz forte, que irrompe pela janela escancarada. O mormaço a deixa cega por alguns segundos; depois, vão se delineando a cama com uma colcha cinzenta, a cômoda antiga com seu espelho oval, as fotografias nas paredes — como terá conseguido a foto da sua formatura em Harvard? — e, por último, na velha poltrona de couro com um encosto alto e braços amplos, o velho de pijama azul e pantufas. Parece perdido no assento. Tinha encolhido, como a casa, e ficara todo enrugado. Um objeto branco atrai sua atenção, aos pés do pai: um penico, com urina até a metade.

Na época ele tinha cabelo preto, com alguns elegantes fios brancos nas têmporas; agora, os raros tufos em sua careca são amarelentos, encardidos. Seus olhos eram grandes, seguros de si, donos do mundo (quando o Chefe não estava por perto); ao passo que estas duas ranhuras que a fitam fixamente são pequeninas e assustadiças como olhinhos de rato. Antes ele tinha dentes, e agora não; devem ter tirado a dentadura postiça (ela pagara a conta alguns anos antes), pois os lábios estão afundados e as bochechas, franzidas até quase se tocarem. Havia definhado, seus pés mal tocam no chão. Antes, para olhá-lo, ela precisava erguer a cabeça e esticar o pescoço; agora, se ele ficasse em pé, chegaria ao seu ombro.

— Sou a Urania — murmura, aproximando-se. Senta na cama, a um metro do pai. — Você lembra que tem uma filha?

No velhinho se vê uma agitação interna, movimentos com as mãozinhas ossudas, pálidas, de dedos afilados, pousadas sobre as pernas. Mas aqueles olhinhos diminutos, embora não se afastem de Urania, continuam inexpressivos.

— Eu também não reconheço você — murmura Urania. — Não sei por que vim, o que estou fazendo aqui.

O velho começa a mexer a cabeça, de cima para baixo, de baixo para cima. Sua garganta emite um gemido áspero, prolongado, entrecortado, como um canto lúgubre. Mas poucos minutos depois se acalma, com os olhos ainda fixos nela.

— A casa estava cheia de livros. — Urania olha para as paredes nuas. — Onde estão? Você não pode mais ler, claro. Mas tinha tempo para ler, antes? Não me lembro de ter visto você lendo alguma vez. Era um homem muito ocupado. Eu também sou muito ocupada agora, tanto ou mais do que você naquela época. Dez, doze horas por dia no escritório ou visitando clientes. Mas reservo um tempo para ler um pouco todo dia. Cedinho, vendo o amanhecer entre os arranha-céus de Manhattan, ou à noite, espiando as luzes daquelas colmeias de vidro. Gosto muito. Aos domingos leio três ou quatro horas, depois de assistir a "Meet the Press" na televisão. É a vantagem de ter ficado solteira, papai. Você sabia, não? Sua filha ficou para titia. Você sempre falava das outras: "Que fracasso! Não arranjou marido!" Eu também não, papai. Melhor dizendo, não quis. Não me faltaram propostas. Na universidade. No Banco Mundial. No escritório. Imagine que às vezes ainda me aparece um candidato. Com quarenta e nove anos nas costas! Não é tão terrível ser solteirona. Por exemplo, tenho tempo para ler, em vez de ficar cuidando do marido e dos filhinhos.

Parece que ele entende e que, interessado, não se atreve a mexer um músculo para não interrompê-la. Está imóvel, seu peito pequeno bate num ritmo compassado, os olhinhos não saem dos seus lábios. Na rua, volta e meia passa um carro, e passos, vozes, pedaços de conversa se aproximam, sobem, descem e se perdem ao longe.

— Meu apartamento em Manhattan está cheio de livros — continua Urania. — Como esta casa, quando eu era criança. De direito, de economia, de história. Mas no meu quarto, só livros dominicanos. Depoimentos, ensaios, memórias, muitos livros de história. Adivinhe de que época. Da era Trujillo, que outra podia ser. A coisa mais importante que nos aconteceu em quinhentos anos. Você falava isso com tanta convicção. É verdade, papai. Naqueles trinta e um anos se cristalizou tudo de mau que nós vínhamos arrastando desde a conquista. Em alguns desses livros você aparece, como personagem. Secretário de Estado, senador, Presidente do Partido Dominicano. Há alguma coisa que você não tenha sido, papai? Eu me tornei especialista em Trujillo. Em vez de jogar bridge, golfe, andar a cavalo ou ir à ópera, meu *hobby* era informar-me sobre o que aconteceu naquele tempo. Pena que nós não possamos conversar. Quantas coisas você poderia esclarecer, você que viveu todos esses anos de braços dados com seu querido Chefe, que aliás pagou tão mal a sua lealdade. Por exemplo, eu gostaria que me esclarecesse se Sua Excelência também dormiu com a minha mãe.

Nota um sobressalto no velho. Seu corpo frágil, encolhido, deu um pulinho na poltrona. Urania adianta a cabeça e o observa. Será uma impressão falsa? Parece que ele está ouvindo, que faz esforços para entender o que diz.

— Você permitiu? Aceitou? Tirou proveito da situação para sua carreira?

Urania respira fundo. Examina o quarto. Há duas fotos, em molduras de prata, na mesinha de cabeceira. A da sua primeira comunhão, no ano em que sua mãe morreu. Talvez tenha partido deste mundo com a visão da sua filhinha envolta nos tules daquele vestido primoroso e com um olhar angelical. A outra foto é da mãe: mocinha, com o cabelo preto separado em duas bandas, as sobrancelhas depiladas, os olhos melancólicos e sonhadores. É uma velha foto amarelada, em mau estado. Ela vai até a mesinha, leva a foto aos lábios e a beija.

Ouve o carro frear na porta da casa. Seu coração dá um pulo; sem sair do lugar, pressente através das cortinas os cromados reluzentes, a carroceria polida, os reflexos relampejantes do veículo luxuoso. Sente os passos, a aldrava bate duas ou três vezes e — hipnotizada, apavorada, sem se mexer — ouve a empregada abrir a porta. Escuta, sem entender, o breve diálogo ao pé da escada. Seu coração vai explodir. Os nós dos dedos batendo na antecâmara. Novinha, índia, com uma touca na cabeça e a expressão assustada, a empregada aparece pela porta entreaberta:

— O Presidente veio visitá-la, senhora. O Generalíssimo, senhora!

— Diga a ele que sinto muito, mas não posso recebê-lo. Diga que a sra. Cabral não recebe visitas quando Agustín não está em casa. Vá, diga isso a ele.

Os passos da moça se afastam, tímidos, indecisos, pela escada cheia de vasos acesos de gerânios no corrimão. Urania recoloca na mesinha a foto da mãe, volta para a beira da cama. Encolhido na poltrona, o pai a olha assustado.

— Foi o que o Chefe fez com o secretário de Educação no começo do governo, você sabe disso muito bem, papai. Com o jovem sábio don Pedro Henríquez Ureña, refinado e genial. O Chefe foi visitar a esposa enquanto ele estava no trabalho. Ela teve a coragem de mandar dizer que não recebia visitas quando o marido não estava em casa. No começo da Era, ainda era possível uma mulher negar-se a receber o Chefe. Quando ela lhe contou tudo, don Pedro pediu demissão, foi embora e nunca mais pôs os pés nesta ilha. Graças a isso ficou tão famoso, como professor, historiador, crítico e filólogo, no México, na Argentina e na Espanha. Foi uma sorte o Chefe ter querido dormir com a esposa dele. Naqueles primeiros tempos, um ministro ainda podia renunciar sem sofrer um acidente, sem cair num precipício, ser esfaqueado por um louco ou comido pelos tubarões. Ele fez bem, não acha? Esse gesto salvou-o de acabar igual a você, papai. Você teria feito a mesma coisa, ou olhado para outro lado? Como o seu odiado e bom amigo, o seu detestado e querido colega, don Froilán, nosso vizinho. Lembra dele, papai?

O velhinho começa a tremer e a gemer, num cântico macabro. Urania espera que se acalme. Don Froilán! Ele vivia cochichando na sala, na varanda ou no jardim com o seu pai, a quem vinha ver várias vezes por dia nas épocas em que os dois eram aliados nas lutas internas das facções trujillistas, lutas que o Benfeitor atiçava para neutralizar os colaboradores, mantendo-os ocupadíssimos em proteger as próprias costas dos punhais desses inimigos que eram, para o público, seus amigos, irmãos e correligionários. Don Froilán morava naquela casa ali em frente, em cujo telhado, alinhados em posição de alerta, neste instante há meia dúzia de pombos. Urania vai até a janela. Também não mudou muito a casa desse poderoso senhor, também ministro, senador, prefeito, chanceler, embaixador e tudo o que se podia ser naquele tempo. Nada menos que secretário de Estado em maio de 1961, durante os grandes acontecimentos.

A casa ainda tem a fachada pintada de cinza e branco, mas também ficou nanica. Anexaram a ela uma nova ala de quatro ou cinco metros, que destoa do pórtico saliente e triangular, de palácio gótico, onde muitas vezes Urania viu, ao ir para o colégio, ou ao voltar, de tarde, a figura distinta da esposa de don Froilán. Assim que a via, ela chamava: "Urania, Uranita! Venha cá, deixe eu olhar para você, meu amor. Que olhos, menina! Linda como a sua mãe, Uranita." Acariciava seu cabelo com as mãos bem-cuidadas, de unhas compridas pintadas de vermelho intenso. Quando aqueles dedos deslizavam entre os seus cabelos e acariciavam o couro cabeludo, Uranita tinha uma sensação de adormecimento. Eugenia? Laura? Tinha nome de flor? Magnólia? Esqueceu. Mas não do seu rosto, da sua pele nívea, dos seus olhos sedosos, sua silhueta de rainha. Sempre parecia estar vestida de festa. Urania gostava dela, porque era muito carinhosa, porque lhe dava presentes, porque a levava para tomar banho de piscina no Country Clube e, principalmente, por ter sido amiga da sua mãe. Imaginava que, se não tivesse ido para o céu, sua mãe seria tão bonita e altiva como a esposa de don Froilán. Este, ao contrário, não tinha nada de bonito. Baixinho, careca, rechonchudo, nenhuma mulher daria um centavo por ele. Teria sido pela urgência de arranjar marido ou por interesse que ela aceitara aquele casamento?

É o que se pergunta ao abrir, deslumbrada, a caixa de chocolates embrulhada em papel laminado que a vizinha acaba de lhe dar, com um beijinho na bochecha, depois de aparecer na porta de casa e chamá-la — "Uranita! Venha cá, tenho uma surpresa para você, meu amor!" — quando a menina desceu da caminhonete do colégio. Urania entra na casa, beija a mulher — que está com um vestido de tule azul, sapatos de salto alto e maquiada como se fosse para um baile, com um colar de pérolas e joias nas mãos —, abre o pacote envolto em papel de presente e amarrado com uma fita rosa. Ainda está contemplando os bombons reluzentes, impaciente para comer um, mas não se atreve, não será falta de educação?, quando um carro para ali na rua, bem perto. A vizinha dá um pulo, como esses estranhos saltos que os cavalos dão de forma inesperada, como se tivessem ouvido uma ordem misteriosa. Ela ficou pálida e sua voz, peremptória: "Você tem que ir embora." A mão em seu ombro se crispa, aperta, empurra para a saída. Quando Urania, obediente, apanha a bolsa com os cadernos para sair, a porta se abre de par em par: a

silhueta avassaladora de um cavalheiro num terno escuro, com os punhos brancos bem-engomados e abotoaduras de ouro saindo das mangas do paletó, corta a sua passagem. Um senhor de óculos escuros que está em toda parte, inclusive na sua memória. Fica paralisada, boquiaberta, olhando, olhando. Sua Excelência lhe dá um sorriso tranquilizador.
— Quem é ela?
— Uranita, a filha de Agustín Cabral — responde a dona da casa. — Já está saindo.
E, de fato, Urania vai embora, sem conseguir se despedir, de tão impressionada. Atravessa a rua, entra em casa, sobe a escada e, no seu quarto, espia pelas cortinas, esperando, esperando o Presidente sair da casa em frente.
— E esta sua filha era tão ingênua que nem se perguntava o que o Pai da Pátria ia fazer lá quando don Froilán não estava em casa — seu pai, agora calmo, ouve, ou parece que ouve, sem mexer os olhos. — Tão ingênua que, quando você chegou do Congresso, fui correndo contar. Vi o Presidente, papai! Ele veio visitar a esposa de don Froilán, papai. A cara que você fez!
Era como se tivessem acabado de lhe informar a morte de alguém muito querido. Como se lhe houvessem diagnosticado um câncer. Estava congestionado, lívido, congestionado. E seus olhos passavam pelo rosto da menina uma e outra vez. Como explicar a ela? Como adverti-la do perigo que a família corria?
Os olhinhos do inválido querem se abrir mais, querem se arredondar.
— Filhinha, há coisas no mundo que você não sabe, que ainda não entende. Eu estou aqui para saber essas coisas por você e protegê-la. Você é a pessoa que eu mais amo no mundo. Não me pergunte por quê, mas tem que esquecer isso. Você não foi à casa de Froilán. Nem viu a mulher dele. E, muito menos, aquele que sonhou ver. É pelo seu bem, filhinha. E pelo meu. Nunca mais repita isso, não conte a ninguém. Promete? Nunca? A ninguém? Jura?
— E eu jurei — diz Urania. — Mas nem assim maliciei nada. Nem quando ele ameaçou os empregados, dizendo que se repetissem aquela invenção da menina iam perder o emprego. Eu era assim, ingênua. Quando descobri para que o Generalíssimo visitava suas esposas, os ministros não podiam mais fazer o

mesmo que Henríquez Ureña. Como don Froilán, tinham que aceitar os chifres. E, já que não havia alternativa, tirar proveito disso. Você também? O Chefe visitou minha mãe? Antes de eu nascer? Quando era pequena demais para lembrar? Ele fazia isso quando as esposas eram bonitas. Mamãe era muito bonita, não é mesmo? Não me lembro de tê-lo visto, mas pode ter vindo antes. O que minha mãe fez? Aceitou? Ficou alegre, orgulhosa com a honra? A regra era essa, não é mesmo? As boas dominicanas ficavam até gratas se o Chefe se dignava a comê-las. Acha isso uma vulgaridade? Mas era esse o verbo que o seu querido Chefe usava.

Sim, esse mesmo. Urania sabe, tinha lido na sua vasta bibliografia sobre a Era Trujillo, sempre cuidadoso, refinado, elegante ao falar — um encantador de serpentes, quando queria —, de repente, à noite, depois de tomar umas doses de *brandy* espanhol Carlos I, podia soltar as palavras mais chulas, falar como se fala nos engenhos de açúcar, nos barracões, entre os estivadores do porto às margens do Ozama, nos estádios ou nos bordéis, falar como os homens falam quando precisam se sentir mais machos do que são. Em certos momentos, o Chefe podia ser extremamente vulgar e repetir os sonoros palavrões da sua juventude, quando era capataz de fazenda em San Cristóbal ou guarda civil. Seus cortesãos os aplaudiam com o mesmo entusiasmo que aplaudiam os discursos que o senador Cabral e o Constitucionalista Bêbado escreviam para ele. Chegava a se gabar das "fêmeas que comeu", coisa que os cortesãos também aplaudiam, mesmo que isso os tornasse potenciais inimigos de dona María Martínez, a Excelsa Dama, e mesmo que as tais fêmeas fossem suas esposas, irmãs, mães ou filhas. Não era um exagero da ardente fantasia dominicana, irrefreável para aumentar as virtudes e os vícios e potencializar os episódios reais até torná-los fantásticos. Havia muitas histórias inventadas, aumentadas, coloridas pela vocação truculenta dos seus compatriotas. Mas a de Barahona deve ter sido verdadeira. Esta, Urania não leu, ela ouviu (sentindo nojo) de alguém que sempre esteve perto, pertíssimo, do Benfeitor.

— O Constitucionalista Bêbado, papai. Sim, o senador Henry Chirinos, o Judas que traiu você. Ouvi da sua própria boca. Você se surpreende por saber que estive com ele? Não tive escolha, como funcionária do Banco Mundial. O diretor me pediu que o representasse numa recepção do nosso embaixador. Melhor dizendo, o embaixador do Presidente Balaguer. Do governo democrático e civil do Presidente Balaguer. Chirinos se saiu melhor que você, papai. Ele tirou você do caminho, nunca caiu em desgraça com Trujillo e, no final, virou casaca e se ajeitou com a democracia, apesar de ter sido tão trujillista quanto você. Lá estava ele, em Washington, mais feio do que nunca, inchado como um sapo, recebendo os convidados e bebendo como uma esponja. Dando-se ao luxo de distrair os comensais com casos da Era Trujillo. Logo ele!

 O inválido fecha os olhos. Terá adormecido? Está com a cabeça apoiada no espaldar e a boquinha, aberta, toda franzida e vazia. Parece mais magro e vulnerável assim; pelo roupão entreaberto aparece um pedaço de peito liso, de pele branca, com os ossos marcados. Está respirando num ritmo regular. Só agora ela nota que o pai está sem meias; os peitos dos pés e os tornozelos parecem de criança.

 Não a reconheceu. Como poderia imaginar que aquela funcionária do Banco Mundial, que lhe transmite em inglês os cumprimentos do diretor, é filha do seu antigo colega e cupincha, Craninho Cabral? Urania dá um jeito de distanciar-se do embaixador depois daquele cumprimento protocolar, trocando banalidades com pessoas que também estão ali, como ela, obrigadas pelos seus cargos. Depois de algum tempo, resolve ir embora. Vai até a roda que circunda o embaixador da democracia, mas o que ele está dizendo a deixa paralisada. Pele cinzenta e cheia de espinhas, mandíbulas de fera apoplética, papada tripla, barriga elefântica quase arrebentando o terno azul, com colete estampado e gravata vermelha, tudo muito apertado, o embaixador Chirinos relata o que aconteceu em Barahona, na época final, quando Trujillo, numa das fanfarronadas que tanto apreciava, anunciou, para dar o exemplo e ativar a democracia dominicana, que ele, fora do governo (havia colocado o seu irmão Héctor Bienvenido, apelidado de Negro, como Presidente fantoche), iria candidatar-se, não à Presidência, mas a um obscuro governo de província. E como candidato da oposição!

 O embaixador da democracia arqueja, toma fôlego, examina com os olhinhos muito juntos o efeito das suas palavras. "Vejam bem, cavalheiros", ironiza: "Trujillo, candidato da oposição ao seu próprio regime!" Sorri e prossegue, contando que, nessa campanha eleitoral, don Froilán Arala, um dos braços direitos do Generalíssimo, fez um discurso exortando o Chefe a se candidatar, não ao governo provincial, mas ao que continuava sendo no coração do povo dominicano: Presidente da República. Todos pensaram que don Froilán seguia instruções do Chefe. Não era bem assim. Ou, pelo menos — o embaixador Chirinos bebe o último gole de uísque com um brilho malévolo nos olhos —, naquela noite não era mais assim, pois também podia ser que don Froilán tivesse feito o que o Chefe mandou e este depois tenha mudado de opinião e decidido manter a farsa por mais alguns dias. Às vezes agia assim, mesmo expondo ao ridículo os seus colaboradores mais talentosos. A cabeça de don Froilán Arala podia ostentar uma cornadura barroca, mas, também, miolos exímios. O Chefe o puniu por esse discurso hagiográfico como costumava fazer: humilhando-o onde mais podia doer, na sua honra de homem.

 Toda a sociedade local estava na recepção oferecida ao Chefe pela diretoria do Partido Dominicano de Barahona, no clube. Havia dança e bebida. O Chefe, muito alegre, já tarde da noite, diante de um vasto auditório de homens sós — militares da Fortaleza local, ministros, senadores e deputados que o acompanhavam, governadores e personalidades de destaque — que ele estivera distraindo com histórias da sua primeira campanha política, três décadas antes, de repente, com o olhar sentimental, nostálgico que costumava ter no final das festas, exclamou, parecendo ceder a um rompante de franqueza:

 — Eu sempre fui um homem muito amado. Um homem que teve nos braços as mulheres mais belas do país. Foram elas que me deram a energia para endireitá-lo. Sem elas, eu jamais teria feito tudo o que fiz. (Levantou o copo contra a luz, olhou o líquido, examinou sua transparência, a nitidez da sua cor.) Sabem qual foi a melhor, de todas as que comi? ("Perdoem, meus amigos, a rudeza do verbo", desculpou-se o diplomata, "mas estou citando Trujillo textualmente".) (Fez outra pausa, aspirou o aroma do copo de *brandy*. A cabeça prateada procurou e encontrou, no círculo de homens que estavam ali ouvindo, o rosto lívido e gorducho do ministro. E concluiu:) A mulher de Froilán!

Urania faz uma careta, tão enojada como aquela noite, ao ouvir o embaixador Chirinos acrescentar que don Froilán tinha sorrido heroicamente, rido e aplaudido junto com os outros a brincadeira do Chefe. "Branco como papel, ele não desmaiou, nem caiu fulminado por um ataque", detalhou o diplomata.

— Como era possível, papai? Que um homem como Froilán Arala, culto, preparado, inteligente, pudesse aceitar isso. O que Trujillo fazia com vocês? O que ele lhes dava, para fazer don Froilán, Chirinos, Manuel Alfonso, você, todos os seus braços direitos e esquerdos se transformarem em panos de chão?

Você não entende isso, Urania. Conseguira entender muitas coisas da Era; algumas, a princípio, pareciam inexplicáveis, mas, de tanto ler, ouvir, cotejar e pensar, você entendeu como tantos milhões de pessoas, acossadas pela propaganda, pela falta de informação, embrutecidas pela doutrinação, o isolamento, despojadas de livre-arbítrio, de vontade e até de curiosidade devido ao medo e à prática do servilismo e da obsequiosidade, chegaram a divinizar Trujillo. Não apenas a temê-lo, mas também a amá-lo, como os filhos amam os pais autoritários, convencidos de que as pancadas e castigos são para o seu próprio bem. O que você nunca entendeu é como os dominicanos mais bem-preparados, as cabeças pensantes do país, advogados, médicos, engenheiros, às vezes diplomados em excelentes universidades dos Estados Unidos ou da Europa, sensíveis, cultos, com experiência, leituras, ideias, supostamente um senso de ridículo bem-desenvolvido, sentimentos, pruridos, aceitaram ser humilhados de forma brutal (e todos o foram alguma vez), como fez aquela noite, em Barahona, don Froilán Arala.

— Pena que você não possa falar — repete, voltando para o presente. — Nós tentaríamos entender juntos. O que fez don Froilán conservar uma lealdade canina a Trujillo? Porque ele foi leal até o fim, como você. Não participou da conspiração, nem você. Continuou lambendo a mão do Chefe mesmo depois que ele se gabou, em Barahona, de ter comido sua mulher. Esse mesmo Chefe que o manteve viajando pela América do Sul, visitando governos, como chanceler da República, de Buenos Aires a Caracas, de Caracas ao Rio ou Brasília, de Brasília a Montevidéu, de Montevidéu a Caracas, só para continuar comendo com toda tranquilidade a nossa bela vizinha.

É uma imagem que persegue Urania há muito tempo, que lhe provoca riso e indignação. A do secretário de Estado de Relações Exteriores da Era Trujillo subindo e descendo de aviões, percorrendo as capitais sul-americanas, obedecendo às ordens peremptórias que o esperavam em cada aeroporto, de que continuasse aquela trajetória histérica, espicaçando governos com pretextos vazios. Só para não voltar a Trujillo, enquanto o Chefe dormia com sua mulher. O próprio Crassweller, o mais conhecido biógrafo de Trujillo, contava essas coisas, de modo que todos sabiam, don Froilán também.

— Valia a pena, papai? Era pelo prazer de desfrutar o poder? Às vezes penso que não, que subir na carreira era uma coisa secundária. Que, na verdade, você, Arala, Pichardo, Chirinos, Álvarez Pina, Manuel Alfonso gostavam mesmo era de se degradar. Que Trujillo encontrou no fundo da alma de vocês uma vocação masoquista, de gente que gostava de ser cuspida, maltratada, que só se realiza sentindo-se abjeta.

O inválido a encara sem piscar, sem mexer os lábios nem as diminutas mãozinhas que mantém sobre os joelhos. Parece uma múmia, um homenzinho embalsamado, um bonequinho de cera. Seu roupão está desbotado e, em certas partes, desfiado. Deve ser muito velho, de dez ou quinze anos atrás. Batem na porta. Ela diz "Pode entrar" e aparece a enfermeira, trazendo um pratinho com pedaços de manga cortados em forma de meia-lua e uma papa de maçã ou banana amassada.

— Eu sempre lhe trago um pouco de frutas no meio da manhã — explica, sem entrar. — O doutor diz que ele não deve ficar muitas horas de estômago vazio. Como quase não se alimenta, é preciso lhe dar alguma coisa três ou quatro vezes por dia. De noite, só um caldinho. Posso?

— Sim, venha.

Urania observa o pai, e seus olhos continuam fixos nela; não se desviam para a enfermeira nem quando esta, sentada à sua frente, começa a lhe dar colheradas da merenda.

— Onde está a dentadura dele?

— Tivemos que tirar. Como emagreceu muito, as gengivas sangravam. Pelas coisas que come, caldinhos, fruta cortada, purês e coisas batidas, não precisa dela.

Ficam em silêncio durante um bom tempo. Quando o inválido acaba de engolir alguma coisa, a enfermeira leva de novo a colher à sua boca e espera, paciente, que o velho a abra. Então, com delicadeza, lhe dá a colherada seguinte. Será que age sempre assim? Ou aquela delicadeza só se deve à presença da filha? Com certeza. Quando estão a sós, deve brigar com ele, beliscá-lo, como fazem as babás de crianças pequenas quando a mãe não está por perto.

— Dê um pouquinho a senhora — diz a enfermeira. — Ele vai gostar. Não é, don Agustín? Não quer que sua filha lhe dê a papinha? Sim, sim, ele vai gostar. Dê um pouquinho enquanto eu desço para buscar a água, que esqueci.

Põe o prato ainda com comida nas mãos de Urania, que o recebe de forma maquinal, e sai, deixando a porta aberta. Após alguns instantes de hesitação, Urania leva uma colher com uma fatia de manga à boca do velho. O inválido, que continua com os olhos fixos nela, fecha a boca, franzindo os lábios, como uma criança difícil.

V

— Bom dia — respondeu.

O coronel Johnny Abbes havia deixado na sua mesa o relatório de todas as madrugadas, com as ocorrências da véspera, as previsões e sugestões. Ele gostava de ler esses relatórios; o coronel não perdia tempo com baboseiras, como o chefe anterior do Serviço de Inteligência Militar, o general Arturo R. Espaillat, vulgo Navalhinha, formado na Escola Militar de West Point, que o aporrinhava com seus delírios estratégicos. Será que o Navalhinha trabalhava mesmo para a CIA? Haviam lhe garantido que sim. Mas Johnny Abbes não conseguiu confirmar. Se havia alguém que não trabalhava para a CIA, era o coronel: ele odiava os americanos.

— Café, Excelência?

Johnny Abbes estava fardado. Embora se esforçasse para usar uniforme com a correção que Trujillo exigia, não podia fazer mais do que o seu físico mole e desengonçado lhe permitia. Era mais baixo do que alto, sua barriguinha proeminente combinava com a papada dupla, acima da qual irrompia um queixo saliente, partido em dois por uma fenda profunda. Suas bochechas também eram flácidas. Só os olhinhos ágeis e cruéis revelavam a inteligência daquela nulidade física. Tinha trinta e cinco ou trinta e seis anos, mas parecia um velho. Não frequentara West Point ou qualquer outra escola militar, e nem teria sido aceito, pois carecia de físico e de vocação. Por sua falta de músculos, seu excesso de gordura e sua inclinação pela intriga, ele era o que o instrutor Gittleman chamava, quando o Benfeitor era *marine*, de "um sapo de corpo e alma". Trujillo o fez coronel da noite para o dia e ao mesmo tempo, em mais um dos atos impulsivos que marcaram a sua carreira política, decidiu nomeá-lo chefe do SIM para substituir o Navalhinha. Por que isso? Não pela sua crueldade; mas por sua frieza: ele era o ser mais glacial que Trujillo já vira nesse país cheio de pessoas com o corpo e a alma quentes. Tinha sido uma decisão feliz? Ultimamente, ele andara falhando. O fracasso do atentado contra o Presidente Betancourt não foi o único; ele também errou na suposta rebelião dos comandantes Eloy Gutiérrez Menoyo e William Morgan contra Fidel Castro, que deu ensejo a uma emboscada do barbudo para atrair exilados cubanos à ilha e capturá-los. O Benfeitor refletia, folheando o relatório enquanto tomava golinhos de café.

— O senhor insiste em tirar o bispo Reilly do Colégio Santo Domingo — murmurou. — Sente-se, tome um café.

— Com licença, Excelência.

A voz melódica do coronel vinha dos seus anos de juventude, quando era comentarista radiofônico de futebol, basquete e corridas de cavalo. Daquela época, só conservava o gosto por leituras esotéricas — ele se confessava rosa-cruz —, os lenços que mandava tingir de vermelho porque, dizia, era a cor da sorte para os arianos, e a capacidade de ver a aura das pessoas (bobagens que faziam o Generalíssimo rir). Sentou-se em frente à mesa do Chefe, com uma xícara de café na mão. Ainda estava escuro lá fora, e o gabinete meio em penumbras, iluminado apenas por uma lâmpada que emoldurava as mãos de Trujillo num círculo dourado.

— Temos que lancetar esse abscesso, Excelência. Nosso maior problema não é Kennedy, ele está muito ocupado com o fracasso da invasão a Cuba. É a Igreja. Se não acabarmos logo com essa quinta-coluna, vamos ter problemas. Reilly cai como uma luva para os que estão pedindo a invasão. A cada dia o enaltecem mais, enquanto pressionam a Casa Branca para que mande os *marines* salvar o pobre bispo perseguido. Kennedy é católico, não se esqueça.

— Somos todos católicos — suspirou Trujillo. E desmontou o argumento: — Pelo contrário, isso é uma razão para não encostar um dedo nele. Seria dar o pretexto que os gringos estão querendo.

Embora em certos momentos a franqueza do coronel chegasse a desagradar Trujillo, este a tolerava. O chefe do SIM tinha a ordem de empregar total sinceridade com ele, mesmo que esta fosse desagradável para os seus ouvidos. Navalhinha nunca se atreveu a usar essa prerrogativa como fazia Johnny Abbes.

— Não acho possível que haja uma mudança nas relações com a Igreja, o idílio de trinta anos se acabou — falava devagar, os olhinhos velozes dentro das órbitas, como que explorando o ambiente em busca de ciladas. — Ela declarou guerra a nós no dia 25 de janeiro de 1960, com a Carta Pastoral do Episcopado, e sua meta é acabar com o regime. Algumas concessões não vão satisfazer os padres. Eles nunca voltarão a apoiá-lo, Excelência. Da mesma forma que os americanos, a Igreja quer guerra. E nas guerras só há dois caminhos: render-se ou derrotar o inimigo. Os bispos Panal e Reilly estão em franca rebelião aberta.

O coronel Abbes tinha dois planos. No primeiro, usando como escudo os *paleros*, valentões armados com paus e facões sob o comando de Balá, um ex-presidiário a seu serviço, os *caliés* irromperiam simultaneamente, como grupos recalcitrantes desprendidos de uma grande manifestação de protesto contra os bispos terroristas, no bispado de La Vega e no Colégio Santo Domingo, e matariam os prelados antes que as forças da ordem os resgatassem. Essa fórmula era arriscada; podia desencadear a invasão. Tinha a vantagem de que a morte dos dois bispos paralisaria o resto do clero por um bom tempo. No outro plano, os guardas resgatavam Panal e Reilly antes de serem linchados pelo povo e o governo os expulsava para a Espanha e os Estados Unidos, argumentando que era a única maneira de garantir sua segurança. O Congresso aprovaria uma lei estabelecendo que todos os sacerdotes em atividade no país deviam ser dominicanos de nascimento. Os estrangeiros ou naturalizados seriam devolvidos aos respectivos países. Deste modo — o coronel consultou uma caderneta —, o clero católico se reduziria a um terço. A minoria de padrecos nativos seria manipulável.

Não disse nada quando o Benfeitor, que estava cabisbaixo, levantou a cabeça.

— Foi o que Fidel Castro fez em Cuba.

Johnny Abbes concordou:

— Lá, a Igreja também começou a organizar protestos e depois a conspirar, preparando o terreno para os americanos. Castro expulsou os padres estrangeiros e tomou medidas draconianas contra os que ficaram. O que aconteceu com ele? Nada.

— Ainda — corrigiu o Benfeitor. — A qualquer momento Kennedy vai desembarcar os *marines* em Cuba. E dessa vez o disparate que fizeram mês passado, na baía dos Porcos, não se repetirá.

— Nesse caso, o barbudo vai morrer lutando — disse Johnny Abbes. — Não é impossível que os *marines* também desembarquem aqui. E o senhor decidiu que nós também vamos morrer lutando.

Trujillo deu uma risadinha zombeteira. Se fosse preciso morrer lutando contra os *marines*, quantos dominicanos se sacrificariam por ele? Os soldados, sem dúvida. Eles demonstraram isso durante a invasão castrista de 14 de junho de 1959. Lutaram bem, liquidaram os invasores em poucos dias, nas montanhas de Constanza e nas praias de Maimón e Estero Hondo. Mas, contra os *marines*...

— Receio que não ficaria muita gente ao meu lado. A fuga dos ratos vai levantar poeira. O senhor, sim, não teria outro remédio senão cair comigo. Para qualquer lugar que for, terá que enfrentar a prisão ou o assassinato pelos inimigos que o senhor tem pelo mundo afora.

— Fiz esses inimigos defendendo o seu regime, Excelência.

— De todos meus colaboradores, o senhor é o único que não poderia me trair, nem se quisesse — insistiu Trujillo, divertido. — Sou a única pessoa com quem pode se abrir, a única que não o odeia nem quer matá-lo. Estamos casados até que a morte nos separe.

Voltou a rir, de bom humor, examinando o coronel como um entomólogo observa um inseto difícil de identificar. Diziam muitas coisas dele, principalmente em relação à sua crueldade. Isso era muito conveniente para alguém que ocupava aquele cargo. Diziam, por exemplo, que seu pai, um americano de origem alemã, um dia descobriu o pequeno Johnny, ainda de calças curtas, furando com alfinetes os olhos dos pintinhos do galinheiro. Que ele, quando era jovem, vendia para estudantes de Medicina cadáveres que roubava dos túmulos do Cemitério Independência. Que, embora fosse casado com Lupita, uma mexicana horrorosa e aguerrida que andava com uma pistola na bolsa, era veado. E até que era amante do meio-irmão do Generalíssimo, Nene Trujillo.

— O senhor conhece os boatos que correm por aí — disparou, olhando-o nos olhos e ainda rindo. — Alguns devem ser verdadeiros. O senhor brincava mesmo de furar os olhos das galinhas? Saqueava os túmulos do Cemitério Independência para vender os cadáveres?

O coronel esboçou um sorriso.

— A primeira coisa não deve ser verdade, não me lembro. A segunda é meia verdade. Não se tratava de cadáveres, Excelência. Eram ossos, caveiras, já meio desenterrados pelas chuvas. Para ganhar uns trocados. Agora dizem que, como chefe do SIM, estou devolvendo esses ossos.

— E essa história de ser veado?

Nem assim o coronel se alterou. Sua voz continuava demonstrando uma indiferença clínica.

— Nunca dei para isso, Excelência. Nunca dormi com homem.

— Bem, chega de bobagem — cortou Trujillo, ficando sério. — Não mexa com os bispos por enquanto. Depois, veremos, conforme as coisas transcorram. Se pudermos castigá-los, castigaremos. Mas, por ora, mantenha-os bem vigiados. Continue com a guerra de nervos. Não os deixe dormir nem comer tranquilos. Quem sabe eles resolvem ir embora.

Será que os dois bispos iam conseguir o que queriam e sair ilesos como aquele rato negro do Betancourt? Novamente, a raiva o dominou. Aquele animal de Caracas conseguira que a OEA punisse a República Dominicana, que todos os países rompessem relações diplomáticas e aplicassem sanções econômicas que estavam asfixiando o país. A cada dia, a cada hora, elas prejudicavam ainda mais uma economia que havia sido brilhante. E Betancourt, vivo, fazia o papel de porta-estandarte da liberdade mostrando na televisão as mãos queimadas, orgulhoso por ter sobrevivido àquele atentado estúpido, que nunca deveria ter sido confiado a esses militares venezuelanos idiotas. O próximo ficaria totalmente por conta do SIM. De forma técnica, impessoal, Abbes lhe explicou a nova operação, que culminaria com a poderosa explosão, acionada por controle remoto, do artefato comprado a preço de ouro na Tchecoslováquia que agora estava no consulado dominicano no Haiti. De lá, seria fácil transportá-lo para Caracas no momento oportuno.

Desde 1958, quando decidiu promovê-lo ao cargo atual, o Benfeitor despachava diariamente com o coronel, neste gabinete, na Casa de Caoba ou em qualquer outro lugar em que Trujillo estivesse, sempre à mesma hora. Como o Generalíssimo, Johnny Abbes nunca tirava férias. Quem primeiro falou dele com Trujillo foi o general Espaillat. O ex-chefe do Serviço de Inteligência surpreendeu o Chefe com uma informação precisa e pormenorizada sobre os exilados dominicanos no México: o que faziam, o que estavam tramando, onde moravam, onde se reuniam, quem os ajudava, que diplomatas visitavam.

— Quanta gente você infiltrou no México para estar tão bem-informado sobre esses vagabundos?

— Toda a informação vem de uma só pessoa, Excelência. — O Navalhinha fez um gesto de satisfação profissional. — Muito jovem. Johnny Abbes García. Talvez o senhor tenha conhecido o pai dele, um americano meio alemão que veio trabalhar na companhia de eletricidade e se casou com uma dominicana. O rapaz era jornalista esportivo e meio poeta. Comecei a usá-lo como informante infiltrado entre o pessoal do rádio e da imprensa, e nas reuniões da Farmácia Gómez, frequentadas por muitos intelectuais. Ele se saiu tão bem que o mandei para o México, com uma bolsa de estudos falsa. E, como vê, conquistou a confiança de todo mundo no exílio. Ele se dá bem com gregos e troianos. Não sei como faz, Excelência, mas no México acabou se aproximando até de Lombardo Toledano, o líder sindical esquerdista. A dona feia com quem ele se casou era secretária desse comunistão, imagine só.

Coitado do Navalhinha! Falando com esse entusiasmo, começava a perder a chefia desse Serviço de Inteligência para o qual fora preparado em West Point.

— Traga-o para cá, arranje um trabalho para ele num lugar onde eu possa observá-lo — ordenou Trujillo.

Foi assim que apareceu nos corredores do Palácio Nacional aquela figura desajeitada, perturbada, com olhinhos em perpétua agitação. Ocupou um cargo subalterno no setor de informações. Trujillo, a distância, o estudava. Desde muito jovem, em San Cristóbal, ele seguia as intuições que, após um simples olhar, uma conversa rápida ou uma mera referência, lhe davam a certeza de que essa pessoa podia ou não servir. Foi dessa maneira que escolheu um bom número de colaboradores, e não se arrependeu. Johnny Abbes García trabalhou várias semanas num escritório escuro, sob a direção do poeta Ramón Emilio Jiménez, escrevendo junto com Dipp Velarde Font, Querol e Grimaldi supostas cartas de leitores para a coluna "Foro Público" do *El Caribe*. Antes de submetê-lo a uma prova, Trujillo esperou, sem saber por quê, alguma indicação do acaso. O sinal veio da forma mais inesperada, no dia em que surpreendeu Johnny Abbes conversando num corredor do Palácio com um dos seus secretários de Estado. De que poderia estar falando o correto, beato e austero Joaquín Balaguer com o informante do Navalhinha?

— De nada em especial, Excelência — explicou Balaguer, durante a reunião ministerial. — Eu não conhecia esse jovem. Quando o vi tão concentrado na leitura, pois lia enquanto ia andando, senti curiosidade. O senhor conhece a minha paixão por livros. Tive uma surpresa. Ele não deve regular muito bem. Sabe o que é que o divertia tanto? Um livro de torturas chinesas, com fotos de decapitados e esfolados.

Nessa noite mandou chamá-lo. Abbes parecia tão embargado — de alegria, medo ou ambas as coisas — com aquela inesperada honra que as palavras quase não lhe saíam ao falar com o Benfeitor.

— Você fez um bom trabalho no México — disse este, com a vozinha esganiçada e cortante que também, como o seu olhar, exercia um efeito paralisante sobre os interlocutores. — Espaillat me informou tudo. Acho que você pode assumir tarefas mais sérias. Está disposto?

— O que Vossa Excelência mandar. — Continuava imóvel, de pés juntos, como um aluno diante do professor.

— Você conheceu José Almoina, no México? Um galego que veio para cá com os republicanos espanhóis exilados.

— Sim, Excelência. Bem, ele, só de vista. Mas conheci muitos outros membros do grupo com que se reúne, no Café Comercio. Os "espanhóis dominicanos", como eles mesmos se chamam.

— Esse sujeito publicou um livro contra mim, *Uma satrapia no Caribe*, financiado pelo governo guatemalteco. Assinou com o pseudônimo Gregorio Bustamante. Depois, para despistar, teve o descaramento de publicar outro livro, na Argentina, este sim com o próprio nome, *Eu fui secretário de Trujillo,* colocando-me nas nuvens. Como já se passaram vários anos, ele se sente a salvo lá no México. Pensa que eu já esqueci que difamou a minha família e o regime que lhe deu de comer. Essas penas não prescrevem. Quer se encarregar?

— Seria uma grande honra, Excelência — respondeu imediatamente Abbes García, com uma segurança que não havia demonstrado até aquele momento.

Tempos depois, o ex-secretário do Generalíssimo, tutor de Ramfis e escriba de dona María Martínez, a Excelsa Dama, morria baleado na capital mexicana. Houve a gritaria de praxe dos exilados e da imprensa, mas ninguém conseguiu provar, como diziam aqueles, que o assassinato havia sido fabricado pelo "longo braço de Trujillo". Uma operação rápida, impecável e que só lhe custou mil e quinhentos dólares, segundo a conta que Johnny Abbes García lhe apresentou na sua volta do México. O Benfeitor o incorporou ao Exército com o posto de coronel.

A eliminação de José Almoina foi apenas uma da longa sequência de brilhantíssimas operações realizadas pelo coronel, que mataram ou deixaram aleijados ou gravemente feridos dúzias de exilados, entre os mais barulhentos, em Cuba, no México, Guatemala, Nova York, Costa Rica e Venezuela. Serviços velozes e limpos, que impressionaram o Benfeitor. Cada um deles, uma pequena obra-prima pela destreza e o sigilo, um trabalho de relojoaria. Na maior parte das vezes, além de acabar com o inimigo, Abbes García também conseguia destruir sua reputação. O sindicalista Roberto Lamada, refugiado em Havana, morreu em consequência de uma surra que levou, num prostíbulo do bairro Chinês, de uns cafetões que depois o acusaram à polícia de ter tentado esfaquear uma prostituta que se negou a submeter-se às perversões sadomasoquistas que o exilado exigia; a mulher, uma mulata com cabelo tingido de ruivo, apareceu toda chorosa nas revistas *Carteles* e *Bohemia*, mostrando as feridas que o degenerado lhe fizera. O advogado Bayardo Cipriota morreu em Caracas, numa briga de veados: apareceu apunhalado num hotel de quinta categoria, de calcinha e sutiã e com a boca cheia de batom. O legista declarou que tinha esperma no ânus. Como fazia o coronel Abbes para entrar em contato tão rápido, em cidades que mal conhecia, com essa fauna da ralé, pistoleiros, valentões, traficantes, arruaceiros, prostitutas, cafetões e pivetes que sempre intervinham nessas operações de página policial tingida de sangue, que caíam nas graças da imprensa sensacionalista, em que os inimigos do regime apareciam envolvidos? Como conseguiu montar, em quase toda a América Latina e nos Estados Unidos, uma rede tão eficiente de informantes e homens de ação gastando tão pouco dinheiro? O tempo de Trujillo era precioso demais para ser desperdiçado com pormenores. Mas, a distância, ele admirava, como um bom conhecedor admira uma joia preciosa, a sutileza e a originalidade de Johnny Abbes García para livrar o regime dos seus inimigos. Os grupos de exilados e os governos adversários nunca conseguiram estabelecer qualquer vínculo entre esses acidentes e acontecimentos horrendos e o Generalíssimo. Uma das suas mais perfeitas realizações foi o caso de Ramón Marrero Aristy, autor de *Over*, um romance sobre os trabalhadores de cana-de-açúcar de La Romana conhecido em toda a América Latina. Ex-diretor de *La Nación*, um jornal freneticamente trujillista, Marrero foi secretário de Trabalho em 1956, e em 1959 ocupava o cargo pela segunda vez quando começou a passar informações ao jornalista Tad Szulc, para que este jogasse lama no regime em seus artigos no *The New York Times*. Quando foi descoberto, mandou cartas ao jornal americano pedindo uma retificação. E chegou ao gabinete de Trujillo com o rabo entre as pernas, arrastando-se pelo chão, chorando, pedindo perdão, jurando que nunca o havia traído e nunca o trairia. O Benfeitor ouviu tudo sem abrir a boca e depois, friamente, o esbofeteou. Marrero, que estava suando, tentou pegar um lenço e o chefe dos ajudantes de ordens, o coronel Guarionex Estrella Sadhalá, matou-o com um tiro ali mesmo, no gabinete. Abbes García foi encarregado de concluir a operação, e menos de uma hora depois um carro caía — diante de testemunhas — por um precipício na cordilheira Central, quando viajava para Constanza; Marrero Aristy e seu motorista ficaram irreconhecíveis depois do impacto. Não era óbvio que o coronel Johnny Abbes García devia substituir o Navalhinha à frente do Serviço de Inteligência? Se ele estivesse dirigindo esse organismo durante o sequestro de Galíndez em Nova York, dirigido por Espaillat, provavelmente não aconteceria aquele escândalo que causou tanto estrago à imagem internacional do regime.

Trujillo apontou para o relatório que estava na mesa com um ar de desprezo:

— Mais uma conspiração para me matar, com Juan Tomás Díaz na cabeça? Também organizada pelo cônsul Henry Dearborn, o babaca da CIA?

O coronel Abbes García saiu da sua inércia para ajeitar melhor as nádegas na cadeira.

— É o que parece, Excelência — confirmou, sem dar importância ao assunto.

— Engraçado — interrompeu Trujillo. — Eles romperam as relações conosco, para cumprir a resolução da OEA. E retiraram daqui os diplomatas, mas deixaram Henry Dearborn e seus agentes, para continuar tramando complôs. Você tem certeza de que Juan Tomás está conspirando?

— Não, Excelência, só indícios vagos. Mas desde que o senhor o demitiu, o general Díaz virou um poço de ressentimento, e por isso o vigio de perto. Ele faz as tais reuniões na sua casa em Gazcue. De um ressentido, sempre se deve esperar o pior.

— Não foi por causa da demissão — comentou Trujillo, em voz alta, como se estivesse falando consigo mesmo. — Foi porque eu o chamei de covarde. Porque lembrei que ele tinha desonrado o uniforme.

— Eu estava nesse almoço, Excelência. Pensei que o general Díaz ia se levantar e sair. Mas ele se aguentou, lívido, suando. Saiu tropeçando como um bêbado.

— Juan Tomás sempre foi muito orgulhoso, precisava de uma lição — disse Trujillo. — O comportamento dele, em Constanza, foi típico de um fraco. Eu não admito generais fracos nas Forças Armadas dominicanas.

O incidente havia ocorrido alguns meses depois de derrotada a invasão de Constanza, Maimón e Estero Hondo, quando todos os membros da expedição — na qual, além de dominicanos, havia cubanos, americanos e venezuelanos — já estavam mortos ou presos, aqueles dias de janeiro de 1960 em que o regime descobriu uma vasta rede de opositores clandestinos que, em homenagem à invasão, se chamava 14 de Junho. Essa rede era integrada por estudantes e profissionais liberais jovens, das classes média e alta, muitos deles pertencentes a famílias próximas ao regime. No meio da operação de limpeza dessa organização subversiva, na qual as três irmãs Mirabal e seus maridos eram muito ativos — esta simples lembrança embrulhava o estômago do Generalíssimo —, Trujillo convocou para um almoço no Palácio Nacional umas cinquenta figuras militares e civis do regime para punir o seu amigo de infância, companheiro de carreira militar, que tinha ocupado os mais altos cargos nas Forças Armadas durante a Era e a quem destituíra do comando da Região de La Vega, que incluía Constanza, quando os últimos focos de invasores espalhados por aquelas montanhas ainda não haviam sido exterminados. Desde então o general Tomás Díaz pedia em vão uma audiência com o Generalíssimo. Deve ter se surpreendido ao receber o convite para um almoço, depois que sua irmã Gracita se asilou na embaixada do Brasil. O Chefe não o cumprimentou nem lhe dirigiu a palavra durante a refeição, e nem sequer olhou para o canto da longa mesa onde o general Díaz foi colocado, bem longe da cabeceira, como indicação simbólica de que caíra em desgraça.

Quando estavam servindo o café, de repente, acima do zumbido das conversas que circulavam sobre a longa mesa, os mármores das paredes e os cristais do lustre aceso — a única mulher era Isabel Mayer, a caudilha trujillista do noroeste —, a vozinha aguda que todos os dominicanos conheciam se fez ouvir, no tom incisivo que pressagiava tempestade:

— Não é surpreendente, senhores, a presença nesta mesa, entre os mais destacados militares e civis do regime, de um oficial destituído do seu comando por não ter estado à altura das responsabilidades no campo de batalha?

Silêncio. A meia centena de cabeças que bordeava o imenso quadrilátero de toalhas bordadas ficou imóvel. O Benfeitor não olhava para o lado do general Díaz. Seu rosto passava em revista os outros comensais, um por um, com uma expressão de surpresa, os olhos arregalados e os lábios abertos, pedindo aos convidados uma ajuda para decifrar o mistério.

— Sabem de quem estou falando? — continuou, depois dessa pausa teatral. — O general Juan Tomás Díaz, chefe da Região Militar de La Vega durante a invasão cubano-venezuelana, foi demitido em plena guerra, por comportamento indigno frente ao inimigo. Em qualquer outro lugar, uma atitude dessas seria punida com julgamento sumário e fuzilamento. Na ditadura de Rafael Leonidas Trujillo Molina, esse general covarde é convidado para almoçar no Palácio com a elite do país.

Disse a última frase bem lentamente, quase soletrando as palavras, para reforçar o sarcasmo.

— Permita-me, Excelência — balbuciou, com um esforço sobre-humano, o general Juan Tomás Díaz. — Mas devo dizer que quando fui demitido os invasores já haviam sido derrotados. Eu cumpri o meu dever.

Era um homem forte e corpulento, mas tinha diminuído na cadeira. Estava muito pálido, e sua boca salivava descontroladamente. Olhava para o Benfeitor, mas este, como se não o tivesse visto nem ouvido, passava a vista outra vez pelos convidados, com uma nova arenga:

— E não apenas foi convidado para vir ao Palácio. Passou para a reserva com o soldo completo e todas as prerrogativas de general de três estrelas, para poder descansar com a consciência do dever cumprido. E desfrutar, nas suas fazendas de gado, em companhia de Chana Díaz, sua quinta esposa, que também é sua sobrinha de primeiro grau, de um merecido repouso. Que melhor prova de magnanimidade desta ditadura sanguinária?

Quando acabou de falar, a cabeça do Benfeitor havia terminado de percorrer a mesa. Agora sim, parou no canto onde estava o general Juan Tomás Díaz. O rosto do Chefe não era mais irônico, melodramático, como até pouco antes. Estava transfigurado por uma seriedade mortal. Seus olhos tinham a expressão sombria, perfurante, implacável, que ele usava para lembrar a todos quem mandava neste país e nas vidas dominicanas. Juan Tomás Díaz abaixou a vista.

— O general Díaz se negou a executar uma ordem minha e sentiu-se autorizado a repreender um oficial que a estava cumprindo — disse, lentamente, com desprezo. — Em plena invasão. Quando os inimigos armados por Fidel Castro, Muñoz Marín, Betancourt e Figueres, essa corja de invejosos, tinham desembarcado cuspindo fogo e assassinando soldados dominicanos, decididos a arrancar a cabeça de todos os que estão em volta desta mesa. Foi então que o chefe militar de La Vega descobriu que era um homem piedoso. Um homem delicado, inimigo das emoções fortes, que não podia ver sangue. E se sentiu autorizado a desacatar a minha ordem de fuzilar sumariamente a todo e qualquer invasor capturado de fuzil na mão.

E a insultar um oficial que, obedecendo ao comando, lutava contra aqueles que vieram instalar uma ditadura comunista no país. O general se sentiu autorizado, num momento de perigo para a Pátria, a semear a confusão e debilitar a moral dos nossos soldados. Por isso, ele não faz mais parte do Exército, embora ainda use farda.

Calou-se, para beber um gole de água. Mas depois, em vez de prosseguir, se levantou de maneira totalmente abrupta e se despediu, dando por encerrado o almoço: "Boa tarde, senhores."

— Juan Tomás nem tentou sair dali, porque sabia que não chegaria vivo até a porta — disse Trujillo. — Bem, em que conspiração ele andará metido.

Nada de muito concreto, na verdade. Em sua casa de Gazcue, já fazia algum tempo, o general Díaz e sua esposa Chana recebiam muitas visitas. O pretexto era ver filmes, a que assistiam no pátio, ao ar livre, com um projetor operado pelo genro do general. Estranha mistura, os convidados. De destacados homens do regime, como o sogro e irmão do dono da casa, Modesto Díaz Quesada, até ex-funcionários afastados do governo, como Amiama Tió e Antonio de la Maza. O coronel Abbes García havia transformado um dos empregados em *calié*, um par de meses antes. Mas este só detectou que os patrões, enquanto viam os filmes, falavam sem parar, como se estes só servissem para abafar as conversas. Enfim, essas reuniões, em que se falava mal do regime entre um gole e outro de rum ou de uísque, não eram dignas de se levar em conta. Mas ontem o general Díaz teve um encontro secreto com um emissário de Henry Dearborn, o suposto diplomata ianque que, como Sua Excelência sabia, era o chefe da CIA em Trujillo.

— Deve ter pedido um milhão de dólares pela minha cabeça — comentou Trujillo. — O gringo deve estar até tonto com tanto babaca pedindo ajuda econômica para acabar comigo. Onde foi que se encontraram?

— No Hotel El Embajador, Excelência.

O Benfeitor refletiu, por alguns instantes. Juan Tomás seria capaz de organizar alguma coisa séria? Vinte anos antes, talvez. Na época era um homem de ação. Depois, caiu na gandaia. Gostava demais de bebida e briga de galo, de comer, divertir-se com os amigos, casar e descasar, para assumir os riscos de tentar derrocá-lo. Os gringos estavam comprando gato por lebre. Ele não precisava se preocupar.

— Certo, Excelência, acho que por enquanto não há perigo com o general Díaz. Estou seguindo seus passos. Sabemos quem o visita e quem ele visita. O telefone está grampeado.

Mais alguma coisa? O Benfeitor deu uma olhada pela janela: continuava tão escuro como antes, embora já fossem quase seis da manhã. Mas não reinava mais o silêncio. Ao longe, na periferia do Palácio Nacional, separado das ruas por uma vasta esplanada com grama e árvores cercada por uma alta grade pontiaguda, vez por outra passava um carro buzinando e, dentro do edifício, já se ouviam os funcionários da limpeza, lavando, varrendo, encerando, espanando. Os escritórios e corredores já estariam limpos e brilhantes quando ele fosse atravessá-los. Esta ideia lhe deu uma sensação de bem-estar.

— Desculpe a insistência, Excelência, mas eu gostaria de restabelecer o seu esquema de segurança. Na avenida Máximo Gómez e no *malecón*, enquanto o senhor faz o seu passeio. E na estrada, quando vai para a Casa de Caoba.

Dois meses antes ele havia ordenado, de forma imprevista, que retirassem a segurança. Por quê? Talvez porque, certa tarde, numa das suas caminhadas à hora do crepúsculo, descendo a Máximo Gómez a caminho do mar, divisou, em todas as transversais, barreiras policiais impedindo os transeuntes e os carros de entrarem na Avenida e no *malecón* enquanto ele estava caminhando. E imaginou a quantidade de Volkswagens com *caliés* que Johnny Abbes espalhava em toda a área do seu trajeto. Sentiu aflição, claustrofobia. Já lhe havia acontecido isso antes, indo para a Fazenda Fundación, quando entreviu ao longo da estrada os fuscas e as barreiras militares que protegiam o percurso. Ou seria a fascinação que sempre teve pelo perigo — o espírito indômito de *marine* — que o levava a desafiar a sorte dessa forma, no momento de maior ameaça para o regime? Em qualquer caso, ele não revogaria essa decisão.

— A ordem continua em vigor — repetiu, em um tom de voz que não admitia discussão.

— Muito bem, Excelência.

Olhou o coronel bem nos olhos — este abaixou os seus, no ato — e disparou, com uma centelha de humor:

— O senhor acha que o seu admirado Fidel Castro anda pelas ruas assim como eu, desprotegido?

O coronel negou com a cabeça.

— Não creio que Fidel Castro seja tão romântico como o senhor, Excelência.

Romântico, ele? Talvez com algumas das mulheres que amou, talvez com Lina Lovatón. Mas, fora do campo sentimental, no político, sempre se sentiu um clássico. Racionalista, sereno, pragmático, de cabeça fria e visão ampla.

— Quando o conheci, lá no México, ele estava preparando a expedição do *Granma*. Era considerado um cubano meio doido, um aventureiro nada sério. Fiquei impressionado desde o começo com a sua total falta de emoções, embora nos discursos pareça tropical, exuberante, apaixonado. Isso é para o público. Na verdade é exatamente o contrário. Uma inteligência de gelo. Eu sempre soube que ele ia acabar chegando ao poder. Mas, permita-me esclarecer uma coisa, Excelência. Admiro a personalidade de Fidel Castro, a maneira como ele soube ludibriar os americanos, aliar-se com os russos e os países comunistas para usá-los como para-choque contra Washington. Mas não admiro as suas ideias, não sou comunista.

— Você é um perfeito capitalista — caçoou Trujillo, com um risinho sarcástico. — A Ultramar fez negócios excelentes importando produtos da Alemanha, Áustria e dos países socialistas. Uma representação exclusiva nunca dá prejuízo.

— Mais um motivo para ser grato ao senhor, Excelência — admitiu o coronel. — Sinceramente, essa ideia nem teria me passado pela cabeça. Eu nunca me interessei por negócios. Abri a Ultramar porque o senhor mandou.

— Prefiro que meus colaboradores façam bons negócios, em vez de roubar — explicou o Benfeitor. — Os bons negócios ajudam o país, criam empregos, produzem riqueza, levantam o moral do povo. O roubo, ao contrário, desmoraliza. Imagino que as coisas também andam mal na Ultramar, desde que começaram as sanções econômicas.

— Praticamente paradas. Eu não me importo, Excelência. Agora passo vinte e quatro horas por dia dedicado a impedir que os inimigos destruam o regime e matem o senhor.

Falou sem emoção, no mesmo tom opaco, neutro, em que normalmente se expressava.

— Devo concluir então que o senhor tem por mim a mesma admiração que tem pelo babaca do Fidel Castro? — disse Trujillo, olhando direto em seus olhinhos evasivos.

— Não admiro o senhor, Excelência — murmurou o coronel Abbes, abaixando os olhos. — Eu vivo pelo senhor. Para o senhor. Se me permite, sou seu cão de guarda.

O Benfeitor teve a impressão de que a voz de Abbes García, ao pronunciar a última frase, havia tremido. Sabia que ele não era nada emotivo, nem dado às efusões tão comuns em outros cortesãos, de modo que ficou observando-o com um olhar afiado.

— Se me matarem, vai ser alguém muito próximo, um traidor da família, digamos — disse, como se estivesse falando de outra pessoa. — Para o senhor seria uma grande desgraça.

— Para o país também, Excelência.

— É por isso que continuo em cima do cavalo — concordou Trujillo. — Senão, já teria me retirado, como vieram me aconselhar, a mando do Presidente Eisenhower, William Pawley, o general Clark e o senador Smathers, meus amigos americanos. "Entre para a história como um estadista magnânimo, que cedeu o leme para os jovens", veio me dizer Smathers, amigo de Roosevelt. Era um recado da Casa Branca. Foi para isso que eles vieram. Para me pedir que renunciasse e oferecer asilo nos Estados Unidos. "Lá, o seu patrimônio vai estar seguro." Aqueles babacas me confundem com Batista, com Rojas Pinilla, com Pérez Jiménez. Mas eu só vou sair daqui morto.

O Benfeitor se distraiu de novo, lembrando de Guadalupe, Lupe para os íntimos, a mexicana corpulenta e masculinizada com quem Johnny Abbes se casou naquele período misterioso e aventureiro da sua vida no México, de onde, por um lado, enviava informes minuciosos para o Navalhinha sobre as aventuras dos exilados dominicanos, e onde, por outro, frequentava círculos revolucionários, como o de Fidel Castro, Che Guevara e os cubanos do movimento 26 de Julho que estavam preparando a expedição do *Granma*, e gente como Vicente Lombardo Toledano, muito vinculado ao governo do México, que foi o seu protetor. O Generalíssimo nunca teve tempo de lhe indagar com calma sobre essa etapa da sua vida, quando o coronel descobriu a vocação e o talento que tinha para a espionagem e as operações clandestinas. Uma vida interessante, sem dúvida, cheia de aventuras. Por que teria se casado com aquela mulher horrorosa?

— Há uma coisa que sempre esqueço de lhe perguntar — disse, com a crueza habitual que usava com seus colaboradores. — Como foi que se casou com uma mulher tão feia?

Não notou o menor movimento de surpresa no rosto de Abbes García.

— Não foi por amor, Excelência.

— Isso eu sempre soube — disse o Benfeitor, sorrindo. — Ela não é rica, portanto não foi golpe do baú.

— Por gratidão. Lupe salvou a minha vida, uma vez. Ela matou por mim. Quando era secretária de Lombardo Toledano, eu tinha acabado de chegar ao México. Graças a Vicente, comecei a entender o que é a política. Muito do que fiz não teria sido possível sem Lupe, Excelência. Ela não sabe o que é medo. E, além do mais, tem um instinto que nunca falhou, até hoje.

— Eu sei que é enérgica, que sabe brigar, que anda armada e frequenta casas de *striptease*, como os machos — disse o Generalíssimo, de excelente humor. — Até ouvi dizer que a Puchita Brazobán reserva umas garotinhas para ela. Mas o que me intriga é como o senhor conseguiu fazer filhos naquela bruaca.

— Tento ser um bom marido, Excelência.

O Benfeitor começou a rir, com a risada sonora de outros tempos.

— O senhor pode ser engraçado quando quer — aplaudiu. — Quer dizer que comeu essa mulher por gratidão. E então, o senhor fica de pau duro quando bem entende.

— É uma maneira de dizer, Excelência. Na verdade, não amo Lupe nem ela me ama. Pelo menos, da maneira como se costuma entender o amor. Nós estamos unidos por uma coisa mais forte. Perigos vividos lado a lado, vendo a morte de perto. E muito sangue, manchando os dois.

O Benfeitor assentiu. Entendia o que ele queria dizer. Também gostaria de ter uma mulher como aquele espantalho, cacete. Não se sentiria tão sozinho, às vezes, na hora de tomar algumas decisões. Não há nada que una tanto as pessoas como o sangue, é verdade. Devia ser por isso que ele se sentia tão unido a este país de ingratos, covardes e traidores. Porque, para tirá-lo do atraso, do caos, da ignorância e da barbárie, muitas vezes se tingira de sangue. Será que esses babacas lhe agradeceriam no futuro?

O desânimo se abateu de novo sobre ele. Fingindo consultar a hora, deu uma olhada de relance na calça. Não havia mancha entre as pernas nem na braguilha. Mas constatar isso não o deixou mais animado. Veio novamente à sua cabeça a lembrança da garotinha da Casa de Caoba. Que episódio desagradável. Não teria sido melhor dar-lhe um tiro ali mesmo, quando olhava para ele com aqueles olhos? Besteira. Ele nunca dera um tiro gratuitamente, e muito menos por questões de cama. Só quando não havia alternativa, quando era absolutamente indispensável para o país, ou para vingar uma ofensa.

— Com sua licença, Excelência.

— Sim?

— O Presidente Balaguer anunciou ontem à noite pelo rádio que o governo vai libertar um grupo de presos políticos.

— Balaguer fez o que eu mandei. Por quê?

— Preciso ter a lista dos que vão ser soltos. Para mandar cortar o cabelo, fazer a barba e vesti-los de forma decente. Imagino que vão ser apresentados à imprensa.

— Eu lhe envio a lista assim que estiver pronta. Balaguer acha que esses gestos são convenientes, no campo diplomático. Vamos ver. Em todo caso, ele apresentou bem a medida.

O discurso de Balaguer estava sobre a escrivaninha. Leu em voz alta um parágrafo sublinhado: "A obra de Sua Excelência o Generalíssimo Dr. Rafael L. Trujillo Molina atingiu tal solidez que nos permite, após trinta anos de paz ordeira e de liderança contínua, oferecer às Américas um exemplo da capacidade latino-americana para o exercício consciente da verdadeira democracia representativa."

— Bem escrito, não é mesmo? — comentou. — Essa é a vantagem de ter um poeta e literato como Presidente da República. Quando o Negro, meu irmão, ocupava a Presidência, os discursos que lia eram soporíferos. Bem, eu sei que Balaguer não é lá do seu agrado.

— Eu não misturo minhas simpatias ou antipatias pessoais com meu trabalho, Excelência.

— Nunca entendi por que o senhor desconfia dele. Balaguer é o mais inofensivo dos meus colaboradores. Por isso o coloquei onde está.

— Acho que aquela maneira de ser dele, sempre tão discreto, é uma estratégia. No fundo, não é um homem do regime, só trabalha para si mesmo. Pode ser que eu me engane. Aliás, não encontrei nada de suspeito. Mas não botaria as mãos no fogo por sua lealdade.

Trujillo olhou o relógio. Dois minutos para as seis. Sua reunião com Abbes García nunca durava mais de uma hora, a menos que houvesse algum fato excepcional. Levantou-se, e o chefe do SIM o imitou.

— Se eu mudar de ideia em relação aos bispos, informarei ao senhor — disse, como despedida. — Mantenha a operação pronta, de qualquer maneira.

— Pode ser acionada no instante que o senhor decidir. Com licença, Excelência.

Quando Abbes García saiu do gabinete, o Benfeitor foi espiar o céu, pela janela. Nenhum raio de luz ainda.

VI

— Ah, já sei quem é — disse Antonio de la Maza.
Abriu a porta do carro e, com o fuzil de cano serrado ainda na mão, pulou para a estrada. Nenhum dos seus companheiros — Tony, Estrella Sadhalá e Amadito — o seguiu; do interior do veículo, viram sua figura robusta, perfilada contra as sombras que o luar suave mal iluminava, dirigindo-se para o pequeno Volkswagen que, com as luzes apagadas, havia parado ao lado deles.

— Não me diga que o Chefe mudou de ideia — exclamou Antonio à guisa de cumprimento, enfiando a cabeça pela janela e chegando muito perto do motorista e único passageiro, um homem ofegante de terno e gravata, tão gordo que parecia impossível ter entrado naquele veículo, onde parecia engaiolado.

— Pelo contrário, Antonio — acalmou-o Miguel Ángel Báez Díaz, com as mãos apertando o volante. — Ele vai para San Cristóbal de qualquer maneira. Está atrasado porque, depois do passeio pelo *malecón*, levou Pupo Román para a Base de San Isidro. Eu vim acalmar vocês, imaginei a sua impaciência. Ele vai aparecer a qualquer momento. Fiquem preparados.

— Nós não vamos falhar, Miguel Ángel. Espero que vocês também não.

Conversaram por um instante, os rostos muito próximos, o gordo ainda agarrado ao volante e De la Maza dando olhadas na pista que vinha de Trujillo, com medo de que o veículo se materializasse de repente e não lhe desse tempo de voltar para o carro.

— Até logo, que tudo corra bem — despediu-se Miguel Ángel Báez Díaz.

Partiu de volta para Trujillo, com os faróis ainda apagados. Sem se mexer, sentindo o ar fresco e ouvindo as ondas que estouravam a poucos metros — sentiu salpicos no rosto e na cabeça, onde seus cabelos começavam a ralear —, Antonio viu o veículo tomar distância e se confundir com a noite ao longe, onde titilavam as luzinhas da cidade e seus restaurantes, certamente cheios de gente. Miguel Ángel parecia estar seguro. Não havia dúvida, então: o homem viria, e nesta terça-feira, 30 de maio de 1961, ele finalmente iria cumprir o juramento que fizera no sítio da família, em Moca, diante do seu pai e irmãos, cunhadas e cunhados, havia quatro anos e quatro meses, no dia 7 de janeiro de 1957, quando enterraram Tavito.

Pensou que o Pony ficava ali por perto, e que lhe cairia muito bem tomar uma dose de rum com muito gelo numa das banquetas de palha altas do bar, como fizera tantas vezes nos últimos tempos, e sentir que o álcool subia até o cérebro, distraindo-o dos seus pensamentos e afastando-o de Tavito e da amargura, da exasperação e da febre que era a sua vida desde o covarde assassinato do irmão mais novo, o mais próximo a ele, o mais querido. "Principalmente, da infame calúnia que inventaram, para matá-lo outra vez", pensou. Voltou lentamente para o Chevrolet. Era um carro novo, que Antonio havia importado dos Estados Unidos e mandara reforçar e adaptar, explicando na oficina que, como passava boa parte do ano viajando, devido ao seu trabalho como fazendeiro e administrador de uma serraria em Restauración, na fronteira com o Haiti, precisava de um carro mais veloz e resistente. Chegara a hora de pôr à prova esse Chevrolet último modelo, capaz, graças aos ajustes nos cilindros e no motor, de atingir 200 quilômetros por hora em poucos minutos, coisa que o carro do Generalíssimo não tinha condições de fazer. Voltou a sentar ao lado de Antonio Imbert.

— Quem era a visita? — disse Amadito, no banco de trás.

— Essas coisas não se perguntam — murmurou Tony Imbert, sem se virar para o tenente García Guerrero.

— Agora não é mais segredo — disse Antonio de la Maza. — Era Miguel Ángel Báez. Você tinha razão, Amadito. O homem vai para San Cristóbal esta noite, de qualquer maneira. Está atrasado, mas não vai nos deixar de mãos abanando.

— Miguel Ángel Báez Díaz? — assobiou Salvador Estrella Sadhalá. — Ele também está nessa? Era só o que faltava. É um trujillista ontológico. Não foi vice-presidente do Partido Dominicano? O homem é um desses que caminham com o Bode todo dia pelo *malecón*, lambendo o traseiro dele, e todo domingo o acompanha ao Hipódromo.

— Hoje também participou da caminhada — confirmou De la Maza. — É por isso que sabe que ele vem.

Houve um longo silêncio.

— Eu sei que nós temos que ser práticos, que precisamos deles — suspirou o Turco. — Mas, para dizer a verdade, me dá nojo que alguém como Miguel Ángel seja agora nosso aliado.

— Lá vem o beatinho, o puritano, o anjinho de mãos limpas — tentou caçoar Imbert. — Viu, Amadito, por que é melhor não perguntar, não saber quem está envolvido?

— Você fala como se todos nós também não tivéssemos sido trujillistas, Salvador — grunhiu Antonio de la Maza. — Por acaso Tony não foi governador de Puerto Plata? Amadito não é ajudante de ordens? Eu não administro há vinte anos as serrarias do Bode em Restauración? E a construtora onde você trabalha, também não é de Trujillo?

— Retiro o que disse. — Salvador deu uns tapinhas no braço de De la Maza. — Minha língua desembesta e eu falo bobagens. Tem razão. Qualquer um poderia falar de nós a mesma coisa que acabei de dizer de Miguel Ángel. Eu não disse nada, e vocês não ouviram nada.

Mas tinha dito, pois Salvador Estrella Sadhalá, apesar do seu jeito sereno e razoável, que todos apreciavam tanto, era capaz de dizer as coisas mais cruéis, movido por um espírito de justiça que de repente o dominava. Tinha dito a De la Maza, seu amigo de toda a vida, numa discussão em que este poderia ter-lhe dado um tiro: "Eu não venderia o meu irmão por quatro tostões." A frase, que os manteve distanciados, sem se ver nem se falar, por mais de seis meses, de vez em quando voltava à sua mente, como um pesadelo repetido. Nesses momentos ele precisava beber, um atrás do outro, muitos copos de rum, embora a bebedeira lhe desencadeasse ataques de raiva cega que o deixavam agressivo, provocando e agredindo com socos e pontapés quem estivesse por perto.

Aos quarenta e sete anos, completados poucos dias antes, ele era um dos mais velhos do grupo de sete homens postados na estrada de San Cristóbal à espera de Trujillo. Porque, além dos quatro sentados no Chevrolet, dois quilômetros adiante estavam, num carro emprestado por Estrella Sadhalá, Pedro Livio Cedeño e Huáscar Tejeda Pimentel, e, um quilômetro depois, sozinho em seu próprio carro, Roberto Pastoriza Neret. Assim, cortariam as saídas de Trujillo e o alvejariam com fogo cerrado pela frente e por trás, sem dar escapatória. Pedro Livio e Huáscar deviam estar tão aflitos quanto eles quatro. E Roberto ainda mais, sem ter com quem conversar e se animar. Será que ele vem? Vem, sim. E será o fim do longo calvário que era a vida de Antonio desde a morte de Tavito.

A lua, redonda como uma moeda, cintilava escoltada por um manto de estrelas e prateava os penachos dos coqueiros vizinhos que Antonio via balançar ao compasso da brisa. Era um belo país, apesar de tudo, porra. E ficaria ainda mais bonito depois da morte daquele maldito que o violentou e envenenou, nestes trinta e um anos, mais do que, em todo o século da República, a ocupação haitiana, as invasões espanholas e americanas, as guerras civis e as lutas de facções e caudilhos, mais do que todas as desgraças — terremotos, ciclones — que se abateram sobre os dominicanos, vindas do céu, do mar ou do fundo da terra. O que ele não perdoava, acima de tudo, era que, assim como havia prostituído e achincalhado este país, o Bode também havia prostituído e avacalhado Antonio de la Maza.

Disfarçou seu nervosismo dos companheiros acendendo outro cigarro. Fumava sem tirá-lo dos lábios, soltando fumaça pela boca e o nariz, enquanto acariciava o fuzil de cano serrado pensando nas balas de aço reforçado fabricadas especialmente para esta noite pelo seu amigo espanhol Bissié, que conhecera graças a outro conspirador, Manuel Ovín, perito em armas e magnífico atirador. Quase tão bom quanto o próprio Antonio de la Maza, que desde criança, no sítio da família em Moca, deixava assombrados seus pais, irmãos, parentes e amigos com a sua pontaria. Por isso ele estava ocupando aquele lugar privilegiado, à direita de Imbert: para atirar primeiro. O grupo, que discutiu muito todos os detalhes, concordou imediatamente que Antonio de la Maza e o tenente Amado García Guerrero, os melhores atiradores, ficariam nos lugares da direita, com os fuzis que a CIA dera aos conspiradores, para acertar desde o primeiro disparo.

Um dos orgulhos de Moca, sua terra, e de sua família, era que, desde o começo — 1930 — os De la Maza haviam sido antitrujillistas. Era natural. Em Moca todos se proclamavam horacistas, do personagem mais importante até o peão mais miserável, porque o Presidente Horacio Vázquez era de Moca, e irmão da mãe de Antonio. Desde o primeiro dia os De la Maza viam com desconfiança e antipatia as intrigas do então brigadeiro Rafael Leonidas Trujillo — chefe da Polícia Nacional, criada pelos ocupantes americanos, que depois se transformaria no Exército dominicano — para derrubar don Horacio Vázquez e em 1930, nas primeiras eleições manipuladas da sua longa história de fraudes eleitorais, ser eleito Presidente da República. Quando isso aconteceu, os De la Maza fizeram o que as famílias patrícias e os caudilhos regionais tradicionalmente faziam quando não gostavam dos governos: iam para as montanhas com homens armados pagos do seu próprio bolso.

Durante cerca de três anos, com intermitências, entre os dezessete e os vinte anos de idade — atleta, cavaleiro incansável, caçador apaixonado, alegre, audacioso e amante da vida —, Antonio de la Maza, junto com seu pai, tios e irmãos, combateu à bala as forças de Trujillo, mas sem conseguir ameaçá-las. Pouco a pouco, estas foram desmantelando os bandos armados, infligindo-lhes algumas derrotas e, principalmente, comprando seus lugares-tenentes e partidários, até que, cansados e quase arruinados, os De la Maza acabaram aceitando a oferta de paz do governo e voltando a Moca, para trabalhar suas terras quase abandonadas. Menos o indomável e teimoso Antonio. Este sorriu, lembrando de sua teimosia no final de 1932 e começo de 1933, quando, com menos de vinte homens, entre os quais os seus irmãos Ernesto e Tavito (este ainda um menino), assaltava postos de polícia e emboscava as patrulhas do governo. Os tempos eram tão especiais que, apesar da atividade militar, quase sempre os três irmãos podiam fazer um alto e dormir na casa da família, em Moca, várias vezes por mês. Até sofrerem uma emboscada, nos arredores de Tamboril, em que os soldados mataram dois dos seus homens e feriram Ernesto e o próprio Antonio.

No Hospital Militar de Santiago, escreveu ao seu pai, don Vicente, que não se arrependia de nada e que, por favor, a família não se humilhasse pedindo clemência a Trujillo. Dois dias depois de entregar essa carta ao cabo enfermeiro, com uma boa gorjeta para que a fizesse chegar a Moca, uma caminhonete do Exército levou-o algemado e com escolta para Santo Domingo. (O Congresso da República só mudaria o nome da antiquíssima cidade três anos depois.) Para surpresa do jovem Antonio de la Maza, o veículo militar, em vez de transferi-lo para uma prisão, levou-o para a Casa de Governo, que ficava perto da antiga catedral. Ali, tiraram as algemas e o introduziram num quarto atapetado, onde, de uniforme, impecavelmente barbeado e penteado, estava o general Trujillo.

Era a primeira vez que o via.

— É preciso ter colhão para escrever esta carta. — O Chefe do Estado balançou-a na mão. — E você demonstrou que tem, guerreando contra mim durante quase três anos. Por isso queria ver a sua cara. É verdade que você tem boa pontaria? Precisamos competir algum dia, para ver se é melhor que a minha.

Vinte e oito anos depois, Antonio ainda se lembrava daquela vozinha estridente, da inesperada cordialidade atenuada por um matiz de ironia. E a força daqueles olhos aos quais — logo ele, sempre tão soberbo — não pôde resistir.

— A guerra terminou. Acabei com todos os caudilhismos regionais, incluindo o dos De la Maza. Chega de tiros. Agora é hora de reconstruir o país, que está caindo aos pedaços. Preciso dos melhores ao meu lado. Você é impulsivo e sabe combater, não é? Pois bem. Venha trabalhar comigo. Não vai faltar oportunidade para dar tiros. Eu lhe ofereço um cargo de confiança, entre os ajudantes de ordens responsáveis pela minha segurança. Assim, se algum dia se decepcionar, pode me dar um tiro.

— Mas não sou militar — balbuciou o jovem De la Maza.

— É sim, a partir deste instante — disse Trujillo. — Tenente Antonio de la Maza.

Foi sua primeira concessão, sua primeira derrota ante esse mestre manipulador de ingênuos, burros e panacas, esse astuto aproveitador da vaidade, cobiça e estupidez dos homens. Durante quantos anos ele teve Trujillo a menos de um metro de distância? Amadito também estivera pertinho dele, nestes últimos dois anos. De quantas tragédias você teria livrado este país, e a família De la Maza, se já tivesse feito o que vai fazer agora. Tavito ainda estaria vivo, certamente.

Ouvia, às suas costas, Amadito e Turco dialogando; volta e meia, Imbert se metia na conversa. Não deviam estranhar que Antonio permanecesse calado; ele sempre foi de poucas palavras, mas seu laconismo se acentuara até chegar à mudez desde a morte de Tavito, tragédia que o afetou de maneira que sabia irreversível, fazendo dele um homem com uma ideia fixa: matar o Bode.

— Juan Tomás deve estar mais nervoso que nós — ouviu o Turco dizer. — Não há coisa pior do que esperar. Mas, afinal, o homem vem ou não vem?

— A qualquer momento — implorou o tenente García Guerrero. — Acredite em mim, cacete.

Sim, nesse instante o general Juan Tomás Díaz devia estar roendo as unhas, em sua casa na rua Gazcue, perguntando se finalmente havia acontecido aquilo que Antonio e ele sonharam, acariciaram, cultivaram, mantiveram vivo e em segredo durante, exatamente, quatro anos e quatro meses. Ou seja, desde o dia em que, depois daquela maldita audiência com Trujillo, recém-enterrado o cadáver de Tavito, Antonio entrou no carro e, a 120 quilômetros por hora, foi procurar Juan Tomás no seu sítio de La Vega.

— Pelos vinte anos de amizade que nos unem, preciso da sua ajuda. Tenho que matá-lo! Tenho que vingar Tavito, Juan Tomás!

O general tapou sua boca com a mão. Deu uma espiada em volta, indicando com um gesto que os empregados podiam ouvir. Depois levou-o para trás do estábulo, onde costumavam praticar tiro ao alvo.

— Vamos fazer isso juntos, Antonio. Para vingar Tavito e tantos outros dominicanos da vergonha que sentimos.

Antonio e Juan Tomás eram íntimos desde o tempo em que De la Maza era ajudante de ordens do Benfeitor. Era a única coisa boa que lembrava daqueles dois anos em que, como tenente, como capitão, conviveu com o Generalíssimo, acompanhando-o em suas excursões ao interior, em suas saídas da Casa de Governo, para o Congresso, o Hipódromo, para recepções e espetáculos, encontros políticos e aventuras galantes, visitas e conciliábulos com sócios, aliados e cupinchas, reuniões públicas, particulares ou ultrassecretas. Sem chegar a se tornar um trujillista radical, como era Juan Tomás Díaz, Antonio, nesses anos, embora conservasse secretamente um pouco do rancor que todos os horacistas guardavam contra aquele que destruiu a carreira política do Presidente Horacio Vázquez, não conseguiu escapar ao magnetismo desse homem incansável, que podia trabalhar vinte horas seguidas e, após duas ou três horas de sono, começar um novo dia ao amanhecer, enérgico como um adolescente. Um homem que, segundo a mitologia popular, não suava, não dormia, jamais tinha alguma dobra amarrotada na farda, fraque ou traje civil, e que, nesses anos em que Antonio fizera parte da sua guarda de ferro, havia, de fato, transformado o país. Com as estradas, pontes e indústrias que construiu, sim, mas também porque foi acumulando em todos os terrenos — político, militar, institucional, social, econômico — um poder tão imenso que todos os ditadores que a República Dominicana havia padecido em sua história republicana, incluindo Ulises Heureaux, o Lilís, que antes parecia tão desumano, não passavam de anões em comparação com ele.

  Esse respeito, esse feitiço, no caso de Antonio, nunca se transformou em admiração, nem no amor servil, abjeto, que outros trujillistas tinham pelo seu líder. Até mesmo Juan Tomás, que desde 1957 vinha sondando com ele todas as formas possíveis de livrar a República Dominicana daquela figura que a sugava e esmagava, nos anos quarenta havia sido um seguidor fanático do Benfeitor, capaz de cometer qualquer crime pelo homem que julgava ser o salvador da Pátria, o estadista que devolveu aos dominicanos as alfândegas, antes administradas pelos ianques, que resolveu o problema da dívida externa com os Estados Unidos, sendo aclamado, pelo Congresso, como Restaurador da Independência Financeira, que montou Forças Armadas modernas e profissionais, as mais bem-equipadas de todo o Caribe. Nesse tempo, Antonio não se atrevia a falar mal de Trujillo com Juan Tomás Díaz. Este galgara posições no Exército até chegar a general de três estrelas e exercer o comando da Região Militar de La Vega, onde foi surpreendido pela invasão de 14 de junho de 1959, o começo do seu declínio. A essa altura, Juan Tomás não tinha mais ilusões em relação ao regime. Na intimidade, quando tinha certeza de que ninguém estava escutando, durante as caçadas nas montanhas, em Moca ou em La Vega, ou nos almoços familiares de domingo, confessava a Antonio que sentia vergonha de tudo aquilo, dos assassinatos, desaparecimentos, torturas, a precariedade da vida, a corrupção, e da entrega dos corpos, almas e consciências de milhões de dominicanos a um único homem.

Antonio de la Maza nunca foi trujillista de coração. Nem quando era ajudante de ordens, nem mais tarde, quando, depois de pedir autorização para sair, trabalhou para o Bode como civil, administrando as serrarias da família Trujillo em Restauración. Apertou os dentes, enojado: nunca deixara de trabalhar para o Chefe. Como militar ou como civil, contribuía havia vinte e tantos anos para a fortuna e o poderio do Benfeitor e Pai da Pátria Nova. Esse era o grande fracasso da sua vida. Nunca soube escapulir das armadilhas de Trujillo. Antonio o odiava com todas as suas forças, mas continuou trabalhando para ele mesmo depois da morte de Tavito. Daí o insulto do Turco: "Eu não venderia o meu irmão por quatro tostões." Ele não tinha vendido Tavito. Estava disfarçando, engolindo sapos. O que mais podia fazer? Deixar que os *caliés* de Johnny Abbes o matassem, para morrer de consciência tranquila? Mas não era consciência tranquila o que Antonio queria. Queria se vingar, e vingar Tavito. Por isso, aguentou toda a merda do mundo nesses quatro anos, até o extremo de ouvir um dos seus mais queridos amigos dizer essa frase que, com certeza, muitas outras pessoas repetiam pelas costas.

Ele não tinha vendido Tavito. Aquele irmão menor era um amigo querido. Com sua ingenuidade, com sua inocência de garotão, Tavito, ao contrário de Antonio, havia sido um trujillista convicto, desses que pensava no Chefe como um ser superior. Os dois discutiram muitas vezes, porque Antonio detestava que o irmão ficasse repetindo, como um estribilho, que Trujillo era uma dádiva dos céus para a República. Bem, na verdade, o Generalíssimo fizera favores a Tavito. Graças a uma ordem sua ele foi admitido na Aeronáutica e aprendeu a voar — seu sonho desde criança —, e, depois, foi contratado como piloto pela Dominicana de Aviação, o que lhe permitia viajar com frequência a Miami, coisa que adorava, porque lá trepava com as louras. Antes disso, Tavito estivera em Londres, como adido militar. Lá, numa briga de bêbados, matou o cônsul dominicano, Luis Bernardino, com um tiro. Trujillo o salvou da cadeia, lançando mão da imunidade diplomática e fazendo o tribunal de Trujillo absolvê-lo. Sim, Tavito tinha lá suas razões para ser grato a Trujillo e estar disposto, como disse a Antonio, a "dar minha vida pelo Chefe, fazer qualquer coisa que ele mandar". Frase profética, porra.

"Sim, você deu a vida por ele", pensou, tragando a fumaça do cigarro. Desde o começo, ele achou que aquela história em que Tavito estava envolvido, em 1956, cheirava mal. O irmão veio lhe contar porque sempre lhe contava tudo. Até aquilo, que tinha todo o jeito de uma dessas operações escusas que se sucediam na história dominicana desde a subida de Trujillo ao poder. Mas o imbecil do Tavito, em vez de se preocupar, de ficar de orelha em pé, de se assustar com a missão que lhe deram — ir buscar em Montecristi, num pequeno Cessna sem matrícula, um indivíduo encapuzado e dopado que tinham desembarcado de um avião que chegara dos Estados Unidos, e levá-lo para a Fazenda Fundación, em San Cristóbal —, ficou encantado com tudo aquilo, que considerou um sinal da confiança que o Generalíssimo depositava nele. Nem mesmo quando a imprensa dos Estados Unidos fez escândalo e a Casa Branca começou a pressionar o governo dominicano para que facilitasse a investigação do sequestro, em Nova York, do professor basco espanhol Jesus de Galíndez, Tavito demonstrou a menor preocupação.

— Essa história de Galíndez parece uma coisa muito séria — preveniu-o Antonio. — Era ele o sujeito que você levou de Montecristi à fazenda de Trujillo, quem mais podia ser. Eles o sequestraram em Nova York e o trouxeram para cá. Cale o bico. Esqueça de tudo. Você está correndo risco de vida, irmão.

Agora, Antonio de la Maza já tinha uma boa ideia do que deve ter acontecido com Jesus de Galíndez, um dos republicanos espanhóis a quem Trujillo, numa dessas contraditórias operações políticas que eram a sua especialidade, deu asilo na República Dominicana após a guerra civil. Antonio não chegou a conhecer esse professor, mas muitos amigos seus conheceram, e lhe contaram que ele havia trabalhado para o governo, na Secretaria de Estado de Trabalho e na Escola Diplomática, vinculada ao Ministério das Relações Exteriores. Em 1946, deixou Trujillo para trás, instalou-se em Nova York e começou a ajudar os exilados dominicanos e a escrever contra o regime de Trujillo, que ele conhecia por dentro.

Em março de 1956, Jesus de Galíndez, que adotara a nacionalidade americana, desapareceu depois de ser visto pela última vez saindo de uma estação de metrô na Broadway, no coração de Manhattan. Vinha sendo anunciada há algumas semanas a publicação do seu livro sobre Trujillo, cujo texto havia submetido à Columbia University, onde já ensinava, como tese de doutorado. O desaparecimento de um obscuro exilado espanhol teria passado desapercebido, numa cidade e num país onde tanta gente desaparecia, e ninguém prestaria atenção no alvoroço que os exilados dominicanos fizeram se Galíndez não fosse cidadão americano e, ainda por cima, colaborador da CIA, conforme foi revelado quando o escândalo estourou. A poderosa rede de jornalistas, congressistas, conspiradores, advogados e empresários que Trujillo tinha nos Estados Unidos não conseguiu abafar a gritaria da imprensa, a começar pelo *The New York Times*, e de muitos congressistas, ante a possibilidade de que um ditadorzinho caribenho tivesse se atrevido a sequestrar e assassinar um cidadão americano no território dos Estados Unidos.

Nas semanas e meses seguintes ao desaparecimento de Galíndez — o cadáver jamais foi encontrado —, a investigação da imprensa e do FBI mostrou inequivocamente a responsabilidade total do regime. Pouco antes, o general Espaillat, vulgo Navalhinha, chefe do Serviço de Inteligência, havia sido nomeado cônsul dominicano em Nova York. O FBI detectou investigações comprometedoras sobre Galíndez feitas por Minerva Bernardino, uma diplomata dominicana na ONU e mulher de plena confiança de Trujillo. Mais grave ainda, o FBI identificou um pequeno avião, com documentação falsificada, que, guiado por um piloto sem o correspondente brevê, decolou ilegalmente de um pequeno aeroporto de Long Island rumo à Flórida na noite do sequestro. O piloto se chamava Murphy e, desde então, estava na República Dominicana, trabalhando na Dominicana de Aviação. Murphy e Tavito voavam juntos e tinham ficado muito amigos.

Antonio ficou sabendo de tudo isso aos poucos, já que a censura não permitia que os jornais e rádios dominicanos dissessem nada sobre o assunto, pelas estações de rádio de Porto Rico, da Venezuela ou pela Voz da América, captadas em ondas curtas, ou lendo os exemplares do *Miami Herald* e do *The New York*

Times que se infiltravam no país dentro das bolsas e uniformes de pilotos e aeromoças.

Quando, sete meses depois do desaparecimento de Galíndez, o nome de Murphy apareceu na imprensa internacional como o piloto do avião que tirou Galíndez anestesiado dos Estados Unidos e o trouxe para a República Dominicana, Antonio, que conhecia Murphy por intermédio de Tavito — os três haviam comido juntos uma paella regada a vinho de La Rioja na Casa da Espanha, na rua Padre Billini —, entrou na sua caminhonete, em Tirolí, ao lado da fronteira haitiana, e, pisando fundo no acelerador, com o cérebro quase explodindo de fantasias pessimistas, veio para Trujillo. Encontrou Tavito muito calmo, em casa, jogando *bridge* com Altagracia, sua mulher. Para não preocupar a cunhada, Antonio levou-o para o barulhento restaurante típico Najayo, onde, graças à música do Combo de Ramón Gallardo e seu cantor Rafael Martínez, podiam conversar sem que ouvidos indiscretos captassem a conversa. Depois de pedir um cabrito ensopado e duas garrafas de cerveja Presidente, Antonio foi direto ao assunto, aconselhando Tavito a pedir asilo numa embaixada. O irmão começou a rir: Que bobagem. Ele nem sabia que o nome de Murphy estava estampado em toda a imprensa americana. Não se preocupou. Sua confiança em Trujillo era tão prodigiosa quanto a sua ingenuidade.

— Preciso avisar o gringuinho — Antonio, pasmado, ouviu-o dizer. — Murphy está vendendo as coisas dele, resolveu voltar para os Estados Unidos, quer se casar. Tem uma namorada no Oregon. Mas voltar para lá, agora, é como meter a cabeça na boca do lobo. Aqui não pode acontecer nada com ele. Quem manda aqui é o Chefe, irmão.

Antonio cortou a bravata. Sem levantar a voz, para não chamar a atenção das mesas vizinhas, mas com uma raiva surda diante de tanta ingenuidade, tentou fazê-lo entender:

— Você não percebe, seu babaca? Isso é grave. O sequestro de Galíndez deixou Trujillo numa situação muito delicada com os americanos. Todos os que participaram do sequestro estão com a vida por um fio. Murphy e você são testemunhas muito perigosas. E você, talvez, mais do que Murphy. Porque você levou Galíndez à Fazenda Fundación, à casa do próprio Trujillo. Onde está com a cabeça?

— Eu não levei Galíndez — teimou o irmão, batendo seu copo no dele. — Levei um sujeito que não sabia quem era, um bêbado qualquer. Eu não sei de nada. Por que não vou confiar no Chefe? Ele não confiou em mim para uma missão tão importante?

Nessa noite, quando se despediram na porta da casa de Tavito, este, por fim, diante da insistência do irmão mais velho, disse que tudo bem, pensaria na sua sugestão. E que ele não se preocupasse: ia ficar de boca fechada.

Foi a última vez que Antonio o viu. Três dias depois dessa conversa, Murphy desapareceu. Quando Antonio voltou para Trujillo, Tavito havia sido preso. Estava incomunicável, em La Victoria. Foi pedir uma audiência diretamente ao Generalíssimo, mas este não o recebeu. Tentou falar com o coronel Cobián Parra, chefe do SIM, mas o homem estava invisível e, pouco depois, um soldado o matou em seu escritório por ordem de Trujillo. Nas quarenta e oito horas seguintes, Antonio falou pessoalmente ou pelo telefone com todos os dirigentes e altos funcionários do regime que conhecia, do Presidente do Senado, Agustín Cabral, ao Presidente do Partido Dominicano, Álvarez Pina. Em todos eles encontrou a mesma expressão inquieta, todos disseram que o melhor a fazer, pela sua própria segurança e a dos seus, era parar de telefonar e de procurar gente que não podia ajudá-lo, e que também estava expondo ao perigo. "Era dar murro em ponta de faca", disse depois Antonio ao general Juan Tomás Díaz. Se Trujillo o tivesse recebido, ele teria implorado, ficado de joelhos, qualquer coisa para salvar Tavito.

Poucos dias depois, ao amanhecer, um carro do SIM com *caliés* à paisana portando metralhadoras parou na porta da casa de Tavito de la Maza. Tiraram o seu cadáver do veículo e, sem maiores contemplações, o jogaram no jardinzinho da frente, entre os amores-perfeitos. E, já de saída, gritaram para Altagracia, que aparecera na porta ainda de camisola e olhava apavorada:

— Seu marido se enforcou na cadeia. Nós o trouxemos para que você o enterre como Deus manda.

"Mas isso não foi o pior", pensou Antonio. Não, ver o cadáver de Tavito, com aquela corda do suposto suicídio ainda no pescoço, o corpo jogado como um cachorro morto na entrada da casa por um grupo de cafetões oficiais que eram os *caliés* do SIM, não foi o pior. Antonio tinha repetido isso dezenas, centenas de vezes nos últimos quatro anos e meio, enquanto dedicava seus dias e suas noites, e todos os restos de lucidez e inteligência que lhe restavam, a planejar a vingança que esta noite — louvado seja Deus — ia se concretizar. O pior mesmo foi a segunda morte de Tavito, dias depois da primeira, quando, utilizando toda a máquina de comunicação e publicidade, *El Caribe* e *La Nación*, a televisão e rádio La Voz Dominicana, as estações La Voz del Trópico, Radio El Caribe e uma dúzia de jornaizinhos e emissoras regionais, o regime, numa de suas farsas mais truculentas, divulgou uma suposta carta manuscrita de Octavio de la Maza explicando o seu suicídio. Remorsos por ter assassinado com as próprias mãos o piloto Murphy, seu amigo e colega na Dominicana de Aviação! Não satisfeito com mandar matá-lo, o Bode, para apagar as pistas da história de Galíndez, ainda teve o macabro requinte de transformar Tavito num assassino. Assim, ele se livrava das duas testemunhas incômodas. E, para que tudo fosse ainda mais abjeto, a carta manuscrita de Tavito explicava por que matara Murphy: veadagem. O americano teria assediado de tal forma o seu irmão, por quem se apaixonara, que Tavito, reagindo com a energia de um homem de verdade, limpou sua honra matando o depravado e escondeu o crime com a desculpa de um acidente.

    Precisou se inclinar no banco do Chevrolet e apertar o fuzil serrado contra a barriga para disfarçar o espasmo que acabava de ter. Sua mulher insistia que fosse ao médico, porque essas coisas podiam indicar uma úlcera ou coisa pior, mas ele resistia. Não precisava de médicos para saber que o seu organismo havia se deteriorado nos últimos anos, como reflexo da amargura do seu espírito. Depois do que aconteceu com Tavito, ele perdera todas as ilusões, todo o entusiasmo, todo o amor por esta vida ou pela outra. Era a ideia da vingança que o mantinha ativo; ele só vivia para cumprir o juramento que fez em voz alta, deixando transfigurados de medo os vizinhos de Moca que estavam com os De la Maza — pais, irmãos e irmãs, cunhados e cunhadas, sobrinhos, filhos, netos, tias e tios — no velório:

    — Juro pelo santo nome de Deus que vou matar com minhas próprias mãos o filho da puta que fez isso!

Todos sabiam que estava se referindo ao Benfeitor, ao Pai da Pátria Nova, ao Generalíssimo doutor Rafael L. Trujillo Molina, que havia mandado uma coroa de flores frescas e aromáticas, a mais vistosa da câmara mortuária. A família De la Maza não teve coragem de recusá-la nem de tirá-la do lugar, tão visível que todos os que foram se benzer e fazer uma prece junto ao caixão souberam que o Chefe estava compungido com a morte trágica desse aviador, "um dos mais fiéis, leais e corajosos dos meus seguidores", como dizia a mensagem de pêsames.

No dia seguinte ao enterro, dois ajudantes de ordens do Palácio chegaram à casa dos De la Maza, em Moca, num Cadillac com placa oficial. Vinham buscar Antonio.

— Estou preso?

— De jeito nenhum — respondeu prontamente o primeiro tenente Roberto Figueroa Carrión. — Sua Excelência quer vê-lo.

Antonio não se deu ao trabalho de meter um revólver no bolso. Imaginou que iriam desarmá-lo antes de entrar no Palácio Nacional, se é que o levariam para lá e não para La Victoria ou La Cuarenta, ou não tinham ordens de jogá-lo em algum precipício pelo caminho. Não se importou. Ele sabia que era forte e também que sua força, duplicada pelo ódio, bastaria para estrangular o tirano, como tinha jurado na véspera. Ruminou essa decisão, decidido a colocá-la em prática, mesmo sabendo que o matariam antes de tentar fugir. Ele pagaria esse preço, se fosse para liquidar o déspota que destruiu a sua vida e a da sua família.

Quando desceu do carro oficial, os ajudante de ordens o escoltaram até o gabinete do Benfeitor, sem que ninguém o revistasse. Os oficiais deviam ter instruções bem precisas; assim que a inconfundível vozinha esganiçada respondeu "Pode abrir", o primeiro tenente Roberto Figueroa Carrión e seu colega se afastaram, deixando-o entrar sozinho. O gabinete estava quase na penumbra, por causa das portinhas semifechadas da janela que dava para o jardim. O Generalíssimo, sentado à sua mesa, estava com uma farda que Antonio não conhecia: jaqueta branca e comprida, com abas, abotoaduras de ouro e grandes galões com franjas douradas sobre o peitilho, de onde pendia um leque multicolorido de medalhas e condecorações. A calça era azul-clara, de flanela, com uma listra branca perpendicular. Devia estar vestido para alguma cerimônia militar. A luz do abajur iluminava o seu rosto largo e cuidadosamente barbeado, os cabelos grisalhos bem-assentados e o bigodinho fino, imitando Hitler (que o Chefe, como Antonio já o ouvira dizer mais de uma vez, admirava "não por suas ideias, mas por sua maneira de envergar a farda e presidir os desfiles"). Seu olhar fixo, direto, deixou Antonio paralisado assim que passou pela porta. Depois de observá-lo por um tempo, Trujillo se dirigiu a ele:

— Sei que você acha que eu mandei matar Octavio e o suicídio dele é uma farsa montada pelo Serviço de Inteligência. Eu o chamei aqui para lhe dizer pessoalmente que está errado. Octavio era um homem do regime. Sempre foi leal, um verdadeiro trujillista. Acabei de nomear uma comissão investigadora, presidida pelo procurador-geral da República, o doutor Francisco Elpidio Beras, com amplíssimos poderes para interrogar todo mundo, militares e civis. Se o suicídio for mentira, os culpados vão pagar caro.

Falava sem animosidade nem inflexões, olhando para ele de forma direta e peremptória como fazia com os subordinados, amigos e inimigos. Antonio permaneceu imóvel, mais decidido que nunca a pular em cima do farsante e estrangulá-lo, sem dar tempo de pedir ajuda. Para facilitar a tarefa, Trujillo se levantou e foi até ele, com passos lentos, solenes. Seus sapatos pretos brilhavam mais que as madeiras enceradas do gabinete.

— Também autorizei o FBI a vir investigar a morte desse tal Murphy — continuou, com a mesma voz aguda. — É uma violação da nossa soberania, claro. Será que os gringos permitiriam que a nossa polícia fosse investigar o assassinato de um dominicano em Nova York, Washington ou Miami? Mas podem vir. Assim o mundo vai saber que não temos nada a esconder.

Estava a um metro de distância. Antonio não resistia ao olhar imóvel de Trujillo e piscava sem parar.

— Minha mão não treme quando tenho que matar — continuou, após uma pausa. — Governar às vezes exige manchar as mãos de sangue. Por este país, tive que fazer isso muitas vezes. Mas sou um homem de honra. Com os leais, eu faço justiça, não mando matar. Octavio era leal, um homem do regime, um trujillista notório. Por isso não poupei esforços para que ele não fosse preso quando extrapolou em Londres e matou Luis Bernardino. A morte de Octavio vai ser investigada. Você e sua família podem participar dos trabalhos da comissão.

Deu meia-volta e voltou para a escrivaninha com toda a calma. Por que não pulou em cima dele quando estava tão perto? Ainda se perguntava isso, quatro anos e meio depois. Não que acreditasse numa só palavra do que ele dizia. Aquilo fazia parte do embuste que Trujillo tanto apreciava e que a ditadura usava para esconder seus crimes, uma pitada de sarcasmo nos atos trágicos em que se sustentava. Por quê, então? Não foi por medo de morrer, pois, entre todos os defeitos que reconhecia em si mesmo, jamais detectou o medo de morrer. Desde que era um rebelde e, com uma pequena tropa de horacistas, combatia o ditador a tiros, arriscou a vida muitas vezes. Era algo mais sutil e indefinível que o medo: uma paralisia, um adormecimento da vontade, do raciocínio e do livre-arbítrio que aquele personagenzinho, afetado até o ridículo, com uma vozinha esganiçada e olhos de hipnotizador, exercia sobre os dominicanos pobres ou ricos, cultos ou incultos, amigos ou inimigos. Foi isso que o manteve ali, mudo, passivo, ouvindo aquela farsa, espectador solitário das lorotas, incapaz de transformar em ação sua vontade de pular em cima dele e acabar com a mixórdia em que a história do país tinha se transformado.

— Além do mais, como prova de que o regime considera os De la Maza como uma família leal, esta manhã foi outorgada a vocês a concessão do trecho que falta construir da rodovia Santiago-Puerto Plata.

Fez outra pausa e, molhando os lábios com a pontinha da língua, concluiu com uma frase que também significava que a audiência havia terminado:

— Assim você vai poder ajudar a viúva de Octavio. A coitada da Altagracia deve estar passando dificuldades. Mande um abraço a ela, e outro aos seus pais.

Antonio saiu do Palácio Nacional mais tonto do que se houvesse passado a noite inteira bebendo. Era mesmo ele? Ouviu com suas próprias orelhas o que aquele filho da puta tinha dito? Aceitou realmente as explicações de Trujillo e, até, um negócio, um prato de lentilhas que lhe permitiria embolsar alguns milhares de pesos para esquecer sua amargura e se tornar cúmplice — sim, cúmplice — do assassinato de Tavito? Por que não se atreveu sequer a afrontá-lo, dizer que sabia muito bem que aquele cadáver jogado na porta da sua cunhada tinha sido assassinado por ordem dele, tal como Murphy, antes, e que também tinha sido ele quem arquitetara, com sua mente melodramática, a farsa da veadagem do piloto gringo e dos remorsos de Tavito por tê-lo matado?

Em vez de voltar para Moca, nessa manhã Antonio foi parar, sem saber como, num cabaré vagabundo, El Bombillo Rojo, na esquina da Vicente Noble com Barahona, cujo dono, o Louco Frías, organizava concursos de dança. Bebeu muito rum, ensimesmado, ouvindo, ao longe, merengues que evocavam Cibao (*San Antonio, Con el alma, Juanita Morel, El Jarro pichao* e outros) e, a certa altura, sem qualquer explicação, quis bater no sujeito que tocava maracas na bandinha que animava o lugar. Mas o porre embaçou o alvo, e acabou dando um soco no ar e caindo no chão, de onde não conseguiu se levantar.

Quando chegou a Moca, no dia seguinte, abatido e com a roupa esfarrapada, na casa da família encontrou à sua espera o pai, don Vicente, o irmão Ernesto, a mãe e Aída, sua esposa, com um ar espantado. Foi esta última quem falou, trêmula:

— Estão dizendo por aí que Trujillo calou a sua boca com a estrada entre Santiago e Puerto Plata. Nem sei quanta gente já telefonou.

Antonio ainda se lembrava da surpresa que teve quando se viu repreendido por Aída na frente dos seus pais e de Ernesto. Ela era a esposa dominicana modelo, calada, serviçal, sofrida, que aguentava suas bebedeiras, suas aventuras com mulheres, suas brigas, as noites passadas fora de casa, e que sempre o recebia sorrindo, levantando-lhe o ânimo, sempre disposta a acreditar em suas desculpas, quando ele se dignava dá-las, e encontrando consolo para os desgostos da vida nas missas de domingo, nas novenas, nas confissões e nas preces.

— Não podia deixar que ele me matasse só para tomar uma atitude — disse, deixando-se cair na velha cadeira de balanço onde don Vicente tirava seus cochilos à tarde. — Fingi que acreditava nas explicações, que aceitava o suborno.

Falava sentindo um cansaço de séculos, com os olhares de sua mulher, de Ernesto e dos seus pais queimando-lhe a consciência.

— O que mais eu podia fazer? Não me queira mal, papai. Eu jurei vingar Tavito. E vou fazer isso, mamãe. Nunca mais você vai se envergonhar de mim, Aída. Juro. Juro, de novo.

Agora, a qualquer instante, esse juramento ia ser cumprido. Daqui a dez minutos, ou um, apareceria o Chevrolet que toda semana levava a raposa velha à Casa de Caoba em San Cristóbal e, pelo plano cuidadosamente traçado, o assassino de Galíndez, de Murphy, de Tavito, das Mirabal, de milhares de dominicanos cairia alvejado pelas balas de outra das suas vítimas, Antonio de la Maza, que Trujillo também matou, porém de maneira mais lenta e perversa que aqueles que liquidou a tiros, pancadas ou jogando para os tubarões. Matou por partes, tirando-lhe a decência, a honra, o respeito a si mesmo, a alegria de viver, as esperanças, os desejos, deixando-o em pele e ossos, sempre atormentado pela culpa que o destruía aos pouquinhos fazia tantos anos.

— Vou esticar as pernas — ouviu Salvador Estrella Sadhalá dizer. — Estou com cãibras de tanto ficar sentado.

Viu o Turco sair do carro e dar uns passos na beira da estrada. Salvador estaria tão angustiado quanto ele? Sem dúvida. E Tony Imbert e Amadito, também. E, mais à frente, Roberto Pastoriza, Huáscar Tejeda e Pedro Livio Cedeño igualmente. Todos assolados pela preocupação de que algo, ou alguém, impedisse o Bode de ir a esse encontro. Mas era só com ele que Trujillo tinha velhas contas a acertar. Nenhum dos seus seis companheiros, nem dezenas de outros que, como Juan Tomás Díaz, estavam envolvidos na conspiração, haviam sido tão atingidos pelo Bode como Antonio. Deu uma olhada pela janela: o Turco balançava as pernas fazendo movimentos enérgicos. Chegou a perceber que estava com o revólver na mão. Viu-o voltar para o seu lugar no banco de trás, ao lado de Amadito.

— Bem, se ele não aparecer, vamos para o Pony tomar umas cervejas geladinhas — ouviu-o dizer, meio constrangido. Depois da briga, ele e Salvador passaram meses sem se falar. Tinham se encontrado em reuniões sociais, mas não se cumprimentaram. Esse rompimento aumentou a tortura interior em que ele vivia. Quando a conspiração já estava bem adiantada, Antonio teve coragem de ir à rua Mahatma Gandhi 21 e entrar diretamente na sala onde estava Salvador.

— É bobagem dispersar os nossos esforços — disse, à guisa de cumprimento. — Os planos de vocês para matar o Bode são criancices. Você e Imbert deviam se unir a nós. Nosso plano está avançado e não pode falhar.

Salvador encarou-o, sem dizer nada. Não fez qualquer gesto hostil nem o expulsou da casa.

— Tenho o apoio dos americanos — explicou Antonio, baixando a voz. — Estou acertando os detalhes com a embaixada há dois meses. Juan Tomás Díaz também falou com pessoal do cônsul Dearborn. Vão nos dar armas e explosivos. Os chefes militares também estão comprometidos. Você e Tony têm que se unir a nós.

— Somos três — disse, por fim, o Turco. — Amadito García Guerreiro faz parte do grupo, há alguns dias.

Foi uma reconciliação muito relativa. Não tiveram nenhuma discussão séria durante aqueles meses, enquanto o plano para matar Trujillo era feito, desfeito, refeito, e todo mês, toda semana, todo dia assumia formas e datas diferentes, devido às vacilações dos americanos. O avião de armas prometido pela embaixada se reduziu, afinal, aos três fuzis que lhe foram entregues, havia pouco tempo, pelo seu amigo Lorenzo Berry, o dono do supermercado Wimpy's que, para seu assombro, era o homem da CIA em Trujillo. Apesar desses encontros cordiais, cujo único assunto era o plano em perpétua mutação, não voltou a existir, entre eles, a comunicação fraterna de antes, as brincadeiras, as confidências, a trama de intimidades compartilhadas que — Antonio sabia — havia entre o Turco, Imbert e Amadito, da qual ele fora excluído desde a briga. Outra desgraça para botar na conta do Bode: ter perdido aquele amigo para sempre.

Seus três companheiros de carro, e os outros três, mais à frente, eram talvez os que menos sabiam sobre a conspiração. Era possível que tivessem suspeitas a respeito de outros cúmplices, mas, se alguma coisa falhasse, e eles caíssem nas garras de Johnny Abbes García, e os *caliés* os levassem para La Cuarenta e os submetessem às torturas de sempre, nem o Turco, nem Imbert, nem Amadito, nem Huáscar, nem Pastoriza, nem Pedro Livio poderiam comprometer muita gente. Só o general Juan Tomás Díaz, Luis Amiama Tió e dois ou três mais. Não tinham quase nenhuma informação sobre outros envolvidos, entre os quais se incluíam figuras poderosas do governo, como Pupo Román, por exemplo — o chefe das Forças Armadas, segundo homem do regime —, nem da miríade de ministros, senadores, funcionários civis e líderes militares que, informados dos planos, participaram da sua preparação, ou souberam indiretamente e afirmaram ou deram a entender, ou a adivinhar, a intermediários (era o caso do próprio Balaguer, o teórico Presidente da República) que, uma vez liquidado o Bode, estariam dispostos a colaborar na reconstrução política, na eliminação de toda a escória restante do trujillismo, na abertura, com a Junta cívico-militar que, com o apoio dos Estados Unidos, garantiria a ordem, impediria as ações dos comunistas, convocaria eleições. Será que finalmente a República Dominicana se tornaria um país normal, com um governo eleito, uma imprensa livre, uma justiça digna desse nome? Antonio suspirou. Havia trabalhado tanto para isso, quase não conseguia acreditar. Na verdade, ele era o único que conhecia como a palma da mão toda essa teia de nomes e cumplicidades. Muitas vezes, enquanto se sucediam as desesperantes reuniões secretas, e tudo o que estava feito ia por água abaixo e era preciso recomeçar do zero, ele se sentiu exatamente assim: uma aranha no centrão de um labirinto de fios, esticados por ele mesmo, que aprisionava uma multidão de personagens que se desconheciam entre si. Era o único que conhecia a todos. Só ele sabia o grau de envolvimento de cada um. E eram tantos! Nem lembrava quantos, agora. Parecia um milagre que, sendo este país o que era, sendo os dominicanos como eram, não tivesse ocorrido alguma delação que desbaratasse toda a trama. Talvez Deus estivesse mesmo com eles, como pensava Salvador. As precauções tinham funcionado, o cuidado de que todos soubessem muito pouco do plano, só o objetivo final, mas ignorassem o modo, as circunstâncias, o momento. Apenas três ou quatro pessoas sabiam que eles sete estavam aqui, esta noite, e quais seriam as mãos que justiçariam o Bode.

Às vezes ficava aflito com a ideia de ser o único que, se Johnny Abbes o prendesse, podia identificar todos os participantes. Estava decidido a não ser capturado vivo, reservar o último tiro para si mesmo. E também havia tomado a precaução de esconder, num salto oco do sapato, um veneno à base de cianeto que um farmacêutico de Moca lhe preparou, pensando que era para acabar com um cachorro do mato que fazia estragos nos galinheiros da fazenda. Não o pegariam vivo, ele não daria a Johnny Abbes o prazer de vê-lo se contorcer na cadeira elétrica. Morto Trujillo, seria uma verdadeira felicidade liquidar o chefe do SIM. Não faltariam voluntários. O mais provável era que ele sumisse ao saber da morte do Chefe. Devia ter tomado todas as precauções; certamente sabia como era odiado, quanta gente queria se vingar dele. E não só opositores; ministros, senadores e militares diziam isso abertamente.

Antonio acendeu outro cigarro e fumou mordendo o filtro com força para aplacar a ansiedade. O tráfego estava completamente parado; fazia um bom tempo que não passava um caminhão ou um carro em nenhuma das duas direções.

Na verdade, pensou, soltando fumaça pela boca e pelo nariz, pouco lhe importava que porra ia acontecer depois. O essencial era agora. Ver o Bode morto para saber que sua vida não tinha sido inútil, que não passara pelo mundo como um ser desprezível.

— Esse desgraçado não aparece, cacete — exclamou furioso, ao seu lado, Tony Imbert.

VII

Na terceira vez que Urania insiste com a colher, o inválido abre a boca. Quando a enfermeira volta com um copo d'água, o senhor Cabral, relaxado e aparentemente distraído, aceita docilmente as colheradas que a filha lhe dá e bebe meio copo em pequenos goles. Umas gotinhas lhe escorrem pelas comissuras dos lábios, até o queixo. A enfermeira enxuga com cuidado.

— Muito bem, muito bem, comeu a papinha como um bom menino — parabeniza. — O senhor ficou contente com a surpresa que sua filha lhe fez, não é mesmo, senhor Cabral?

O inválido não se digna a levantar a vista.

— A senhora se lembra de Trujillo? — pergunta Urania, à queima-roupa.

A mulher a encara, desconcertada. Tem quadris largos, um rosto expressivo, olhos saltados. Seu cabelo é de um louro enferrujado cujas raízes escuras denunciam a tintura. Afinal responde:

— Não posso lembrar, eu só tinha quatro ou cinco anos quando o mataram. Não me lembro de nada, só das coisas que ouvi em casa. Seu pai era muito importante nessa época, eu sei.

Urania confirma.

— Senador, ministro, tudo — murmura. — Mas, afinal, caiu em desgraça.

O velho a fita, alarmado.

— Bem, bem. — A enfermeira tenta ser simpática. — Era um ditador e tudo o mais, mas parece que naquela época se vivia melhor. Todo mundo tinha trabalho e não havia tantos crimes. Não é mesmo, senhorita?

— Se o meu pai for capaz de entender, deve estar feliz ouvindo isso.

— Claro que entende — diz a enfermeira, já na porta. — Não é mesmo, senhor Cabral? Seu pai e eu temos longas conversas. Bem, pode me chamar se precisar de mim.

Sai, fechando a porta.

Talvez fosse mesmo verdade que, devido aos desastrosos governos posteriores, muitos dominicanos sentiam saudades de Trujillo. Tinham esquecido os abusos, os assassinatos, a corrupção, a espionagem, o isolamento, o medo: transformaram o horror em mito. "Todo mundo tinha trabalho e não havia tantos crimes."

— Mas havia, papai. — Busca os olhos do inválido, que começa a piscar. — Talvez não entrassem tantos ladrões nas casas, nem houvesse tantos assaltantes nas ruas roubando bolsas, relógios e colares dos transeuntes. Mas se matava, espancava, torturava, e muita gente desaparecia. Inclusive as pessoas mais próximas ao regime. Por exemplo, o filhinho, o belo Ramfis, quantos abusos cometeu. Como você tremia com a ideia de que ele pusesse o olho em mim!

Seu pai não sabia, porque Urania nunca lhe contou, que ela e suas colegas do Colégio Santo Domingo, e talvez todas as garotas da sua geração, sonhavam com Ramfis. Com seu bigodinho aparado de galã de filme mexicano, seus óculos Ray-Ban, seus ternos sob medida e seus variados uniformes de chefe da Aeronáutica Dominicana, seus grandes olhos escuros, sua silhueta atlética, seus relógios e anéis de ouro puro e seus Mercedes Benz, Ramfis parecia o favorito dos deuses: rico, poderoso, bem-apessoado, saudável, forte, feliz. Lembra-se dele muito bem: quando as *sisters* não estavam por perto, você e suas colegas ficavam exibindo suas coleções de fotos de Ramfis Trujillo, à paisana, de farda, de roupa de banho, de gravata, de traje esporte, a rigor, usando vestimenta de montar, dirigindo o time dominicano de polo ou sentado ao comando do seu avião. Inventavam tê-lo visto, falado com ele, no clube, na feira, na festa, no desfile, na quermesse, e, quando já se atreviam a dizer essas coisas — ruborizadas, assustadas, sabendo que aquilo era pecar em palavra e pensamento e que teriam que confessar tudo ao capelão —, cochichavam, que lindo, que maravilhoso, serem amadas, beijadas, abraçadas, acariciadas por Ramfis Trujillo.

— Você não imagina quantas vezes eu sonhei com ele, papai.

O pai não ri. Voltou a se sobressaltar e a abrir os olhos quando ouviu o nome do filho mais velho de Trujillo. O preferido e, por isso mesmo, a maior decepção. O Pai da Pátria Nova queria que seu primogênito — "Era mesmo filho dele, papai?" — tivesse o seu apetite de poder e fosse tão enérgico e realizador como ele próprio. Mas Ramfis não herdou nenhuma das suas virtudes nem defeitos, com exceção, talvez, do frenesi fornicatório, da necessidade de levar mulheres para a cama e assim se convencer da própria virilidade. Ele não tinha ambição política, nem qualquer outra ambição, e era indolente, propenso à depressão, à introversão neurótica, acossado por complexos, angústias e pânicos, com um comportamento errático, cheio de explosões histéricas e longos períodos de abulia que afogava em drogas e álcool.

— Sabe o que dizem os biógrafos do Chefe, papai? Que ele ficou assim quando soube que, quando nasceu, sua mãe ainda não era casada com Trujillo. Que começou a ter depressões ao descobrir que seu verdadeiro pai era o doutor Dominici, ou então aquele cubano que Trujillo mandou matar, o primeiro amante de dona María Martínez, quando ela ainda nem sonhava em ser a Excelsa Dama, não passava de uma mulherzinha insignificante de vida duvidosa, conhecida como Españolita. Você está rindo? Eu não acredito!

É possível que esteja rindo. Também pode ser um mero relaxamento dos músculos faciais. Em todo caso, não é a expressão de uma pessoa que está se divertindo; parece mais a de alguém que acabou de bocejar ou de berrar e ficou desmandibulado, com os olhos entreabertos, as narinas dilatadas e a boca escancarada, mostrando um buraco escuro, todo desdentado.

— Quer que eu chame a enfermeira?

O inválido fecha a boca, suaviza o rosto e recupera a expressão atenta e alarmada. Continua encolhido, quieto, esperando. Uma súbita algazarra de periquitos alvoroça o quarto e distrai Urania. E cessa tão rápido quanto começou. Bate um sol esplêndido nos tetos e nos vidros, o quarto começa a esquentar.

— Sabe de uma coisa? Com todo o ódio que eu tive e que continuo tendo do seu Chefe, da família dele, de tudo o que cheire a Trujillo, na verdade, quando penso em Ramfis, ou leio alguma coisa sobre ele, não posso deixar de sentir pena, compaixão.

Ele era um monstro, como toda essa família de monstros. Que outra coisa poderia ser, sendo filho de quem era, criado e educado como foi? Que outra coisa poderia ser o filho de Heliogábalo, o filho de Calígula, o filho de Nero? Que outra coisa poderia ser um menino que aos sete anos foi nomeado, por lei — "Quem a apresentou ao Congresso foi você ou o senador Chirinos, papai?" —, coronel do Exército dominicano e, aos dez, promovido a general, numa cerimônia pública a que todo o corpo diplomático teve que comparecer e na qual todos os chefes militares lhe prestaram homenagens? Urania tem gravada na memória uma foto, do álbum que seu pai guardava no armário da sala — ainda estará lá? — na qual o elegante senador Agustín Cabral ("Ou você era ministro na época, papai?"), impecável em seu fraque, sob um sol cortante, se inclina em respeitosa mesura para saudar o menino vestido de general que, num pequeno palanque protegido por um toldo, acaba de assistir ao desfile militar e recebe os cumprimentos, em fila, de ministros, parlamentares e embaixadores. Ao fundo, os rostos felizes do Benfeitor e da Excelsa Dama, a mãe orgulhosa.

— Que mais ele poderia ser senão o parasita, o bêbado, o estuprador, o safado, o bandido, o desequilibrado que sempre foi? Eu e as minhas amigas do Santo Domingo não sabíamos de nada disso quando éramos apaixonadas por Ramfis. Você sim, sabia muito bem, papai. Por isso não queria que ele viesse me visitar, que botasse o olho na sua filhinha, foi por isso que você ficou como ficou quando ele me fez um carinho e disse um galanteio. Eu não entendia nada!

O inválido pisca, duas, três vezes.

Porque, ao contrário das colegas, cujos coraçõezinhos palpitam por Ramfis Trujillo e inventam que o viram e falaram com ele, que Ramfis sorriu para elas e as cortejou, com Urania isso aconteceu de verdade. Na inauguração do grandioso evento que festejou os vinte e cinco anos da Era Trujillo: a Feira da Paz e da Confraternidade do Mundo Livre que, aberta em 20 de dezembro de 1955, duraria todo o ano de 1956 e custaria — "Nunca se soube a cifra exata, papai" — entre vinte e cinco e setenta milhões de dólares, entre um quarto e metade do orçamento nacional. Urania ainda guarda essas imagens muito vívidas, a excitação, a sensação de encantamento que invadiu o país inteiro com aquela feira memorável: Trujillo homenageava a si mesmo trazendo para Santo Domingo ("Trujillo, desculpe, papai") a orquestra de Xavier Cugat, as coristas do Lido de Paris, as patinadoras americanas do Ice Capades, e construindo, nos oitocentos mil metros quadrados do recinto de exposições, setenta e um prédios, alguns de mármore, alabastro e ônix, para alojar as delegações dos quarenta e dois países do Mundo Livre que compareceram, um conjunto de personalidades em que se destacavam o Presidente do Brasil, Juscelino Kubitschek, e a silhueta púrpura do cardeal Francis Spellman, arcebispo de Nova York. Os pontos altos dos festejos foram a promoção de Ramfis, por seus brilhantes serviços à pátria, ao posto de tenente-general e a coroação de Sua Graciosa Majestade Angelita I, a Rainha da Feira, que chegou de navio, anunciada pelas sirenes de toda a Marinha e o repicar dos sinos de todas as igrejas da capital, com sua coroa de pedras preciosas e seu delicado vestido de gaze e renda, confeccionado em Roma por duas célebres costureiras, as irmãs Fontana, com quarenta e cinco metros de arminho russo, cuja cauda tinha três metros de comprimento e a toga imitava a que Isabel I da Inglaterra usara em sua coroação. Entre as damas de honra e os pajens, usando um primoroso vestido longo de organdi, luvas de seda e um punhado de rosas na mão, entre outras meninas e jovens da seleta sociedade dominicana, está Urania. É a mais jovem da corte de pimpolhos que escolta a filha de Trujillo sob o sol triunfal, em meio à multidão que está aplaudindo o poeta e secretário de Estado da Presidência, don Joaquín Balaguer, que em seu discurso enaltece Sua Majestade Angelita I e faz o povo dominicano se ajoelhar ante sua graça e sua beleza. Sentindo-se uma mulherzinha, Urania ouve o seu pai, vestido a rigor, ler um panegírico dos sucessos desses vinte e cinco anos, conquistados graças à tenacidade, visão e patriotismo de Trujillo. Está imensamente feliz. ("Nunca mais fui feliz como naquele dia, papai.") Ela se sente o coração das atenções. Agora, no centro da feira, é inaugurada uma estátua de bronze de Trujillo, de fraque e toga acadêmica, com uns diplomas professorais na mão. De repente — fecho de ouro de uma manhã mágica — Urania descobre, ao seu lado, olhando-a com uns olhos sedosos, Ramfis Trujillo, vestido com o uniforme de gala.

— E esta menina tão linda, quem é? — sorri para ela o mais recente tenente-general. Urania sente uns dedos quentes, magros, levantando-lhe o queixo. — Como você se chama?

— Urania Cabral — balbucia ela, com o coração na mão.

"Como você é bonita, que linda vai ser", Ramfis se inclina e beija a mão da menina que escuta o alvoroço, os suspiros, as brincadeiras dos outros pajens e damas de Sua Majestade Angelita I. O filho do Generalíssimo se afastou. Urania não cabe em si de tanta felicidade. O que vão dizer suas amigas quando souberem que Ramfis, ninguém menos que Ramfis, disse que ela era linda, acariciou seu rosto e beijou sua mão, como se fosse uma mulher de verdade.

— Como você ficou contrariado quando eu lhe contei isso, papai. Que fúria. Engraçado, não é?

Aquele aborrecimento do pai ao saber que Ramfis havia tocado nela fez Urania suspeitar, pela primeira vez, que, talvez, nem tudo na República Dominicana estivesse tão perfeito como todos diziam, especialmente o senador Cabral.

— Que mal pode haver em que ele me chame de bonita e me faça um carinho, papai.

— Todo o mal do mundo. — O pai levanta a voz, assustando-a, porque ele nunca a repreende com aquele indicador apodíctico sobre a sua cabeça. — Que isso não se repita. Ouça bem, Uranita. Se ele se aproximar de você, saia correndo. Não o cumprimente, não fale com ele. Fuja. É pelo seu bem.

— Mas, mas... — A menina está confusa.

Tinham acabado de voltar da Feira da Paz e da Confraternidade do Mundo Livre, ela ainda estava com seu primoroso vestido de dama de companhia de Sua Majestade Angelita I e o pai com o fraque que pusera para fazer o discurso diante de Trujillo, do Presidente Negro Trujillo, dos diplomatas, ministros, convidados, e das milhares de pessoas que inundam as avenidas, ruas e edifícios da feira enfeitados com bandeirolas. Por que ficou assim?

— Porque Ramfis, esse garoto, esse homem é... mau. — Seu pai faz um esforço para não dizer tudo o que tem vontade. — Com as garotas, com as meninas. Não repita isso para as suas amigas do colégio. Para ninguém. Só digo a você, porque é minha filha. Tenho obrigação. Preciso cuidar de você. É pelo seu bem, Uranita, entende? Sim, você é inteligente. Não deixe ele se aproximar, nem falar com você. Se aparecer, corra para onde eu estiver. Ao meu lado, ele não pode fazer nada de mau com você.

Você não entende, Urania. Você é pura como um lírio, ainda não tem malícia. Pensa que seu pai está com ciúmes. Não quer que ninguém mais lhe faça carinho nem diga que você é bonita, só ele. Essa reação do senador Cabral indica que, na época, o charmoso Ramfis, o romântico Ramfis, já tinha começado a fazer fama com aquelas maldades que cometia com meninas, moçoilas e mulheres, uma fama que todo dominicano, bem ou malnascido, aspira a alcançar. Grande Fornicador, Macho, Fodedor Feroz. Você vai sabendo de tudo isso aos poucos, nas salas de aula e nos pátios do Santo Domingo, o colégio das meninas grã-finas, dirigido por *sisters* americanas e canadenses, com um uniforme moderno, cujas alunas não parecem noviças porque se vestem de rosa, azul e branco, e usam meias grossas e sapatos de duas cores (branco e preto), o que lhes dá um ar esportivo e bem moderno. Mas nem elas estão a salvo quando Ramfis sai em suas tropelias, sozinho ou com sua turma de amigos, em busca de mulheres pelas ruas, parques, clubes, boates ou casas particulares do seu grande feudo que é Quisqueya, a República Dominicana. Quantas mulheres o belo Ramfis seduziu, sequestrou, estuprou? Para as conterrâneas ele não dá Cadillacs nem casacos de visom, como faz com as artistas de Hollywood, depois de trepar com elas ou para fazer isso. Porque, ao contrário do seu pródigo pai, o belo Ramfis é, como dona María, um avarento. Com as dominicanas ele trepa de graça, só pela honra de serem comidas pelo príncipe herdeiro, o capitão da invicta equipe de polo do país, o tenente-general, o chefe da Aeronáutica.

Disso tudo você fica sabendo pelos cochichos e fofocas, fantasias e exageros misturados com realidades que, às escondidas das *sisters*, as alunas trocam nos recreios, acreditando e não acreditando, atraída e repelida, até que, afinal, acontece um terremoto no colégio, em Trujillo, porque dessa vez a vítima do filhinho do papai é uma das garotas mais bonitas da sociedade dominicana, filha de um coronel do Exército: a radiante Rosalía Perdomo, de longos cabelos louros, olhos azuis e pele translúcida, que interpreta a Virgem María nas representações da Paixão, derramando lágrimas como uma autêntica Dolorosa quando seu Filho expira. Correm muitas versões sobre o que aconteceu. Que Ramfis a conheceu numa festa, que a viu no Country Clube, numa quermesse, que pôs os olhos nela no Hipódromo, que a assediou, telefonou, escreveu e marcou um encontro, naquela tarde de sexta-feira, depois da aula de educação física que Rosalía frequentava porque era do time de vôlei. Em vez de tomar o ônibus do colégio, muitas colegas a veem, na saída — Urania não lembra se a viu, mas não é impossível —, subir no carro de Ramfis, que está a poucos metros da porta, à sua espera. Não está sozinho. O filhinho do papai nunca anda sozinho, está sempre acompanhado por dois ou três amigos que o aplaudem, adulam, servem, e prosperam à sua custa. Como o cunhado, marido de Angelita, Peitinho, outro janota, o coronel Luis José León Estévez. Será que o irmão caçula está com eles? O feinho, o burrinho, o sem-graça Radhamés? Sem dúvida. Bêbados, já? Ou vão encher a cara enquanto fazem o que fazem com a dourada, a nívea Rosalía Perdomo? Na certa, eles não esperam que a menina perca tanto sangue. Então se comportam como cavalheiros. Mas, antes, a estupram. Ramfis, por ser quem é, tem o privilégio de deflorar o delicioso manjar. Depois os outros. Por ordem de antiguidade ou de proximidade com o primogênito? Decidem na sorte a vez de cada um? Como faziam, papai? E, em pleno ataque, a hemorragia os surpreende.

    Em vez de jogá-la numa vala, no meio do campo, como teriam feito se Rosalía não fosse uma Perdomo, menina branca, loura, rica e de respeitada família trujillista, e sim uma garota sem sobrenome nem dinheiro, eles agem com consideração. Levam a coitada até a porta do Hospital Marión, onde, para sorte ou desgraça de Rosalía, os médicos a salvam. Também espalham a história. Parece que o pobre coronel Perdomo nunca se recuperou do trauma de saber que sua adorada filha tinha sido tranquilamente ultrajada por Ramfis Trujillo e seus amigos entre o almoço e o jantar, como quem mata o tempo vendo um filme. Sua mãe nunca mais voltou a sair de casa, derrotada pela vergonha e pela dor. Nem na missa são vistos.

    — Era isso o que você tanto temia, papai? — Urania persegue os olhos do inválido. — Que Ramfis e seus amigos fizessem comigo o mesmo que fizeram com Rosalía Perdomo?

    "Ele entende", pensa, calando-se. Seu pai está com os olhos fixos nela; no fundo de suas pupilas há uma súplica silenciosa: fique quieta, pare de mexer nessas feridas, de ressuscitar essas lembranças. Mas ela não tem a menor intenção de parar.

Não foi esse o motivo que a trouxe para este país ao qual tinha jurado não voltar nunca mais?

— Sim, papai, deve ter sido para isso que eu vim — diz, em voz tão baixa que mal dá para ouvir. — Para fazer você passar um mau pedaço. Se bem que, com o derrame, você já tomou as suas precauções. Arrancou da memória as coisas desagradáveis. E o que aconteceu comigo, conosco, apagou também? Eu, não. Não deixei de pensar nisso um só dia. Nestes trinta e cinco anos, papai. Nunca esqueci, nem o perdoei. É por isso que, quando você telefonava para a Siena Heights University ou para Harvard, eu ouvia sua voz e desligava, sem deixar que terminasse. "Filhinha, é você...", clique. "Uranita, escute...", clique. Por isso jamais respondi a uma carta sua. Você escreveu cem? Duzentas? Eu rasguei ou queimei todas elas. Eram bastante hipócritas, as suas cartinhas. Você falava fazendo rodeios, cheio de alusões, para o caso de caírem sob olhos alheios, para que outros não viessem a saber dessa história. Sabe por que eu nunca pude perdoá-lo? Porque você nunca lamentou de verdade. Depois de tantos anos servindo ao Chefe, havia perdido os escrúpulos, a sensibilidade, qualquer vestígio de retidão. Da mesma forma que seus colegas. Que o país inteiro, talvez. Era esse o requisito para se manter no poder sem ter nojo? Tornar-se um desalmado, um monstro como o seu Chefe. Continuar leve e feliz como o belo Ramfis depois de estuprar e deixar Rosalía sangrando no Hospital Marión.

A menina Perdomo não voltou para o colégio, naturalmente, mas seu delicado rostinho de Virgem María continuou habitando as salas de aula, corredores e pátios do Santo Domingo, assim como as fofocas, sussurros e fantasias que a sua desgraça provocou, durante semanas, meses, embora as *sisters* tivessem proibido que se pronunciasse o nome de Rosalía Perdomo. Mas nos lares da sociedade dominicana, mesmo no seio das famílias mais trujillistas, esse nome sempre reaparecia, como uma vergonhosa premonição, um aviso assustador, principalmente nas casas em que havia meninas e senhoritas na idade certa, e a história atiçava o medo de que o belo Ramfis (que era, além do mais, casado com a divorciada Octavia — Tantana — Ricart!) de repente fosse descobrir a menina, a moça, e organizar para ela uma dessas festinhas de herdeiro mimado que de tanto em tanto ele fazia com quem lhe desse vontade, porque quem ia tomar satisfações com o filhinho mais velho do Chefe e do seu círculo de favoritos?

— Foi por causa de Rosalía Perdomo que o seu Chefe mandou Ramfis para a academia militar, nos Estados Unidos, não foi, papai?

Para a Academia Militar de Fort Leavenworth, Kansas City, em 1958. A fim de mantê-lo por uns anos longe de Trujillo, onde a história de Rosalía Perdomo, diziam, tinha irritado até Sua Excelência. Não por razões morais, mas práticas. Esse garoto idiota, em vez de ir se acostumando com os problemas, de ir se preparando como primogênito do Chefe, dedicava a vida à dissipação, ao polo, às bebedeiras com uma corte de vagabundos e parasitas, e a fazer gracinhas como estuprar e machucar a filha de uma das famílias mais leais a Trujillo. Que abusado, que malcriado esse rapaz. Já para a Academia Militar de Fort Leavenworth, em Kansas City!

Uma risada histérica domina Urania e o inválido volta a se encolher todo, como se quisesse desaparecer dentro de si, desconcertado com aquela gargalhada súbita. Urania ri tanto que seus olhos se enchem de lágrimas. Ela os enxuga com o lenço.

— A emenda foi pior que o soneto. Em vez de castigo, aquela viagenzinha do belo Ramfis a Fort Leaven worth acabou sendo um prêmio.

Deve ter sido engraçado, não é mesmo, papai?: o oficialzinho dominicano foi fazer aquele curso de elite, no meio de um grupo seleto de oficiais americanos, e aparecia com galões de tenente-geral, dezenas de condecorações, uma longa carreira militar nas costas (ele tinha começado aos sete aninhos), com um séquito de ajudantes de ordens, músicos e empregados, um iate ancorado na baía de São Francisco e uma frota de carros. Que surpresa para aqueles capitães, majores, tenentes, sargentos, instrutores e professores. Aquele pássaro tropical chegava à Academia Militar de Fort Leavenworth para fazer um curso e exibia mais galões e títulos do que Eisenhower obteve em toda a sua vida. Como tratá-lo? Como permitir que ele tivesse semelhantes prerrogativas sem desprestigiar a Academia e o Exército americano? Como olhar para o outro lado quando o herdeiro, semana sim, semana não, fugia da espartana Kansas City para a buliçosa Hollywood, onde, com seu amigo Porfirio Rubirosa, protagonizava farras milionárias com artistas famosas que a imprensa do espetáculo e da fofoca comentava com delírio? A colunista mais famosa de Los Angeles, Louella Parsons, revelou que o filho de Trujillo dera um Cadillac último modelo a Kim Novak e um casaco de visom a Zsa Zsa Gabor. Um congressista democrata calculou, numa sessão da Câmara, que aqueles presentes custavam o equivalente à ajuda militar anual que Washington entregava graciosamente ao Estado dominicano, e perguntou se aquela era a melhor forma de ajudar os países pobres a se defenderem do comunismo e de gastar o dinheiro do povo americano.

Impossível evitar o escândalo. Nos Estados Unidos, mas não na República Dominicana, onde não se publicou nem se disse uma só palavra sobre as diversões de Ramfis. Lá, sim, porque, digam o que disserem, há uma opinião pública e uma imprensa livre, e os políticos se desacreditam se demonstrarem algum ponto fraco. Assim, a pedido do Congresso, a ajuda militar foi cortada. Lembra disso, papai? A Academia informou discretamente ao Departamento de Estado e este, ainda mais discretamente, ao Generalíssimo, que não havia a mais remota possibilidade de que seu filhinho fosse aprovado no curso e que, sendo sua folha de serviços tão insignificante, era preferível que se desligasse, sob pena de passar pela humilhação de ser expulso da Academia Militar de Fort Leavenworth.

— O papai não gostou nem um pouquinho da maldade que fizeram com o coitado do Ramfis, não foi, papai? Ele só tinha farreado um pouco, e vejam como esses gringos puritanos reagiram. Em represália, o seu Chefe quis expulsar as missões naval e militar dos Estados Unidos e convocou o embaixador como forma de protestar. Os assessores mais íntimos dele, Paíno Pichardo, você mesmo, Balaguer, Chirinos, Arala, Manuel Alfonso, tiveram que fazer milagres para convencê-lo de que um rompimento seria extremamente prejudicial. Lembra? Os historiadores dizem que você foi um dos que impediu que as coisas azedassem de vez com Washington por causa das proezas de Ramfis. Mas só impediu até certo ponto, papai. A partir dessa época, desses excessos, os Estados Unidos perceberam que aquele aliado era um estorvo, que seria prudente procurar alguém mais apresentável. Mas, como foi mesmo que acabamos falando dos filhos do seu Chefe, papai?

O inválido sobe e desce os ombros, como que respondendo: "Sei lá, você deve saber." Ele entendia, então? Não. Pelo menos, não o tempo todo. O derrame não devia ter anulado totalmente sua capacidade de compreensão, e sim reduzido a dez, cinco por cento do normal. Aquele cérebro limitado, empobrecido, em câmara lenta, sem dúvida era capaz de reter e processar por alguns minutos, segundos talvez, a informação que seus sentidos captavam, antes de nublar-se. Por isso, de repente, seus olhos, seu semblante, seus gestos, como esse movimento de ombros, por exemplo, sugerem que ele ouve, que ele entende o que você diz. Mas só uns fiapos, em espasmos, em clarões, sem coerência. Não se iluda, Urania. Ele entende durante alguns segundos, e depois esquece. Você não se comunica com ele. Continua falando sozinha, como vem fazendo diariamente há mais de trinta anos.

Você não está triste nem deprimida. Talvez por causa do sol que entra pelas janelas e ilumina os objetos com uma luz muito viva, que os perfila e revela seus detalhes, denunciando os defeitos, as manchas, os desgastes de velhice. Como está mesquinho, abandonado, velho, o quarto — a casa — do outrora poderoso Presidente do Senado, Agustín Cabral. Como foi que você acabou se lembrando de Ramfis Trujillo? Urania sempre foi fascinada por esses estranhos meandros da memória, as geografias que ela constrói em função de estímulos misteriosos, de associações imprevistas. Ah, sim, tem a ver com uma notícia que tinha lido na véspera da sua partida dos Estados Unidos, no *The New York Times*. A matéria era sobre o irmão menor, o burrinho, o feinho Radhamés. Que notícia! Que final. O repórter tinha feito uma investigação cuidadosa. Ele passara alguns anos no Panamá, falido, metido em atividades suspeitas, ninguém sabia quais, até que evaporou. O sumiço fora no ano anterior, e as providências dos parentes e da polícia panamenha — a revista do quartinho onde morava, em Balboa, mostrou que seus poucos pertences continuavam lá — não deram a menor pista. Até que, afinal, um dos cartéis colombianos da droga anunciou, em Bogotá, com a pompa sintática característica da Atenas da América, que "o cidadão dominicano don Radhamés Trujillo Martínez, residente em Balboa, na República irmã do Panamá, foi executado, num lugar indeterminado da selva colombiana, depois de ter sido inequivocamente provado o seu comportamento desonesto no cumprimento de suas obrigações". O *New York Times* explicava que, aparentemente, o fracassado Radhamés ganhava a vida, havia anos, trabalhando para a máfia colombiana. Em tarefas de dar lástima, sem dúvida, a julgar pela modéstia em que vivia; servindo de menino dos recados dos mandachuvas, alugando apartamentos para eles, levando e trazendo essa gente de hotéis, aeroportos, bordéis, ou, talvez, como intermediário na lavagem de dinheiro. Na certa tentou surrupiar alguns dólares, querendo melhorar suas condições de vida. Como era tão desmiolado, logo o apanharam. Os traficantes o sequestraram e levaram para as selvas de Darién, onde eram senhores absolutos. Talvez o tenham torturado com a mesma fúria com que ele e Ramfis torturaram e mataram, em 1959, os invasores de Constanza, Maimón e Estero Hondo, e, em 1961, os envolvidos na saga de 30 de maio.

— Um final justo, papai. — O pai, que estava cochilando, abre os olhos. — Quem com ferro fere, com ferro será ferido. O ditado funcionou no caso de Radhamés, se é que de fato morreu assim. Porque nada foi provado. O artigo também diz que há quem afirme que ele era informante da DEA, que esta alterou o seu rosto e lhe dá proteção pelos serviços prestados entre os mafiosos colombianos. Boatos, conjeturas. Em todo caso, que final tiveram os filhotes do seu Chefe e da Excelsa Dama. O belo Ramfis destroçado num acidente automobilístico, em Madri. Um acidente que, segundo alguns, foi uma operação da CIA e de Balaguer para neutralizar o primogênito que estava conspirando em Madri, disposto a investir milhões para recuperar o feudo familiar. Radhamés, transformado num pobre--diabo, assassinado pela máfia colombiana por tentar roubar o dinheiro sujo que ele mesmo ajudava a lavar, ou como agente da DEA. Angelita, Sua Majestade Angelita I, da qual eu fui dama de companhia, sabe como vive? Em Miami, sob as asas da divina pomba. Agora é uma New Born Christian. Uma dessas milhares de seitas evangélicas que levam as pessoas à loucura, à idiotice, à angústia, ao medo. Foi assim que acabou a rainha e senhora deste país. Numa casinha limpa e de mau gosto, de uma cafonice híbrida de americano e caribenho, fazendo trabalhos missionários. Dizem que sempre é vista, nas esquinas de Dade County, nos bairros latinos e haitianos, cantando salmos e exortando os passantes a abrirem seus corações para o Senhor. O que diria de tudo isso o Benemérito Pai da Pátria Nova?

O inválido volta a subir e descer os ombros, a piscar, e cai num estado de torpor. Desce as pálpebras e se encolhe, disposto a tirar uma soneca.

É verdade, você nunca teve ódio de Ramfis, Radhamés ou Angelita, pelo menos nada comparável ao que ainda tem de Trujillo e da Excelsa Dama. Porque, de algum modo, os três filhos pagaram com a decadência ou com mortes violentas a sua parte nos crimes da família. E, em relação a Ramfis, você nunca pôde evitar uma certa benevolência. Por quê, Urania? Talvez pelas crises mentais, as depressões, os acessos de loucura dele, esse desequilíbrio que a família sempre ocultou e que, depois dos assassinatos que ele ordenou em junho de 1959, obrigaram Trujillo a interná-lo num hospital psiquiátrico na Bélgica. Em todos os seus atos, até nos mais cruéis, havia em Ramfis algo de caricatural, impostado, patético. Como os presentes espetaculares que ele dava às mesmas atrizes de Hollywood que Porfirio Rubirosa comia de graça (quando não eram elas que lhe pagavam). Ou por sua maneira de frustrar os planos que seu pai fazia para ele. Não foi grotesca, por exemplo, a maneira como Ramfis estragou toda a recepção que, em desagravo por seu fracasso na Academia Militar de Fort Leavenworth, o Generalíssimo lhe preparou? Trujillo determinou que o Congresso — "Foi você que apresentou o projeto de lei, papai?" — o nomeasse chefe do Estado-Maior Conjunto das Forças Armadas e que, à sua chegada, Ramfis fosse aclamado como tal num desfile militar na avenida, ao pé do obelisco. Tudo estava preparado, e as tropas formadas, naquela manhã, quando o iate *Angelita*, que o Generalíssimo mandou para trazê-lo de Miami, entrou no porto do rio Ozama e o próprio Trujillo, acompanhado de Joaquín Balaguer, foi recebê-lo no cais para levá-lo à parada. Qual não foi a surpresa, a decepção, a confusão do Chefe ao entrar no iate e se deparar com o estado calamitoso do filho, babando de tão bêbado depois de passar a viagem toda em orgias. Mal se mantinha em pé, incapaz de articular uma frase. Sua língua mole e indócil emitia grunhidos em vez de palavras. Estava com os olhos esbugalhados e vítreos, a roupa toda vomitada. E pior ainda pareciam seus amigos e as mulheres que os acompanhavam. Balaguer escreveu em suas memórias: Trujillo empalideceu, tremeu de indignação. Mandou cancelar a parada militar e o juramento de Ramfis como chefe do Estado-Maior Conjunto. E, antes de sair, ergueu uma taça e fez um brinde que pretendia ser uma bofetada simbólica naquele velhaco (que o porre não deixou entender): "Brindo ao trabalho, única coisa que pode dar prosperidade à República."

Um outro acesso de riso histérico domina Urania, e o inválido abre os olhos, espantado.

— Não se assuste. — Urania fica séria. — Não posso deixar de rir quando imagino a cena. Onde você estava naquele momento, quando seu Chefe descobriu o filho bêbado, rodeado de putas e de amigos também bêbados? No palanque da avenida, de fraque, esperando o novo chefe do Estado-Maior Conjunto das Forças Armadas? Que explicação vocês deram? Que a parada foi cancelada por *delirium tremens* do general Ramfis?

Volta a rir, diante do olhar profundo do inválido.

— É uma família para rir e para chorar, não para levar a sério — murmura Urania. — Às vezes você devia sentir vergonha de todos eles. E também medo e remorso, quando se permitia, mesmo que muito em segredo, tal audácia. Eu gostaria de saber o que você achou do final melodramático dos filhos do Chefe. Ou da história sórdida dos últimos anos de dona María Martínez, a Excelsa Dama, a terrível, a vingadora, a mulher que pedia aos gritos que arrancassem os olhos e esfolassem os assassinos de Trujillo. Sabe que ela terminou seus dias destruída pela arteriosclerose? Que desviou, com sua cobiça, milhões e milhões de dólares do Chefe às escondidas? Que ela sabia todas as senhas das contas numeradas na Suíça e que, conhecendo os próprios filhos, não disse nada a eles? Com toda a razão, sem dúvida. Temia que eles ficassem com os milhões e a metessem num asilo, para passar seus últimos anos de vida sem encher a paciência. Mas foi ela, ajudada pela arteriosclerose, que afinal os enganou. Eu daria qualquer coisa para ver a Excelsa Dama em Madri, destroçada pelas desgraças, ir perdendo a memória. Mas conservando, no fundo da sua avareza, lucidez suficiente para não revelar os números das contas aos filhos. E ver os esforços dos coitadinhos para que a Excelsa Dama, em Madri, na casa do feinho e burrinho Radhamés, ou em Miami, na de Angelita antes do misticismo, se lembrasse de onde tinha rabiscado ou escondido as senhas. Você imagina, papai? O que não devem ter remexido, aberto, quebrado, rasgado, em busca do esconderijo. Levavam a mãe para Miami, traziam de novo para Madri. E não conseguiram. Ela foi para o túmulo com o segredo! Não é incrível, papai? Ramfis ainda conseguiu dilapidar alguns milhõezinhos que tirou do país nos meses seguintes à morte do pai, porque o Generalíssimo (é mesmo verdade, papai?) fez questão de não tirar um tostão do país para obrigar a família e os sequazes a morrerem aqui, de peito aberto. Mas Angelita e Radhamés ficaram na mão. E, graças à arteriosclerose, a Excelsa Dama também morreu pobre, no Panamá, onde Kalil Haché a enterrou, levando o corpo de táxi para o cemitério. Ela legou os milhões da família para os banqueiros suíços! É para chorar ou cair na gargalhada, mas de modo nenhum para levar a sério. Não é mesmo, papai?

Solta outra gargalhada, que a faz lacrimejar. Enquanto enxuga os olhos, luta contra um começo de depressão que cresce dentro dela. O inválido a observa, já acostumado com sua presença. Não parece mais interessado no monólogo.

— Não pense que fiquei histérica — sussurra. — Ainda não, papai. Isso que estou fazendo aqui, divagar, cavar lembranças, é uma coisa que não faço nunca. Estas são as minhas primeiras férias em muitos anos. Não gosto de férias. Aqui, quando eu era criança, gostava. Mas desde que consegui, graças às *sisters*, ir para a universidade em Adrian, nunca mais. Passei a vida trabalhando. No Banco Mundial jamais tirei férias. E no escritório, em Nova York, também não. Não tenho tempo para ficar monologando sobre a história dominicana.

De fato, a sua vida em Manhattan é exaustiva. Todas as horas são cronometradas, desde as nove da manhã, quando entra no escritório, na esquina de Madison com a 74 Street. A essa altura, você já correu quarenta e cinco minutos no Central Park, quando o tempo é bom, ou fez aeróbica no Fitness Center da esquina, onde está matriculada. Seu dia é uma sucessão de reuniões, relatórios, discussões, consultas, pesquisas no arquivo, almoços de trabalho no reservado do escritório ou em algum restaurante dos arredores, e uma tarde igualmente ocupada, que frequentemente se prolonga até as oito da noite. Quando o tempo permite, você volta a pé. Faz uma salada e abre um iogurte antes de ver as notícias na televisão, depois lê um pouco e vai para a cama, tão cansada que as letras do livro ou as imagens da tela começam a tremer em menos de dez minutos. Sempre faz uma e às vezes duas viagens por mês, dentro dos Estados Unidos ou para a América Latina, Europa ou Ásia; nos últimos tempos, também vai à África, onde finalmente alguns investidores tomam coragem para arriscar dinheiro e vêm pedir assessoria jurídica ao escritório. É esta a sua especialidade: o aspecto legal das operações financeiras das empresas, em qualquer lugar do mundo. Uma especialidade que você adotou depois de trabalhar muitos anos no Departamento Jurídico do Banco Mundial. As viagens são mais cansativas que as jornadas em Manhattan. Cinco, dez ou doze horas voando, para Cidade do México, Bangcoc, Tóquio, Rawalpindi ou Harare, e começar imediatamente a passar ou receber informes, discutir números, avaliar projetos, mudando de paisagens e de climas, do calor ao frio, da umidade à secura, do inglês ao japonês e ao espanhol e ao urdu, ao árabe e ao híndi, valendo-se de intérpretes cujos equívocos podem provocar decisões errôneas. Por isso precisa ter sempre os cinco sentidos em alerta, um estado de concentração que a deixa extenuada e faz, nas inevitáveis recepções, reprimir com dificuldade os bocejos.

— Quando tenho um sábado e domingo para mim, fico toda feliz em casa, lendo sobre história dominicana — diz, e tem a impressão de que o pai assente. — Uma história bastante peculiar, é verdade. Mas para mim é um descanso. É a minha forma de não perder as raízes. Apesar de já morar lá o dobro de anos que morei aqui, não virei americana. Continuo falando como dominicana, não é mesmo, papai?

Seria uma luzinha irônica aquilo que brilha nos olhos do inválido?

— Bem, dominicana em termos, morando lá. O que se pode esperar de alguém que viveu mais de trinta anos no meio dos gringos, que passa semanas sem falar espanhol. Sabe que eu estava certa de que nunca mais iria ver você? Nem no seu enterro. Era uma decisão firme. É claro que quer saber por que mudei de ideia. Por que estou aqui. Na verdade, não sei. Foi um impulso. Não pensei muito. Pedi uma semana de férias, e aqui estou. Devo ter vindo procurar alguma coisa. Talvez você. Ver como estava. Eu sabia que estava mal, que desde o derrame não podia mais falar. Quer saber o que eu sinto? O que senti ao voltar para a casa da minha infância? O que senti ao ver a ruína que você se tornou?

O pai está prestando atenção de novo. Espera, com curiosidade, que ela continue. O que você sente, Urania? Amargura? Uma certa melancolia? Tristeza? O renascer da velha raiva? "O pior é que acho que não sinto nada", pensa.

Soa a campainha da porta. Fica tocando, vibrando alto na manhã ardente.

VIII

O cabelo que lhe faltava na cabeça brotava das orelhas, cujos tufos de pelo retinto irrompiam, agressivos, como uma grotesca compensação pela calvície do Constitucionalista Bêbado. Teria sido ele também quem lhe deu esse apelido, antes de rebatizá-lo, para si mesmo, de Imundície Ambulante? O Benfeitor não se lembrava. Provavelmente sim. Era bom com apelidos, desde a juventude. Muitos desses apodos agressivos que colava nas pessoas acabavam se incorporando às vítimas e chegavam a substituir os próprios nomes. Foi o que ocorreu com o senador Henry Chirinos, que ninguém mais na República Dominicana, além dos jornais, tratava pelo nome, só por seu apelido devastador: Constitucionalista Bêbado. O senador tinha o costume de acariciar os pelos sebosos que se aninhavam em suas orelhas e, embora o Generalíssimo, com sua obsessiva mania de limpeza, tivesse proibido que ele fizesse aquilo na sua frente, agora estava fazendo, e, ainda por cima, alternava essa porcaria com outra: ficava alisando os pelos do nariz. Estava nervoso, muito nervoso. E sabia por quê: viera trazer um relatório negativo sobre a situação dos negócios. Mas a culpa de que as coisas estivessem mal não era de Chirinos, e sim das sanções impostas pela OEA que estavam asfixiando o país.

— Se continuar enfiando o dedo no nariz e nas orelhas, chamo os ajudantes de ordens e mando prender você — disse, mal-humorado. — Já proibi essas porcarias aqui. Você já está alto?

O Constitucionalista Bêbado deu um pulo na cadeira, em frente à mesa do Benfeitor. Tirou as mãos do rosto.

— Não bebi uma gota de álcool — explicou-se, confuso. — O senhor sabe que não sou um bebedor diurno, Chefe. Sou crepuscular e noturno.

Estava com um terno que o Generalíssimo achou um monumento ao mau gosto: entre cinza-chumbo e esverdeado, com reflexos furta-cores; como tudo o que ele vestia, aquilo parecia ter sido enfiado em seu corpo obeso com a ajuda de uma calçadeira. Sobre a camisa branca, bailava uma gravata azul com bolinhas amarelas na qual o olhar severo do Benfeitor detectou manchas de gordura. Com repulsa, pensou que eram manchas que ele fizera comendo, porque o senador Chirinos engolia enormes quantidades de comida ao mesmo tempo, engasgando, como se tivesse medo de que lhe roubassem o prato, e mastigava com a boca aberta, disparando uma chuvinha de resíduos.

— Juro que não consumi uma gota de bebida — repetiu. — Só o café preto da manhã.

Provavelmente, era verdade. Pouco antes, ao vê-lo entrar no gabinete balançando sua figura elefantina e avançando devagarzinho, tateando o chão antes de apoiar o pé, pensou que ele estava bêbado. Mas não; devia ter somatizado a embriaguez, porque, mesmo sóbrio, demonstrava a insegurança e os tremores de um alcoólatra.

— Você já está curtido em álcool, parece bêbado mesmo quando não está — disse, olhando-o de cima a baixo.

— É verdade — reconheceu Chirinos, fazendo um gesto teatral. — Eu sou um *poète maudit*, Chefe. Como Baudelaire e Rubén Darío.

Tinha a pele cinzenta, uma papada dupla, cabelos ralos e oleosos e uns olhinhos fundos atrás das pálpebras inchadas. Seu nariz, amassado desde o acidente, parecia um nariz de boxeador, e a boca quase sem lábios dava um toque perverso à sua feiura insolente. Sempre foi desagradavelmente feio, tão feio que, dez anos antes, após uma batida de carro da qual sobreviveu por milagre, seus amigos pensaram que a cirurgia plástica o melhoraria. Piorou.

O fato de continuar sendo um homem de confiança do Benfeitor, membro do seu estreito círculo de íntimos, como Virgilio Álvarez Pina, Paíno Pichardo, Craninho Cabral (agora em desgraça) ou Joaquín Balaguer, era prova de que, na hora de escolher seus colaboradores, o Generalíssimo não se deixava levar por seus gostos ou desgostos pessoais. Apesar da repugnância que sempre sentiu por seu físico, sua sujeira e seus modos, Henry Chirinos, desde o começo do governo, fora privilegiado com tarefas delicadas que Trujillo só confiava às pessoas que, além de seguras, eram capazes. E o senador era um dos mais capazes, dentre os que tinham acesso a esse clube exclusivo. Advogado, ele atuava como constitucionalista. Ainda jovem foi, junto com Agustín Cabral, o principal redator da Constituição que Trujillo promulgou logo no início da Era e de todas as emendas no texto constitucional feitas a seguir. Redigiu, também, as principais leis orgânicas e ordinárias, e apresentou quase todas as decisões legais adotadas pelo Congresso para legitimar as necessidades do regime. Não havia ninguém como ele para dar, em discursos parlamentares fecundos de latinórios e de citações — frequentemente em francês —, uma aparente força jurídica às decisões mais arbitrárias do Executivo ou para rebater, com uma lógica demolidora, qualquer proposta que Trujillo não aprovasse. Sua mente, organizada como um código, encontrava logo uma argumentação técnica para dar um aspecto de legalidade a qualquer ordem de Trujillo, fosse ela uma decisão do Tribunal de Contas, da Suprema Corte ou uma lei do Congresso. Boa parte da teia jurídica da Era Trujillo foi tecida pela endiabrada habilidade desse grande rábula (como o chamou certa vez, diante do Chefe, o senador Agustín Cabral, seu amigo e inimigo íntimo dentro do círculo de favoritos).

Por todos esses atributos, o perpétuo parlamentar Henry Chirinos foi tudo o que se podia ser nos trinta anos da Era: deputado, senador, ministro da Justiça, membro do Tribunal Constitucional, embaixador plenipotenciário e encarregado de negócios, diretor do Banco Central, Presidente do Instituto Trujilloniano, membro da Junta Central do Partido Dominicano e, há dois anos, o cargo de maior confiança: supervisor das empresas do Benfeitor. Como tal, estavam subordinados a ele os ministérios da Agricultura, do Comércio e da Fazenda. Por que delegar tamanha responsabilidade a um alcoólatra notório? Porque, além de rábula, ele também entendia de economia. E se saiu bem à frente do Banco Central e no Ministério da Fazenda, por alguns meses. E porque nos últimos anos, devido às inúmeras ameaças, Trujillo precisava ter nesse cargo uma pessoa da sua absoluta confiança, a quem pudesse informar dos problemas e disputas familiares. Para essas coisas, aquela bola de gordura e álcool era insubstituível.

Embora fosse um bebedor incontinente, não perdeu a habilidade para a intriga jurídica, nem a capacidade de trabalho, a única, talvez, junto com a de Anselmo Paulino, que havia caído em desgraça, que o Benfeitor podia equiparar à própria. O Imundície Ambulante podia trabalhar dez ou doze horas seguidas, embriagar-se como um gambá e, no dia seguinte, estar no seu gabinete do Congresso, no Ministério ou no Palácio Nacional, fresco e lúcido, ditando informes jurídicos aos seus taquígrafos ou manifestando-se com uma eloquência florida sobre temas políticos, legais, econômicos e constitucionais. Além disso, escrevia poemas, acrósticos e festivos, artigos e livros de história, e era uma das mais afiadas penas que Trujillo usava para destilar veneno pela coluna "Foro Público", que saía no *El Caribe*.

— Como vão as coisas.

— Muito mal, Chefe. — O senador Chirinos respirou fundo. — Pelo andar da carruagem, logo estarão paralisadas. Sinto muito dizer isso, mas o senhor não me paga para ser enganado. Se as sanções não forem suspensas logo, enfrentaremos uma catástrofe.

Abrindo uma pasta gorda e tirando de dentro uns papéis enrolados e cadernetas, fez uma análise das principais empresas, começando pelas fazendas da Corporação Açucareira Dominicana e prosseguindo com a Dominicana de Aviação, a fábrica de cimento, as companhias madeireiras e as serrarias, os empórios de importação e exportação e os estabelecimentos comerciais. A música de nomes e cifras embalou o Generalíssimo, que mal escutava: Atlas Comercial, Caribbean Motors, Compañía Anónima Tabacalera, Consorcio Algodonero Dominicano, Chocolatera Industrial, Dominicana Industrial del Calzado, Distribuidores de Sal en Grano, Fábrica de Aceites Vegetales, Fábrica Dominicana del Cemento, Fábrica Dominicana de Discos, Fábrica de Baterías Dominicanas, Fábrica de Sacos y Cordelería, Ferretería Read, Ferretería El Marino, Industrial Domínico Suiza, Industrial Lechera, Industria Licorera Altagracia, Industria Nacional de Vidrio, Industria Nacional del Papel, Molinos Dominicanos, Pinturas Dominicanas, Planta de Reencauchado, Quisqueya Motors, Refinería de Sal, Sacos y Tejidos Dominicanos, Seguros San Rafael, Sociedad Inmobiliaria, jornal *El Caribe*. O Imundície Ambulante deixou para o final, mencionando apenas que tampouco revelavam "movimento positivo", os negócios em que a família Trujillo tinha participação minoritária. Não disse nada que o Benfeitor já não soubesse: tudo o que não estava paralisado, por falta de insumos e peças, trabalhava a um terço e até a um décimo da sua capacidade. A catástrofe já chegara, e como. Mas, pelo menos — o Benfeitor suspirou —, os gringos não tinham conseguido dar o que pensavam que seria o golpe fatal: cortar o fornecimento de petróleo e as peças de reposição para carros e aviões. Johnny Abbes García se encarregava de trazer os combustíveis pelo Haiti, cruzando a fronteira de contrabando. O sobrepreço era elevado, mas o consumidor não pagava: o regime o absorvia como subsídio. O Estado, porém, não podia suportar essa hemorragia por muito tempo. A atividade econômica, pela restrição de divisas e a paralisia das exportações e importações, tinha estancado.

— Praticamente não há entradas em nenhuma empresa, Chefe. Só débitos. Como estavam todas florescentes, ainda sobrevivem. Mas não indefinidamente.

Suspirou com um certo histrionismo, como fazia quando pronunciava discursos fúnebres, outra de suas grandes especialidades.

— Lembre-se que não foi despedido um único operário, camponês ou funcionário público, embora a guerra econômica já vá para mais de um ano. Essas suas empresas controlam sessenta por cento dos postos de trabalho no país. Veja a gravidade da situação. Trujillo não pode continuar sustentando dois terços das famílias dominicanas num momento em que, por causa das sanções, todos os negócios estão quase parados. De modo que...

— De modo que...

— Ou o senhor me autoriza a reduzir o pessoal, para cortar gastos, até que cheguem tempos melhores...

— Você quer que haja uma explosão, com milhares de desempregados? — interrompeu Trujillo, cortante. — Criar mais um problema social, além dos que já tenho?

— Há uma alternativa, e já recorremos a ela em circunstâncias excepcionais — replicou o senador Chirinos com um sorrisinho mefistofélico. — Esta não é uma circunstância excepcional? Pois então. Sugiro que o Estado, para garantir o emprego e a atividade econômica, assuma as empresas estratégicas. O Estado nacionaliza, digamos, um terço das empresas industriais e metade das agrícolas e pecuárias. Ainda há recursos para isso, no Banco Central.

— Que porra eu ganho com isso — interrompeu Trujillo, irritado. — O que vou ganhar passando os dólares do Banco Central para uma conta no meu nome.

— Ganha que, a partir de agora, seu bolso não sofre o baque de trezentas empresas trabalhando no vermelho, Chefe. Repito, se isso continuar assim, todas elas vão à bancarrota. Meu conselho é técnico. A única maneira de evitar que o seu patrimônio evapore por culpa do bloqueio econômico é transferindo o prejuízo para o Estado. Não convém a ninguém que o senhor fique arruinado, Chefe.

Trujillo teve uma sensação de cansaço. O sol estava cada vez mais quente, e, como todos os visitantes do seu gabinete, o senador Chirinos já estava suando. Vez por outra enxugava o rosto com um lenço azul. Ele também preferiria que o Generalíssimo tivesse ar condicionado. Mas Trujillo detestava aquele ar postiço que dava resfriado, aquela atmosfera mentirosa. Só tolerava o ventilador, e em dias extremamente quentes. Além do mais, tinha orgulho de ser o-homem-que-nunca-sua.

Ficou algum tempo em silêncio, meditando, e seu rosto azedou.

— Você também acha, no fundo do seu cérebro imundo, que eu acumulo imóveis e negócios por espírito de lucro — monologou, num tom de voz cansado. — Não me interrompa. Se você, depois de tantos anos ao meu lado, não chegou a me conhecer bem, o que posso esperar do resto. Pensam que o poder só me interessa para enriquecer.

— Sei muito bem que não é isso, Chefe.

— Você ainda precisa que eu explique, pela centésima vez? Se as empresas não fossem da família Trujillo, essas vagas de trabalho não existiriam. E a República Dominicana ainda seria o paisinho africano que era quando eu a levantei nos ombros. Você ainda não entendeu.

— Entendi perfeitamente, Chefe.

— Você está me roubando?

Chirinos deu outro pulinho na cadeira e a cor cinzenta do seu rosto ficou mais escura. Piscou, sobressaltado.

— O que está dizendo, Chefe? Deus é testemunha...

— Eu sei que não — tranquilizou-o Trujillo. — E por que não rouba, com todos os poderes que tem para fazer e desfazer? Por lealdade? Talvez. Mas, acima de tudo, por medo. Você sabe muito bem que, se me roubasse e eu descobrisse, ia acabar nas mãos de Johnny Abbes, que o levaria para La Cuarenta, sentaria você no Trono e o carbonizaria, antes de jogá-lo para os tubarões. Essas coisas que a imaginação fantasiosa do chefe do SIM e do time que ele formou adora. É por isso que você não rouba. É por isso que não roubam, tampouco, os gerentes, administradores, contadores, engenheiros, veterinários, capatazes, etc. etc. das companhias que você supervisiona. É por isso que trabalham com pontualidade e eficiência, e é por isso que as empresas cresceram e se multiplicaram, transformando a República Dominicana num país moderno e próspero. Entendeu?

— Claro, Chefe — pulou mais uma vez o Constitucionalista Bêbado. — O senhor tem toda a razão.

— Em contrapartida — prosseguiu Trujillo, como se não estivesse ouvindo —, você roubaria tudo o que pudesse se, em vez de trabalhar para a família Trujillo, trabalhasse para os Vicini, os Valdez ou os Armenteros. E muito mais ainda se as empresas fossem do Estado. Aí sim, encheria os bolsos. Seu cérebro entende, agora, para que são todos esses negócios, terras e rebanhos?

— Para servir ao país, sei perfeitamente, Excelência — jurou o senador Chirinos. Estava assustado, e Trujillo notava isso pela força com que apertava sua pasta de documentos contra a barriga e pelo seu jeito cada vez mais servil de falar. — Não quis sugerir nada diferente, Chefe. Deus me livre!

— Mas, é verdade, nem todos os Trujillo são como eu — o Benfeitor suavizou a tensão, com uma expressão decepcionada. — Nem meus irmãos, nem minha mulher, nem meus filhos têm a mesma paixão que eu pelo país. São muito ambiciosos. E o pior é que ainda me fazem perder tempo, bem neste momento, vigiando para que não contrariem as minhas ordens.

Encarou-o com o olhar beligerante e direto que usava para intimidar as pessoas. Imundície Ambulante se encolheu na cadeira.

— Ah, entendi, alguém desobedeceu — murmurou Trujillo.

O senador Henry Chirinos confirmou, sem coragem de dizer mais nada.

— Tentaram tirar divisas do país, de novo? — perguntou, congelando a voz. — Quem? A velha?

A cara gorducha do senador, cheia de gotas de suor, confirmou de novo, meio a contragosto.

— Ela me chamou de lado, ontem à noite, no sarau de poesia. — Hesitou e afinou a voz até quase extingui-la. — Disse que estava pensando no senhor, não em si própria nem nos filhos. Para garantir uma velhice tranquila, se alguma coisa lhe acontecer. Tenho certeza de que é verdade, Chefe. Ela adora o senhor.

— E o que ela queria.

— Outra transferência para a Suíça — o senador se engasgou. — Só um milhão, desta vez.

— Espero, pelo seu próprio bem, que não tenha feito a vontade dela — disse Trujillo, secamente.

— Não fiz — balbuciou Chirinos, com a inquietação ainda deformando as suas palavras, o corpo tomado por um ligeiro tremor. — Onde manda capitão não manda soldado. Com todo o respeito e a devoção que dona María me merece, minha primeira lealdade é com o senhor. Para mim a situação é muito delicada, Chefe. Por causa dessas negativas, estou perdendo a amizade de dona María. Pela segunda vez, na mesma semana, neguei o que ela me pediu.

Será que a Excelsa Dama também temia que o regime caísse? Há quatro meses tinha exigido de Chirinos uma transferência de cinco milhões de dólares para a Suíça; agora, mais um. Ela devia pensar que a qualquer momento eles precisariam fugir do país, e precisava ter contas bem forradas no estrangeiro para gozar de um exílio dourado. Como Pérez Jiménez, Batista, Rojas Pinilla ou Perón, esses merdas. Velha avarenta. Como se já não tivesse um pé de meia bem polpudo. Para ela, nada era suficiente. Era mesquinha desde jovem e, com o passar dos anos, foi ficando cada vez mais. Por acaso ia levar aquelas contas para o outro mundo? Este era o único ponto em que ela sempre teve coragem de desafiar a autoridade do marido. Duas vezes, só esta semana. Ela maquinava pelas suas costas, pura e simplesmente. Foi assim que comprou, sem que Trujillo soubesse, aquela casa na Espanha, depois da visita oficial que fizeram a Franco, em 1954. Foi assim que paulatinamente abriu e engordou contas numeradas na Suíça e em Nova York, das quais ele terminava sabendo, muitas vezes por acaso. Antes não ligava muito e se limitava a dizer uns palavrões e, depois, encolhia os ombros diante do capricho daquela velha menopáusica a quem, por ser sua legítima esposa, devia consideração. Agora era diferente. Dera ordens terminantes de que nenhum dominicano, incluindo a família Trujillo, tirasse um tostão do país enquanto durassem as sanções. Não ia permitir uma corrida de ratos tentando escapar de um navio que ia acabar afundando de fato se toda a tripulação, a começar pelos oficiais e o capitão, fugisse. Porra, não. Tinham que ficar aqui os parentes, amigos e inimigos, com tudo o que possuíam, para lutar ou deixar os ossos no campo da batalha. Como os *marines*, porra. Velha idiota e má! Teria sido melhor repudiá-la e casar com alguma das magníficas mulheres que passaram por seus braços; a bela, a dócil Lina Lovatón, por exemplo, que ele também sacrificou por este país ingrato. Tinha que repreender a Excelsa Dama e lembrar a ela que Rafael Leonidas Trujillo Molina não era Batista, nem o porco do Pérez Jiménez, nem o hipócrita do Rojas Pinilla, nem tampouco o brilhantinado general Perón. Ele não iria passar seus últimos anos de vida como estadista aposentado no estrangeiro. Viveria até o último minuto neste país que, graças a ele, deixou de ser uma tribo, uma horda, uma caricatura, e se transformou em República.

Viu que o Constitucionalista Bêbado continuava tremendo. Escorria baba da sua boca. Seus olhinhos, atrás das duas bolas gordurosas das pálpebras, se abriam e fechavam, frenéticos.

— Há mais alguma coisa, então. O que é?

— Na semana passada, informei a ela que tínhamos conseguido impedir que bloqueassem o pagamento do Lloyd's de Londres pelo lote de açúcar vendido na Grã-Bretanha e nos Países Baixos. Pouca coisa. Uns sete milhões de dólares, dos quais quatro são das suas empresas e o restante dos engenhos dos Vicini e da Central Romana. Seguindo suas instruções, pedi ao Lloyd's que transferisse essas divisas para o Banco Central. Esta manhã me disseram que tinham recebido uma contraordem.

— De quem?

— Do general Ramfis, Chefe. Telegrafou mandando que enviassem o total da dívida a Paris.

— E o Lloyd's de Londres está cheio de babacas que obedecem às contraordens de Ramfis?

O Generalíssimo falou pausadamente, fazendo um esforço para não explodir. Essas estupidezes lhe ocupavam tempo demais. E além disso não gostava de que as mazelas da sua família viessem à tona na frente de estranhos, por mais que fossem de confiança.

— Ainda não atenderam ao pedido do general Ramfis, Chefe. Eles estão desconcertados, por isso me telefonaram. Eu repeti que o dinheiro deve ser enviado para o Banco Central. Mas, como o general Ramfis tem procuração do senhor, e em outras ocasiões retirou recursos, seria conveniente comunicar ao Lloyd's que houve um engano. Uma questão de imagem, Chefe.

— Diga a ele que peça desculpas ao Lloyd's. Hoje mesmo.

Chirinos se mexeu no assento, desconfortável.

— Se é uma ordem sua, vou cumprir — murmurou.
— Mas, permita-me um pedido, Chefe. Do seu velho amigo. Do mais fiel dos seus servidores. Já ganhei a antipatia de dona María. Não me transforme também em inimigo do seu filho mais velho.

O mal-estar que sentia era tão visível que Trujillo sorriu.

— Fale com ele, sem medo. Não vou morrer tão cedo. Quero viver mais dez anos, para completar minha obra. Esse é o tempo de que preciso. E você vai continuar comigo até o último dia. Porque, feio, bêbado e sujo, é um dos meus melhores colaboradores. — Fez uma pausa e, olhando o Imundície Ambulante com a ternura de um mendigo diante do seu cão sarnento, acrescentou algo incomum na sua boca: — Quem me dera que algum dos meus irmãos ou filhos valesse o que você vale, Henry.

O senador, estupefato, não atinou com uma resposta.

— O que o senhor disse recompensa todos os meus esforços — balbuciou, baixando a cabeça.

— Você teve sorte de não se casar, de não ter família — prosseguiu Trujillo. — Deve ter pensado muitas vezes que não deixar descendentes é uma infelicidade. Bobagem! O grande erro da minha vida foi a minha família. Meus irmãos, minha própria mulher, meus filhos. Você já viu calamidades assim? Eles não têm outro horizonte além de bebida, dinheiro e sacanagem. Será que entre eles há pelo menos um que seja capaz de continuar a minha obra? Não é uma vergonha que Ramfis e Radhamés, em vez de estarem aqui neste momento, ao meu lado, fiquem jogando polo em Paris?

Chirinos ouvia isso de olhos baixos, imóvel, o rosto grave, solidário, sem dizer uma palavra, na certa com medo de comprometer o seu futuro se insinuasse alguma opinião contra os filhos e irmãos do Chefe. Era estranho que este se entregasse a reflexões tão amargas; ele nunca falava da sua família, nem mesmo com os íntimos, e muito menos em termos tão duros.

— A ordem continua valendo — disse, mudando de tom ao mesmo tempo que de assunto. — Ninguém, e muito menos um Trujillo, tira dinheiro do país enquanto durarem as sanções.

— Entendido, Chefe. Na verdade, mesmo que alguém quisesse, não teria como. A menos que leve os dólares em malas, na mão, porque não há transações com o exterior. A atividade financeira está em ponto morto. O turismo acabou. As reservas estão diminuindo diariamente. O senhor não quer mesmo que o Estado assuma algumas empresas? Nem mesmo as que estão em situação pior?

— Vamos ver — cedeu Trujillo. — Deixe aí sua proposta, vou estudá-la. O que mais, de urgente?

O senador consultou a caderneta, aproximando-a dos olhos. Fez uma expressão tragicômica.

— Uma situação paradoxal, lá nos Estados Unidos. O que vamos fazer com os nossos supostos amigos? Os congressistas, os políticos, os lobistas remunerados para defender o nosso país. Manuel Alfonso continuou pagando a eles até que adoeceu. Depois disso, a coisa foi interrompida. Alguns fizeram discretas reclamações.

— Quem mandou parar?

— Ninguém, Chefe. Eu estou lhe perguntando. Os recursos em dólares destinados a isso, em Nova York, também vão se esgotar. Não foi possível repor, dadas as circunstâncias. São vários milhões de pesos por mês. O senhor vai continuar tão generoso com esses gringos que não conseguem nos ajudar a vencer as sanções?

— Uns sanguessugas, eu sempre soube disso. — O Generalíssimo fez um gesto de desprezo. — Mas, também, são a nossa única esperança. Se a situação política mudar nos Estados Unidos, eles podem exercer influência, fazer com que as sanções sejam eliminadas ou suavizadas. E, no imediato, conseguir que Washington nos pague pelo menos o açúcar que já recebeu.

Chirinos não parecia tão esperançoso. Balançou a cabeça, sombrio.

— Mesmo se os Estados Unidos aceitassem entregar o pagamento retido, adiantaria pouco, Chefe. O que são vinte e dois milhões de dólares? Divisas para insumos básicos e importações de primeira necessidade por algumas semanas. Mas, se o senhor decidiu, vou dizer aos cônsules Mercado e Morales que voltem a pagar a esses parasitas. Aliás, Chefe. Os recursos de Nova York podem ser afetados se vingar o tal projeto de três membros do Partido Democrata de congelar as contas de dominicanos não residentes nos Estados Unidos. Eu sei que essas contas figuram no Chase Manhattan e no Chemical como sociedades anônimas. Mas, e se os bancos não respeitarem o sigilo bancário? Permito-me sugerir que as transfira para um país mais seguro. O Canadá, por exemplo, ou a Suíça.

O Generalíssimo sentiu um buraco no estômago. Não era a raiva que lhe dava azia, era a decepção. Na sua longa vida, nunca havia perdido tempo lambendo feridas, mas tudo o que estava acontecendo com os Estados Unidos, um país ao qual seu regime sempre apoiou com seu voto na ONU em relação a tudo o que fosse necessário, o deixava revoltado. De que adiantou receber como príncipe e condecorar todo e qualquer americano que pusesse os pés nesta ilha?

— É difícil entender os gringos — murmurou. — Não me entra na cabeça que eles possam se portar assim comigo.

— Eu sempre desconfiei desses babacas — ecoou Imundície Ambulante. — São todos iguais. Nem se pode dizer que essa perseguição seja coisa do Eisenhower. Kennedy nos persegue da mesma forma.

Trujillo interrompeu — "Vamos trabalhar, porra" — e mudou de assunto outra vez.

— Abbes García está com tudo preparado para tirar aquele merda do bispo Reilly do seu esconderijo embaixo das saias das freiras — disse. — Ele tem duas propostas. Deportá-lo ou fazer com que o povo o linche, como exemplo para todos os padres conspiradores. Qual você prefere?

— Nenhuma das duas, Chefe. — O senador Chirinos se esticou. — O senhor sabe a minha opinião. Precisamos atenuar esse conflito. A Igreja, com seus dois mil anos nas costas, nunca foi derrotada. Veja o que aconteceu com Perón, por querer enfrentar os padres.

— Foi o que ele mesmo me disse, sentado aí onde você está — reconheceu Trujillo. — É este o seu conselho? Que abaixe as calças para esses merdas?

— Que os corrompa com prebendas, Chefe — explicou o Constitucionalista Bêbado. — Ou, no pior dos casos, pode até assustá-los, mas sem atos irreparáveis, deixando sempre as portas abertas para uma reconciliação. Essa ideia de Johnny Abbes é um suicídio, Kennedy mandaria os *marines* para cá na mesma hora. Essa é a minha opinião. O senhor tomará a decisão, e vai ser a certa. Eu a defenderei com a caneta e a palavra. Como sempre fiz.

O Benfeitor se divertia com as tiradas poéticas a que era chegado o Imundície Ambulante. Esta de agora conseguiu tirá-lo do desânimo que começava a dominá-lo.

— Eu sei — sorriu. — Você é leal, e eu o aprecio por isso. Mas me diga, confidencialmente. Quanto dinheiro você tem no estrangeiro, para o caso de precisar fugir daqui da noite para o dia?

O senador, pela terceira vez, deu um pulo, como se sua cadeira fosse um cavalo chucro.

— Muito pouco, Chefe. Bem, relativamente, quero dizer.

— Quanto? — insistiu Trujillo, afetuoso. — E onde?

— Uns quatrocentos mil dólares — confessou, rápido, abaixando a voz. — Em duas contas separadas. No Panamá. Abertas antes das sanções, naturalmente.

— Uma ninharia — criticou Trujillo. — Com os cargos que você teve, poderia ter juntado mais.

— Não sou de poupar, Chefe. Além disso, o senhor sabe, dinheiro é uma coisa que nunca me interessou. Sempre tive o suficiente para viver.

— Melhor dizendo, para beber.

— Para me vestir bem, comer bem, beber bem e comprar os livros que quiser — confirmou o senador, examinando os adornos do teto e o abajur de cristal do gabinete. — Graças a Deus, ao seu lado sempre tive trabalhos interessantes. Ou devo repatriar esse dinheiro? Faço isso hoje mesmo, se o senhor mandar.

— Deixe tudo lá. Se eu precisar de ajuda, no meu exílio, você me dá uma mãozinha.

Riu, bem-humorado. Mas, enquanto ria, de súbito lhe voltou à memória a garotinha assustada da Casa de Caoba, testemunha incômoda, acusadora, que lhe arrasou o ânimo. Teria sido melhor atirar nela, dá-la para os guardas, que eles a rifassem ou partilhassem. A lembrança daquele rostinho estúpido vendo-o sofrer penetrava em sua alma.

— Qual deles foi o mais precavido? — disse, para esconder sua agitação. — Quem levou mais dinheiro para o exterior? Paíno Pichardo? Álvarez Pina? Craninho Cabral? Modesto Díaz? Balaguer? Quem acumulou mais? Porque na certa nenhum de vocês acreditou que eu só saio daqui para o cemitério.

— Não sei, Chefe. Mas, se me permite, duvido que algum deles tenha muito dinheiro lá fora. Por uma razão muito simples. Ninguém jamais pensou que o regime possa acabar, que nós tenhamos necessidade de fugir daqui. Quem vai pensar que um dia a Terra pode deixar de girar em torno do Sol?

— Você — retrucou Trujillo, com ironia. — Foi por isso que levou seu dinheirinho para o Panamá, calculando que eu não seria eterno, que alguma conspiração podia triunfar. Você se delatou, bobão.

— Vou repatriar minhas economias esta tarde mesmo — protestou Chirinos, gesticulando. — E trazer os formulários do Banco Central para lhe mostrar a entrada do dinheiro. Essa poupança está no Panamá há muito tempo. As minhas missões diplomáticas me permitiam fazer umas economias. Para ter dólares nas viagens que faço a seu serviço, Chefe. Nunca me excedi nas despesas de representação.

— Você se assustou, pensou que podia lhe acontecer o mesmo que aconteceu com Craninho. — Trujillo continuava sorrindo. — É brincadeira. Já me esqueci do segredo que você me confiou. Ora, venha cá, conte-me alguma fofoca, antes de ir embora. De cama, não de política.

Imundície Ambulante sorriu, aliviado. Mas, quando começou a contar que a grande fofoca em Trujillo, no momento, era a surra que o cônsul alemão dera na mulher, achando que ela o traía, o Benfeitor se distraiu. Quanto dinheiro os seus colaboradores mais próximos teriam tirado do país? Se o Constitucionalista Bêbado fizera isso, então todos fizeram. Seriam só quatrocentos mil dólares que ele havia enfurnado? Certamente mais. Todos, no cantinho mais miserável da alma, tinham vivido o temor de que o regime caísse. Ora, eram uns merdas. A lealdade nunca foi uma virtude dominicana. Ele sabia disso. Durante trinta anos o tinham bajulado, aplaudido, endeusado, mas sacariam os punhais se os ventos mudassem.

— Quem foi que inventou esse *slogan* do Partido Dominicano com as iniciais do meu nome? — perguntou, de repente. — Retidão, Liberdade, Trabalho e Moralidade. Você ou Craninho?

— Este seu criado, Chefe, eu mesmo — exclamou o senador Chirinos, orgulhoso. — No décimo aniversário. Pegou, e vinte anos depois ainda está em todas as ruas e praças do país. E na imensa maioria dos lares.

— Pois deveria estar na consciência e na memória de todos os dominicanos — disse Trujillo. — Essas quatro palavras resumem tudo o que dei a eles.

E, nesse momento, como uma paulada na cabeça, foi assaltado pela dúvida. A certeza. Tinha ocorrido. Disfarçando, sem prestar atenção nos elogios à Era Trujillo que Chirinos tecia, abaixou a cabeça como se quisesse se concentrar numa ideia e, forçando a vista, espiou ansiosamente. Seus ossos amoleceram. Lá estava: a mancha escura se estendia pela braguilha e cobria um pedaço da perna direita. Devia ser recente, ainda estava molhadinho, naquele mesmo instante a bexiga insensível continuava vazando. Não sentiu, não estava sentindo. Foi sacudido por um frêmito de raiva. Podia dominar os homens, pôr de joelhos três milhões de dominicanos, mas não podia controlar o próprio esfíncter.

— Não quero ficar ouvindo boatos, não tenho tempo para isso — lamentou, sem levantar a vista. — Vá e resolva o problema do Lloyd's, não os deixe transferir esse dinheiro para o Ramfis. Volte amanhã, à mesma hora. Até logo.

— Até logo, Chefe. Se o senhor permitir, ainda o verei esta tarde, na Avenida.

Quando ouviu o Constitucionalista Bêbado fechar a porta, chamou Sinforoso. Mandou-o trazer um terno novo, também cinza, e uma muda de roupa de baixo. Levantou-se e, rapidamente, tropeçando no sofá, foi se trancar no banheiro. Sentia enjoo, de tanto nojo. Tirou a calça, a cueca e a camiseta manchadas com a micção involuntária. A camisa não estava molhada, mas também a tirou e foi se sentar no bidê. Então se ensaboou com cuidado e, enquanto se enxugava, amaldiçoou mais uma vez as peças que seu corpo lhe pregava. Estava lutando contra muitos inimigos, não podia perder tempo com essa merda de esfíncter. Jogou talco nas partes íntimas e entre as pernas e, sentado no vaso, esperou Sinforoso.

Despachar com o Imundície Ambulante sempre o deixava um pouco inquieto. Era verdade o que dissera: ao contrário dos malandros dos seus irmãos, da Excelsa Dama, vampiro insaciável, e dos seus filhos, parasitas sugadores, ele nunca se importou muito com dinheiro. Só o usava a serviço do poder. Sem dinheiro não poderia ter progredido nos primeiros tempos, porque nasceu numa família muito modesta de San Cristóbal e por isso, quando jovem, precisava dar um jeito de conseguir o indispensável para se vestir com decência. Depois, o dinheiro lhe serviu para ser mais eficaz, dissipar obstáculos, comprar, bajular ou subornar as pessoas necessárias e castigar os que obstruíam o seu trabalho. Ao contrário de María que, desde o dia em que arquitetou o negócio da lavanderia para a guarda civil, quando ainda eram amantes, só pensava em acumular, ele gostava de dinheiro para distribuir.

Se não fosse assim, teria dado tantos presentes ao povo, aquelas dádivas multitudinárias todo dia 24 de outubro, para os dominicanos comemorarem o aniversário do Chefe? Quantos milhões de pesos ele havia gastado durante todos aqueles anos em sacos de balas, chocolates, brinquedos, frutas, vestidos, calças, sapatos, braceletes, colares, refrescos, blusas, discos, camisetas, alfinetes, revistas, nas intermináveis procissões que se dirigiam ao Palácio no dia do Chefe? E quantos outros milhões, muitíssimos mais, em presentes para os seus compadres e afilhados, nos batismos coletivos realizados na capela de Palácio em que, há mais de três décadas, uma e até duas vezes por semana, ele apadrinhava pelo menos uma centena de recém-nascidos? Milhões e milhões de pesos. Um investimento produtivo, naturalmente. Ideia dele, no primeiro ano de governo, graças ao seu conhecimento profundo da psicologia dominicana. Estebelecer uma relação de compadrio com um camponês, com um operário, com um artesão, com um comerciante era conquistar a lealdade desse pobre homem, dessa pobre mulher, a quem ele, depois do batismo, abraçava e dava dois mil pesos. Dois mil, na época da bonança. À medida que a lista de afilhados aumentava para vinte, cinquenta, cem, duzentos por semana, os presentes — em parte devido aos protestos de dona María e, também, ao declínio da economia dominicana a partir da Feira da Paz e da Confraternidade do Mundo Livre, em 1955 — foram se reduzindo, a mil e quinhentos, a mil, a quinhentos, a duzentos, a cem pesos por afilhado. Agora, o Imundície Ambulante insistia que os batismos coletivos deviam ser suspensos ou que o presente passasse a ser simbólico, um pão ou dez pesos por criança, até o fim das sanções. Malditos ianques!

Ele havia fundado empresas e montado negócios para criar empregos e fazer este país progredir, para dispor de recursos e poder dar presentes a mancheias, deixando os dominicanos contentes.

E não tinha sido generoso com os amigos, colaboradores e empregados como o Petrônio de *Quo Vadis*? Ele os cobriu de dinheiro, distribuindo presentes pródigos pelos aniversários, casamentos, nascimentos, missões bem-sucedidas ou, simplesmente, para mostrar a todos que sabia recompensar a lealdade. Deu a eles dinheiro, casas, terras, ações, tornou-os sócios de suas propriedades e empresas, inventou negócios para que ganhassem bem e não saqueassem o Estado.

Ouviu umas batidinhas discretas na porta. Era Sinforoso, com o terno e a roupa de baixo, que lhe entregou tudo de olhos baixos. Estava ao seu lado havia mais de vinte anos; primeiro era seu ordenança no Exército, depois o promoveu a mordomo, levando-o para o Palácio. Não temia nada de Sinforoso. Ele era mudo, surdo e cego para tudo o que se referia a Trujillo e tinha intuição suficiente para saber que, em relação a certos assuntos íntimos, como as micções involuntárias, qualquer infidelidade significaria perder tudo o que tinha — uma casa, uma chácara com gado, um carro, família numerosa — e, talvez, até a vida. O terno e a roupa de baixo, cobertos com uma fronha, não chamariam a atenção de ninguém, porque o Benfeitor costumava trocar de roupa várias vezes por dia no próprio gabinete.

Vestiu-se, enquanto Sinforoso — fornido, cabelo raspado, impecável com seu uniforme de calça preta, blusa branca e colete branco de botões dourados — juntava as roupas espalhadas pelo chão.

— O que devo fazer com esses dois bispos terroristas, Sinforoso? — perguntou-lhe, enquanto abotoava a calça. — Expulsá-los do país? Mandar para a prisão?

— Mande matá-los, Chefe — respondeu Sinforoso, sem vacilar. — Todo mundo os odeia e, se o senhor não fizer isso, o povo fará. Ninguém perdoa esse americano nem o espanhol por terem vindo aqui e depois cuspirem no prato em que comeram.

O Generalíssimo não estava mais ouvindo. Tinha que repreender Pupo Román. Naquela manhã, depois de receber Johnny Abbes e os ministros de Relações Exteriores e do Interior, teve uma reunião com os chefes da Aeronáutica na Base Aérea de San Isidro. E viu um espetáculo que lhe deu um nó nas tripas: na entrada, a poucos metros do posto de guarda, sob a bandeira e o escudo da República, um cano regurgitava uma água escura que tinha formado um lodaçal à beira da estrada. Mandou parar o carro. Desceu e foi até lá. Era um escoadouro, que soltava um líquido espesso e pestilento — teve que tapar o nariz com o lenço — e, naturalmente, tinha atraído uma nuvem de moscas e mosquitos. As águas servidas continuavam manando, alagando tudo, envenenando o ar e o solo da principal guarnição militar dominicana. Sentiu raiva, uma lava ardente subindo pelo corpo. Conteve seu primeiro movimento, que era voltar para a Base e vociferar uns palavrões para os chefes presentes, perguntar se era aquela a imagem que pretendiam dar das Forças Armadas: uma instituição invadida por águas putrefatas e insetos. Mas logo a seguir decidiu que a advertência devia chegar diretamente ao responsável. E fazer o próprio Pupo Román engolir um pouco daquela merda líquida que saía do escoadouro. Decidiu chamá-lo de imediato. Mas, quando voltou para o gabinete, esqueceu. Será que sua memória também começava a falhar, como o esfíncter? Merda. As duas coisas que melhor lhe funcionaram ao longo da vida, agora, aos seus setenta anos, começavam a falhar.

Já vestido e arrumado, voltou para o gabinete e pegou o telefone que tinha linha direta com o comando das Forças Armadas. Não demorou a ouvir o general Román:

— Alô? É o senhor, Excelência?

— Venha à Avenida esta tarde — disse, muito seco, à guisa de cumprimento.

— Claro, Chefe — alarmou-se a voz do general Román. — Não prefere que vá agora mesmo ao Palácio? Aconteceu alguma coisa?

— Você vai saber logo o que aconteceu — disse, lentamente, imaginando o nervosismo do marido da sua sobrinha Mireya, ao notar a forma seca com que se dirigia a ele. — Alguma novidade?

— Tudo normal, Excelência — atrapalhou-se o general Román. — Estava recebendo o relatório de rotina das regiões. Mas, se o senhor preferir...

— Na Avenida — interrompeu Trujillo. E desligou.

Deleitou-se imaginando o crepitar de perguntas, hipóteses, temores, suspeitas que havia plantado na cabeça daquele babaca que era o ministro das Forças Armadas. O que terão falado de mim ao Chefe? Que intriga, que calúnia meus inimigos fizeram? Será que caí em desgraça? Terei deixado de fazer alguma coisa que ele mandou? Até aquela tarde, ele ia viver num inferno.

Mas esse pensamento só o ocupou por alguns segundos, pois a lembrança vexatória da garotinha voltou mais uma vez à sua memória. Raiva, tristeza, nostalgia se entrelaçaram em seu espírito, deixando-o num estado de inquietude total. E então, pensou: "Um remédio igual à doença." O rosto de uma bela mulher se desmanchando de prazer nos seus braços, agradecendo-lhe por ter gozado tanto. Isso apagaria a carinha assombrada daquela idiota. Sim: devia ir esta noite a San Cristóbal, à Casa de Caoba, lavar a afronta na mesma cama e com as mesmas armas. Esta decisão — tocou na braguilha, numa espécie de conjuro — levantou seu ânimo e o estimulou a continuar com a agenda do dia.

IX

— Tem notícias do Segundo? — perguntou Antonio de la Maza.

Apoiado no volante, Antonio Imbert respondeu, sem se virar:

— Fui vê-lo ontem. Agora me deixam visitá-lo toda semana. Uma visita curta, meia hora. Às vezes, o filho da puta do diretor de La Victoria resolve limitar as visitas a quinze minutos. Só para implicar.

— Como ele está?

Como podia estar alguém que, confiando numa promessa de anistia, saiu de Porto Rico, onde tinha uma boa posição trabalhando para a família Ferré, em Ponce, e quando voltou à sua terra descobriu que iam julgá-lo pelo suposto assassinato de um sindicalista, cometido em Puerto Plata há séculos, e condená-lo a trinta anos de prisão? Como podia se sentir um homem que, se matou, foi pelo regime, e que Trujillo, como prêmio, já deixou cinco anos apodrecendo numa masmorra?

Mas não lhe respondeu isso, pois Imbert sabia que Antonio de la Maza não tinha perguntado porque se interessava por seu irmão Segundo, mas para amenizar a espera interminável. Encolheu os ombros:

— Segundo é corajoso. Se está mal, não demonstra. Às vezes se dá ao luxo de levantar o meu ânimo.

— Você não lhe contou nada?

— Claro que não. Por prudência, e para não criar expectativas. E se a coisa falhar?

— Não vai falhar — interveio, no banco de trás, o tenente García Guerrero. — O Bode vem.

Viria mesmo? Tony Imbert consultou o relógio. Ainda podia vir, não era o caso de se desesperar. Ele nunca ficava impaciente, já havia muitos anos. Quando era jovem, sim, infelizmente, e isso o levou a fazer coisas de que se arrependia com todas as células do seu corpo. Como aquele telegrama que mandou em 1949, louco de raiva, durante o desembarque dos antitrujillistas encabeçados por Horacio Julio Ornes na praia de Luperón, dentro da província de Puerto Plata, da qual era governador. "É só ordenar que eu queimo Puerto Plata, Chefe." A frase que mais lamentava em sua vida. Depois a viu reproduzida em todos os jornais, pois o Generalíssimo quis que os dominicanos soubessem até que ponto o jovem governador era um trujillista convicto e fanático.

Por que Horacio Julio Ornes, Félix Córdoba Boniche, Tulio Hostilio Arvelo, Gugú Henríquez, Miguelucho Feliú, Salvador Reyes Valdez, Federico Horacio e os outros tinham escolhido Puerto Plata, naquele distante 19 de junho de 1949? A expedição foi um fracasso completo. Um dos dois aviões invasores nem conseguiu chegar e voltou para a ilha de Cozumel. O *Catalina* que trazia Horacio Julio Ornes e seus companheiros pousou na margem lamacenta do Luperón, mas, antes que os expedicionários terminassem de desembarcar, um guarda-costeiro o bombardeou e destruiu. As patrulhas do Exército capturaram os invasores em poucas horas. Isso serviu de motivo para uma daquelas encenações que Trujillo tanto apreciava. O Generalíssimo anistiou os capturados, inclusive Horacio Julio Ornes, e, como demonstração de força e magnanimidade, permitiu que se exilassem de novo. Mas, enquanto fazia esse gesto generoso dirigido ao exterior, destituiu, prendeu e perseguiu Antonio Imbert, o governador de Puerto Plata, e seu irmão, o major Segundo Imbert, comandante militar da praça, enquanto desencadeava uma repressão impiedosa aos supostos cúmplices da invasão, que foram presos, torturados e muitos deles fuzilados em segredo. "Cúmplices que não eram cúmplices", pensa. "Eles achavam que todos se revoltariam ao vê-los desembarcar. Mas não tinham ninguém, na realidade." Quantos inocentes pagaram caro por aquela fantasia.

Quantos inocentes sofreriam se ele falhasse esta noite? Antonio Imbert não era tão otimista como Amadito ou Salvador Estrella Sadhalá que, quando souberam por Antonio de la Maza que o general José René Román, chefe das Forças Armadas, estava envolvido na conspiração, passaram a achar que, morto Trujillo, tudo entraria nos eixos, pois os militares, cumprindo ordens de Román, iriam prender os irmãos do Bode, liquidar Johnny

Abbes e os trujillistas radicais e instalar uma Junta cívico-militar. O povo mataria *caliés* pelas ruas, feliz por ter conquistado a liberdade. Será mesmo que as coisas ocorreriam assim? Com as decepções, desde a estúpida emboscada em que Segundo caiu, Antonio Imbert ficara alérgico aos entusiasmos precipitados. Ele só queria ver o cadáver de Trujillo aos seus pés; o resto era o de menos. O que importava era livrar o país daquele homem. Sem esse obstáculo, mesmo que as coisas não fossem tão bem no início, uma porta se abriria. Só isso já justificava esta noite, por mais que eles não saíssem vivos.

Não, Tony não dissera uma palavra sobre a conspiração ao seu irmão Segundo durante as visitas semanais que lhe fazia em La Victoria. Falavam da família, de futebol, de boxe, Segundo tinha ânimo para contar episódios da rotina carcerária, mas evitavam o único assunto importante. Na última visita, ao se despedir, Antonio lhe sussurrou: "As coisas vão mudar, Segundo." Para bom entendedor, meia palavra basta. Teria adivinhado? Assim como Tony, Segundo, que de tropeço em tropeço havia passado de trujillista entusiasta a desafeto e, depois, a conspirador, fazia tempo que chegara à conclusão de que a única maneira de pôr um ponto final na tirania era acabando com o tirano; todo o resto, inútil. Era preciso liquidar a pessoa para a qual convergiam todos os fios daquela teia tenebrosa.

— O que aconteceria se aquela bomba tivesse explodido na rua Máximo Gómez, na hora do passeio do Bode? — fantasiou Amadito.

— Fogos de artifícios trujillistas no céu — respondeu Imbert.

— Eu seria um dos que voariam pelo ar, se estivesse de guarda — riu o tenente.

— E eu mandaria uma bela coroa de rosas para o seu enterro — disse Tony.

— Que plano — comentou Estrella Sadhalá. — Fazer o Bode voar com todos os acompanhantes. Desalmado!

— Bem, eu sabia que você não ia estar lá, no beija-mão — disse Imbert. — Além do mais, na época nós quase não nos conhecíamos, Amadito. Se fosse agora, eu teria pensado duas vezes.

— Que alívio — agradeceu o tenente.

Ao longo de uma hora e tanto de espera na estrada de San Cristóbal, eles tinham começado várias vezes a conversar, ou a brincar, como agora, mas essas tentativas se eclipsavam logo e cada qual voltava a se encerrar nas próprias angústias, esperanças ou recordações. Num dado momento, Antonio de la Maza ligou o rádio, mas assim que se ouviu a voz melosa do locutor de La Voz del Trópico anunciando um programa sobre espiritismo, desligou.

Sim, no plano para matar o Bode que gorou dois anos e meio atrás, Antonio Imbert estava disposto a liquidar, junto com Trujillo, um bom número de puxa-sacos que o escoltavam toda tarde na sua caminhada da casa de dona Julia, a Excelsa Matrona, pela rua Máximo Gómez e a Avenida, até o obelisco. Não eram justamente aqueles homens que andavam com ele os que mais tinham se sujado e manchado as mãos de sangue? Bom serviço para o país, liquidar um punhado de esbirros junto com o tirano.

Ele havia preparado aquele atentado sozinho, sem dizer nada nem ao seu melhor amigo, Salvador Estrella Sadhalá, porque, embora o Turco fosse antitrujillista, Tony temia que, com seu catolicismo, não o aprovasse. Planejou e calculou tudo na cabeça, mobilizando todos os recursos ao seu alcance a serviço do plano, convencido de que quanto menos pessoas participassem, mais possibilidades de sucesso teria. Só na última etapa incorporou ao projeto dois rapazes do que mais tarde seria conhecido como Movimento 14 de Junho; na época, era um grupo clandestino de profissionais liberais e jovens estudantes tentando se organizar para atuar contra a tirania, mas sem saber como.

O plano era simples e prático. Aproveitar a regularidade maníaca que Trujillo mantinha em suas rotinas, no caso a caminhada vespertina pela Máximo Gómez e a Avenida. Estudou cuidadosamente o terreno, percorrendo para cima e para baixo aquela avenida onde se sucediam as casas dos homens probos do regime, passados e presentes. A ostentosa residência de Héctor Trujillo, o Negro, ex-Presidente fantoche do irmão por dois períodos. A mansão rosa de Mamãe Julia, a Excelsa Matrona, que o Chefe visitava toda tarde, antes de começar o passeio. A de Luis Rafael Trujillo Molina, conhecido como Nenê, louco por briga de galo. A do general Arturo Espaillat, vulgo Navalhinha. A de Joaquín Balaguer, o atual Presidente fantoche, vizinha à da nunciatura. O antigo palacete de Anselmo Paulino, agora uma das casas de Ramfis Trujillo. O casarão da filha do Bode, a bela Angelita e seu marido Peitinho, o coronel Luis José León Estévez. A dos Cáceres Troncoso, e uma mansão de potentados: os Vicini. Na rua Máximo Gómez havia um campo de futebol que Trujillo construiu para seus filhos, em frente à Estância Radhamés e o solar onde morou o general Ludovino Fernández, que o Bode mandara matar. Entre uma mansão e outra havia descampados com capim alto e lotes desertos, com cercas de arame verde junto ao meio-fio. E, na calçada da direita, pela qual a comitiva sempre andava, uns terrenos baldios, também cercados com aqueles aramados, que Antonio Imbert havia estudado durante muitas horas.

Escolheu o pedaço da divisória que saía da casa de Nenê Trujillo. A pretexto de trocar parte da cerca da fábrica Mezcla Lista, da qual era gerente (pertencia a Paco Martínez, irmão da Excelsa Dama), ele comprou umas dezenas de varas daquele arame e as respectivas estacas de tubo que, a cada quinze metros, o mantinham esticado. Ele mesmo verificou que os tubos eram ocos e que seu interior podia ser recheado com cartuchos de dinamite. Como a Mezcla Lista possuía, nos subúrbios de Trujillo, duas pedreiras de onde extraía matéria-prima, foi fácil para ele, nas suas visitas periódicas, ir subtraindo cartuchos de dinamite que escondeu no escritório, aonde sempre era o primeiro a chegar e do qual saía depois do último funcionário.

Quando estava tudo pronto, falou do plano com Luis Gómez Pérez e Iván Tavárez Castellanos. Os dois eram mais jovens que ele, estudantes universitários, de direito o primeiro e de engenharia o segundo. Integravam a sua célula nos grupos clandestinos antitrujillistas; depois de observá-los durante muitas semanas, decidiu que eram sérios, confiáveis, ansiosos para entrar em ação. Ambos aceitaram o convite com entusiasmo. Concordaram em não dizer nada aos companheiros com os quais, sempre em lugares diferentes, organizavam reuniões de oito ou dez pessoas para discutir a melhor maneira de mobilizar o povo contra a tirania.

Junto com Luis e Iván, que se saíram melhor do que ele esperava, recheou os tubos com cartuchos de dinamite e pôs os detonadores, depois de testá-los com um controle remoto. Para ter certeza de que o horário seria cumprido, ensaiaram no pátio da fábrica, depois da saída dos operários e do pessoal de escritório, para ver quanto tempo levavam para derrubar um pedaço da cerca e colocar a nova, trocando os tubos antigos pelos recheados de dinamite. Menos de cinco horas. Ficou tudo pronto no dia 12 de junho. Pretendiam agir no dia 15, quando Trujillo voltasse de uma viagem ao Cibao. Já tinham conseguido a niveladora para derrubar a cerca ao amanhecer e dar pretexto para substituí-la, usando macacões azuis do Serviço Municipal, pela que haviam preparado. Marcaram dois pontos, ambos a menos de cinquenta passos da explosão, de onde, Imbert à direita, Luis e Iván à esquerda, acionariam os controles com um breve intervalo, o primeiro para matar Trujillo no instante em que passasse pelos tubos e o segundo para arrematar o serviço.

Foi então, na véspera do dia marcado, a 14 de junho de 1959, que se deu a surpreendente aterrissagem nas montanhas de Constanza de um avião procedente de Cuba, pintado com as cores e as insígnias da Aeronáutica Dominicana, trazendo guerrilheiros antitrujillistas, invasão que foi seguida por desembarques nas praias de Maimón e Esterio Hondo, uma semana depois. A chegada desse pequeno destacamento, que incluía o barbudo comandante cubano Delio Gómez Ochoa, fez correr um calafrio na espinha dorsal do regime. Foi uma tentativa canhestra, sem coordenação. Os grupos clandestinos não tinham a menor informação sobre o que estava sendo preparado em Cuba. O apoio de Fidel Castro à revolução contra Trujillo era, desde a queda de Batista, seis meses antes, um assunto obsessivo nas reuniões. Os grupos contavam com essa ajuda em todos os planos que faziam e desfaziam, para os quais colecionavam espingardas de caça, revólveres, algum fuzil velho. Mas ninguém que Imbert conhecesse estava em contato com Cuba, nem tinha a menor ideia de que, no dia 14 de junho, chegariam essas dezenas de revolucionários que, depois de pôr fora de combate a reduzida guarda do aeroporto de Constanza, se espalharam pelas montanhas dos arredores, para serem caçados como coelhos nos dias seguintes e mortos lá mesmo ou levados para Trujillo onde, sob as ordens de Ramfis, quase todos acabaram assassinados (mas não o cubano Gómez Ochoa e seu filho adotivo, Pedrito

Mirabal, que o regime, em outro gesto teatral, devolveu a Fidel Castro tempos depois). Ninguém tampouco podia suspeitar da intensidade da repressão que o governo desencadeou como resposta ao desembarque. Nas semanas e nos meses seguintes, em vez de amainar, ela só aumentou. Os *caliés* levavam qualquer suspeito para o SIM, onde o submetiam a torturas — como castrá-lo, perfurar seus ouvidos ou seus olhos, sentá-lo no Trono — para que falasse nomes. As prisões de La Victoria, La Cuarenta e El Nueve ficaram abarrotadas de jovens de ambos os sexos, estudantes, profissionais liberais e funcionários públicos, muitos dos quais eram filhos ou parentes de gente do governo. Trujillo teve uma grande surpresa: era possível que conspirassem contra ele os filhos, netos e sobrinhos de pessoas que se beneficiaram do regime mais do que ninguém? Não teve consideração com eles, apesar dos sobrenomes, das caras brancas e das roupas de classe média.

Luis Gómez Pérez e Iván Tavárez Castellanos caíram nas mãos dos *caliés* do SIM na manhã do dia previsto para o atentado. Com o seu realismo habitual, Antonio Imbert entendeu que não tinha a menor possibilidade de pedir asilo: todas as embaixadas estavam cercadas por barreiras de policiais uniformizados, soldados e *caliés*. Calculou que, na tortura, Luis e Iván, ou qualquer outro membro dos grupos clandestinos, mencionaria o seu nome e os *caliés* viriam buscá-lo. Nesse momento, como agora, esta noite, sabia perfeitamente o que fazer: recebê-los a bala. Tentaria mandar mais de um para o outro mundo, antes que o acertassem. Não ia deixar que arrancassem suas unhas com alicate, cortassem sua língua ou o sentassem no trono elétrico. Podiam matá-lo, sim; humilhá-lo, jamais. Usando pretextos, despachou Guarina, sua mulher, e a filha Leslie, que não estavam a par de nada, para o sítio de uns parentes em La Romana e, com um copo de rum na mão, sentou-se para esperar. Tinha um revólver carregado e destravado no bolso. Mas nem nesse dia, nem no dia seguinte, nem no subsequente os *caliés* apareceram em sua casa ou no escritório da Mezcla Lista, onde continuou trabalhando pontualmente com todo o sangue-frio de que era capaz. Luis e Iván não o haviam delatado, nem as pessoas com quem conviveu nos grupos clandestinos. Milagrosamente, ele tinha escapado de uma repressão que estava golpeando culpados e inocentes, enchendo as cadeias e, pela primeira vez nos vinte e nove anos do regime, apavorando as famílias da classe média, tradicionais pilares de Trujillo, de onde saiu a maior parte de prisioneiros do que passou a ser chamado, por causa da invasão frustrada, de Movimento 14 de Junho. Um primo de Tony, Ramón Imbert Rainieri — Moncho —, era um dos seus dirigentes.

Por que tinha escapado? Graças à coragem de Luis e Iván, sem dúvida — dois anos depois, eles continuavam nos calabouços de La Victoria —, e, sem dúvida, também de outras moças e rapazes do 14 de Junho que se abstiveram de mencioná-lo. Talvez o considerassem um simples curioso, não um ativista de verdade. Porque, com sua timidez, Tony Imbert raramente abria a boca nas reuniões a que Moncho o levara pela primeira vez; ele se limitava a ouvir e opinar com monossílabos. Além do mais, era improvável que estivesse fichado no SIM, exceto como irmão do major Segundo Imbert. Sua folha de serviços era limpa. Tinha passado a vida trabalhando para o regime — como inspetor geral das Ferrovias, governador de Puerto Plata, supervisor geral da Loteria Nacional, diretor do departamento que expedia as carteiras de identidade — e agora era gerente da Mezcla Lista, fábrica de um cunhado de Trujillo. Por que suspeitariam dele?

Com prudência, nos dias posteriores a 14 de junho, permanecendo na fábrica à noite, ele desmontou os cartuchos e devolveu a dinamite às pedreiras, enquanto refletia sobre como e com quem levaria a cabo o próximo plano para matar Trujillo. Contou tudo o que tinha acontecido (e deixado de acontecer) ao seu amigo do peito, o Turco Salvador Estrella Sadhalá. Este reclamou por não ter sido incluído no complô da rua Máximo Gómez. Salvador tinha chegado, por sua conta, à mesma conclusão: nada ia mudar enquanto Trujillo continuasse vivo. Começaram a avaliar possíveis atentados, mas sem dar um pio na frente de Amadito, o terceiro do trio: parecia difícil que um ajudante de ordens quisesse matar o Benfeitor.

Não muito depois aconteceu um episódio traumático na carreira de Amadito que, para conseguir sua promoção, teve que matar um prisioneiro (irmão de uma ex-namorada, parece), o que o fez entrar no time. Em breve se completariam dois anos do desembarque em Constanza, Maimón e Esterio Hondo. Um ano, onze meses e quatorze dias, para dizer com precisão. Antonio Imbert olhou para o relógio. Ele não viria mais.

Quanta coisa havia acontecido na República Dominicana, no mundo e na sua vida pessoal. Muita coisa. As prisões em massa de janeiro de 1960, quando caíram tantos rapazes e moças do Movimento 14 de Junho, entre os quais as irmãs Mirabal e seus maridos. O rompimento de Trujillo com sua antiga cúmplice, a Igreja Católica, a partir da Carta Pastoral dos bispos, denunciando a ditadura, de janeiro de 1960. O atentado de junho de 1960 contra o Presidente Betancourt, da Venezuela, que mobilizou tantos países contra Trujillo, inclusive o seu grande aliado de sempre, os Estados Unidos, que, em 6 de agosto de 1960, na Conferência da Costa Rica, votaram a favor das sanções. E, em 25 de novembro de 1960 — Imbert sentiu uma pontada no peito, inevitável toda vez que recordava esse dia fatídico —, o assassinato das três irmãs, Minerva, Patria e María Teresa Mirabal, e do motorista que as transportava, em La Cumbre, no alto da cordilheira setentrional, quando voltavam de uma visita aos maridos de Minerva e María Teresa, presos na Fortaleza de Puerto Plata. Toda a República Dominicana soube dessa matança da maneira veloz e misteriosa que as notícias circulavam de boca em boca e de casa em casa, e chegavam em poucas horas aos recantos mais remotos, embora não saísse uma linha na imprensa e muitas vezes essas notícias, transmitidas pelo disse me disse, ganhassem cor, aumentassem ou diminuíssem no percurso até se tornarem mitos, lendas, ficções, quase sem muita relação com os fatos. Lembrava de uma noite no *malecón*, não muito longe de onde agora, seis meses depois, estava esperando o Bode — para vingá-las também. Estavam sentados no parapeito de pedra, como faziam toda noite — ele, Salvador e Amadito, e, dessa vez, Antonio de la Maza também — para tomar ar fresco e conversar longe de ouvidos indiscretos. O que havia acontecido com as Mirabal fazia os quatro ranger os dentes, ter ânsias de vômito, enquanto comentavam a morte, nas alturas da cordilheira, em um suposto acidente de carro, dessas três incríveis irmãs.

— Matam os nossos pais, nossos irmãos, nossos amigos. Agora também as nossas mulheres. E nós, resignados, esperando a nossa vez — ouviu-se dizer.

— Resignados nada, Tony — pulou Antonio de la Maza. Ele havia chegado de Restauración com a notícia da morte das Mirabal, que ouviu no caminho. — Trujillo vai pagar caro por isso. Tudo está bem encaminhado. Mas temos que fazer as coisas direito.

Nessa época, o atentado estava sendo planejado em Moca, durante uma visita de Trujillo à terra dos De la Maza numa das viagens que, desde a censura da OEA e as sanções econômicas, ele vinha fazendo pelo país. Uma bomba explodiria na igreja principal, consagrada ao Sagrado Coração de Jesus, e uma chuva de balas cairia das varandas, terraços e da torre do relógio sobre Trujillo enquanto ele discursasse, no palanque erguido no átrio, para as pessoas aglomeradas em volta da estátua de são João Bosco meio encoberta por amores-perfeitos. O próprio Imbert inspecionou a igreja e se ofereceu para ficar na torre do relógio, o lugar mais arriscado.

— Tony conhecia as Mirabal — explicou o Turco a Antonio. — Por isso ficou assim.

Conhecia, mas não podia dizer que fossem suas amigas. Tinha visto as três ocasionalmente, assim como os maridos de Minerva e Patria, Manolo Tavares Justo e Leandro Guzmán, nas reuniões dos grupos que o Movimento 14 de Junho organizou, tomando como modelo a histórica Trinitaria de Duarte. As três eram dirigentes dessa organização pequena e entusiasta, porém desarrumada e ineficaz, que a repressão ia desmontando. As irmãs o impressionaram por sua convicção e pelo arrojo com que se entregavam àquela luta tão desigual e incerta; principalmente Minerva Mirabal. Todos os que a conheciam e a ouviam opinar, discutir, fazer propostas ou tomar decisões sentiam a mesma coisa. Embora nunca tivesse pensado no assunto, Tony Imbert concluiu depois do assassinato que, até conhecer Minerva Mirabal, jamais passara por sua cabeça que uma mulher pudesse fazer coisas viris como preparar uma revolução, conseguir e ocultar armas, dinamite, coquetéis molotovs, facas, baionetas, falar de atentados, estratégia e tática, e discutir com frieza se os militantes, caso caíssem nas mãos do SIM, deviam tomar um veneno para não correr o risco de delatar os companheiros na tortura.

Minerva falava dessas coisas e da melhor forma de fazer propaganda clandestina, ou de recrutar estudantes na universidade, e todos a ouviam, por sua inteligência e pela clareza com que expunha. Suas convicções, tão firmes, e sua eloquência davam uma força contagiante a tudo o que ela dizia. Era, além do mais, lindíssima, com cabelos e olhos muito pretos, feições finas, nariz e boca bem-delineados e uns dentes branquíssimos que contrastavam com o tom azulado da sua pele. Lindíssima, sim. Havia nela algo de poderosamente feminino, uma delicadeza, uma faceirice natural nos movimentos do corpo e no sorriso, apesar da sobriedade com que se vestia para essas reuniões. Tony não se lembrava de tê-la visto algum dia pintada ou maquiada. Sim, lindíssima, mas jamais — pensou — algum dos presentes teve coragem de lhe fazer um galanteio, dizer um dos gracejos ou brincadeiras que eram normais, naturais — obrigatórios — entre os dominicanos, ainda mais se fossem jovens e unidos pela intensa fraternidade gerada pelos ideais, sonhos e riscos compartilhados. Qualquer coisa, na figura briosa de Minerva Mirabal, impedia que os homens tivessem com ela as mesmas intimidades e liberdades que se permitiam com outras mulheres.

Nessa época, ela já era uma lenda no pequeno mundo da luta clandestina contra Trujillo. Das coisas que se diziam a seu respeito, quais eram verdadeiras, quais eram exageradas, quais inventadas? Ninguém tinha coragem de lhe perguntar isso para não receber um olhar profundo, depreciativo, e uma das suas réplicas cortantes que, às vezes, emudeciam o oponente. Diziam que quando era adolescente se atreveu a rejeitar o próprio Trujillo, recusando-se a dançar com ele, e que por isso seu pai foi exonerado da prefeitura de Ojo de Agua e mandado para a prisão. Outros insinuavam que não foi só isso, que ela também esbofeteou o Bode porque, na dança, passou a mão onde não devia ou disse uma grosseria, possibilidade que muitos descartavam ("Ela não estaria viva, Trujillo a teria matado ou mandado matar na mesma hora"), mas não Antonio Imbert. Desde a primeira vez que a viu e ouviu, não teve a menor dúvida de que, se aquela bofetada não era verdade, poderia ter sido. Bastava ver e ouvir Minerva Mirabal por alguns minutos (por exemplo, falando com uma naturalidade glacial sobre a necessidade de preparar psicologicamente os militantes para resistir à tortura) para saber que ela era capaz de esbofetear o próprio Trujillo se este lhe faltasse ao respeito. Já havia estado presa algumas vezes e se contavam histórias sobre sua valentia em La Cuarenta, primeiro, e depois em La Victoria, onde fez greves de fome, resistiu ao isolamento a pão e água salobra, e onde, diziam, foi barbaramente seviciada. Ela não falava da sua temporada na cadeia, nem das torturas, nem do calvário que, desde que se soube que era antitrujillista, sua família tinha passado, expropriada dos escassos bens que possuía e com ordem de prisão domiciliar. A ditadura permitiu que Minerva estudasse Direito só para, ao se formar — vingança bem-planejada —, negar-lhe a licença profissional, quer dizer, condená-la a não trabalhar, a não ganhar a vida, a ficar frustrada em plena juventude, com cinco anos de estudos desperdiçados. Mas nada disso a amargurou; lá continuava ela, incansável, dando ânimo a todo mundo, um motor em funcionamento, prelúdio — pensou muitas vezes Imbert — do país jovem, belo, entusiasta, idealista que a República Dominicana seria algum dia.

Sentiu, envergonhado, que seus olhos estavam rasos d'água. Acendeu um cigarro e deu várias tragadas, soltando a fumaça em direção ao mar onde a luz do luar reverberava, saltitando. Agora não havia brisa. De vez em quando, os faróis de algum carro apareciam ao longe, vindo de Trujillo. Os quatro se aprumavam no carro, esticavam os pescoços, examinavam a escuridão, tensos, mas, sempre, a vinte ou trinta metros, descobriam que não era o Chevrolet e voltavam a relaxar nos assentos, decepcionados.

Quem melhor sabia conter as emoções era Imbert. Sempre fora calado, mas, nos últimos anos, desde que a ideia de matar Trujillo se apoderou dele e foi, como uma solitária, consumindo toda a sua energia, o laconismo se acentuou. Nunca teve muitos amigos; nos últimos meses, sua vida se resumia ao escritório na Mezcla Lista, sua casa e os encontros diários com Estrella Sadhalá e o tenente García Guerrero. Depois da morte das irmãs Mirabal, as reuniões clandestinas praticamente se interromperam. A repressão tinha arrasado o Movimento 14 de Junho. Os remanescentes se refugiaram na vida familiar, tentando passar despercebidos. Vez por outra uma pergunta o angustiava: "Por que não fui preso?" A incerteza lhe dava um grande mal-estar, como se tivesse alguma culpa, como se fosse responsável pelo sofrimento daqueles que estavam nas mãos de Johnny Abbes enquanto ele continuava desfrutando a liberdade.

Uma liberdade muito relativa, aliás. Desde que percebeu em que regime vivia, a que governo tinha servido desde jovem e ainda continuava servindo — não era gerente de uma das fábricas do clã? —, ele se sentia um prisioneiro. Foi talvez para se livrar da sensação de ter todos os passos controlados, todos os trajetos e movimentos traçados, que a ideia de eliminar Trujillo ganhou tanta força na sua consciência. O desencanto com o regime, no seu caso, foi gradual, longo e secreto, muito anterior aos conflitos políticos do seu irmão Segundo, que havia sido ainda mais trujillista que ele. Quem não era trujillista em seu círculo, havia vinte, vinte e cinco anos? Todos achavam que o Bode era o salvador da Pátria, que acabara com as guerras de caudilhos, com o perigo de uma nova invasão haitiana, que havia liquidado a dependência humilhante dos Estados Unidos — que controlavam as alfândegas, não deixavam existir uma moeda dominicana e tinham que aprovar o orçamento — e que, de bom ou mau grado, levara as melhores cabeças do país para o governo. Que importância tinha, diante de tudo isso, que Trujillo comesse as mulheres que queria? Ou que tivesse acumulado fábricas, fazendas e rebanhos? Ele não fazia a riqueza dominicana crescer? Não deu ao país as Forças Armadas mais poderosas do Caribe? Tony Imbert passara vinte anos da sua vida dizendo e defendendo essas coisas. Era isso que agora lhe embrulhava o estômago.

Não se lembrava como a coisa havia começado, as primeiras dúvidas, conjeturas, discrepâncias, que o levaram a questionar se tudo estava mesmo tão bem ou se, por trás da fachada de um país que, sob a severa mas inspirada liderança de um estadista fora do comum, progredia a toda velocidade, não havia um tétrico espetáculo de pessoas destruídas, agredidas e enganadas, a consagração pela propaganda e pela violência de uma mentira descomunal. Gotinhas incansáveis que, de tanto pingar e pingar, foram perfurando o seu trujillismo. Quando saiu do governo de Puerto Plata, no fundo do coração ele não era mais trujillista, estava convencido de que o regime era ditatorial e corrupto. Não disse nada a ninguém, nem a Guarina. Para o mundo, continuava sendo trujillista, pois, embora o seu irmão Segundo tivesse se autoexilado em Porto Rico, o regime, como prova de magnanimidade, continuou dando cargos a Antonio, até mesmo — que maior demonstração de confiança pode haver? — nas empresas da família Trujillo.

Foi esse mal-estar de tantos anos, todo dia pensar uma coisa e fazer outra que a contradizia, que o levou, sempre no mais recôndito da sua mente, a sentenciar a morte de Trujillo, convencido de que, enquanto o Bode vivesse, ele e muitos outros dominicanos estariam condenados a um horrível desespero, a um desgosto consigo mesmos por mentir em cada instante e enganar a todos, ser dois em um, uma mentira pública e uma verdade privada impedida de se manifestar.

Essa decisão lhe fez bem; levantou seu moral. Sua vida deixou de ser um mal-estar, uma duplicidade, quando pôde partilhar seus verdadeiros sentimentos com alguém. A amizade com Salvador Estrella Sadhalá parecia ter sido enviada pelo céu. Com o Turco, ele podia falar à vontade contra tudo o que via à sua volta; com sua integridade moral e a honestidade de tentar adequar seu comportamento à religião que praticava, com uma entrega que Tony nunca vira em ninguém, o Turco se transformou em seu modelo, além de melhor amigo.

Pouco depois de ficarem mais íntimos, Imbert começou a frequentar os grupos clandestinos, levado por seu primo Moncho. Apesar de sair dessas reuniões com a sensação de que aquelas moças e rapazes, embora estivessem arriscando a liberdade, o futuro, a vida, não tinham encontrado uma forma eficaz de lutar contra Trujillo, passar uma ou duas horas com eles, depois de chegar a uma casa desconhecida — cada vez uma diferente — fazendo mil rodeios, seguindo mensageiros que se identificavam com senhas variadas, lhe deu uma razão de viver, limpou sua consciência e aprumou sua existência.

Guarina ficou assombrada quando, afinal, para que não fosse apanhada de surpresa, Tony foi lhe revelando que, apesar das aparências, tinha deixado de ser trujillista e, até, trabalhava secretamente contra o governo. Ela não tentou dissuadi-lo. Nem perguntou o que aconteceria com sua filha Leslie se o prendessem e condenassem a trinta anos de cadeia, como fizeram com Segundo, ou, pior ainda, se o matassem.

Sua mulher e sua filha não sabiam o que ia acontecer esta noite; pensavam que ele estava jogando baralho na casa do Turco. O que aconteceria com elas se as coisas dessem errado?

— Você confia no general Román? — disse, precipitadamente, para ter que pensar em outra coisa. — Tem certeza de que ele é dos nossos? Apesar de ser marido de uma sobrinha de Trujillo e cunhado dos generais José e Virgilio García Trujillo, os sobrinhos favoritos do Chefe?

— Se ele não estivesse do nosso lado, já teríamos ido para La Cuarenta, todos nós — disse Antonio de la Maza. — Está conosco, desde que seja cumprida a sua condição: ver o cadáver.

— É difícil acreditar — murmurou Tony. — O que o secretário de Estado das Forças Armadas ganha com isso? Tem tudo a perder.

— Ele odeia Trujillo mais do que você e eu — respondeu De la Maza. — Muitos figurões, também. O trujillismo é um castelo de cartas. Está prestes a desmoronar, você vai ver. Pupo tem muitos militares comprometidos com ele; só estão esperando as suas ordens. Ele as dará e, amanhã, este país vai ser outro.

— Se é que o Bode vem — resmungou, no banco de trás, Estrella Sadhalá.

— Vem sim, Turco, ele vem — repetiu mais uma vez o tenente.

Antonio Imbert voltou a mergulhar em seus pensamentos. Será que esta terra acordaria amanhã libertada? Ele desejava isso com todas as suas forças, mas, mesmo agora, minutos antes de acontecer, era difícil de acreditar. Quantas pessoas faziam parte da conspiração, além do general Román? Ele nunca quis saber. Conhecia quatro ou cinco, mas havia muita gente mais. Era melhor ignorar. Sempre considerou indispensável que os conspiradores soubessem o mínimo, para não pôr a operação em risco. Tinha ouvido com interesse tudo o que Antonio de la Maza revelou sobre o compromisso do chefe das Forças Armadas de assumir o poder se eles executassem o tirano. Assim, os parentes mais próximos do Bode e os principais trujillistas seriam capturados ou mortos antes que desencadeassem uma ação de represália. Ainda bem que os dois filhotes, Ramfis e Radhamés, estavam em Paris. Com quanta gente Antonio de la Maza teria falado? Às vezes, nas incessantes reuniões que tiveram nos últimos meses para refazer o plano, Antonio deixava escapar alusões, referências, meias palavras, que faziam pensar que havia muita gente envolvida. Um dia Tony levou as precauções ao extremo de tapar a boca de Salvador quando este, indignado, começou a contar que ele e Antonio de la Maza, numa reunião na casa do general Juan Tomás Díaz, tiveram uma discussão com um grupo de conspiradores que reclamava porque Imbert fora aceito na conspiração. Não o consideravam seguro, por seu passado trujillista; alguém lembrou do famoso telegrama que ele mandou a Trujillo, oferecendo-se para queimar Puerto Plata. ("Isso vai me perseguir até a morte, e depois também", pensou.) O Turco e Antonio protestaram, dizendo que botavam as mãos no fogo por Tony, mas este não deixou que Salvador continuasse:

— Não quero saber, Turco. Afinal, por que as pessoas que não me conhecem direito confiariam em mim? É verdade, trabalhei a vida toda para Trujillo, direta ou indiretamente.

— E o que é que eu faço? — respondeu o Turco. — O que fazem trinta ou quarenta por cento dos dominicanos? Não trabalhamos todos para o governo ou para as empresas da família? Só os muito ricos podem se dar ao luxo de não trabalhar para Trujillo.

"Nem eles", pensou. Os ricos, se quisessem continuar sendo ricos, também precisavam se aliar ao Chefe, vender-lhe parte das suas empresas ou comprar parte das dele, e assim contribuir para a sua grandeza e poder. Com os olhos semicerrados, embalado pelo rumor calmo do mar, pensou em como era diabólico o sistema que Trujillo conseguira criar, do qual todos os dominicanos mais cedo ou mais tarde participavam como cúmplices, um sistema do qual só estavam a salvo os exilados (nem sempre) e os mortos. Neste país, de uma forma ou de outra, todos tinham sido, eram ou seriam parte do regime. "O pior que pode acontecer com um dominicano é ser inteligente ou capaz", ouvira Álvaro Cabral dizer certa vez ("Um dominicano muito inteligente e capaz", pensou), e a frase ficou gravada em sua mente: "Porque, nesse caso, algum dia Trujillo o chamará para servir ao regime ou à sua pessoa, e quando chamar ele não vai ter como dizer não." Ele mesmo era uma prova desta verdade. Nunca lhe passara pela cabeça fazer a menor resistência a essas nomeações. Como dizia Estrella Sadhalá, o Bode tirou dos homens o atributo sagrado que Deus lhes deu: o livre-arbítrio.

Ao contrário do Turco, a religião nunca ocupara um lugar central na vida de Antonio Imbert. Ele era católico à maneira dominicana, tinha passado por todas as cerimônias religiosas que marcam a vida de uma pessoa — batismo, crisma, primeira comunhão, colégio católico, casamento na igreja — e sem dúvida teria um enterro com sermão e bênção de padre. Mas nunca havia sido muito praticante, nem preocupado com as implicações da fé na vida diária, e nem procurava verificar se a sua conduta obedecia aos dez mandamentos, como fazia Salvador de uma forma que lhe parecia doentia.

Mas a história do livre-arbítrio o afetou. Talvez por isso tenha decidido que Trujillo precisava morrer. Para recuperar pelo menos, ele e os dominicanos, a faculdade de aceitar ou recusar o trabalho com que se ganha a vida. Tony não sabia o que era isso. Quando jovem, talvez sim, mas tinha esquecido. Devia ser uma coisa bonita. A xícara de café ou o gole de rum deviam ter um gosto melhor, a fumaça do tabaco, o banho de mar num dia quente, o filme dos sábados ou o merengue no rádio deviam deixar uma sensação mais grata no corpo e no espírito quando se dispunha daquilo que Trujillo tinha arrebatado dos dominicanos havia trinta e um anos: o livre-arbítrio.

X

Ao ouvir a campainha, Urania e o pai ficam imóveis, olhando-se como se tivessem sido apanhados fazendo algo errado. Vozes no andar de baixo e uma exclamação de surpresa. Passos apressados, subindo a escada. A porta se abre quase ao mesmo tempo que uns dedos impacientes batem e aparece pela abertura um rosto espantado que Urania reconhece imediatamente: sua prima Lucinda.

— Urania? Urania? — seus grandes olhos arregalados a examinam de cima para baixo, de baixo para cima, abre os braços e anda até ela para verificar se não é uma alucinação.

— Eu mesma, Lucindita. — Urania abraça a filha mais nova de sua tia Adelina, prima da sua idade, sua colega de colégio.

— Mas, menina! Não acredito. Você, por aqui? Venha cá! Mas como foi isso. Por que não me ligou? Por que não veio à minha casa? Esqueceu como nós gostamos de você? Não se lembra mais da sua tia Adelina, da Manolita? E de mim, sua ingrata?

Está tão surpresa, tão cheia de perguntas e curiosidades — "Meu Deus, prima, como você pôde passar trinta e cinco anos, trinta e cinco, não é?, sem vir à sua terra, sem ver a família", "Menina! Você deve ter tanta coisa para contar" — que não a deixa responder. Nisso não mudou muito. Desde pequena ela falava como um papagaio, era mais entusiasmada, cheia de ideias, brincalhona. A prima com quem sempre se deu melhor. Urania lembra dela com o uniforme de gala, saia branca e casaco azul-marinho, e no do dia a dia, rosa e azul: uma gorducha ágil, de franjinha, aparelho nos dentes e um sorriso sempre nos lábios. Agora é uma senhora de carnes fartas, com a pele do rosto muito esticada mas sem traços de *lifting*, usando um vestido simples, floreado. Seu único enfeite: dois longos brincos dourados que reluzem. De repente, interrompe os carinhos e interrogações a Urania para se dirigir ao inválido, que beija na testa.

— Que bela surpresa sua filha lhe deu, tio. Você não esperava que a sua filhinha ressuscitasse e viesse visitá-lo. Que alegria, não é mesmo, tio Agustín?

Torna a beijá-lo na testa e com o mesmo ímpeto se esquece dele. Vai sentar-se ao lado de Urania, na beirada da cama. Pega a prima pelo braço, contempla-a, examina-a, volta a sufocá-la com suas exclamações e perguntas:

— Como você está bem-conservada, moça. Somos do mesmo ano, não é?, e você parece dez anos mais nova. Não é justo! Deve ser porque não se casou nem teve filhos. Nada estraga tanto a gente como marido e prole. Que silhueta, que pele. Uma mocinha, Urania!

Vai reconhecendo na voz da prima os matizes, acentos, a música daquela menina com quem tanto brincou nos pátios do Santo Domingo, a quem tantas vezes teve que explicar as noções de geometria e trigonometria.

— Uma vida inteira sem nos ver, Lucindita, sem saber nada uma da outra — exclama, por fim.

— A culpa é sua, ingrata — a prima a repreende, com afeto, mas nos seus olhos cintila agora aquela pergunta, aquelas perguntas, que os tios e tias, primas e primos devem ter feito tantas vezes nos primeiros anos depois da súbita partida de Uranita Cabral, no final de maio de 1961, para a remota localidade de Adrian, no Michigan, estudar na Siena Heights University, das mesmas Dominican Nuns que administravam o Colégio Santo Domingo de Trujillo. — Eu nunca entendi, Uranita. Você e eu éramos tão amigas, tão unidas, além de parentes. O que foi que aconteceu para, de repente, não querer saber mais de nós? Nem do seu pai, nem dos seus tios, nem das primas e dos primos. Nem mesmo de mim. Escrevi vinte ou trinta cartas, e você nem uma linha. Passei anos mandando cartões, felicitações de aniversário. Manolita e minha mãe também. O que nós lhe fizemos? Por que você ficou tão zangada que nunca mais nos escreveu e passou trinta e cinco anos sem pisar na sua terra?

— Loucuras da juventude, Lucindita — ri Urania, pegando a sua mão. — Mas, está vendo?, já passou, agora estou aqui.

— Jura que você não é um fantasma? — A prima toma distância para observá-la, balança a cabeça incrédula. — Por que chegou assim, sem avisar? Nós teríamos ido ao aeroporto.

— Eu queria fazer uma surpresa — mente Urania. — Resolvi de uma hora para outra. Foi um impulso. Enfiei meia dúzia de coisas na mala e peguei o avião.

— Na família, todo mundo tinha certeza de que você jamais voltaria — fala sério Lucinda. — O tio Agustín também. Ele sofreu muito, não vou mentir. Porque você não queria falar com ele, atender o telefone. Ele ficava desesperado, ia chorar com a minha mãe. Nunca se conformou de que você o tratasse assim. Mas desculpe, nem sei por que estou dizendo isto, não quero me intrometer na sua vida, prima. Só falei porque nós duas sempre fomos muito próximas. Conte alguma coisa sua. Você mora em Nova York, não é? Está indo muito bem, eu sei. Nós acompanhamos os seus passos, você é uma lenda na família. Trabalha num escritório muito importante, não é verdade?

— Bem, há escritórios de advocacia maiores que o nosso.

— Não me surpreende que você tenha vencido nos Estados Unidos — exclama Lucinda, e Urania percebe um laivo ácido na voz da prima. — Desde pequena se notava que você era inteligente e estudiosa. Era o que diziam a superiora, *sister* Helen Claire, *sister* Francis, *sister* Susana e, principalmente, aquela que a mimava tanto, *sister* Mary: Uranita Cabral, um Einstein de saias.

Urania dá uma risada. Nem tanto pelo que a prima disse, mas pela maneira como o fez: com exagero e prazer, falando com a boca, os olhos, as mãos e todo o corpo ao mesmo tempo, com o gosto e a alegria no falar tão dominicanos. Coisa que descobriu, por contraste, há trinta e cinco anos, ao chegar à Siena Heights University das Dominican Nuns, em Adrian, Michigan, onde, da noite para o dia, viu-se rodeada de gente que só falava inglês.

— Quando você foi embora, sem sequer se despedir de mim, quase morri de tristeza — diz a sua prima, com saudade daqueles tempos. — Ninguém entendeu nada, na família. Mas como é isso! Uranita nos Estados Unidos, sem dizer nada! Bombardeávamos o tio de perguntas, mas ele também parecia surpreso. "As freiras lhe deram uma bolsa, ela não podia perder essa oportunidade." Ninguém acreditava.

— Foi isso mesmo, Lucindita. — Urania olha para o pai, outra vez imóvel e atento, escutando as duas. — Apareceu uma chance de ir estudar em Michigan e eu, que não sou boba, aproveitei.

— Isso eu entendo — insiste a prima. — Você bem que merecia a tal bolsa. Mas, por que foi embora como se estivesse fugindo? Por que rompeu com a família, com o seu pai, com o país?

— Sempre fui um pouco doida, Lucindita. Mas, isso sim, embora eu não escrevesse, pensava muito em vocês. Especialmente em você.

Mentira. Não sentiu falta de ninguém, nem de Lucinda, a prima e colega, a confidente e cúmplice de travessuras. Também queria se esquecer dela, tanto quanto de Manolita, da tia Adelina e do pai, desta cidade e deste país, naqueles primeiros meses morando na longínqua Adrian, no seu primoroso campus com jardins bem-cuidados, cheios de begônias, tulipas, magnólias, canteiros com roseiras e altos pinheiros cuja fragrância oleosa chegava até o quartinho que ela dividia no primeiro ano com quatro colegas, entre as quais Alina, a negrinha da Georgia, sua primeira amiga nesse novo mundo, tão diferente dos seus primeiros quatorze anos. Será que as dominicanas de Adrian sabiam por que você tinha "fugido", graças à *sister* Mary, a diretora de estudos do Santo Domingo? Tinham que saber. Se *sister* Mary não tivesse contado tudo a elas não lhe teriam dado aquela bolsa de forma tão precipitada. As *sisters* foram um modelo de discrição, nos quatro anos que Urania passou na Siena Heights University nenhuma delas jamais fez a menor alusão à história que ardia em sua memória. Por outro lado, não se arrependeram de ter sido tão generosas: ela foi a primeira graduada dessa universidade a ser aceita em Harvard e a se formar com láureas na universidade mais prestigiosa do mundo. Adrian, Michigan! Quantos anos sem voltar lá. Não deve ser mais aquela cidade provinciana de sitiantes que se fechavam em casa logo depois do pôr do sol e deixavam as ruas desertas, famílias cujo horizonte terminava nos dois povoados vizinhos que pareciam gêmeos — Clinton e Chelsea — e cuja diversão máxima era ir à famosa feira do frango na brasa em Manchester. Uma cidade limpa, Adrian. Bonita, principalmente no inverno, quando a neve escondia as ruazinhas retas — onde se podia patinar e esquiar — com os flocos de algodão branco que as crianças usavam para fazer bonecos e que você via cair do céu, enfeitiçada, mas onde teria morrido de amargura, talvez de tédio, se não tivesse se empenhado nos estudos com tanta dedicação.

A prima não para de falar.

— Um pouquinho depois, mataram Trujillo e as calamidades começaram. Você sabe que os *caliés* entraram no colégio? Bateram nas *sisters*, deixaram o rosto da *sister* Helen Claire todo cheio de hematomas e arranhões, e mataram Badulaque, o pastor-alemão. Por pouco não queimam a nossa casa também, por causa do parentesco com o seu pai. Diziam que o tio Agustín tinha mandado você para os Estados Unidos adivinhando o que ia acontecer.

— Bem, ele também quis me tirar daqui — interrompe Urania. — Embora tivesse caído em desgraça, ele sabia que ia ter que prestar contas aos antitrujillistas.

— Também entendo isso — murmura Lucinda. — Só não entendo é por que você nunca mais quis saber de nós.

— Você sempre teve um bom coração, aposto que não ficou magoada comigo — ri Urania. — Não é isso mesmo, garota?

— Claro que não fiquei — diz a prima. — Se você soubesse como pedi ao meu pai que me mandasse para os Estados Unidos, ficar com você na Siena Heights University. Já o tinha convencido, parece, quando aconteceu a desgraça. Todo mundo começou a nos atacar, a dizer mentiras horríveis sobre a família, só porque minha mãe era irmã de um trujillista. Ninguém se lembrava que nos últimos tempos Trujillo tratou o seu pai como um cachorro. Você teve sorte de não estar aqui naqueles meses, Uranita. Nós vivíamos mortas de medo. Nem sei como o tio Agustín evitou que incendiassem esta casa. Mas a apedrejaram várias vezes.

Uma batidinha na porta corta o diálogo.

— Não queria interromper. — A enfermeira aponta para o inválido. — Mas já está na hora.

Urania a olha sem entender.

— De fazer suas necessidades — explica Lucinda, pousando a vista no penico. — É pontual como um relógio. Uma sorte, porque eu vivo com problemas digestivos, comendo ameixa seca. São os nervos, dizem. Bem, mas vamos para a sala, então.

Enquanto estão descendo a escada, volta à mente de Urania a lembrança daqueles meses e anos em Adrian, da severa biblioteca cheia de vitrais, ao lado da capela e contígua ao refeitório, onde passava a maior parte do tempo, quando não estava nas aulas ou seminários. Estudando, lendo, rabiscando cadernos, ensaios, resumindo livros, de uma forma metódica, intensa, concentrada que os professores apreciavam muito e que algumas colegas admiravam e outras detestavam. Não era o desejo de aprender, de triunfar, que a levava a se isolar na biblioteca, e sim a vontade de ficar tonta, de se intoxicar, de se perder nessas matérias — ciências ou letras, tanto fazia — para não pensar, para afugentar as lembranças dominicanas.

— Você está com roupa de esporte — observa Lucinda, quando já estão na sala, junto à janela que dá para o jardim. — Não me diga que fez exercícios de manhã.

— Fui correr pelo *malecón*. E, voltando para o hotel, meus pés me trouxeram para cá, vestida assim como estou. Desde que cheguei, há um par de dias, não sabia se devia vir vê-lo ou não. Se não seria uma impressão muito forte para ele. Mas nem me reconheceu.

— Ele a reconheceu perfeitamente. — Sua prima cruza as pernas e tira da bolsa um maço de cigarros e um isqueiro. — Não fala, mas percebe quando alguém entra e entende tudo. Manolita e eu costumamos visitá-lo quase diariamente. Minha mãe não pode mais vir, desde que quebrou o quadril. Se falhamos algum dia, no seguinte ele faz cara feia.

Fica olhando para Urania de um jeito que esta antecipa: "Outra saraivada de recriminações." Não tem pena de ver seu pai passando os últimos anos abandonado, nas mãos de uma enfermeira, só visitado por duas sobrinhas? Você não devia ficar ao lado dele, dando carinho? Pensa que mandando uma mesada já cumpriu sua obrigação? Tudo isso está nos olhos arregalados de Lucinda. Mas ela não tem coragem de dizer. Oferece um cigarro a Urania e, quando esta recusa, exclama:

— Você não fuma, claro. Eu já imaginava, morando nos Estados Unidos. Lá há uma psicose contra o tabaco.

— Sim, uma verdadeira psicose — reconhece Urania. — No meu escritório também proibiram fumar. Eu não ligo, nunca fumei.

— A garota perfeita — ri Lucindita. — Mas me diga, mulher, cá entre nós, você já teve algum vício? Nunca fez uma dessas loucurinhas que todo mundo faz?

— Algumas — ri Urania. — Mas não posso contar.

Enquanto conversa com a prima, examina a sala. Os móveis são os mesmos, revelando decrepitude; a poltrona está com um pé quebrado e é sustentada por um calço de madeira; o estofamento, desfiado, esburacado, perdeu a cor que, pelo que Urania lembra, era vermelho pálido, cor de vinho. Pior que os móveis estão as paredes: manchas de umidade em toda parte, e em muitos lugares se veem pedaços de reboco. As cortinas desapareceram, ainda estão lá a barra de madeira e os anéis onde elas ficavam penduradas.

— Você ficou impressionada ao ver como está pobrinha a sua casa. — A prima solta uma nuvem de fumaça. — A nossa também, Urania. Toda a família foi a pique com a morte de Trujillo, essa é a verdade. Meu pai foi despedido de La Tabacalera e nunca mais arranjou emprego. Por ser cunhado do seu, só por isso. Enfim, com o tio aconteceu coisa pior. Foi investigado, acusado de tudo, abriram processos contra ele. Logo ele, que tinha caído em desgraça com Trujillo. Não conseguiram provar nada, mas a vida dele também desandou. Felizmente você está bem e pode ajudá-lo. Aqui na família ninguém pode. Estamos todos com uma mão na frente e outra atrás. Coitado do Agustín! Ele não fez como tanta gente, que virou casaca. Por ser decente, acabou arruinado.

Urania ouve, grave, seus olhos incentivam Lucinda a continuar, mas sua mente está em Michigan, na Siena Heights University, revivendo aqueles quatro anos de estudo obsessivo, salvador. As únicas cartas que lia e respondia eram as de *sister* Mary. Afetuosas, discretas, jamais mencionavam aquilo, se bem que, se *sister* Mary tivesse mencionado — ela, a única pessoa com quem Urania se abriu, que teve a luminosa ideia de tirá-la de lá e mandá-la para Adrian, que forçou o senador Cabral a aceitar essa solução —, não teria ficado zangada. Não seria um alívio poder desabafar de vez em quando, numa carta a *sister* Mary, esse fantasma que nunca lhe deu trégua?

Sister Mary lhe contava coisas do colégio, os grandes acontecimentos, os meses turbulentos que se seguiram ao assassinato de Trujillo, a partida de Ramfis e de toda a família, as mudanças de governo, a violência nas ruas, as confusões, perguntava pelos seus estudos, dava parabéns pelos triunfos acadêmicos.

— Como é que você nunca se casou, garota? — Lucindita a examina quase que despindo-a. — Não deve ter sido por falta de oportunidades. Você ainda está muito bem. Desculpe, mas, você sabe, as dominicanas são curiosas.

— Na verdade, não sei por quê — encolhe os ombros Urania. — Talvez por falta de tempo, prima. Sempre fui muito ocupada; primeiro estudando e depois trabalhando. Eu me acostumei a viver sozinha, não poderia compartilhar a vida com um homem.

Ouve-se falar e não acredita no que diz. Lucinda, em contrapartida, não põe suas palavras em dúvida.

— Você fez bem, garota — diz com tristeza. — De que adiantou eu me casar, diga lá. O sem-vergonha do Pedro me abandonou com duas meninas. Um dia se mudou e nunca mais me mandou um tostão. Tive que criar as duas garotas fazendo as coisas mais fastidiantes, como alugar casas, vender flores, dar aulas particulares a motoristas, que são muito abusados, você nem imagina. Como não estudei, foi só isso que consegui. Quem me dera ser como você, prima. Você tem uma profissão e ganha a vida na capital do mundo, com um trabalho interessante. Foi melhor não ter se casado. Mas deve ter suas aventuras, não é?

Urania sente fogo nas bochechas e seu rubor faz Lucinda dar uma risada:

— Ei, ei, veja só como você ficou. Você tem um amante! Conte. Ele é rico? Bonitão? Americano ou latino?

— Um cavalheiro de têmporas prateadas, muito distinto — inventa Urania. — Casado e com filhos. Nós nos vemos nos fins de semana, quando não estou viajando. Uma relação agradável e sem compromisso.

— Que inveja, garota! — aplaude Lucinda. — É o meu sonho. Um velho rico e distinto. Vou ter que ir a Nova York para arranjar um, aqui todos os velhos são uma calamidade: muito gordos e na miséria.

Em Adrian, não pôde deixar de, algumas vezes, ir a festas, fazer excursões com rapazes e moças, fingir que flertava com algum filho sardento de sitiantes que lhe falava de cavalos ou de audazes escaladas nas montanhas nevadas no inverno, mas voltava ao *dormitory* tão exausta de tudo o que precisava simular durante aquelas diversões, que arranjava pretextos para evitá-las.

Chegou a ter um repertório de desculpas: provas, trabalhos, visitas, enjoos, prazos peremptórios para entregar os *papers*. Nos anos de Harvard, não se lembrava de ter ido a uma festa ou a um bar, nem de ter dançado uma única vez.

— Manolita também se deu mal no casamento. Não que o marido fosse mulherengo, como o meu. Cocuyo (bem, ele se chama Esteban) não é capaz de matar nem uma mosca. Mas é um inútil, nunca para em um emprego. Agora tem um trabalho num hotel desses que construíram em Punta Canas, para turistas. Ganha um salário miserável, e minha irmã só o vê uma ou duas vezes por mês. Será isso um casamento?

— Você lembra da Rosalía Perdomo? — interrompe Urania.

— Rosalía Perdomo? — Lucinda faz um esforço, entrecerrando os olhos. — Na verdade, não... Ah, claro! Rosalía, a da encrenca com Ramfis Trujillo? Nunca mais foi vista por aqui. Deve ter sido mandada para o estrangeiro.

O ingresso de Urania em Harvard foi comemorado na Siena Heights University como um grande acontecimento. Até ser aceita, ela não havia percebido o prestígio que essa universidade tinha nos Estados Unidos e a maneira respeitosa como todos se referiam aos que tinham se formado, estudavam ou ensinavam lá. Aconteceu de maneira natural; se ela tivesse se proposto, não seria tão fácil. Estava no último ano. A diretora vocacional, depois de felicitá-la pelos resultados nos estudos, perguntou que planos profissionais tinha, e Urania respondeu: "Eu gosto de Direito." "Uma carreira em que se ganha muito dinheiro", respondeu a doutora Dorothy Sallison. Mas Urania tinha dito "Direito" porque foi a primeira coisa que lhe veio à cabeça, poderia ter dito Medicina, Economia ou Biologia. Você nunca tinha pensado em seu futuro, Urania; vivia tão paralisada pelo passado que nem lhe ocorria pensar no que tinha pela frente. A doutora Sallison examinou com ela diversas opções e escolheram quatro universidades prestigiosas: Yale, Notre Dame, Chicago e Stanford. Um ou dois dias depois de preencher os formulários, a doutora Sallison chamou-a: "Por que não tenta Harvard, também? Não se perde nada." Urania relembra as viagens para as entrevistas, as noites nos albergues religiosos que as madres dominicanas lhe conseguiam. E a alegria da doutora Sallison, das religiosas e das colegas de curso quando foram chegando as respostas das universidades, inclusive de Harvard, aceitando-a. Fizeram uma festa para ela, e dessa vez teve que dançar.

Seus quatro anos em Adrian lhe permitiram viver, coisa que ela imaginava que nunca mais poderia acontecer. Por isso tinha uma profunda gratidão pelas dominicanas. Entretanto, Adrian, na sua memória, foi um período sonâmbulo, incerto, no qual a única coisa concreta eram as infinitas horas na biblioteca, trabalhando para não pensar.

Cambridge, Massachussets, foi outra coisa. Lá começou a viver de novo, a descobrir que a vida merecia ser vivida, que estudar não era apenas uma terapia, mas um deleite, a sua diversão mais exaltante. Como aproveitou as aulas, as conferências, os seminários! Acossada pela abundância de possibilidades (além de Direito, assistiu como ouvinte a um curso de história latino--americana, um seminário sobre o Caribe e um ciclo de história social dominicana), sempre lhe faltavam horas no dia e semanas no mês para fazer tudo o que desejava.

Anos de muito trabalho, e não só intelectual. No segundo ano de Harvard, seu pai lhe informou, numa das cartas que nunca respondeu, que, em vista das dificuldades que enfrentava, teria que reduzir os quinhentos dólares que lhe mandava para duzentos. Graças ao crédito estudantil que conseguiu, seus estudos foram assegurados. Mas, para pagar suas necessidades frugais, nas horas livres trabalhou em um supermercado, foi garçonete numa pizzaria de Boston, entregadora de farmácia e — o trabalho menos enfadonho — dama de companhia e leitora de um paraplégico milionário de origem polonesa, Mr. Melvin Makovsky, para quem, de cinco às oito da noite, na sua casa vitoriana com muros grená na Massachussets Avenue, lia em voz alta volumosos romances do século XIX (*Guerra e paz*, *Moby Dick*, *Bleak House*, *Pamela*) e que, inesperadamente, depois de três meses como sua leitora, pediu-a em casamento.

— Um paraplégico? — arregala os olhos Lucinda.

— De setenta anos — detalha Urania. — Riquíssimo. Ele me pediu em casamento, sim. Para lhe fazer companhia e ler, só isso.

— Que bobagem, prima — Lucindita se escandaliza. — Você herdaria tudo, seria milionária.

— Tem razão, teria sido um negócio e tanto.

— Mas você era jovem, idealista, e achava que tinha que casar por amor — sua prima facilita as explicações. — Como se isso durasse. Eu também desperdicei uma oportunidade, com um médico forrado de dinheiro. Ele era doido por mim. Mas era escurinho, diziam que de mãe haitiana. Não foi por preconceito, mas, e se o meu filho desse um passo atrás e saísse preto feito carvão?

Ela gostava tanto de estudar e se sentia tão bem em Harvard que pensou em se dedicar à docência, fazer um doutorado. Mas não tinha meios para isso. Seu pai estava numa situação cada vez mais difícil, no terceiro ano suprimiu a mesada, de modo que precisava se formar e começar a ganhar dinheiro o quanto antes para pagar o crédito universitário e custear a vida. O prestígio da Faculdade de Direito de Harvard era imenso; quando começou a enviar currículos, foi chamada para muitas entrevistas. Optou pelo Banco Mundial. Teve pena de sair de lá; naqueles anos de Cambridge contraíra o "*hobby* perverso": ler e colecionar livros sobre a Era Trujillo.

Na salinha desmazelada há outra foto da sua formatura — aquela manhã com um sol resplandecente que iluminava o Yard, engalanado com os toldos, os vestidos elegantes, os barretes e as togas multicoloridos dos professores e graduados —, idêntica à que o senador Cabral tem no seu quarto. Como a teria conseguido? Não foi ela que a mandou, com certeza. Ah, *sister* Mary. Ela enviara esta foto para o Colégio Santo Domingo. Pois, até a morte da freirinha, Urania continuou se correspondendo com *sister* Mary. Essa alma caridosa devia manter o senador Cabral a par da vida de Urania. Lembra-se dela encostada no parapeito do prédio do colégio virado para o sudeste, de frente para o mar, no segundo andar, vedado às alunas, onde moravam as freiras; sua figura enxuta diminuía ao longe nesse pátio onde os dois pastores-alemães — Badulaque e Brutus — brincavam de correr entre as quadras de tênis, de vôlei e a piscina.

Está quente, ela sua. Nunca sentira um clima assim, essa respiração vulcânica, nos tórridos verões nova-iorquinos, atenuados, no entanto, pelas atmosferas frias do ar condicionado. Aqui era um calor diferente: o calor da sua infância. Nunca sentira nos ouvidos, tampouco, essa extravagante sinfonia de buzinadas, vo-

zes, músicas, latidos, freadas que entrava pelas janelas e obrigava as primas a levantarem a voz.
— É verdade que Johnny Abbes prendeu papai quando mataram Trujillo?
— Ele não lhe contou? — a prima se surpreende.
— Eu já estava em Michigan — lembra Urania.
Lucinda assente, com um meio-sorriso de desculpas.
— Claro que prendeu. Enlouqueceram, todos eles, Ramfis, Radhamés, os trujillistas. Começaram a matar e prender a torto e a direito. Enfim, eu não me lembro muito disso. Era muito pequena, não me interessava por política. Como o tio Agustín estava distante de Trujillo, deviam pensar que ele participou do complô. Foi mandado para uma prisão terrível, La Cuarenta, a tal que Balaguer derrubou, onde agora fizeram uma igreja. Minha mãe foi falar com Balaguer, pedir a ele. Papai ficou vários dias preso, enquanto verificavam que não estava envolvido na conspiração. Depois, o Presidente lhe deu um empreguinho miserável, que parecia uma zombaria: oficial de Estado Civil da Terceira Circunscrição.
— Ele contou como foi tratado em La Cuarenta?
Lucinda solta uma lufada de fumaça que, por um instante, nubla o seu rosto.
— Talvez tenha contado aos meus pais, mas não a Manolita nem a mim, éramos muito pequenas. Tio Agustín ficou muito magoado por pensarem que ele poderia ter traído Trujillo. Durante anos o ouvi clamar aos céus pela injustiça que cometeram.
— Com o servidor mais leal do Generalíssimo — caçoa Urania. — Logo ele, que era capaz de cometer monstruosidades por Trujillo, suspeito de ser cúmplice dos seus assassinos. Que injustiça, de fato!
Cala-se ao ver um ar de reprovação no rosto redondo da prima.
— Não sei por que você fala em monstruosidades — murmura Lucinda, surpresa. — Talvez meu tio tenha se enganado, sendo trujillista. Agora dizem que Trujillo foi um ditador e essas coisas. Mas seu pai o serviu de boa-fé. Apesar de ter tido cargos tão altos, nunca se aproveitou disso. Ninguém pode negar. Ele passou seus últimos anos pobre como um vira-lata; sem você, estaria num asilo de velhos.

Lucinda tenta conter o mal-estar que a invadiu. Dá uma última tragada no cigarro e, como não tem onde apagar — não há cinzeiros na sala desarrumada —, joga a guimba pela janela, no jardim ressecado.

— Sei muito bem que meu pai não serviu Trujillo por interesse. — Urania não consegue evitar um tom sarcástico. — Mas não acho que isso seja um atenuante. É, antes, um agravante.

A prima a fita, sem entender.

— Fazer essas coisas por admiração, por amor a ele — explica Urania. — Claro que deve ter se sentido ofendido quando Ramfis, Abbes García e os outros desconfiaram dele. Logo ele que, quando Trujillo lhe deu as costas, quase enlouqueceu de desespero.

— Bem, talvez tenha se enganado — repete a prima, pedindo com o olhar que mude de assunto. — Reconheça pelo menos que ele foi muito correto. Nunca se aproveitou, como tantos, que continuaram tendo um vidão em todos os governos, principalmente os três de Balaguer.

— Eu preferiria que ele tivesse servido a Trujillo por interesse, para roubar ou ter poder — diz Urania e vê desconcerto e desagrado outra vez nos olhos de Lucinda. — Qualquer coisa, menos vê-lo choramingando porque Trujillo não lhe concedeu uma audiência, porque saíam cartas na coluna "Foro Público" insultando-o.

É uma lembrança persistente, que a atormentou em Adrian e em Cambridge e que, um pouco atenuada, acompanhou-a durante todos os anos que passou no Banco Mundial, em Washington D.C., e que ainda a assalta, em Manhattan: o desamparado senador Agustín Cabral dando voltas frenéticas nesta mesma sala, perguntando-se que intriga o Constitucionalista Bêbado, o untuoso Joaquín Balaguer, o cínico Virgilio Álvarez Pina ou Paíno Pichardo haviam armado contra ele para que o Generalíssimo o tivesse apagado da existência de uma hora para outra. Porque, que existência poderia ter um senador e ex-ministro a cujas cartas o Benfeitor não respondia e que não permitia que frequentasse o Congresso? Estaria se repetindo com ele a história de Anselmo Paulino? Será que os *caliés* viriam buscá-lo de madrugada para jogá-lo numa masmorra? *La Nación* e *El Ca-*

ribe apareceriam cheios de informações asquerosas sobre os seus roubos, desfalques, traições, crimes?
— Para ele, cair em desgraça foi pior que se tivessem matado a seu ser mais querido.
A prima ouve aquilo, cada vez mais incomodada.
— Foi por isso que você se zangou, Uranita? — diz, afinal. — Por causa de política? Mas, eu me lembro bem, você não se interessava por política. Por exemplo, quando entraram no meio do ano aquelas duas garotas que ninguém conhecia. Diziam que elas eram *caliesas,* ninguém falava de outra coisa, mas você se chateava com aqueles falatórios políticos e nos mandava calar a boca.
— Nunca me interessei por política — afirma Urania.
— Você tem razão, para que falar de coisas de trinta e cinco anos atrás.
A enfermeira surge na escada. Vem enxugando as mãos num pano azul.
— Limpo e com talquinho feito um *baby* — anuncia. — Podem subir quando quiserem. Vou fazer o almoço de don Agustín. Preparo para a senhora também?
— Não, obrigada — diz Urânia. — Vou ao hotel, assim aproveito para tomar banho e trocar de roupa.
— Esta noite você vem jantar lá em casa de qualquer maneira. Vai dar uma alegria à minha mãe. Vou chamar também a Manolita, ela ficará feliz. — Lucinda faz uma expressão de tristeza. — Você vai se surpreender, prima. Lembra como era grande e bonita a nossa casa? Só resta a metade. Quando papai morreu, precisamos vender o jardim, com a garagem e os quartos de serviço. Enfim, chega de bobagem. Quando vi você, esses anos da infância me voltaram à memória. Éramos felizes, não é mesmo? Nem passava pela nossa cabeça que tudo ia mudar, que o tempo das vacas magras chegaria. Bem, já vou, senão mamãe fica sem almoço. Você vem jantar, não é? Não vai sumir por mais trinta e cinco anos? Ah, ainda se lembra da nossa casa, na rua Santiago, a umas cinco quadras daqui?
— Lembro muito bem. — Urania se levanta e abraça a prima. — Este bairro não mudou nada.
Acompanha Lucinda até a porta e se despede dela com outro abraço e um beijo no rosto. Quando a vê se afastando com

seu vestido floreado por uma rua de sol fervente onde uns latidos exagerados são respondidos por um cacarejo de galinhas, ela é dominada pela angústia. O que está fazendo aqui? O que veio buscar em Santo Domingo, nesta casa? Irá jantar com Lucinda, Manolita e a tia Adelina? A coitada já deve ser um fóssil, como o seu pai.

Sobe a escada, devagar, atrasando o reencontro. Fica aliviada ao encontrá-lo dormindo. Encolhido na poltrona, seu pai está com os olhos apertados e a boca aberta; seu peito raquítico sobe e desce de forma compassada. "Um pedacinho de homem." Senta-se na cama e olha para ele. Estuda-o, adivinha-o. Então também foi preso, após a morte de Trujillo. Pensaram que era um dos trujillistas que conspiraram com Antonio de la Maza, o general Juan Tomás Díaz e seu irmão Modesto, Antonio Imbert e companhia. Que susto e que desgosto, papai. Ela soube que seu pai tinha sido preso muitos anos depois, por uma menção de passagem, num artigo sobre os acontecimentos dominicanos de 1961. Mas nunca soube dos detalhes. Até onde se lembrava, nessas cartas que ela não respondia o senador Cabral jamais aludiu a essa experiência. "Deve ter sido tão doloroso que alguém imaginasse, por um segundo, que ele pensou em assassinar Trujillo como o fato de ter caído em desgraça sem saber por quê." Terá sido interrogado por Johnny Abbes em pessoa? Ramfis? Peitinho León Estévez? Será que o sentaram no Trono? Seu pai teria algum contato com os conspiradores? É verdade, ele tinha feito esforços sobre-humanos para recuperar o favor de Trujillo, mas o que isso provava? Muitos conspiradores adularam Trujillo até instantes antes de matá-lo. É bem possível que Agustín Cabral, grande amigo de Modesto Díaz, tenha sido informado do que estava se tramando. O próprio Balaguer não sabia, segundo alguns? Se o Presidente da República e o ministro das Forças Armadas estavam a par, por que não seu pai? Os conspiradores não ignoravam que o Chefe havia degradado o senador Cabral semanas antes; não seria nada estranho que tivessem pensado nele como um possível aliado.

Vez por outra seu pai emite um ronco suave. Quando alguma mosca pousa em sua cara, ele a enxota, sem acordar, com um movimento de cabeça. Como você soube que o tinham matado? No dia 30 de maio de 1961 já estava em Adrian. Quando começava a sacudir a modorra, o cansaço que a mantinha longe do mundo e de si mesma, ainda em estado sonambúlico, a *sister* encarregada do *dormitory* entrou no quarto que Urania dividia com quatro colegas e lhe mostrou a manchete do jornal que trazia na mão: "*Trujillo killed*." "Pode ficar com ele", disse. O que você sentiu? Poderia jurar que nada, que a notícia escorreu sobre ela sem tocar em sua consciência, como tudo o que ouvia e via à sua volta. É possível que nem tenha lido a informação, ficado na manchete. Lembra, porém, que dias ou semanas depois, numa carta da *sister* Mary, recebeu mais detalhes sobre o crime, sobre a irrupção dos *caliés* no colégio para levar o bispo Reilly e sobre o caos e a incerteza em que todos viviam. Mas nem essa carta de *sister* Mary a tirou da indiferença profunda pelos dominicanos e a República Dominicana em que caíra e da qual só aquele curso de história antilhana em Harvard, anos depois, a livrou.

A sua decisão repentina de vir para Santo Domingo, de visitar seu pai, significa que está curada? Não. Se fosse assim, sentiria alegria, emoção, ao reencontrar Lucinda, tão unida a você, companheira das sessões matutinas e das matinês nos cinemas Olimpia e Elite, nas praias ou no Country Clube, e sentiria pena da mediocridade da sua vida e da falta de esperança de melhorar. Mas não ficou alegre, não se emocionou e nem sentiu pena. Ficou é contrariada com o sentimentalismo e a autocompaixão que tanta repugnância lhe provocam.

"Você é um bloco de gelo. Nem parece dominicana. Eu sou mais dominicano que você." Puxa, lembrando-se de Steve Duncan, seu colega no Banco Mundial. Mil novecentos e oitenta e cinco ou 1986? Por aí. Foi naquela noite, em Taipei, quando jantaram juntos no Grande Hotel em forma de pagode hollywoodiano onde estavam hospedados, de cujas janelas a cidade era um manto de vagalumes. Pela terceira, quarta ou décima vez, Steve lhe propôs casamento e Urania, agora de forma mais cortante, disse: "Não." Então, surpresa, viu que o rosto corado de Steve se transfigurava. Não conseguiu conter o riso.

— Até parece que você vai chorar, Steve. De amor por mim? Ou já bebeu mais uísque do que devia?

Steve não riu. Ficou olhando para ela por um bom tempo, sem responder, e disse a frase: "Você é um bloco de gelo. Nem parece dominicana. Eu sou mais dominicano que você."

Ora, ora, o ruivo tinha se apaixonado mesmo por você, Urania. O que seria dele? Ótima pessoa, formado em Economia pela Universidade de Chicago, seu interesse pelo Terceiro Mundo abrangia seus problemas de desenvolvimento, suas línguas e suas mulheres. Terminou se casando com uma paquistanesa, funcionária do banco na área de Comunicações.

Você é mesmo um bloco de gelo, Urania? Só com os homens. E não com todos. Só com aqueles cujos olhares, movimentos, gestos, tons de voz, anunciam um perigo. Só quando você adivinha, em seus cérebros ou instintos, a intenção de cortejá-la, de dar em cima de você. Esses, sim, você faz sentirem a frieza polar que você sabe irradiar à sua volta, como a pestilência que os gambás usam para espantar o inimigo. Uma técnica que você domina com a mestria que tem em tudo a que se propôs: estudos, trabalho, vida independente. "Tudo, menos em ser feliz." Seria feliz se, empregando toda a sua vontade, toda a sua disciplina, conseguisse superar a repulsa invencível, o nojo que lhe provocam os homens em que ela inspira desejo? Talvez. Poderia ter feito terapia, recorrer a um psicólogo, um psicanalista. Eles têm remédio para tudo, deviam ter também para o nojo aos homens. Mas você nunca quis se curar. Pelo contrário, não considera que isso seja uma doença, e sim um traço do seu caráter, como a inteligência, a solidão e a paixão pelo trabalho benfeito.

Seu pai está de olhos abertos e a observa um pouco assustado.

— Eu me lembrei de Steve, um canadense do Banco Mundial — diz, em voz baixa, esquadrinhando-o. — Como não quis me casar com ele, disse que sou um bloco de gelo. Uma acusação que ofenderia a qualquer dominicana. Nós temos reputação de mulheres quentes, de imbatíveis no amor. Eu ganhei fama de ser o contrário: afetada, indiferente, frígida. Veja só, papai. Agorinha mesmo, conversando com a prima Lucinda, tive que inventar um amante para que ela não pensasse mal de mim.

Faz um silêncio porque percebe que o inválido, encolhido na poltrona, parece apavorado. Não afugenta as moscas, que passeiam tranquilamente pelo seu rosto.

— Um assunto sobre o qual eu gostaria muito que tivéssemos conversado, papai. Mulheres, sexo. Você teve aventuras desde que mamãe morreu? Nunca percebi nada. Você não parecia mulherengo. O poder o satisfazia de tal forma que não precisava de sexo? Acontece, mesmo nesta terra quente. É o caso do nosso Presidente perpétuo, don Joaquín Balaguer, não é mesmo? Solteiro aos noventa anos. Escreveu poemas de amor e há boatos de uma filha escondida. Eu sempre tive a impressão de que ele nunca se interessou por sexo, de que o poder para ele representa o que a cama é para os outros. Você também, papai? Ou teve aventuras discretas? Trujillo o convidava para as suas orgias, na Casa de Caoba? O que acontecia lá? O Chefe também gostava, como Ramfis, de humilhar os amigos e cortesãos obrigando-os a raspar as pernas, a cabeça, a se maquiar como putas velhas? Fazia essas gracinhas? Fez isso com você?

O senador Cabral empalideceu de tal maneira que Urania pensa: "Vai desmaiar." Para que ele se acalme, decide se afastar dali. Vai até a janela e se debruça. Sente a força do sol na cabeça, na pele febril do rosto. Está suando. Deveria voltar para o hotel, encher a banheira de espuma, tomar um longo banho com água fresquinha. Ou descer, mergulhar na piscina de azulejos e, depois, experimentar o bufê típico que o restaurante do Hotel Jaragua oferece, na certa arroz, feijão e carne de porco. Mas não está com vontade de fazer nada disso. Preferiria ir até o aeroporto, embarcar no primeiro avião para Nova York e voltar à sua vida no escritório atribulado e em seu apartamento na Madison esquina com a 73 Street.

Volta a se sentar na cama. Seu pai fecha os olhos. Estará dormindo ou fingindo, pelo medo que você lhe inspira? Você está fazendo o pobre inválido passar um mau pedaço. Era isso o que queria? Assustá-lo, dar a ele algumas horas de inquietação? Agora se sente melhor? O cansaço domina Urania e, como seus olhos estão quase fechando, ela decide se levantar.

De forma quase maquinal, vai até o grande armário de madeira escura que ocupa totalmente um dos lados do quarto. Está semivazio. Nuns cabides de arame vê um terno cor de chumbo, amarelado como casca de cebola, e umas camisas lavadas mas sem passar; em duas delas faltam botões. Isso é tudo o que resta do guarda-roupa do Presidente do Senado, Agustín Cabral? Ele era um homem elegante. Cuidadoso com a própria pessoa e sempre bem-arrumado, como o Chefe gostava. O que houve com os smokings, o fraque, os ternos escuros de tecido inglês, os brancos, de linho finíssimo? Devem ter sido roubados pelos empregados, enfermeiras, parentes pobres.

    O cansaço é mais forte que a vontade de ficar acordada. Termina se deitando na cama e fechando os olhos. Antes de adormecer, ainda pensa que essa cama tem cheiro de homem velho, de lençóis velhos, de sonhos e pesadelos velhíssimos.

XI

— Uma pergunta, Excelência — disse Simon Gittleman, vermelho por causa das taças de champanhe e de vinho, ou, talvez, da emoção. — De todas as medidas que o senhor tomou para engrandecer este país, qual foi a mais difícil?

Falava um espanhol excelente, com um leve sotaque, nada que se parecesse com a linguagem caricatural, cheia de erros, e o tom inadequado de tantos americanos que haviam desfilado pelos escritórios e salões do Palácio Nacional. Como melhorou o espanhol de Simon desde 1921, quando Trujillo, jovem tenente da Guarda Nacional, foi aceito como aluno na Escola para Oficiais de Haina e teve o *marine* como instrutor; nessa época, ele balbuciava uma língua bárbara, recheada de palavrões. Gittleman tinha formulado a pergunta em voz tão alta que todas as conversas pararam e vinte cabeças — curiosas, risonhas, graves — se viraram para o Benfeitor, esperando a sua resposta.

— Eu posso lhe responder, Simon. — Trujillo usou a voz arrastada e côncava das ocasiões solenes. Firmou a vista no lustre de cristal com lâmpadas em forma de pétala e acrescentou: — Foi no dia 2 de outubro de 1937, em Dajabón.

Houve rápidas trocas de olhares entre os presentes ao almoço oferecido por Trujillo a Simon e Dorothy Gittleman, depois da cerimônia em que o *ex-marine* foi condecorado com a Ordem de Mérito Juan Pablo Duarte. Quando foi agradecer, a voz de Gittleman ficou embargada. Agora tentava adivinhar a que se referia Sua Excelência.

— Ah, os haitianos! — O tapa que deu na mesa fez tilintar os finos cristais das taças, travessas, copos e garrafas. — O dia em que Vossa Excelência decidiu cortar o nó górdio da invasão haitiana.

Todos tinham taças de vinho na mão, mas o Generalíssimo só bebia água. Estava sério, absorto em suas lembranças.

O silêncio ficou denso. Hierático, teatral, ele afinal levantou as mãos e mostrou-as aos convidados:

— Por este país, eu me manchei de sangue — afirmou, escandindo as sílabas. — Para que os negros não nos colonizassem outra vez. Eram dezenas de milhares, em toda parte. Não existiria mais a República Dominicana. Como aconteceu em 1840, a ilha inteira seria Haiti. O punhado de brancos sobreviventes teria que servir aos negros. Foi essa a decisão mais difícil em trinta anos de governo, Simon.

— Como o senhor pediu, percorremos a fronteira de um limite até o outro. — O jovem deputado Henry Chirinos se debruçou sobre o enorme mapa desdobrado na mesa do Presidente e disse: — Se as coisas continuarem assim, não há futuro para Quisqueya, para a nossa República Dominicana, Excelência.

— A situação é mais grave do que lhe informaram, Excelência. — O delicado indicador do jovem deputado Agustín Cabral acariciou a linha pontilhada vermelha que descia em forma de esse de Dajabón até Pederneiras. — Milhares e milhares, assentados em fazendas, várzeas e casarios. Expulsaram a mão de obra dominicana.

— Eles trabalham de graça, sem receber salário, só pela comida. Como não há o que comer no Haiti, um pouco de arroz e feijão é mais do que suficiente. Custam menos do que um burro ou um cachorro.

Chirinos gesticulou e cedeu a palavra ao seu amigo e colega:

— É inútil argumentar com os fazendeiros e granjeiros, Excelência — explicou Cabral. — Eles respondem mostrando o bolso. Pouco importa que sejam haitianos se forem bons cortadores de cana, ganhando uma miséria. Por patriotismo é que não vou contrariar meus interesses.

Calou-se, olhou para o deputado Chirinos e este prosseguiu:

— Em Dajabón, Elías Piña, Independencia e Pedernales, em vez de espanhol só se ouvem os grunhidos africanos do *creole*.

Olhou para Agustín Cabral e este prosseguiu:

— O vudu, a macumba, as superstições africanas estão tirando as raízes da religião católica, um emblema, como a língua e a raça, da nossa nacionalidade.

— Vimos padres chorando de desespero, Excelência — entoou o jovem deputado Chirinos. — A selvageria pré-cristã está se apoderando do país de Diego Colombo, Juan Pablo Duarte e Trujillo. Os bruxos haitianos têm mais influência que os padres. Os curandeiros, mais que os farmacêuticos e médicos.

— E o Exército não fazia nada? — Simon Gittleman bebe um gole de vinho. Um dos garçons de branco foi de imediato servir mais em sua taça.

— O Exército faz o que o Chefe manda, Simon, você sabe — só falavam o Benfeitor e o *ex-marine*. Os outros ouviam olhando ora para um ora para o outro. — A gangrena tinha avançado muito. Montecristi, Santiago, San Juan, Azua estavam fervilhando de haitianos. A peste se espalhara e ninguém fazia nada. À espera de um estadista de visão, cuja mão não tremesse.

— Imagine uma hidra com inúmeras cabeças, Excelência — o jovem deputado Chirinos poetizava, fazendo piruetas com os gestos. — Essa mão de obra rouba o trabalho do dominicano que, para sobreviver, tem que vender seu sítio e seu barraco. E quem compra essas terras? O haitiano enriquecido, naturalmente.

— Essa é a segunda cabeça da hidra, Excelência — observou o jovem deputado Cabral. — Tiram trabalho do nativo e se apropriam, pedaço por pedaço, da nossa soberania.

— E das mulheres também — disse em voz baixa o jovem Henry Chirinos, com um sussurro luxurioso: sua língua vermelha apareceu, como uma serpente, entre os lábios grossos. — Não há nada que atraia tanto a carne negra como a branca. Os estupros de dominicanas por haitianos são coisa de todo dia.

— Sem falar dos roubos, dos ataques à propriedade — insistiu o jovem Agustín Cabral. — Bandos de facínoras cruzam o rio Masacre como se não houvesse alfândegas, controles, patrulhas. A fronteira lá é uma peneira. Esses bandos arrasam aldeias e fazendas como nuvens de gafanhotos. Depois, levam para o Haiti o gado e tudo o que encontram de comida, roupa e objetos. Aquela região não é mais nossa, Excelência. Já perdemos a nossa língua, a nossa religião, a nossa raça. Agora aquilo tudo faz parte da barbárie haitiana.

Dorothy Gittleman falava mal espanhol e devia se chatear com aquele diálogo sobre coisas ocorridas vinte e quatro anos antes, mas, muito séria, vez por outra assentia, olhando para o Generalíssimo e o seu marido como se não perdesse uma sílaba do que diziam. Estava sentada entre Trujillo e o ministro das Forças Armadas, general José René Román. Era uma velhinha miúda, frágil, ereta, rejuvenescida pelo vestido de verão em tons rosados. Durante a cerimônia, quando o Generalíssimo disse que o povo dominicano jamais esqueceria a solidariedade que o casal Gittleman tinha demonstrado naqueles momentos difíceis, quando tantos governos o apunhalavam, ela também verteu algumas lágrimas.

— Eu já sabia de tudo o que estava acontecendo — afirmou Trujillo. — Mas quis ir verificar, para que não restasse nenhuma dúvida. Nem depois de receber o relatório do Constitucionalista Bêbado e do Craninho, que mandei para o local, tomei uma decisão. Decidi ir pessoalmente à fronteira. Percorri a região a cavalo, acompanhado pelos voluntários da Guarda Universitária. E vi com meus próprios olhos: tinham nos invadido de novo, como fizeram em 1822. Dessa vez, pacificamente. Será que eu devia permitir que os haitianos ficassem no meu país por mais vinte e dois anos?

— Nenhum patriota permitiria — exclamou o senador Henry Chirinos, levantando a taça. — E muito menos o Generalíssimo Trujillo. Um brinde a Sua Excelência!

Trujillo continuou, como se não tivesse ouvido:

— Eu devia permitir que, como aconteceu nos vinte e dois anos de ocupação, os negros matassem, estuprassem e degolassem os dominicanos, até nas igrejas?

Em vista do fracasso do seu brinde, o Constitucionalista Bêbado suspirou, bebeu um gole de vinho e continuou ouvindo.

— Durante esse trajeto pela fronteira, com a Guarda Universitária, a fina flor da nossa juventude, fui examinando o passado — prosseguiu o Generalíssimo, com uma ênfase cada vez maior. — Lembrei da degola na igreja de Moca. Do incêndio em Santiago. Da marcha de Dessalines e Cristóbal para o Haiti, com novecentos notáveis de Moca, que morreram no caminho ou foram tomados como escravos pelos militares haitianos.

— Entregamos o relatório há mais de duas semanas e o Chefe não faz nada — inquietou-se o jovem deputado Chirinos. — Ele não vai tomar alguma decisão, Craninho?

— Não conte comigo para perguntar isso a ele — respondeu o jovem deputado Cabral. — O Chefe vai agir. Sabe que a situação é grave.

Ambos tinham acompanhado Trujillo no percurso a cavalo ao longo da fronteira junto com a centena de voluntários da Guarda Universitária e acabavam de chegar, ofegando mais que suas montarias, à cidade de Dajabón. Os dois, apesar da sua juventude, preferiam descansar os ossos moídos na cavalgada, mas Sua Excelência ia oferecer uma recepção à sociedade de Dajabón e eles não podiam fazer uma desfeita. Lá estavam, sufocados de calor em suas camisas de colarinho duro e suas sobrecasacas, na engalanada prefeitura onde Trujillo, lépido como se não tivesse cavalgado desde o amanhecer, com um impecável uniforme azul e cinza constelado de medalhas e galões, evoluía entre os diferentes grupos, recebendo homenagens com uma taça de Carlos I na mão direita. Nisso, viu um jovem oficial irrompendo com as botas empoeiradas no salão cheio de bandeirolas.

— Você entrou naquela festa de gala todo suado e com uniforme de campanha. — O Benfeitor virou bruscamente os olhos para o ministro das Forças Armadas. — Que nojo me deu.

— Fui entregar um relatório ao chefe do meu regimento, Excelência — atrapalhou-se o general Román, após um silêncio durante o qual sua memória fez um esforço para identificar aquele velho episódio. — Um bando de facínoras haitianos penetrou ontem à noite clandestinamente no país. Esta madrugada roubaram três sítios em Capotillo e Parolí, levando todas as cabeças de gado. E ainda deixaram três mortos.

— Você arriscou a carreira se apresentando daquele jeito na minha frente — recriminou-o o Generalíssimo, com uma irritação retroativa. — Está bem. Isso é a gota que transborda o copo. Chamem aqui o ministro da Guerra, o de Governo e todos os militares presentes. Afastem-se os outros, por favor.

Tinha levantado a sua vozinha estridente num agudo histérico, como fazia antes, quando dava ordens no quartel. Foi obedecido imediatamente, com um rumor de vespas. Os militares formaram um estreito círculo à sua volta; os senhores e as senhoras recuaram até as paredes, deixando um espaço vazio no centro do salão decorado com serpentinas, flores de papel e bandeirinhas dominicanas. O Presidente Trujillo deu a ordem sem delongas:

— A partir de meia-noite, as forças do Exército e da Polícia deverão exterminar sem contemplações toda e qualquer pessoa de nacionalidade haitiana que se encontre de maneira ilegal em território dominicano, menos os que trabalharem nos engenhos de açúcar. — Depois de pigarrear, passou um olhar cinzento pela roda de oficiais: — Está claro?

As cabeças assentiram, algumas com uma expressão de surpresa, outras com raios de alegria selvagem nas pupilas. Bateram os calcanhares quando partiram.

— Chefe do Regimento de Dajabón: ponha no calabouço, a pão e água, o oficial que se apresentou aqui nesse estado nojento. Que a festa continue. Divirtam-se!

No semblante de Simon Gittleman a admiração se misturava com nostalgia.

— Sua Excelência nunca vacilou na hora da ação. — O *ex-marine* se dirigiu a toda a mesa. — Eu tive a honra de treiná-lo, na Escola de Haina. Desde o primeiro momento eu sabia que ia chegar longe. Mas nunca imaginei que tão longe.

Riu, e umas risadas amáveis lhe fizeram eco.

— Elas nunca tremeram — repetiu Trujillo, mostrando novamente as mãos. — Porque eu só dei ordem de matar quando era absolutamente indispensável para o bem do país.

— Li em algum lugar, Excelência, que o senhor determinou que os soldados usassem facões, que não atirassem — perguntou Simon Gittleman. — Para economizar munição?

— Para dourar a pílula, prevendo as reações internacionais — corrigiu Trujillo, com ironia. — Se só fossem usados facões, a operação podia parecer um movimento espontâneo de camponeses, sem intervenção do governo. Os dominicanos são pródigos, nunca economizam em nada, muito menos em munição.

A mesa toda explodiu em risadas. Simon Gittleman também riu, mas voltou a falar.

— É verdade a tal história da salsinha, Vossa Excelência? Que para distinguir os dominicanos dos haitianos faziam os negros dizer salsinha? E que cortavam a cabeça dos que não pronunciavam bem?

— Já ouvi essa história — encolheu os ombros Trujillo. — São falatórios que correm por aí.

Abaixou a cabeça, como se de repente um pensamento profundo lhe exigisse um grande esforço de concentração. Não havia acontecido; fixou a vista lá, e seus olhos não viram a mancha delatora na braguilha nem entre as pernas. Deu um sorriso amistoso para o ex-*marine*:

— É como em relação aos mortos — disse, zombeteiro. — Se perguntar aos que estão sentados em volta desta mesa, vai ouvir os números mais diversos. Você, por exemplo, senador, quantos foram?

A face escura de Henry Chirinos se endireitou, inchada pela satisfação de ser o primeiro interpelado pelo Chefe.

— É difícil saber — gesticulou, como nos discursos. — Exageraram muito. Entre cinco e oito mil, no máximo.

— General Arredondo, você esteve em Independencia naqueles dias, cortando pescoços. Quantos?

— Uns vinte mil, Excelência — respondeu o obeso general Arredondo, que parecia oprimido dentro do uniforme. — Só na região de Independencia, vários milhares. O senador deixou barato. Eu estive lá. Vinte mil, pelo menos.

— Quantos você matou pessoalmente? — brincou o Generalíssimo, e outra onda de risadas percorreu a mesa, fazendo as cadeiras rangerem e os cristais tilintarem.

— Isso que o senhor disse sobre os falatórios é pura verdade, Excelência — exclamou o adiposo oficial, e seu sorriso se transformou em careta. — Agora, jogam toda a responsabilidade em cima de nós. Falso, uma falsidade completa! O Exército só cumpriu a sua ordem. Começamos separando os ilegais dos outros. Mas o povo não deixou. Todo mundo começou a caçar haitianos. Camponeses, comerciantes e funcionários públicos denunciavam onde eles estavam escondidos, para enforcá-los ou matá-los a pauladas. Às vezes os queimavam. Em muitos lugares, o Exército teve que intervir para coibir os excessos. Havia muito ressentimento contra os haitianos, eles eram ladrões e depredadores.

— Presidente Balaguer, o senhor foi um dos negociadores com o Haiti, depois dos acontecimentos — Trujillo prosseguiu sua pesquisa. — Quantos foram?

A apagada, a minúscula figurinha do Presidente da República, quase engolida pelo assento, esticou a bondosa cabeça. Depois de observar os presentes por trás dos seus óculos de míope, ouviu-se a suave e bem-articulada vozinha que recitava poemas nos Jogos Florais, celebrava a coroação de Miss República Dominicana (da qual ele sempre era o Poeta do Reino), discursava para as multidões nos comícios de Trujillo ou apresentava as políticas do governo à Assembleia Nacional.

— O número exato nunca se pôde saber, Excelência. — Falava devagar, com um ar professoral. — Um cálculo prudente oscila entre dez e quinze mil. Na negociação com o governo do Haiti, estabelecemos um número simbólico: 2.750. Deste modo, teoricamente cada família afetada receberia cem pesos, dos 275 mil que o governo de Vossa Excelência pagou à vista, como gesto de boa vontade em prol da harmonia haitiano-dominicana. Mas, como o senhor deve lembrar, a coisa não foi bem assim.

Fez um silêncio, com uma ameaça de sorriso no rosto redondo, apertando os olhinhos claros atrás dos óculos grossos.

— Por que essa compensação não chegou às famílias? — perguntou Simon Gittleman.

— Porque o Presidente do Haiti, Sténio Vincent, que era um patife, ficou com o dinheiro. — Trujillo soltou uma gargalhada. — Só foram pagos 275 mil? Pelo que me lembro, nós aceitamos pagar 750 mil dólares para que eles parassem de protestar.

— De fato, Excelência — respondeu imediatamente, com a mesma calma e dicção perfeita, o doutor Balaguer. — O acordo era por 750 mil pesos, mas só 275 mil à vista. O meio milhão restante seria quitado em prestações anuais de cem mil pesos, durante cinco anos consecutivos. No entanto, lembro disso muito bem porque era ministro das Relações Exteriores interino na época, eu e don Anselmo Paulino, que me assessorou na negociação, impusemos uma cláusula segundo a qual os pagamentos estavam sujeitos à apresentação, a um tribunal internacional, das certidões de óbito, durante as duas primeiras semanas de outubro de 1937, das 2.750 vítimas reconhecidas. O Haiti nunca cumpriu esse requisito e, assim, a República Dominicana foi eximida de pagar o saldo restante. As reparações se limitaram ao pagamento inicial. Vossa Excelência usou para isso recursos do seu próprio patrimônio, de modo que não custou um centavo ao Estado dominicano.

— Pouco dinheiro, para acabar com um problema que poderia ter nos destruído — concluiu Trujillo, agora sério. — É verdade, morreram alguns inocentes. Mas o povo dominicano recuperou sua soberania. A partir de então, nossas relações com o Haiti são excelentes, graças a Deus.

Limpou os lábios e bebeu um gole d'água. Tinham começado a servir café e a oferecer licores. Ele não tomava café e jamais bebia álcool no almoço, exceto em San Cristóbal, na sua Fazenda Fundación ou em sua Casa de Caoba, cercado de íntimos. Misturada com as imagens que sua memória lhe trazia daquelas semanas sangrentas de outubro de 1937, quando chegavam ao seu gabinete as notícias do terrível aspecto que tinha tomado, na fronteira, no país inteiro, a caçada aos haitianos, voltou a se infiltrar de contrabando a figurinha odiosa, estúpida e pasmada daquela garota vendo a sua humilhação. Sentiu-se envergonhado.

— Onde está o senador Agustín Cabral, o famoso Craninho? — Simon Gittleman apontou para o Constitucionalista Bêbado: — Vejo o senador Chirinos, mas não o seu inseparável partner. O que houve com dele?

O silêncio durou muitos segundos. Os comensais levavam as xicrinhas de café à boca, bebiam um golinho e olhavam a toalha, os arranjos florais, os cristais, o lustre do teto.

— Ele não é mais senador e nem põe os pés neste Palácio — sentenciou o Generalíssimo, com a lentidão das suas cóleras frias. — Está vivo, mas, no que diz respeito a este regime, deixou de existir.

O ex-*marine*, constrangido, esvaziou sua taça de conhaque. Devia ter quase oitenta anos, calculou o Generalíssimo. Magnificamente bem-vividos: com os cabelos ralos cortados bem rente, ele se mantinha aprumado e esbelto, sem um grama de gordura nem pelancas no pescoço, enérgico em seus gestos e movimentos. A teia de ruguinhas que cercava suas pálpebras e se prolongava pelo rosto curtido delatava sua vida longa. Fez uma careta, procurando mudar de assunto.

— O que Vossa Excelência sentiu ao dar a ordem de eliminar esses milhares de haitianos ilegais?

— Pergunte ao seu ex-Presidente Truman o que ele sentiu ao dar a ordem de jogar a bomba atômica sobre Hiroshima e Nagasaki. Assim vai saber o que senti naquela noite, em Dajabón.

Todos festejaram a resposta do Generalíssimo. A tensão provocada pelo ex-*marine* ao mencionar Agustín Cabral se dissipou. Agora foi Trujillo quem mudou de assunto:

— Há um mês, os Estados Unidos sofreram uma derrota na baía dos Porcos. O comunista Fidel Castro capturou centenas de expedicionários. Que consequências isso vai ter no Caribe, Simon?

— Essa expedição de patriotas cubanos foi traída pelo Presidente Kennedy — murmurou, com tristeza. — Foram mandados para o matadouro. A Casa Branca proibiu a cobertura aérea e o apoio de artilharia que tinham prometido. Os comunistas fizeram tiro ao alvo com eles. Mas, permita-me, Excelência. Fiquei feliz de que isso tenha acontecido. Vai servir de lição a Kennedy, cujo governo está todo infiltrado de *fellow travellers*. Como se diz em espanhol? Sim, companheiros de viagem. Pode ser que ele decida se livrar deles. A Casa Branca não vai querer outro fracasso como o da baía dos Porcos. Isso afasta o perigo de que mande *marines* à República Dominicana.

Ao dizer estas últimas palavras, o ex-*marine* se emocionou e fez um esforço notório para manter a compostura. Trujillo se surpreendeu: seu velho instrutor de Haina estivera prestes a chorar, diante da ideia de um desembarque dos seus colegas de armas para derrocar o regime dominicano?

— Desculpe a fraqueza, Excelência — murmurou Simon Gittleman, recompondo-se. — O senhor sabe que eu amo este país como se fosse meu.

— Este país é seu, Simon — disse Trujillo.

— O fato de que Washington, por influência dos esquerdistas, pudesse mandar os *marines* para combater o governante mais amigo dos Estados Unidos me parece diabólico. É por isso que emprego o meu tempo e o meu dinheiro tentando abrir os olhos dos meus compatriotas. É por isso que Dorothy e eu viemos a Trujillo, para lutar junto com os dominicanos se os *marines* desembarcarem.

Uma salva de palmas que fez pratos, taças e talheres vibrarem saudou o discurso do *marine*. Dorothy sorria, assentindo, solidária com o marido.

— Sua voz, *mister* Simon Gittleman, é a verdadeira voz da América do Norte — exaltou-se o Constitucionalista Bêbado, expelindo uma saraivada de cuspe. — Um brinde a este amigo, a este homem de honra. A Simon Gittleman, senhores!

— Um instante — a vozinha aflautada de Trujillo rasgou em mil pedaços o ambiente entusiasmado. Os comensais o olharam, desconcertados, e Chirinos ficou com a taça ainda no alto. — Aos nossos amigos e irmãos Dorothy e Simon Gittleman!

Aflito, o casal agradecia aos presentes com sorrisos e vênias.

— Kennedy não vai mandar os *marines*, Simon — disse o Generalíssimo, quando o eco do brinde se apagou. — Não creio que seja tão idiota. Mas, se mandar, Estados Unidos sofrerão sua segunda baía dos Porcos. Temos umas Forças Armadas mais modernas que as do barbudo. E aqui, comigo à frente, lutará até o último dominicano.

Fechou os olhos, perguntando-se se sua memória lhe permitiria lembrar com exatidão aquela entrevista. Sim, aí a tinha, completa, desde aquela comemoração, o vigésimo nono aniversário de sua primeira eleição. Recitou-a, diante do silêncio reverencial dos outros:

— "Sejam quais forem as surpresas que o futuro nos reserva, podemos estar seguros de que o mundo poderá ver Trujillo morto, mas não escorraçado como Batista, nem fugitivo como Pérez Jiménez, nem sentado no banco dos réus como Rojas Pinilla. O estadista dominicano é de outra moral e outra estirpe."

Abriu os olhos e passou um olhar satisfeito por seus convidados que, depois de ouvirem a citação absortos, faziam gestos de aprovação.

— Quem escreveu a frase que acabei de citar? — perguntou o Benfeitor.

Todos se entreolharam, procurando, com curiosidade, com receio, com alarme. Finalmente, os olhares convergiram para o rosto amável, redondo, embaraçado pela modéstia, do pequeno polígrafo em quem, desde que Trujillo obrigou seu irmão Negro a renunciar com a vã esperança de evitar as sanções da OEA, recaíra a primeira magistratura da República.

— Fico maravilhado com a memória de Vossa Excelência — murmurou Joaquín Balaguer, alardeando de uma humil-

dade excessiva, como que abalado pela honra que lhe faziam.
— E sinto orgulho de que ainda lembre desse meu modesto discurso de 3 de agosto passado.

Atrás das suas pestanas, o Generalíssimo observou como os rostos de Virgilio Álvarez Pina, do Imundície Ambulante, de Paíno Pichardo e dos generais se transfiguravam de inveja. Sofriam. Pensavam que o minúsculo, o discreto poeta, o deliquescente professor e jurista tinha acabado de ganhar uns pontos na eterna concorrência em que viviam pelos favores do Chefe, por serem reconhecidos, mencionados, escolhidos, destacados em relação aos outros. Sentiu ternura por aqueles rebentos diligentes, que mantinha havia trinta anos vivendo em perpétua insegurança.

— Não é uma simples frase, Simon — afirmou. — Trujillo não é desses governantes que abandonam o poder quando as balas assobiam. Eu entendo o que é a honra ao seu lado, entre os *marines*. Lá aprendi a ser homem honrado em todos os momentos. Que os homens honrados não correm. Lutam e, se têm que morrer, morrem lutando. Nem Kennedy, nem a OEA, nem o negro nojento e efeminado do Betancourt, nem o comunista Fidel Castro vão botar Trujillo para correr do país que lhe deve tudo o que é hoje.

O Constitucionalista Bêbado começou a aplaudir mas, quando muitas outras mãos se ergueram para imitá-lo, o olhar de Trujillo cortou o aplauso em seco.

— Sabe qual é a diferença entre esses covardes e mim, Simon? — prosseguiu, olhando nos olhos do seu antigo instrutor. — É que eu fui formado na infantaria da marinha dos Estados Unidos da América. Nunca esqueci isso. Foi você quem me ensinou, em Haina e em San Pedro de Macorís. Lembra? Nós, daquela primeira turma da Polícia Nacional Dominicana, somos feitos de aço. Os ressentidos diziam que a PND queria dizer "pobres negrinhos dominicanos". A verdade é que aquela turma mudou este país, ela o criou. Não me surpreende o que você está fazendo por esta terra. Porque é um *marine* de verdade, como eu. Homem leal. Que morre sem abaixar a cabeça, olhando para o céu, como os cavalos árabes. Simon, apesar do comportamento negativo de seu país, eu não guardo rancor dele. Porque devo aos *marines* tudo o que sou.

— Algum dia os Estados Unidos vão se arrepender de terem sido ingratos com o seu sócio e amigo do Caribe.
Trujillo bebeu uns goles d'água. Recomeçavam as conversas. Os garçons ofereciam novas xícaras de café, mais conhaque e outras bebidas, charutos. O Generalíssimo voltou a escutar Simon Gittleman:
— Como vai terminar essa confusão com o bispo Reilly, Excelência?
Fez um gesto de desdém:
— Não há nenhuma confusão, Simon. Esse bispo ficou do lado dos nossos inimigos. Como o povo ficou indignado, ele se assustou e foi correndo se esconder entre as freirinhas do Colégio Santo Domingo. O que ele faz entre tantas mulheres é coisa dele. Colocamos uma guarda para evitar que o linchem.
— Seria bom que isso se solucionasse logo — insistiu o ex-*marine*. — Nos Estados Unidos, muitos católicos mal-informados acreditam nas declarações de monsenhor Reilly. Que está ameaçado, que teve que se refugiar por causa da campanha de intimidação e todas essas coisas.
— Não tem importância, Simon. Tudo vai se ajeitar e as relações com a Igreja voltarão a ser magníficas. Não esqueça que o meu governo sempre foi cheio de católicos a toda prova e que Pio XII me condecorou com a Grã-Cruz da Ordem Papal de São Gregório. — E, de forma abrupta, mudou de assunto: — Petán os levou para conhecer a Voz Dominicana?
— Claro — respondeu Simon Gittleman; Dorothy confirmou, com um sorriso aberto.
Aquele negócio do seu irmão, o general José Arismendi Trujillo, Petán, tinha começado vinte anos antes com uma pequena estação de rádio. A Voz de Yuna foi crescendo até se transformar num complexo formidável, A Voz Dominicana, a primeira televisão, a maior estação de rádio, o melhor cabaré e teatro de revistas da ilha (Petán insistia em que era o número um de todo o Caribe, mas o Generalíssimo sabia que não conseguiu tirar a glória do Tropicana de Havana). Os Gittleman estavam impressionados com as magníficas instalações; o próprio Petán os guiou na visita e os fez assistir ao ensaio do balé mexicano que se apresentaria aquela noite no cabaré. No fundo, Petán não era uma má pessoa: quando precisou, sempre pôde contar

com ele e com seu pitoresco exército particular, "os vaga-lumes da cordilheira". Mas, tal como seus outros irmãos, também lhe trouxe mais prejuízos que benefícios, desde que, por sua culpa, teve que intervir naquela briga estúpida e, para manter o princípio de autoridade, acabar com aquele gigante magnífico — seu colega na Escola de Oficiais de Haina, aliás —, o general Vázquez Rivera. Um dos melhores oficiais — um *marine*, porra —, servidor sempre leal. Mas a família, ainda que fosse uma família de parasitas, inúteis, velhacos e pobres-diabos, vinha antes que a amizade e o interesse político: era um mandamento sagrado, no seu catálogo da honra. Sem deixar de seguir sua própria linha de pensamento, o Generalíssimo ouvia Simon Gittleman relatar como ficou surpreso ao ver as fotos das celebridades do cinema, do espetáculo e do rádio de todas as Américas que estiveram na Voz Dominicana. Petán as exibia nas paredes do escritório: Los Panchos, Libertad Lamarque, Pedro Vargas, Ima Súmac, Pedro Infante, Celia Cruz, Toña la Negra, Olga Guillot, María Luisa Landín, Boby Capó, Tintán e seu inseparável Marcelo. Trujillo sorriu: o que Simon não sabia era que Petán, além de alegrar a noite dominicana com as artistas que trazia, também queria comê-las como comia todas as moças, solteiras ou casadas, no seu pequeno império de Bonao. Lá, o Generalíssimo o deixava agir, desde que não se excedesse em Trujillo. Mas o porra louca de Petán às vezes também trepava na capital, convencido de que as artistas contratadas pela Voz Dominicana eram obrigadas a ir para a cama com ele, se lhe desse vontade. Conseguiu algumas vezes; em outras, houve escândalo, e ele — sempre ele — teve que apagar o incêndio, dando presentes milionários às artistas ofendidas pelo sacana imbecil, sem modos com as damas, de Petán. Ima Súmac, por exemplo, princesa inca mas com passaporte norte-americano. A ousadia de Petán fez com que o próprio embaixador dos Estados Unidos tivesse que intervir. E o Benfeitor, destilando fel, desagravou a princesa inca, obrigando o seu irmão a pedir-lhe desculpas. O Benfeitor suspirou. Com o tempo que tinha perdido tapando os buracos que a horda de seus parentes abria no caminho, teria construído um segundo país.

Sim, de todas as barbaridades cometidas por Petán, a que nunca lhe perdoaria era aquela estúpida briga com o chefe do Estado-Maior do Exército. O gigante Vázquez Rivera era um bom amigo de Trujillo desde que receberam treinamento juntos em Haina; tinha uma força descomunal e a cultivava praticando todos os esportes. Ele foi um dos militares que contribuiu para tornar realidade o sonho de Trujillo: transformar o Exército, nascido da pequena Polícia Nacional, num corpo profissional, disciplinado e eficiente, na mesma medida, em formato reduzido, que o americano. E, nisso, a estúpida briga. Petán tinha o posto de major e servia na chefatura do Estado-Maior do Exército. Um dia, bêbado, desobedeceu a uma ordem e quando o general Vázquez Rivera o repreendeu, ele se insubordinou. O gigante, então, tirando os galões, apontou para o pátio e propôs resolver o problema no braço, esquecendo as patentes. Foi a surra mais violenta que Petán recebeu em toda a vida, com a qual pagou por todas as que dera em tantos coitados. Com tristeza, mas convencido de que a honra da família o obrigava a agir assim, Trujillo destituiu o amigo e mandou-o para a Europa com uma missão simbólica. Um ano mais tarde, o Serviço de Inteligência lhe informou dos planos subversivos: o general, ressentido, visitava guarnições, reunia-se com antigos subordinados, escondia armas no seu sítio em Cibao. Mandou prendê-lo, trancá-lo na prisão militar da foz do rio Nigua e, tempos depois, condená-lo a morte em segredo, por um tribunal militar. Para arrastá-lo até a forca, o chefe da Fortaleza recorreu a doze facínoras que cumpriam penas ali por delitos comuns. Para que não restassem testemunhas daquele titânico final do general Vázquez Rivera, Trujillo mandou fuzilar os doze bandidos. Apesar de tanto tempo passado, tinha às vezes, como agora, um pouco de saudade desse companheiro dos anos heroicos, que precisou sacrificar por causa das confusões de Petán.

 Simon Gittleman estava explicando que os comitês fundados por ele nos Estados Unidos haviam iniciado uma coleta de fundos para uma grande operação: iriam publicar, no mesmo dia como anúncio pago, de página inteira, no *The New York Times*, *The Washington Post*, *Time*, *Los Angeles Times* e todas as publicações que atacavam Trujillo e apoiavam as sanções da OEA, uma refutação a isso e um apelo pelo reatamento de relações com o regime dominicano.

 Por que Simon Gittleman tinha perguntado por Agustín Cabral? Fez um esforço para conter a irritação que se apoderou dele quando se lembrou de Craninho. Não podia ser má intenção. Se havia alguém que admirava e respeitava Trujillo era o ex-*marine*, dedicado de corpo e alma a defender o regime. Devia ter mencionado o nome por associação de ideias, ao ver o Constitucionalista Bêbado e lembrar que Chirinos e Cabral eram — para quem não conhecesse as intimidades do regime — colegas inseparáveis. Sim, tinham sido. Trujillo deu muitas vezes missões conjuntas a eles. Como em 1937, quando, nomeando-os diretor-geral de Estatística e diretor-geral de Migração, mandou--os percorrer a fronteira com o Haiti, para mantê-lo a par das infiltrações de haitianos. Mas a amizade dessa dupla sempre foi relativa: deixava de existir assim que estavam em jogo a consideração ou os elogios do Chefe. Trujillo se divertia — um jogo delicioso e secreto que podia permitir-se — observando as sutis manobras, as estocadas sigilosas, as intrigas florentinas que um forjava contra o outro, o Imundície Ambulante e Craninho — mas, também, Virgilio Álvarez Pina e Paíno Pichardo, Joaquín Balaguer e Fello Bonnelly, Modesto Díaz e Vicente Tolentino Rojas, e todos os membros do círculo íntimo — para tirar o companheiro da frente, ocupar espaço, ficar mais perto e merecer mais atenção, ouvidos e brincadeiras do Chefe. "Como as fêmeas do harém para ser a favorita", pensou. E ele, para mantê--los sempre na corda bamba, e impedir a acomodação, a rotina, a anomia, deslocava, na hierarquia, alternativamente, de um para o outro, a desgraça. Fizera isso com Cabral; afastou-o, para ele tomar consciência de que devia a Trujillo tudo o que era, valia e tinha, que sem o Benfeitor ele não era ninguém. Uma prova pela qual fizera passar todos os seus colaboradores, íntimos ou distantes. Craninho levou a coisa a mal, desesperando-se, como uma fêmea apaixonada rejeitada por seu macho. Por querer recompor as coisas antes do tempo, estava se dando mal. Ia engolir muita merda antes de voltar à existência.

Será que Cabral, sabendo que Trujillo condecoraria o ex-*marine*, pediu-lhe para interceder por ele? Foi por isso que o ex-*marine* disse de forma inoportuna o nome de alguém que todo dominicano leitor de "Foro Público" sabia que tinha perdido as graças do regime? Bem, talvez Simon Gittleman não lesse *El Caribe*.

Seu sangue congelou: a urina estava saindo. Sentiu, pensou ver o líquido amarelo escorrendo da sua bexiga sem pedir permissão a essa válvula inútil, a essa próstata morta, incapaz de retê-lo, para a sua uretra, deslizando alegremente por ela e saindo em busca de ar e luz, em sua cueca, braguilha e calças. Sentiu uma vertigem. Fechou os olhos por alguns segundos, abalado pela indignação e a impotência. Por azar, em vez de Virgilio Álvarez Pina, tinha à sua direita Dorothy Gittleman e à sua esquerda Simon, que não podiam ajudá-lo. Virgilio, sim. Ele era Presidente do Partido Dominicano mas, na verdade, sua função realmente importante era, desde que o doutor Puigvert, trazido em segredo de Barcelona, diagnosticou a maldita infecção da próstata, agir depressa quando ocorriam esses momentos de incontinência, derramando um copo de água ou uma taça de vinho sobre o Benfeitor e pedindo depois mil desculpas por sua estupidez, ou, se acontecia numa tribuna ou durante uma marcha, colocando-se como um biombo diante das calças manchadas. Mas os imbecis do protocolo tinham sentado Virgilio Álvarez quatro cadeiras adiante. Ninguém podia ajudá-lo. Passaria pela terrível humilhação, ao se levantar, de que os Gittleman e alguns convidados notassem que tinha mijado nas calças sem querer, como um velho. A cólera o impedia de mover-se, fingir que ia beber e jogar em cima da roupa o copo ou a jarra que tinha na sua frente.

Bem devagar, olhando em volta com ar distraído, foi deslocando a mão direita até o copo cheio de água. Lentamente o trouxe para perto, até deixá-lo na beira da mesa, de modo que o menor movimento o derrubaria. Lembrou, de repente, que a primeira filha que teve, em Aminta Ledesma, com sua primeira mulher, Flor de Oro, uma louquinha com corpo de fêmea e alma de macho que trocava de marido como de sapato, costumava urinar na cama até a escola secundária. Tomou coragem e espiou outra vez a calça. Em vez do espetáculo constrangedor, a mancha que esperava, verificou — sua vista continuava formidável, como sua memória — que a braguilha e as coxas estavam secas. Sequíssimas. Foi um falso alarme, provocado pelo temor, pelo pânico de "fazer águas", como diziam das parturientes. Foi tomado de felicidade, de otimismo. O dia, que começara com maus humores e presságios sombrios, tinha acabado de ficar bonito, como a paisagem da costa após um aguaceiro, quando o sol desponta.

Ele se levantou e, como soldados ouvindo a voz de comando, todos o imitaram. Enquanto se inclinava para ajudar Dorothy Gittleman a levantar-se, decidiu, com toda a força da sua alma: "Esta noite, na Casa de Caoba, vou fazer uma fêmea gritar como vinte anos atrás." Achou que seus testículos entravam em ebulição e seu pau começava a crescer.

XII

Salvador Estrella Sadhalá pensou que nunca ia conhecer o Líbano e esse pensamento o deprimiu. Desde pequeno sonhava às vezes que algum dia visitaria o Alto Líbano, aquela cidade, talvez aldeia, Basquinta, de onde os Sadhalá eram oriundos e de onde, no final do século anterior, os antepassados da sua mãe foram expulsos por serem católicos. Salvador cresceu ouvindo mamãe Paulina contar as aventuras e desventuras dos prósperos comerciantes que eram os Sadhalá lá no Líbano; como haviam perdido tudo, e as dificuldades que don Abraham Sadhalá e os seus enfrentaram fugindo das perseguições a que a maioria muçulmana submetia a minoria cristã. Percorreram meio mundo, fiéis a Cristo e à cruz, até desembarcarem no Haiti, depois na República Dominicana. Em Santiago de los Caballeros se estabeleceram e, trabalhando com a dedicação e a honestidade proverbiais da família, voltaram a ser prósperos e respeitados em sua terra adotiva. Embora visse pouco os parentes maternos, Salvador, enfeitiçado pelas histórias de mamãe Paulina, sempre se sentiu um Sadhalá. Por isso, sonhava visitar essa misteriosa Basquinta que nunca encontrou nos mapas do Médio Oriente. Por que acaba de ter certeza de que jamais vai pôr os pés no exótico país dos seus antepassados?

— Acho que adormeci — ouviu dizer, no banco da frente, Antonio de la Maza. Viu-o esfregar os olhos.

— Todos adormeceram — respondeu Salvador. — Não se preocupe, estou atento aos carros que vêm de Trujillo.

— Eu também — disse, ao seu lado, o tenente Amado García Guerrero. — Parece que estou dormindo porque não mexo nenhum músculo e deixo o cérebro em branco. É uma forma de relaxar que aprendi no Exército.

— Tem certeza que ele vem, Amadito? — provocou-o, ao volante, Antonio Imbert. O Turco detectou um tom de recriminação. Que injusto! Como se a culpa de que Trujillo tivesse cancelado sua viagem a San Cristóbal fosse de Amadito.

— Tenho, Tony — reagiu o tenente, com uma segurança fanática. — Ele virá.

O Turco já não tinha tanta certeza; já estavam esperando havia uma hora e quinze. Tinham perdido mais um dia, de entusiasmo, de angústia, de esperança. Com seus quarenta e dois anos, Salvador era um dos mais velhos entre os sete homens postados nos três carros que esperavam Trujillo na estrada para San Cristóbal. Não se sentia velho, muito pelo contrário. Sua força continuava sendo tão descomunal como aos trinta anos, quando, no sítio de Los Almácigos, diziam que o Turco podia matar um burro com um soco atrás da orelha. A potência dos seus músculos era legendária. Sabiam disso todos os que colocaram as luvas de boxe para lutar com ele no quadrilátero do Reformatório de Santiago, onde, graças aos seus esforços para inculcar o gosto pelos esporte nos presos, conseguira efeitos maravilhosos entre os jovens delinquentes e vagabundos. Ali surgiu Kid Dinamite, ganhador da Luva de Ouro, que chegou a ser um boxeador conhecido em todo o Caribe.

Salvador gostava dos Sadhalá e se sentia orgulhoso do seu sangue árabe-libanês, mas os Sadhalá não tinham querido que ele nascesse; fizeram uma oposição atroz à mãe, quando Paulina lhes disse que era cortejada por Piro Estrella, mulato, militar e político, três coisas que — o Turco sorriu — provocavam calafrios nos Sadhalá. A recusa da família fez com que Piro Estrella roubasse mamãe Paulina, fosse com ela para Moca, arrastasse o padre para a paróquia e, de revólver em punho, o obrigasse a casá-los. Com o tempo, os Sadhalá e os Estrella se reconciliaram. Quando mamãe Paulina morreu, em 1936, os irmãos Estrella Sadhalá eram dez. O general Piro Estrella deu um jeito de engendrar mais sete filhos no seu segundo casamento, de modo que o Turco tinha dezesseis irmãos legítimos. O que aconteceria com eles se fracassassem esta noite? O que aconteceria, principalmente, com seu irmão Guaro, que não sabia de nada? O general Guarionex Estrella Sadhalá tinha sido chefe dos ajudantes de ordens de Trujillo e agora comandava a Segunda Brigada, de La Vega. Se a conspiração falhasse, as represálias seriam cruéis. Por que iria falhar? Estava cuidadosamente preparada. Assim que seu chefe, o general José René Román, lhe comunicasse que Trujillo tinha morrido e que uma Junta cívico-militar estava no poder, Guarionex poria todas as forças militares do norte a serviço do novo regime. Daria certo? O desânimo voltava a se apossar de Salvador, por culpa da espera.

Entrecerrando os olhos, sem mexer os lábios, rezou. Rezava várias vezes por dia, em voz alta ao se levantar e ir deitar, e em silêncio, como agora, as outras vezes. Pais-nossos e ave-marias, mas, também, orações que improvisava em função das circunstâncias. Desde jovem se acostumara a fazer Deus participar dos problemas, grandes e miúdos, confiar-Lhe seus segredos e pedir conselhos. Rogou-Lhe que Trujillo viesse, que sua infinita graça permitisse que eles executassem de uma vez o carrasco dos dominicanos, essa Besta que agora se voltava contra a Igreja de Cristo e seus pastores. Até pouco tempo antes, quando se discutia a execução de Trujillo, o Turco se sentia indeciso; mas, desde que recebeu o sinal, podia falar com o Senhor do tiranicídio com a consciência limpa. O sinal tinha sido aquela frase que o núncio de Sua Santidade leu para ele.

Foi graças ao padre Fortín, sacerdote canadense radicado em Santiago, que Salvador teve a conversa com monsenhor Lino Zanini graças à qual estava aqui. Durante muitos anos, o padre Cipriano Fortín foi o seu diretor espiritual. Uma ou duas vezes por mês tinham longas conversas em que o Turco abria o seu coração e sua consciência; o sacerdote ouvia, respondia às suas perguntas e expunha as próprias dúvidas. De maneira imperceptível, os assuntos políticos foram se sobrepondo aos pessoais naquelas conversas. Por que a Igreja de Cristo apoiava um regime manchado de sangue? Como era possível que a Igreja amparasse com sua autoridade moral um governante que cometia crimes abomináveis?

O Turco lembrava o embaraço do padre Fortín. As explicações que ele arriscava não convenciam nem a ele: a Deus o que é de Deus e a César o que é de César. Será que essa separação existe para Trujillo, padre Fortín? Ele não vai à missa, não recebe a bênção e a hóstia consagrada? Não há missas, te-déuns, bênçãos para todos os atos do governo? Os bispos e sacerdotes não santificam diariamente os atos da tirania? Em que situação a Igreja deixava os crentes, identificando-se dessa forma com Trujillo?

Desde jovem, Salvador percebera como era difícil, às vezes impossível, submeter a conduta diária aos mandamentos da sua religião. Seus princípios e crenças, apesar de serem tão firmes, não o tinham freado na hora da farra nem para correr atrás de saias. Nunca se arrependeria o suficiente de ter gerado dois filhos naturais antes de casar-se com sua mulher atual, Urania Mieses. Eram erros que lhe davam vergonha, que tentava redimir, mas não conseguia aplacar a sua consciência. Sim, era muito difícil não ofender Cristo na vida do dia a dia. Ele, um pobre mortal, marcado pelo pecado original, era prova das fraquezas congênitas do homem. Mas como podia errar a Igreja inspirada por Deus, apoiando um desalmado?

Até que, há dezesseis meses — nunca esqueceria esse dia —, no domingo 25 de janeiro de 1960 aconteceu aquele milagre. Um arco-íris no céu dominicano. O dia 21 tinha sido a festa da padroeira, Nossa Senhora de Altagracia, e, também, o da pior investida contra militantes do 14 de Junho. A igreja da Altagracia, naquela manhã ensolarada santiaguense, estava lotada. De repente, no púlpito, com voz firme, o padre Cipriano Fortín começou a leitura — os pastores de Cristo faziam o mesmo em todas as igrejas dominicanas — daquela Carta Pastoral do episcopado que estremeceu a República. Foi um ciclone, mais dramático ainda que aquele, famoso, de San Zenón, que em 1930, no começo da Era de Trujillo, destruiu a capital.

Na escuridão do carro, Salvador Estrella Sadhalá, imerso na lembrança daquele dia venturoso, sorriu. Ouvindo o padre Fortín ler no seu espanhol ligeiramente afrancesado, cada frase daquela Carta Pastoral que enlouqueceu de fúria a Besta lhe parecia uma resposta às suas dúvidas e angústias. Conhecia tão bem aquele texto — que, depois de ouvir, tinha lido, impresso às escondidas e distribuído em toda parte — que o sabia quase de cor. Uma "sombra de tristeza" marcava a festividade da Virgem dominicana. "Não podemos permanecer insensíveis diante da profunda dor que aflige um bom número de lares dominicanos", diziam os bispos. Como são Pedro, eles queriam "chorar junto com os que choram". Lembravam que "a raiz e o fundamento de todos os direitos está na dignidade inviolável da pessoa humana". Uma entrevista de Pio XII evocava os "milhões de seres humanos que continuam vivendo sob a opressão e a tirania", para os quais não há "nada certo: nem o lar, nem os bens, nem a liberdade, nem a honra".

Cada frase acelerava o coração de Salvador. "A quem pertence o *direito à vida* senão unicamente a Deus, autor da vida?" Os bispos ressaltavam que desse "direito primitivo" brotam os outros: o de formar uma família, o direito ao trabalho, ao comércio, à imigração (não era uma condenação a esse sistema infame de pedir permissão policial para cada viagem ao estrangeiro?), à boa fama e a não ser caluniado "sob pretextos fúteis ou denúncias anônimas" "por motivos baixos e rasteiros". A Carta Pastoral reafirmava que "todo homem tem direito à liberdade de consciência, de imprensa, de livre associação...". Os bispos faziam preces "nestes momentos de angústia e de incerteza" para que houvesse "concórdia e paz" e se estabelecessem no país "os sagrados direitos de convivência humana".

Salvador ficou tão comovido que, na saída da igreja, nem pôde comentar a Carta Pastoral com sua mulher ou com os amigos que, reunidos na porta da paróquia, retumbavam de surpresa, entusiasmo ou medo diante do que tinham acabado de ouvir. Não havia confusão possível: era o arcebispo Ricardo Pittini quem encabeçava a Carta Pastoral e os cinco bispos do país a assinavam.

Balbuciando uma desculpa, afastou-se da família e, como um sonâmbulo, voltou para a igreja. Foi à sacristia. O padre Fortín tirava a casula. Sorriu para ele: "Agora está orgulhoso da sua Igreja, Salvador?" As palavras não lhe saíam da garganta. Abraçou longamente o sacerdote. Sim, a Igreja de Cristo finalmente ficou do lado das vítimas.

— As represálias vão ser terríveis, padre Fortín — murmurou.

E foram. Mas, com a endiabrada habilidade para a intriga do regime, a vingança se concentrou nos dois bispos estrangeiros, ignorando os nascidos em solo dominicano. Monsenhor Tomás F. Reilly, de San Juan de la Maguana, americano, e monsenhor Francisco Panal, bispo de La Vega, espanhol, foram os alvos dessa campanha ignóbil.

Nas semanas seguintes ao júbilo do 25 de janeiro de 1960, Salvador cogitou pela primeira vez na necessidade de matar Trujillo. Até então, essa ideia o horrorizava, um católico tinha que respeitar o quinto mandamento. Apesar disso, voltava, irresistível, toda vez que lia em *El Caribe*, em *La Nación*, ou ouvia em La Voz Dominicana os ataques contra monsenhor Panal e monsenhor Reilly: agentes de potências estrangeiras, vendidos ao comunismo, colonialistas, traidores, víboras. Pobre monsenhor Panal! Acusar de estrangeiro um sacerdote que tinha passado trinta anos fazendo obra apostólica em La Vega, onde era querido por todo mundo. As infâmias tramadas por Johnny Abbes — quem mais podia elucubrar semelhantes tramoias? —, de que o Turco ficava sabendo pelo padre Fortín e pelos boatos, eliminaram seus escrúpulos. A gota que fez o copo transbordar foi a sacrílega farsa montada contra monsenhor Panal na igreja de La Vega, onde o bispo rezava a missa do meio-dia. Na nave repleta de fiéis, quando monsenhor Panal lia o evangelho do dia, irromperam um bando de rameiras todas maquiadas e seminuas, e, diante do estupor dos fiéis, se aproximaram do púlpito insultando e recriminando o velho bispo, acusando-o de ter-lhes feito filhos e de ser um depravado. Uma delas, pegando o microfone, uivou: "Reconheça as crianças que você nos fez parir, não as mate de fome." Quando alguns dos presentes, reagindo, tentaram botar as prostitutas para fora da igreja e proteger o bispo que olhava incrédulo tudo aquilo, irromperam os *caliés*, umas duas dezenas de meliantes armados de paus e correntes que investiram sem misericórdia contra os fiéis. Pobres bispos! Picharam as suas casas com insultos. Em San Juan de la Maguana, dinamitaram a caminhonete em que monsenhor Reilly se deslocava pela diocese e bombardearam sua casa com animais mortos, águas sujas, ratos vivos, toda noite, até obrigá-lo a se refugiar no Colégio Santo Domingo, em Trujillo. O indestrutível monsenhor Panal continuava resistindo, em La Vega, às ameaças, infâmias, insultos. Um velho feito com o barro dos mártires.

Um desses dias o Turco se apresentou na casa do padre Fortín com o rosto inchado, transfigurado.

— O que houve, Salvador?

— Vou matar Trujillo, padre. Quero saber se terei perdão. — Sua voz se cortou: — Isso não pode continuar assim. O que estão fazendo com os bispos, com as igrejas, essa campanha asquerosa na televisão, nos rádios e jornais. É preciso acabar com isso, cortar a cabeça da hidra. Terei perdão?

O padre Fortín o acalmou. Ofereceu-lhe café recém-coado, levou-o para dar um longo passeio pelas ruas cheias de loureiros de Santiago. Uma semana depois lhe avisou que o núncio apostólico, monsenhor Lino Zanini, o receberia em Trujillo, em audiência privada. O Turco chegou intimidado ao elegante casarão da nunciatura, na avenida Máximo Gómez. Mas o príncipe da Igreja fez se sentir à vontade desde o primeiro instante aquele gigante tímido, apertado na sua camisa social e na gravata que pôs para a audiência com o representante do papa.

Como era elegante e falava bem monsenhor Zanini! Um verdadeiro príncipe, sem dúvida. Salvador ouvira muitas histórias sobre o núncio e sentia simpatia por ele, porque diziam que Trujillo o odiava. Seria verdade que Perón tinha saído do país, onde estava exilado havia sete meses, ao saber da chegada do novo núncio da Sua Santidade? Todo mundo dizia isso. Que foi correndo ao Palácio Nacional, dizer: "Tome cuidado, Excelência. Não se pode enfrentar a Igreja. Não esqueça o que aconteceu comigo. Não foram os militares que me derrubaram, foram os padres. Este núncio que o Vaticano lhe manda agora é como aquele que me mandou, quando começaram os atritos com a Igreja. Cuidado com ele!" E o ex-ditador argentino fez as malas e fugiu para a Espanha.

Depois dessa reunião, o Turco estava disposto a acreditar em tudo que dissessem de bom sobre monsenhor Zanini. O núncio o levou ao seu gabinete, ofereceu refrigerantes, estimulou-o a dizer o que sentia fazendo comentários afáveis num espanhol com música italiana que fazia o efeito em Salvador de uma melodia angelical. Ouviu-o dizer que não suportava mais tudo o que estava acontecendo, o que o regime estava fazendo com a Igreja, com os bispos, o deixava louco. Depois de uma longa pausa, segurou a mão anelada do núncio:

— Vou matar Trujillo, monsenhor. Haverá perdão para a minha alma?

Sua voz se cortou. Permanecia com os olhos baixos, respirando com ansiedade. Sentiu nas costas a mão paternal de monsenhor Zanini. Quando, finalmente, levantou os olhos, o núncio tinha nas mãos um livro de santo Tomás de Aquino. Seu rosto franco sorria com um ar travesso. Um dos seus dedos apontava para um parágrafo, na página aberta. Salvador se inclinou e leu: "A eliminação física da Besta é bem-vista por Deus se com ela se liberta um povo."

Saiu da nunciatura em estado de transe. Andou um bom tempo pela avenida George Washington, à beira do mar, com uma tranquilidade de espírito que não sentia havia muito tempo. Mataria a Besta, e Deus e a sua Igreja o perdoariam, manchando-se de sangue ele lavaria o sangue que a Besta fazia correr na sua pátria.

Mas será que viria? Sentia a terrível tensão que a espera impusera aos seus companheiros. Ninguém abria a boca, ninguém se mexia. Ouviu-os respirar: Antonio Imbert, agarrado ao volante, de forma calma, com longas aspirações; rápido, de modo ofegante, Antonio de la Maza, que não tirava os olhos da estrada; e, ao seu lado, a ritmada e profunda respiração de Amadito, seu rosto também virado para Trujillo. Seus três amigos deviam estar com as armas nas mãos, como ele. O Turco sentia o cabo do Smith & Wesson calibre 38, comprado fazia tempo na loja de ferragens de um amigo de Santiago. Amadito, além de um revólver 45, tinha um fuzil M1 — da ridícula contribuição dos ianques à conspiração —, e, como Antonio, uma das duas escopetas Browning calibre 12, cujos canos o espanhol Miguel Anjo Bissié, amigo de Antonio de la Maza havia serrado em sua oficina. Elas estavam carregadas com os projéteis especiais que outro amigo íntimo de Antonio, também espanhol e ex-oficial de artilharia, Manuel de Ovín Filpo, tinha preparado especialmente para ele e lhe entregara garantindo que cada uma daquelas balas tinha uma carga mortífera capaz de pulverizar um elefante. Tomara que sim. Foi Salvador quem propôs que as carabinas da CIA ficassem nas mãos do tenente García Guerrero e de Antonio de la Maza, e que estes ocupassem os assentos da direita, ao lado da janela. Eram os melhores atiradores, cabia a eles atirar primeiro e de mais perto. Todos concordaram. Será que viria, será?

A gratidão e a admiração de Salvador Estrella Sadhalá em relação ao monsenhor Zanini aumentaram quando, poucas semanas depois dessa conversa na nunciatura, soube que as irmãs mercedárias da Caridade haviam decidido transladar Gisela, sua irmã freira — sóror Paulina — de Santiago para Puerto Rico. Gisela, a irmãzinha mimada, a preferida de Salvador. E, muito mais desde que abraçou a vida religiosa. No dia que fez os votos, e escolheu o nome de mãe Paulina, grossas lágrimas sulcaram as bochechas do Turco. Cada vez que pôde passar um tempo com sóror Paulina, sentiu-se redimido, confortado, espiritualizado, contagiado da serenidade e alegria que emanavam da irmãzinha querida, da tranquila segurança com que levava a vida de entrega ao Senhor. O padre Fortín dissera ao núncio como estava assustado pelo que pudesse acontecer com sua irmã freira se o regime descobrisse que ele conspirava? Nem um só momento pensou que o traslado de irmã Paulina para Puerto Rico fosse casual. Era uma decisão sábia e generosa da Igreja de Cristo para pôr fora do alcance da Besta uma jovem pura e inocente sobre a que podiam cevar-se os verdugos de Johnny Abbes. Era um dos costumes do regime que mais revoltava a Salvador: encarniçar-se com os parentes daqueles a quem quisesse castigar, pais, filhos, irmãos, confiscando o que tinham, encarcerando-os, mandando embora dos seus empregos. Se isso falhasse, as represálias contra suas irmãs e irmãos seriam implacáveis. Nem mesmo o seu pai, o general Piro Estrella, tão amigo do Benfeitor, a quem homenageava com banquetes em sua fazenda de Las Lavas, seria exonerado. Havia sopesado isso tudo uma vez e outra. A decisão estava tomada. E era um alívio saber que a mão criminal não poderia alcançar sóror Paulina no seu convento de Puerto Rico. De vez em quando, ela lhe mandava uma cartinha escrita com sua letra clara, retinha, cheia de afeto e bom humor.

Apesar de ser tão religioso, Salvador nunca pensou em fazer o mesmo que Giselita: tomar os hábitos. Era uma vocação que ele admirava e invejava, mas da que o Senhor o havia excluído. Nunca poderia ter cumprido com aqueles votos, principalmente o da pureza. Deus o fez muito terreno, muito propenso a ceder àqueles instintos que um pastor de Cristo tinha que aniquilar para cumprir sua missão. Sempre gostara das mulheres — ainda agora, que levava uma vida de fidelidade conjugal, com esporádicas quedas das que sua consciência ficava dilacerada por um bom tempo —, a presença de uma garota morena, de cintura estreita e acentuados quadris, de boquinha sensual e olhos faiscantes — aquela típica beleza dominicana cheia de brejeirice no olhar, no andar, no falar, no movimento das mãos — deixava Salvador alvoroçado, incendiava-o de fantasias e desejos.

Eram tentações a que costumava resistir. Quantas vezes caçoaram dele seus amigos, Antonio de la Maza principalmente, que depois do assassinato de Tavito se tornou um farrista, por negar-se a acompanhá-los nas suas amanhecidas nos bordéis, nas suas visitas às casas onde as madames lhes arrumavam garotinhas para desflorar. Algumas vezes sucumbiu, é verdade. Depois, a amargura durava muitos dias. Há muito tempo, habituou-se a responsabilizar Trujillo por essas quedas. A Besta tinha a culpa de que tantos dominicanos procurassem em putas, bebedeiras e outros desencaminhamentos como aplacar o desassossego que lhes causava viver sem um vestígio de liberdade e dignidade, num país onde a vida humana nada valia. Trujillo tinha sido um dos mais efetivos aliados do demônio.

— É ele! — rugiu Antonio de la Maza.
E Amadito e Tony Imbert:
— É ele! É ele!
— Dá a partida, porra!

Antonio Imbert já dera e o Chevrolet, estacionado em direção de Trujillo, virava fazendo cantar os pneus — Salvador pensou num filme policial — e seguia em direção a San Cristóbal, onde, pela estrada deserta e às escuras, se afastava o carro de Trujillo. Era ele? Salvador não o viu, mas seus colegas pareciam tão certos que devia ser ele, devia ser. Seu coração batia no peito. Antonio e Amadito desceram os vidros das janelas e, à medida que Imbert, inclinado sobre o volante como cavaleiro que faz seu cavalo pular, acelerava, o vento era tão forte que Salvador mal conseguia manter os olhos abertos. Protegeu-se com sua mão livre — a outra empunhava o revólver: — pouco a pouco, diminuíam a distância das luzinhas vermelhas.

— Tem certeza que é o Chevrolet do Bode, Amadito? — gritou.

— Tenho, tenho — chiou o tenente. — Reconheci o motorista, é Zacarías de la Cruz. Não disse que ele viria?

— Acelera, porra — repetiu, pela terceira ou quarta vez, Antonio de la Maza. Tinha tirado a cabeça e o cano recortado da sua carabina para fora do carro.

— Tinha razão, Amadito — Salvador se ouviu gritar. — Veio e sem escolta, como você disse.

O tenente segurava seu fuzil com as duas mãos. Inclinado, dava-lhe as costas e, um dedo no gatilho, apoiava a culatra do M1 no seu ombro. "Obrigado, meu Deus, em nome dos seus filhos dominicanos", rezou Salvador.

O Chevrolet Biscayne de Antonio de la Maza voava sobre a estrada, cortando a distância do Chevrolet Bel Air azul-claro que Amadito García Guerrero havia descrito tantas vezes. O Turco identificou a placa oficial branca e preta número 0-1823, as cortininhas de pano nas janelas. Era sim, era o carro que o Chefe usava para ir a sua Casa de Caoba, em San Cristóbal. Salvador tivera um pesadelo recorrente com este Chevrolet Biscayne que Tony Imbert conduzia. Iam como agora, sob um céu com lua e estrelas, e, de repente, este carro novinho, preparado para a perseguição, começava a desacelerar, a ir mais devagar, até que, entre as maldições de todos, parava. Salvador via o carro do Benfeitor se perder na escuridão.

O Chevrolet Bel Air continuava acelerando — devia ir a mais de cem por hora já — e o carro da frente se perfilava nítido no resplendor das luzes altas que Imbert acendera. Salvador conhecia detalhadamente a história deste carro desde que, seguindo a iniciativa do tenente García Guerrero, combinaram emboscar Trujillo na sua viagem semanal a San Cristóbal. Era evidente que o sucesso dependeria de um carro veloz. Antonio de la Maza tinha paixão automobilística. A Santo Domingo Motores não estranhou que alguém que, por seu trabalho na fronteira com o Haiti, fazia centenas de quilômetros toda semana, quisesse um carro especial. Recomendaram o Chevrolet Biscayne e o encomendaram aos Estados Unidos. Chegou a Trujillo fazia três meses. Salvador lembrou do dia em que subiram nele para testá-lo e como riram lendo as instruções, onde dizia que este carro era idêntico aos que a polícia nova-iorquina utilizava para perseguir delinquentes. Ar-condicionado, transmissão automática, freios hidráulicos e um motor 3.500 cc de oito cilindros. Custou sete mil dólares e Antonio comentou: "Nunca houve dinheiro melhor investido." Testaram-no nos arredores de Moca e o folheto não exagerava: podia chegar a cento e sessenta quilômetros por hora. — Cuidado, Tony — ouviu-se dizer, depois de um solavanco que deve ter amassado um para-lama. Nem Antonio nem Amadito perceberam; continuavam com as armas e as cabeças para fora, esperando que Imbert ultrapassasse o carro de Trujillo. Estavam a menos de vinte metros, a ventania era asfixiante, e Salvador não afastava a vista da cortina corrida da janela traseira. Teriam que disparar às cegas, cobrir de chumbo o assento inteiro. Pediu a Deus que o Bode não estivesse acompanhado de uma das infelizes que levava para sua Casa de Caoba.

Como se, de repente, tivesse sido advertido que o perseguiam, ou por instinto esportivo se negasse a deixar-se ultrapassar, o Chevrolet Bel Air se adiantou alguns metros.

— Acelera, porra — ordenou Antonio de la Maza. — Mais rápido, porra!

Em poucos segundos o Chevrolet Biscayne recuperou a distância e continuou aproximando-se. E os outros? Por que Pedro Livio e Huáscar Tejeda não apareciam? Estavam postados, no Oldsmobile — também de Antonio de la Maza —, a só dois quilômetros, já deviam ter interceptado o carro de Trujillo. Imbert se esqueceu de apagar e acender os faróis três vezes seguidas? Tampouco aparecia Fifí Pastoriza no velho Mercury de Salvador, emboscado outros dois quilômetros mais à frente do Oldsmobile. Já deveriam ter feito dois, três, quatro ou mais quilômetros. Onde estavam?

— Você esqueceu dos sinais, Tony — gritou o Turco. — Já deixamos atrás Pedro Livio e Fifí.

Estavam a uns oito metros do carro de Trujillo e Tony pedia passagem, trocando de luzes e tocando buzina.

— Aproxime-se mais — rugiu Antonio de la Maza.

Avançaram ainda um pouco, sem que o Chevrolet Bel Air abandonasse o centro da pista, indiferente aos sinais de Tony. Onde diabos estava o Oldsmobile com Pedro Livio e Huáscar? Onde estava seu Mercury com Fifí Pastoriza? Por fim, o carro de Trujillo se inclinou para a direita. Deixava-lhes um espaço suficiente.

— Gruda nele, gruda mais — implorou, histérico, Antonio de la Maza.

Tony Imbert acelerou e em poucos segundos estavam na altura do Chevrolet Bel Air. Também estava corrida a cortina lateral, de modo que Salvador não viu Trujillo, mas sim, bem claro, na janela da frente, o rosto fornido e tosco do famoso Zacarías de la Cruz, no instante em que seus tímpanos pareceram estourar com o estrondo das descargas simultâneas de Antonio e do tenente. Os carros estavam tão juntos que, ao estourar os vidros da janela posterior do outro carro, fragmentos de vidro salpicaram até eles e Salvador sentiu na cara diminutas bicadas. Como numa alucinação chegou a ver que Zacarías fazia um estranho movimento de cabeça, e, um segundo depois, ele também disparava por cima do ombro de Amadito.

Durou poucos segundos, pois, agora — o rangido dos pneus arrepiou sua pele — uma freada em seco deixou o carro de Trujillo para trás. Girando a cabeça, pelo vidro traseiro viu que o Chevrolet Bel Air ziguezagueava como se fosse virar antes de ficar quieto. Não dava meia-volta, não tentava fugir.

— Para, para! — rugia Antonio de la Maza. — Dá marcha a ré, porra!

Tony sabia o que estava fazendo. Tinha freado em seco, quase ao mesmo tempo que o auto crivado de Trujillo, mas levantou o pé do freio ante a violenta sacudida que o veículo deu ameaçando virar e depois voltou a frear até parar o Chevrolet Biscayne. Sem perder um segundo, manobrou, deu a volta — não vinha veículo algum — até ficar na direção contrária, e agora ia ao encontro do carro de Trujillo, absurdamente estacionado ali como esperando por eles, com os faróis acesos, a menos de cem metros. Quando haviam coberto a metade desse terreno, os faróis do carro detido se apagaram, mas o Turco não deixou de vê-lo: continuava ali, iluminado pelas luzes altas de Tony Imbert.

— Baixem as cabeças, agachem-se — disse Amadito. — Estão disparando em nossa direção.

O vidro da janela da sua esquerda se esmigalhou. Salvador sentiu agulhadas no rosto e pescoço, e foi impulsionado para a frente pela freada. O Chevrolet Biscayne chiou, ziguezagueou, inclinando-se por completo na pista antes de parar. Imbert apagou os faróis. Tudo ficou às escuras. Salvador sentia tiros ao seu redor. Em que momento tinham pulado ele, Amadito, Tony e Antonio para a estrada? Os quatro estavam fora, resguardando-se nos para-lamas e portas abertas, e disparavam para onde estava, onde devia estar o carro de Trujillo. Quem atirava neles? Havia alguém mais com o Bode, fora o motorista?

Porque, não havia dúvida, atiravam neles, as balas ressoavam em volta, tilintavam ao perfurar as chapas do Chevrolet e acabavam de ferir um dos seus amigos.

— Turco, Amadito, cubram-nos — ordenou Antonio de la Maza. — Vamos rematá-lo, Tony.

Quase ao mesmo tempo — seus olhos começavam a diferenciar os perfis e as silhuetas no tênue resplendor azulado — viu as duas figuras agachadas, correndo em direção ao carro de Trujillo.

— Não dispare, Turco — disse Amadito; joelho em terra, apontava com o seu fuzil. — Podemos acertar neles. Fique atento. Não deixe que fuja por aqui.

Durante cinco, oito, dez segundos, houve um silêncio absoluto. Como numa fantasmagoria, Salvador notou que, pela pista da sua direita, passavam rumo a Trujillo dois carros, a toda velocidade. Um momento depois, outro estrondo de tiros de fuzil e revólver. Demorou poucos segundos. Então, o vozeirão de Antonio de la Maza encheu a noite:

— Está morto, porra!

Ele e Amadito começaram a correr. Segundos depois, Salvador parava, avançava a cabeça sobre os ombros de Tony Imbert e Antonio, que, um com um isqueiro e outro com palitos de fósforos, examinavam o corpo banhado em sangue, vestido de verde oliva, o rosto destroçado, que jazia no pavimento sobre uma poça de sangue. A Besta, morta. Não teve tempo de dar graças ao céu, ouviu corridas e teve a certeza de ouvir tiros, lá, atrás do carro de Trujillo. Sem refletir, ergueu seu revólver e atirou, convencido de que eram *caliés*, ajudantes de ordens, que iam em socorro do Chefe, e, muito perto, ouviu Pedro Livio Cedeño gemer, atingido por seus disparos. Foi como se a terra se abrisse, como se, desse abismo, se levantasse a gargalhada do Maligno rindo dele.

XIII

— De verdade não quer mais um pouquinho de bolo de milho? — insiste carinhosa a tia Adelina. — Anime-se. Quando menina, toda vez que vinha à casa, pedia-me bolo de milho. Não gosta mais?

— É claro que eu gosto, tia — protesta Urania. — Mas, nunca comi tanto na minha vida, não poderei pregar os olhos.

— Bem, deixemo-lo aqui, se por acaso tem vontade daqui a pouco — resigna-se a tia Adelina.

A segurança da sua voz e a lucidez da sua mente contrastam com a calamidade que é: encolhida, quase calva — entre as mechas brancas se divisam pedaços de couro cabeludo —, a cara franzida em mil rugas, uma dentadura postiça que se move quando come ou fala. É um pedacinho de mulher, meio perdida na cadeira de balanço onde a instalaram Lucinda, Manolita, Marianita e a criada haitiana depois de descê-la juntas do andar alto. Sua tia se empenhou em jantar na sala com a filha do seu irmão Agustín, reaparecida de improviso depois de tantos anos. É mais velha ou menor que o seu pai? Urania não lembra. Fala com energia e em seus olhinhos fundos há fulgores de inteligência. "Nunca a teria reconhecido", pensa Urania. Tampouco Lucinda, e menos Manolita, a quem viu por última vez quando teria onze ou doze anos e agora é uma mulher envelhecida, com rugas no rosto e no pescoço, e cabelos maltingidos de um preto-azulado bastante brega. Marianita, sua filha, deve ter uns vinte anos: magra, muito pálida, o cabelo quase raspado e uns olhinhos tristes. Não deixa de contemplar Urania, como enfeitiçada. Que coisas terá ouvido dela sua sobrinha?

— Parece mentira que seja você, que esteja aqui. — A tia Adelina crava seus olhos penetrantes nela. — Nunca imaginei que voltaria a vê-la.

— Está vendo, tia, aqui estou. Que alegria me dá.

— Para mim também, filhinha. Mais ainda para Agustín. Meu irmão imaginou que nunca mais a veria.

— Sei não, tia. — Urania endireita suas defesas, pressente as recriminações, as perguntas indiscretas. — Estive todo o dia com ele e em nenhum momento pareceu me reconhecer.

Suas duas primas reagem em uníssono:

— É claro que a reconheceu, Uranita — afirma Lucinda.

— Como não pode falar, não se nota — apoia Manolita. — Mas entende tudo, sua cabeça está muito sã.

— Continua sendo um Craninho — ri a tia Adelina.

— Sabemos porque o vemos todo dia — remata Lucinda. — Ele reconheceu você e ficou feliz com a sua vinda.

— Tomara, prima.

Um silêncio que se prolonga, olhares que se cruzam sobre a velha mesa dessa sala estreita, com um aparador de vidro que Urania reconhece vagamente, e quadrinhos religiosos nas paredes de um verde desbotado. Tampouco aqui sente algo familiar. Na sua memória, a casa dos tios Adelina e Aníbal, onde vinha brincar com Manolita e Lucinda, era grande, luminosa, elegante e arejada, e esta é uma cova lotada de móveis deprimentes.

— A ruptura do quadril me separou de Agustín para sempre. — Agita o punho diminuto, de dedos deformados pela esclerose. — Antes, passava horas com ele. Tínhamos longas conversas. Eu não precisava que falasse para entender o que queria me dizer. Pobre meu irmão! Poderia tê-lo trazido para cá. Mas onde, nesta ratoeira?

Fala com raiva.

— A morte de Trujillo foi o princípio do fim para a família — suspira Lucindita. Logo se alarma. — Desculpa, prima. Você odeia Trujillo, não é mesmo?

— Começou antes — corrige tia Adelina e Urania se interessa no que diz.

— Quando, avó? — pergunta, com um fio de voz, a filha mais velha de Lucinda.

— Com a carta no "Foro Público", uns meses antes de matarem Trujillo — sentencia tia Adelina; seus olhinhos perfuram o vazio. — Por volta de janeiro ou fevereiro de 1961. Nós demos a notícia ao seu pai, de manhãzinha. Aníbal foi o primeiro a lê-la.

— Uma carta no "Foro Público"? — Urania procura, procura nas suas lembranças. — Ah, sim.

— Imagino que nada importante, imagino que uma bobagem que vai se esclarecer — disse seu cunhado ao telefone; estava tão alterado, tão veemente, soava tão falso que o senador Agustín Cabral se surpreendeu: o que havia com Aníbal? — Não leu *El Caribe*?

— Acabam de trazê-lo, ainda não abri.

Ouviu uma tossezinha nervosa.

— Bem, há uma carta ali, Craninho — tentou ser zombador e leve seu cunhado. — Disparates. Esclarece-o quanto antes.

— Obrigado por me ligar — despediu-se o senador Cabral. — Beijos a Adelina e às meninas. Passarei para vê-los.

Trinta anos nas alturas do poder político tinham feito de Agustín Cabral um homem experiente em imponderáveis — ciladas, emboscadas, ardis, traições —, de modo que saber que havia uma carta contra ele em "Foro Público", a seção mais lida e temida de *El Caribe* porque era alimentada pelo Palácio Nacional e era o barômetro político do país, não o deixou nervoso.

Era a primeira vez que aparecia na coluna infernal; outros ministros, senadores, governadores ou funcionários tinham sido abrasados por essas chamas; ele, até agora, não. Voltou para a sala. Sua filha, de uniforme, tomava o café da manhã: mangú — banana amassada com manteiga — e queijo frito. Beijou-a nos cabelos ("Olá, papai"), sentou-se frente a ela e, enquanto a criada servia o café, abriu devagar, sem atordoar-se, o jornal dobrado sobre um canto da mesa. Passou as páginas, até chegar a "Foro Público".

Senhor Diretor:
Escrevo por impulso cívico, protestando a ofensa à cidadania dominicana e à liberdade irrestrita de expressão que o governo do Generalíssimo Trujillo garante a esta República. Refiro-me a que não se deu a conhecer até agora em suas respeitáveis e lidas páginas, o fato, por todos sabido, de que o senador Agustín Cabral, apelidado Craninho (em razão de quê?) foi destituído da Presidência do Senado por ter-lhe comprovado uma gestão incorreta no Ministério de Obras Públicas, que ocupou até recentemente. É sabido também

que, escrupuloso como é este regime em matéria de probidade e uso de recursos públicos, uma comissão investigadora dos aparentes maus manejos e enredos — comissões ilegais, aquisição de material obsoleto com majoração de preços, inflação fictícia de orçamentos, em que teria incorrido o senador no exercício do seu ministério — foi nomeada para examinar os cargos contra ele.

Não tem o povo trujillista o direito de estar informado sobre fatos tão graves?

Atentamente

Engenheiro Telésforo Hidalgo Saíno
Rua Duarte N.
Trujillo

— Vou-me embora voando, papai — ouviu o senador Cabral, e, sem que gesto algum traísse sua calma aparente, afastou o rosto do jornal para beijar a menina. — Não posso voltar no ônibus do colégio, ficarei jogando voleibol. Voltaremos caminhando, com umas amigas.

— Cuidadinho ao atravessar as esquinas, Uranita.

Bebeu seu suco de laranja e tomou uma xícara de café fumegante recém-coado, sem pressa, mas não provou o mangú, nem o queijo frito nem a torrada com mel. Releu palavra por palavra, letra por letra, a carta de "Foro Público". Sem dúvida tinha sido manufaturada pelo Constitucionalista Bêbado, escriba dileto das insídias, mas ordenada pelo Chefe; ninguém ousaria escrever, menos ainda publicar, uma carta semelhante sem a vênia de Trujillo. Quando o viu pela última vez? Anteontem, no passeio. Não foi chamado a caminhar ao seu lado, o Chefe esteve conversando todo o tempo com o general Román e o general Espaillat, mas o saudou com a deferência de costume. Ou não? Aguçou a sua memória. Advertiu certo endurecimento nesse olhar fixo, intimidante, que parecia rasgar as aparências e atingir a alma de quem esquadrinhava? Certa secura ao responder-lhe o cumprimento? Um cenho que se franzia? Não, não lembrava nada anormal.

A cozinheira lhe perguntou se viria almoçar. Não, só para jantar, e assentiu quando Aleli lhe propôs o menu para o jantar. Ao ouvir o carro da Presidência do Senado chegando na porta da sua casa, olhou o relógio: oito em ponto. Graças a Trujillo, tinha descoberto que o tempo é ouro. Como tantos, desde que era jovem fez suas as obsessões do Chefe: ordem, exatidão, disciplina, perfeição. O senador Agustín Cabral disse num discurso: "Graças à Sua Excelência, o Benfeitor, os dominicanos descobriram as maravilhas da pontualidade." Pondo o paletó, ia para a rua: "Se tivessem me destituído, o carro da Presidência do Senado não teria vindo me buscar." Seu assistente, o tenente de aviação Humberto Areal, que nunca lhe ocultara suas vinculações com o SIM, abriu a porta. O carro oficial, com Teodosio ao volante. O assistente. Não precisava se preocupar.

— Nunca soube por que caiu em desgraça? — assombra-se Urania.

— Nunca com certeza — esclarece tia Adelina. — Houve muitas suposições, nada mais. Anos de anos Agustín se perguntou o que fez para que Trujillo se zangasse assim, da noite para o dia. Para que um homem que o tinha servido toda a vida se transformasse num empestado.

Urania observa a incredulidade com que Marianita as escuta.

— Parecem coisas de outro planeta, não é, sobrinha?

A garota fica vermelha.

— É que parece tão incrível, tia. Como no filme de Orson Welles, *O processo*, que passaram no Cine Club. Anthony Perkins é julgado e executado sem que descubra por quê.

Manolita se abana com as duas mãos faz tempo; deixa de fazê-lo para intervir:

— Diziam que caiu em desgraça porque fizeram Trujillo acreditar que, por culpa do tio Agustín, os bispos se negaram a proclamá-lo Benfeitor da Igreja Católica.

— Disseram mil coisas — exclama tia Adelina. — Foi o pior do seu calvário, as dúvidas. A família começou a afundar e ninguém sabia de que acusavam Agustín, o que tinha feito ou deixado de fazer.

Não havia nenhum senador no local do Senado quando Agustín Cabral entrou às oito e quinze da manhã, como todos os dias. O guarda lhe deu a saudação que lhe correspondia e os meirinhos e empregados que cruzou nos corredores a caminho de seu gabinete deram bom-dia com a efusividade de sempre. Mas seus dois secretários, Isabelita e o jovem advogado Paris Goico, tinham a inquietação refletida nos rostos.

— Quem morreu? — brincou. — Estão preocupados com a cartinha em "Foro Público"? Vamos esclarecer essa infâmia agora mesmo. Chame o diretor de *El Caribe*, Isabelita. Na sua casa, Panchito não vai ao jornal antes do meio-dia.

Sentou-se na sua escrivaninha, deu uma olhada na pilha de documentos, na correspondência, na agenda do dia preparada pelo eficiente Parisito. "A carta foi ditada pelo Chefe." Uma cobrinha se deslizou por sua espinha dorsal. Era um desses teatros que divertiam o Generalíssimo? No meio das tensões com a Igreja, o confronto com os Estados Unidos e a OEA, tinha ânimo para os melindres que costumava no passado, quando se sentia todo-poderoso e sem ameaças? Estavam os tempos para circos?

— No telefone, don Agustín.

Levantou o fone e esperou uns segundos, antes de falar.

— Acordei você, Panchito?

— Que nada, Craninho. — A voz do jornalista era normal. — Eu sou madrugador, como galo capão. E durmo com um olho aberto, por garantia. Que houve?

— Bem, como imagina, estou ligando pela carta desta manhã, em "Foro Público" — pigarreou o senador Cabral. — Pode me dizer alguma coisa?

A resposta veio com o mesmo tom leve, zombeteiro, como se fosse uma banalidade.

— Chegou recomendada, Craninho. Não ia publicar uma coisa dessa sem fazer averiguações. Acredite que, dada a nossa amizade, não fiquei feliz de publicá-la.

"Sim, sim, claro", murmurou. Nem um só momento devia perder seu sangue-frio.

— Proponho-me retificar essas calúnias — disse, suavemente. — Não fui destituído de nada. Estou ligando da Presidência do Senado. E essa suposta comissão investigadora da minha gestão no Ministério de Obras Públicas é outra patranha.

— Mande-me sua retificação quanto antes — respondeu Panchito. — Farei o que puder para publicá-la, era só o que faltava. Sabe o apreço que tenho por você. Estarei no jornal a partir das quatro. Beijos a Uranita. Um abraço, Agustín.

Depois de desligar, duvidou. Fizera bem em falar com o diretor de *El Caribe*? Não era um movimento em falso, que delatava seu alarme? Que outra coisa podia lhe ter dito: ele recebia as cartas para "Foro Público" diretamente do Palácio Nacional e publicava-as sem fazer perguntas. Consultou o seu relógio: quinze para as nove. Tinha tempo; a reunião do gabinete diretivo do Senado era às nove e meia. Ditou a Isabelita a retificação do modo austero e claro com que redigia seus escritos. Uma carta breve, seca e fulminante: continuava sendo o Presidente do Senado e ninguém havia questionado sua escrupulosa gestão no Ministério de Obras Públicas que lhe confiou o regime presidido por esse dominicano epônimo, Sua Excelência o Generalíssimo Rafael Leonidas Trujillo, Benfeitor e Pai da Pátria Nova.

Quando Isabelita ia datilografar o ditado, Paris Goico entrou no gabinete.

— Suspendeu-se a reunião do gabinete diretivo do Senado, senhor Presidente.

Era jovem, não sabia disfarçar; tinha a boca entreaberta e estava lívido.

— Sem me consultar? Quem?

— O vice-presidente do Congresso, don Agustín. Ele mesmo acaba de me comunicar.

Sopesou o que acabava de ouvir. Podia ser um fato isolado, sem relação com a carta de "Foro Público"? O aflito Parisito esperava, em pé junto da escrivaninha.

— O doutor Quintanilla está em seu gabinete? — Como seu ajudante fez com a cabeça que sim, levantou-se: — Diga-lhe que vou para lá.

— É impossível que não se lembre, Uranita — a admoesta sua tia Adelina. — Você tinha quatorze anos. Era a coisa mais grave que tinha acontecido na família, mais ainda que o acidente em que sua mamãe morreu. E você não percebia nada?

Tinham tomado café e uma infusão. Urania provou um pouquinho de bolo de milho. Conversavam em volta da mesa da sala, na luz mortiça da pequena luminária de pé. A criada haitiana, silenciosa como um gato, tinha recolhido o serviço.

— Lembro-me da angústia de papai, naturalmente, tia — explica Urania. — Os detalhes me fogem, os incidentes diários. Ele tentava ocultá-los de mim ao princípio. "Há problemas, Uranita, já vão se resolver." Não imaginei que a partir daí minha vida daria essa reviravolta.

Sente os olhares de sua tia, suas primas e sua sobrinha queimando. Lucinda diz o que pensam:

— Algum bem resultou para você, Uranita. Não estaria onde está, senão. Em contrapartida, para nós, foi o desastre.

— Para o meu pobre irmão, mais que ninguém — sua tia Adelina a acusa. — Apunhalaram-no e o deixaram sangrando, trinta anos mais.

Um papagaio chia, sobre a cabeça de Urania, assustando-a. Não percebera até agora o animal; está encrespado, movendo-se de um lado para o outro no seu cilindro de madeira, dentro de uma grande gaiola de barrotes azuis. Sua tia, primas e sobrinha começam a rir.

— Sansón — apresenta Manolita. — Ficou bravo porque o acordamos. É um dorminhoco.

Graças ao papagaio, a atmosfera se distende.

— Tenho certeza de que, se compreendesse o que ele diz, saberia de muitos segredos — brinca Urania, apontando para Sansón.

O senador Agustín Cabral não está para sorrisos. Responde com uma séria vênia ao meloso cumprimento do doutor Jeremías Quintanilla, vice-presidente do Senado, em cujo gabinete acaba de irromper, e, sem preâmbulos, repreende-o:

— Por que suspendeu a reunião do gabinete diretivo do Senado? Não é esse atributo do Presidente? Exijo uma explicação.

O rosto grosso, cor de cacau, do senador Quintanilla assente repetidas vezes, enquanto seus lábios, num espanhol cadenciado, quase musical, empenham-se em acalmá-lo:

— Naturalmente, Craninho. Não fique nervoso. Tudo, exceto a morte, tem a sua razão.

É um homão roliço e sessentão, de pálpebras inchadas e boca viscosa, enfiado num terno azul e uma gravata com listras prateadas, que brilha. Sorri com teimosia, e Agustín Cabral o vê tirar os óculos, piscar os olhos, jogar uma rápida olhada circular com suas córneas branquíssimas, e, dando um passo até ele, segurar seu braço e arrastá-lo, enquanto diz, muito alto:

— Sentemo-nos aqui, estaremos mais cômodos.

Mas não o leva até as poltronas de pesados pés de tigre do seu gabinete, mas para uma varanda de portas entreabertas. Obriga-o a sair com ele, de modo que possam falar ao ar livre, frente ao rum-rum do mar, longe de escutas indiscretas. Há um sol forte; a luminosa manhã arde de motores e buzinas que vêm do *malecón* e as vozes dos vendedores ambulantes.

— O que é que acontece, Mono? — murmura Cabral.

Quintanilla segura sempre o seu braço e agora está muito sério. Adverte em seu olhar um sentimento difuso, de solidariedade ou compaixão.

— Você sabe muito bem o que acontece, Craninho, não seja babaca. Não percebeu que há três ou quatro dias deixaram de chamá-lo "distinto cavalheiro" nos jornais, que o rebaixaram a "senhor"? — murmura no seu ouvido o Mono Quintanilla. — Não leu *El Caribe* esta manhã? Isso é o que acontece.

Pela primeira vez, desde que leu a carta em "Foro Público", Agustín Cabral sente medo. É verdade: ontem ou anteontem alguém brincou no Country Clube que a página de sociais de *La Nación*, tinha-o privado do "distinto cavalheiro", coisa que costumava ser um mau presságio: o Generalíssimo se divertia com essas advertências. Isso era sério. Era uma tempestade. Tinha que valer-se de toda a sua experiência e astúcia para não ser engolido.

— Veio do Palácio a ordem de suspender a reunião do gabinete diretivo? — sussurra. O vice-presidente, inclinado, cola sua orelha na boca do Cabral.

— De onde viria? Há mais. Suspendem-se todas as comissões nas que você participa. A diretiva diz: "Até se regularizar a situação do Presidente do Senado."

Fica mudo. Aconteceu. Está acontecendo aquele pesadelo que, de vez em quando, vinha lastrar os seus triunfos, suas promoções, seus sucessos políticos: indispuseram-no com o Chefe.

— Quem lhe transmitiu isso, Mono?

A cara bochechuda de Quintanilla se contrai, inquieta, e Cabral entende afinal de onde vem o apelido de Mono. O vice-presidente vai lhe dizer que não pode cometer essa indiscrição? Bruscamente, decide-se:

— Henry Chirinos. — Volta a tomá-lo pelo braço. — Sinto muito, Craninho. Não acredito que possa fazer muito, mas, se eu puder, conta comigo.

— Disse Chirinos de que me acusam?

— Limitou-se a me transmitir a ordem e a discursar: "Não sei de nada. Sou o modesto mensageiro de uma decisão superior."

— Seu pai sempre suspeitou que o intrigante foi Chirinos, o Constitucionalista Bêbado — lembra a tia Adelina.

— Esse gordo negrusco e nojento foi um dos que melhor se acomodou — interrompe Lucindita. — De cama e mesa de Trujillo e terminou como ministro e embaixador de Balaguer. Está vendo como é este país, Uranita?

— Lembro-me muito dele, vi-o em Washington faz uns anos, como embaixador — diz Urania. — Ia muito em casa quando eu era pequena. Parecia íntimo de papai.

— E de Aníbal e meu — acrescenta tia Adelina. — Vinha aqui com seus salamaleques, recitava-nos seus versinhos. Andava o tempo todo citando livros, posando de culto. Convidou-nos ao Country Clube uma vez. Eu não queria acreditar que tivesse traído o seu companheiro da vida inteira. Bem, a política é isso, abrir-se caminho entre cadáveres.

— O tio Agustín era muito íntegro, muito bom, por isso se encarniçaram com ele.

Lucindita espera que a ratifique, que reclame também por essa infâmia. Mas Urania não tem forças para simular. Limita-se a escutá-la, com ar compungido.

— Por sua vez, o meu marido, que em paz descanse, comportou-se como um cavalheiro, deu ao seu pai todo o seu apoio. — Solta um risinho sarcástico a tia Adelina. — Que Quixote! Perdeu o posto em La Tabacalera, e jamais voltou a encontrar emprego.

O papagaio Sansón irrompe outra vez numa catarata de gritos e ruídos que parecem impropérios. "Cale-se, marmota", briga Lucindita.

— Menos mal que não perdemos o humor, garotas — exclama Manolita.

— Localize o senador Henry Chirinos e diga-lhe que quero vê-lo imediatamente, Isabel — ordena o senador Cabral, entrando no seu gabinete. E, dirigindo-se ao doutor Goico: — Pelo visto, é o cozinheiro deste enredo.

Senta-se à escrivaninha, dispõe-se a revisar de novo a agenda do dia, mas toma consciência da sua situação. Faz sentido assinar cartas, resoluções, memorandos, notas, como Presidente do Senado da República? É duvidoso que continue sendo. O pior, dar sintomas de desalento na frente dos seus subordinados. Ao mau tempo, boa cara. Toma o dossiê e está começando a reler o primeiro escrito quando percebe que Parisito continua ali. As mãos tremem:

— Senhor Presidente, eu queria lhe dizer — balbucia, quebrado pela emoção. — Aconteça o que acontecer, estou com você. Para tudo. Sei o quanto lhe devo, doutor Cabral.

— Obrigado, Goico. Você é novo neste mundo e verá coisas piores. Não se preocupe. Capearemos esta tempestade. E, agora, ao trabalho.

— O senador Chirinos o espera na sua casa, senhor Presidente — Isabelita entra no gabinete falando. — Respondeu ele mesmo. Sabe o que me disse? "As portas da minha casa estão abertas dia e noite para o meu grande amigo, o senador Cabral."

Ao sair do edifício do Congresso, a guarda lhe faz a saudação militar habitual. Lá continua o carro preto, funerário. Mas seu assistente, o tenente Humberto Areal, esfumou-se. Teodosio, o motorista, abre a porta.

— Para a casa do senador Henry Chirinos.

O condutor concorda, sem abrir a boca. Depois, quando já seguem pela avenida Mella, nos limites da cidade colonial, olhando-o pelo espelho retrovisor informa:

— Desde que saímos do Congresso, segue-nos um "fusca" com *caliés*, doutor.

Cabral se vira para olhar: a quinze ou vinte metros vê um dos inconfundíveis Volkswagen pretos do Serviço de Inteligência. Na luminosidade ofuscante da manhã não pode distinguir quantas cabeças de *caliés* há dentro. "Agora a gente do SIM me escolta no lugar do meu assistente." Enquanto o carro entra nas ruelas estreitas, lotadas de gente, de casinhas de um e dois andares, com grades nas janelas e socos de pedra, da cidade colonial, pensa que o assunto é ainda mais grave do que supôs. Se Johnny Abbes mandou que o seguissem, talvez tenham tomado a decisão de detê-lo. A história de Anselmo Paulino, tal qual. O que tanto temia. Seu cérebro é uma forja ao vermelho vivo. O que tinha feito? O que havia dito? Em que falhou? A quem viu ultimamente? Tratavam-no como inimigo do regime. Ele, ele!

O carro parou na esquina da Salomé Ureña com Duarte e Teodosio desceu para abrir-lhe a porta. O "fusca" estacionou a poucos metros, mas nenhum *calié* desceu. Esteve tentado a aproximar-se e perguntar-lhes por que seguiam o Presidente do Senado, mas se conteve: do que serviria esse desplante com uns coitados que obedeciam ordens?

A velha casa de dois andares, com varandinha colonial e janelas com persianas, do senador Henry Chirinos se parecia com o seu dono; o tempo, a velhice, a incúria, haviam-na contrafeito, tornado assimétrica; alargava-se excessivamente na meia altura, como se tivesse lhe crescido uma barriga e fosse arrebentar. Devia ter sido em tempos remotos uma nobre e robusta mansão; agora estava suja, abandonada, e parecia a ponto de desmoronar. Manchas e nódoas maculavam os muros e dos seus tetos pendiam teias de aranhas. Assim que tocou, abriram. Subiu umas lôbregas escadas que rangiam, de corrimãos gordurosos, e, no primeiro andar, o mordomo abriu uma porta de vidro rangente: reconheceu a nutrida biblioteca, os pesados cortinados de veludo, altas prateleiras repletas de livros, o fofo tapete desbotado, os quadros ovais e os fios prateados dos lustres que delatavam as lanças de luz solar que penetravam pelas janelas. Cheirava a velho, a humores rançosos, fazia um calor infernal. Esperou Chirinos em pé. Nas vezes que tinha estado aqui, tantos anos, em reuniões, pactos, negociações, conspirações, a serviço do Chefe.

— Bem-vindo à sua casa, Craninho. Um xerez? Doce ou seco? Recomendo o fino amontillado. Está fresquinho.

De pijama e envolto num pomposo roupão de pano verde, com cós de seda, que acentuava as redondezas do seu corpo, um bojudo lenço no bolso e umas pantufas de cetim deformadas por seus joanetes, o senador Chirinos lhe sorria. Os escassos cabelos revoltos e as remelas do seu rosto tumefacto, de pálpebras e lábios roxos, com uma boqueira de saliva ressecada, revelaram ao senador Cabral que não tinha se lavado ainda. Deixou que batesse nas suas costas e o conduzisse às poltronas antigas com xales de linho no encosto, sem responder às efusões do dono da casa.

— A gente se conhece há muitos anos, Henry. Fizemos juntos muitas coisas. Boas e algumas ruins. Não há duas pessoas no regime que tenham estado tão unidas, como você e eu. O que acontece? Por que me está caindo o céu em cima desde esta manhã?

Teve que calar-se, porque entrou no quarto o mordono, um velho mulato caolho, tão feio e descuidado como o dono da casa, com uma jarrinha de cristal em que tinha esvaziado o xerez e dois copinhos. Deixou-os sobre a mesinha e se retirou, mancando.

— Não sei. — O Constitucionalista Bêbado se golpeou o peito. — Não vai acreditar. Vai pensar que eu maquinei, inspirei, instiguei o que lhe acontece. Pela memória da minha mãe, o mais sagrado desta casa, eu não sei. Desde que soube, ontem bem tarde, fiquei surpreso. Espera, espera, brindemos. Para que essa confusão se resolva logo, Craninho!

Falava com brio e emoção, o coração na mão e a suscetibilidade açucarada dos heróis das radionovelas que a HIZ importava, antes da Revolução castrista, da CMQ da Havana. Mas Agustín Cabral o conhecia bem: era um histrião de alto nível. Podia ser verdade ou falso, não tinha como averiguá-lo. Bebeu um golinho de xerez, com nojo, pois nunca bebia álcool pelas manhãs. Chirinos alisava os pelos das narinas.

— Ontem, despachando com o Chefe, de repente me ordenou instruir o Mono Quintanilla que, como vice-presidente do Senado, cancelasse todas as reuniões até que se cobrisse a vacância da presidência — prosseguiu, gesticulando. — Pensei num acidente, uma parada cardíaca, sei lá. "O que aconteceu com Craninho, Chefe?" "Isso gostaria de saber", respondeu, com essa secura que gela os ossos. "Deixou de ser um dos nossos e passou ao inimigo." Não pude perguntar mais, seu tom era contundente. Mandou-me cumprir o encargo. E esta manhã eu li, como todo o mundo, a carta em "Foro Público". De novo juro pela memória da minha santa mãe: é tudo o que sei.

— Você escreveu a carta de "Foro Público"?

— Eu escrevo corretamente o castelhano — indignou-se o Constitucionalista Bêbado. — O ignorante cometeu três erros de sintaxe. Eu os marquei.

— Quem, então?

As conchas adiposas do senador Chirinos derramaram sobre ele um olhar compassivo:

— Que merda importa, Craninho? Você é um dos homens inteligentes deste país, não se faça de babaca comigo, que o conheço desde que era um garoto. A única coisa que importa é que o Chefe se zangou, por algum motivo. Fale com ele, desculpe-se, dê-lhe explicações, faça propósito de emenda. Reconquiste a sua confiança.

Pegou a jarrinha de cristal, voltou a encher seu copo e bebeu. O bulício da rua era menor que no Congresso. Pela espessura dos muros coloniais ou porque as estreitas ruas do centro afugentavam os carros.

— Desculpar-me, Henry? O que fiz? Não dedico meus dias e minhas noites ao Chefe?

— Não diga a mim. Convença a ele. Eu sei muito bem. Não desanime. Você o conhece. No fundo, um ser magnânimo. De entranha justiceira. Se não fosse desconfiado, não teria durado trinta e um anos. Há um engano, um mal-entendido. Deve esclarecer-se. Peça audiência. Ele sabe escutar.

Falava mexendo a mão, divertindo-se com cada palavra que expulsavam seus lábios cinzentos. Sentado, parecia ainda mais obeso que em pé: a enorme barriga havia entreaberto o roupão e pulsava com fluxo e refluxo compassados. Cabral imaginou aqueles intestinos dedicados, tantas horas no dia, à laboriosa tarefa de deglutir e dissolver os bolos alimentícios que engolia esse beiço voraz. Lamentou estar ali. Será que o Constitucionalista Bêbado ia ajudá-lo? Se não tramou isto, no seu foro íntimo devia celebrá-lo como uma grande vitória contra quem, por baixo das aparências, sempre foi um rival.

— Dando voltas, espremendo os miolos — acrescentou Chirinos, com ar conspirativo —, acabei pensando que, talvez, a razão seja a desilusão que produziu no Chefe a negativa dos bispos de proclamá-lo Benfeitor da Igreja Católica. Você estava na comissão que fracassou.

— Éramos três, Henry! Integravam-na, também, Balaguer e Paíno Pichardo, como ministro do Interior e Cultos. Aquelas gestões foram há meses, pouco depois da Pastoral dos bispos. Por que tudo recairia só sobre mim?

— Não sei, Craninho. Parece sem pés nem cabeça, de fato. Eu tampouco vejo razão alguma para você cair em desgraça. Sinceramente, por nossa amizade de tantos anos.

— Fomos mais que amigos. Estivemos juntos, atrás do Chefe, em todas as decisões que transformaram este país. Somos história viva. Demo-nos rasteiras, golpes baixos, fizemos armadilhas para tirar vantagem um sobre o outro. Mas a aniquilação parecia excluída. Isto é outra coisa. Posso terminar na ruína, no descrédito, na prisão. Sem saber por quê! Se tiver forjado tudo isto, parabéns. Uma obra-prima, Henry!

Levantou-se. Falava com calma, de maneira impessoal, quase didática. Chirinos se levantou também, recostando-se sobre um dos braços da poltrona para apoiar sua corpulência. Estavam muito juntos, quase tocando-se. Cabral viu um quadrinho na parede, entre as prateleiras de livros, que era uma citação de Tagore: "Um livro aberto é um cérebro que fala; fechado, um amigo que espera; esquecido, uma alma que perdoa; destruído, um coração que chora." "Brega em tudo o que faz, toca, diz e sente", pensou.

— Franquezas valem franquezas. — Chirinos aproximou seu rosto e Agustín Cabral se sentiu aturdido com o bafo que escoltava suas palavras. — Faz dez anos, cinco, não teria vacilado em tramar alguma coisa para tirar você do caminho, Agustín. Como você comigo. Incluída a aniquilação. Mas, agora? Para quê? Temos alguma conta pendente? Não. Não estamos mais em disputa, Craninho, você sabe tão bem como eu. Quanto resta de oxigênio a este moribundo? Pela última vez: não tenho nada a ver com o que acontece com você. Espero e desejo que o solucione. Vêm dias difíceis e para o regime convém ter você, para resistir aos embates.

O senador Cabral assentiu. Chirinos batia nas suas costas.

— Se vou até os *caliés* que me esperam lá embaixo e conto o que você disse, que o regime se asfixia, que é um moribundo, passaria a me fazer companhia — murmurou, como despedida.

— Não fará isso — riu o grande beiço escuro do dono da casa. — Você não é como eu. Você é um cavalheiro.

— O que foi dele? — pergunta Urania. — Vive?

A tia Adelina lança um risinho e o papagaio Sansón, que parecia adormecido, reage com outra enfiada de chiados. Quando cala, Urania detecta o compassado barulho da cadeira de balanço que ocupa Manolita.

— A erva daninha não morre — explica sua tia. — Sempre na sua mesma guarida de Ciudad Colonial, na Salomé

Ureña com Duarte. Lucindita o viu recentemente, de bengala e chinelos, passeando pelo parque Independencia.

— Uns meninos corriam atrás dele gritando: "O cuco, o cuco!" — ri Lucinda. — Está mais feio e nojento que antes. Deve ter mais de noventa, não é?

Passou já o tempo prudente depois da sobremesa para despedir-se? Urania não se sentiu confortável em toda a noite. Antes tensa, esperando uma agressão. Estas são os únicos parentes que lhe restam e se sente mais distante delas que das estrelas. E começam a irritá-la os grandes olhos de Marianita fixos nela.

— Esses dias foram terríveis para a família — volta a tia Adelina.

— Eu me lembro do meu pai e tio Agustín, cochichando nesta sala — diz Lucindita. — E seu pai dizendo: "Mas, meu Deus, o que pude fazer ao Chefe para me maltratar assim?"

Um cão que late descontrolado nas cercanias a cala; respondem-lhe dois, cinco mais. Por uma pequena claraboia, no alto do quarto, Urania divisa a lua: redonda e amarela, esplêndida. Em Nova York não havia luas assim.

— O que mais o amargurava era o seu futuro, se acontecesse alguma coisa com ele. — A tia Adelina tem o olhar carregado de recriminações. — Quando intervieram nas contas bancárias dele, soube que não tinha jeito.

— As contas bancárias! — assente Urania. — Foi a primeira vez que meu pai me falou.

Ela já estava deitada e seu pai entrou sem chamar. Sentou-se ao pé da cama. Em mangas de camisa, muito pálido, pareceu-lhe mais magrinho, mais frágil e mais velho. Vacilava em cada sílaba.

— Isso vai mal, minha filhinha. Tem que estar preparada para qualquer coisa. Até agora, ocultei-lhe a gravidade da situação. Mas, hoje em dia, bem, no colégio deve ter ouvido alguma coisa.

A menina assentiu, grave. Não se inquietava, sua confiança nele era ilimitada. Como podia acontecer algo de ruim com um homem tão importante?

— Sim, papai, que saíram cartas contra você em "Foro Público", que o acusavam de delitos. Ninguém vai acreditar, que bobagem. Todo mundo sabe que você é incapaz dessas maldades.

Seu pai a abraçou por cima da colcha.
Era mais sério que as calúnias do jornal, minha filha. Tinham-no despojado da Presidência do Senado. Uma comissão do Congresso verificava se houve maus usos e fraude de recursos públicos durante sua gestão ministerial. Fazia dias era seguido pelos "fuscas" do SIM; agora mesmo havia um na porta da casa, com três *caliés*. Na última semana recebeu comunicados de expulsão do Instituto Trujilloniano, do Country Clube, do Partido Dominicano, e, nesta tarde, ao retirar dinheiro do banco, o pontapé final. O administrador, seu amigo Josefo Heredia, informou-lhe que suas duas contas correntes tinham sido congeladas enquanto durasse a investigação do Congresso.

— Pode acontecer qualquer coisa, filhinha. Confiscar-nos esta casa, pôr-nos na rua. A cadeia, inclusive. Não quero assustá-la. Pode ser que nada aconteça. Mas precisa estar preparada. Ter coragem.

Escutava-o estupefata; não pelo que dizia, mas pelo desfalecimento da sua voz, o desamparo da sua expressão, o espanto dos seus olhinhos.

— Vou rezar à Virgem — ocorreu-lhe dizer. — Nossa Senhora da Altagracia nos ajudará. Por que não fala com o Chefe? Ele sempre gostou de você. Que dê uma ordem e tudo vai se ajeitar.

— Pedi audiência e nem sequer me responde, Uranita. Vou ao Palácio Nacional e os secretários e ajudantes mal me cumprimentam. O Presidente Balaguer tampouco quis me ver, nem o ministro do Interior; sim, Paíno Pichardo. Sou um morto em vida, filhinha. Talvez tenha razão e só reste encomendar-nos à Virgem.

A voz se cortou. Mas, quando a menina se incorporou para abraçá-lo, ele se refez. Sorriu-lhe:

— Você precisava saber disso, Uranita. Se algo me acontecer, vai para a casa dos seus tios. Aníbal e Adelina cuidarão de você. Pode ser um teste. Algumas vezes o Chefe fez coisas do gênero, para testar os seus colaboradores.

— Acusá-lo de maus usos, ele — suspira a tia Adelina. — Fora dessa casinha de Gazcue, nunca teve nada. Nem sítios, nem companhias, nem investimentos. Exceto essa poupança, os vinte e cinco mil dólares que foi lhe dando pouco a pouco, enquanto estudava lá. O político mais honrado e o melhor pai do mundo, Uranita. E, se me permite uma intrusão na sua vida privada por parte desta tia velha e caduca, você não se comportou com ele como devia. Eu sei que você o mantém e paga a enfermeira. Mas sabe quanto o fez sofrer não respondendo suas cartas, não se aproximando do telefone quando ele ligava? Muitas vezes Aníbal e eu o vimos chorar por você, aqui mesmo. Agora, que passou tanto tempo, pode-se saber por quê, garota?

Urania reflete, resistindo ao olhar admoestador da velhinha encolhida como um gancho na sua poltrona.

— Porque não era tão bom pai como você acha, tia Adelina — diz, afinal.

O senador Cabral fez o táxi deixá-lo na Clínica Internacional, a quatro quadras do Serviço de Inteligência, situado também na avenida México. Ao dar o endereço ao táxi, sentiu um prurido estranho, vergonha e pudor e, em vez de indicar ao motorista que ia para o SIM, mencionou a clínica. Caminhou as quatro quadras sem pressa; os domínios de Johnny Abbes eram provavelmente os únicos locais importantes do regime onde nunca pisara até agora. O "fusca" com *caliés* seguia-o sem dissimulação, em câmera lenta, colado à calçada, e ele podia perceber os movimentos de cabeça e as expressões alarmadas dos transeuntes ao descobrir o emblemático Volkswagen. Lembrou que, na comissão de Orçamento do Congresso, ele advogou a favor da destinação de recursos para importação da centena de "fuscas" com os quais os *caliés* de Johnny Abbes se deslocavam agora por todo o território em busca dos inimigos do regime.

No desbotado e inofensivo edifício, a guarda de policiais fardados e civis com metralhadoras, que montava guarda na porta atrás de alambrados e sacos de areia, deixou-o passar sem registrá-lo nem pedir documentos. Dentro, esperava-o um dos ajudantes do coronel Abbes: César Báez. Fortachón, comido pela varíola, encaracolada juba ruiva, estendeu-lhe uma mão suada e o conduziu por corredores estreitos, nos quais havia homens com pistolas em cartucheiras penduradas no ombro ou balançando sob o sovaco, fumando, discutindo ou rindo em cubículos cheios de fumaça, com tabuleiros cravejados de memorandos. Cheirava a suor, urina e pés. Uma porta se abriu. Ali estava o chefe do SIM. Surpreendeu-o a nudez monacal do gabinete, as paredes sem quadros nem cartazes, exceto a que estava às costas do coronel, que exibia um retrato em uniforme de parada — tricórnio com penas, peitilho constelado de medalhas — do Benfeitor. Abbes García estava à paisana, com uma camisa de verão de mangas curtas e um cigarro fumegante na boca. Tinha na mão o lenço vermelho com o qual Cabral lhe vira muitas vezes.

— Bom dia, senador. — Estendeu-lhe a mão mole, quase feminina. — Sente-se. Não temos confortos aqui, desculpe.

— Agradeço-lhe que me receba, coronel. O senhor é o primeiro. Nem o Chefe, nem o Presidente Balaguer, nem um único ministro responderam às minhas solicitações de audiência.

A figurinha pequena, pançuda, um tanto contrafeita, assentiu. Cabral via, em cima da papada dupla, a boca fina e as bochechas moles, os olhinhos profundos e aquosos do coronel, movendo-se inquietos. Seria tão cruel como diziam?

— Ninguém quer se contagiar, senhor Cabral — disse friamente Johnny Abbes. O senador pensou que se as serpentes falassem teriam essa voz sibilante. — Cair em desgraça é uma doença contagiosa. Em que posso servi-lo.

— Dizer-me do que me acusam, coronel. — Fez uma pausa para tomar fôlego e parecer mais sereno. — Tenho minha consciência limpa. Desde meus vinte anos dedico a minha vida a Trujillo e ao país. Houve algum engano, juro.

O coronel calou-o com um movimento da mão fofa, que tinha o lenço vermelho. Apagou o cigarro num cinzeiro de latão:

— Não perca o seu tempo me dando explicações, doutor Cabral. A política não é o meu campo, eu me ocupo da segurança. Se o Chefe não quer recebê-lo porque está doído com você, escreva-lhe.

— Já fiz isso, coronel. Nem sei se lhe entregaram as minhas cartas. Levei-as pessoalmente ao Palácio.

O rosto inchado de Johnny Abbes se distendeu um pouco:

— Ninguém reteria uma carta dirigida ao Chefe, senador. Ele deve tê-las lido e, se o senhor foi sincero, vai lhe responder. — Fez uma longa pausa, olhando-o sempre com esses olhinhos inquietos, e acrescentou, um tanto desafiante: — Vejo que lhe chama a atenção que use um lenço desta cor. Sabe por que o faço? É um ensinamento rosa-cruz. O vermelho é a cor que me convém. O senhor não deve acreditar nos rosa-cruzes, deve lhe parecer uma superstição, uma coisa primitiva.

— Não sei nada da religião rosa-cruz, coronel. Não tenho opinião a respeito.

— Agora não tenho tempo, mas, quando jovem, li muito sobre rosacrucianismo. Aprendi muitas coisas. A ler a aura das pessoas, por exemplo. A do senhor, neste momento, é a de alguém morto de medo.

— Estou morto de medo — respondeu Cabral no ato. — Há dias, seus homens me seguem sem parar. Diga-me, pelo menos, se vão me prender.

— Isso não depende de mim — disse Johnny Abbes, com ar ligeiro, como se a coisa não tivesse importância. — Se me ordenarem, eu o farei. A escolha é para dissuadi-lo de asilar-se. Se tentar, meus homens o prenderão.

— Asilar-me? Mas, coronel. Asilar-me, como um inimigo do regime? Mas eu sou do regime há trinta anos.

— Junto ao seu amigo Henry Dearborn, o chefe da missão que os ianques nos deixaram — prosseguiu, sarcástico, o coronel Abbes.

A surpresa emudeceu Agustín Cabral. O que queria dizer?

— Meu amigo, o cônsul dos Estados Unidos? — balbuciou. — Só duas ou três vezes na minha vida vi o senhor Dearborn.

— É um inimigo nosso, como o senhor sabe — prosseguiu Abbes García. — Os ianques o deixaram aqui, quando a OEA combinou as sanções, para continuar intrigando contra o Chefe. Todas as conspirações, há um ano, passam pelo escritório de Dearborn. Apesar disso, o senhor, Presidente do Senado, foi a um coquetel na casa dele, há pouco. Lembra?

O assombro de Agustín Cabral aumentava. Era isso? Ter assistido àquele coquetel na casa do encarregado de negócios que os Estados Unidos deixaram quando fecharam a embaixada?

— O Chefe nos deu a ordem de assistir a esse coquetel, ao ministro Paíno Pichardo e a mim — explicou. — Para sondar os planos do seu governo. Por ter cumprido essa ordem caí em desgraça? Fiz um relatório escrito sobre aquela reunião.

O coronel Abbes García encolheu seus ombrinhos caídos, num movimento de marionete.

— Se foi ordem do Chefe, esqueça o meu comentário — admitiu, com um relento irônico.

Sua atitude delatava certa impaciência, mas Cabral não se despediu. Mantinha a insensata ilusão de que essa conversa desse algum fruto.

— O senhor e eu nunca fomos amigos, coronel — disse, esforçando-se para falar com naturalidade.

— Eu não posso ter amigos — replicou Abbes García. — Prejudicaria o meu trabalho. Meus amigos e meus inimigos são os do regime.

— Deixe-me terminar, por favor — prosseguiu Agustín Cabral. — Mas sempre o respeitei e reconheci os serviços excepcionais que dispensa ao país. Se tivemos alguma discrepância...

O coronel pareceu que levantava uma mão para fazê-lo calar, mas era para acender outro cigarro. Aspirou com avidez e expulsou calmamente a fumaça, pela boca e nariz.

— Claro que tivemos discrepâncias — reconheceu. — O senhor foi um dos que mais combateu minha tese de que, em vista da traição ianque, temos que aproximar-nos dos russos e dos países do Leste. O senhor, com Balaguer e Manuel Alfonso, tenta convencer o Chefe de que a reconciliação com os ianques é possível. Continua acreditando nessa bobagem?

Era essa a razão? Abbes García tinha cravado o punhal? Aceitou o Chefe essa imbecilidade? Afastavam-no para aproximar o regime do comunismo? Era inútil continuar humilhando-se diante de um especialista em torturas e assassinatos que, por causa da crise, agora ousava achar-se estrategista político.

— Continuo pensando que não temos alternativa, coronel — afirmou, resolvido. — O que o senhor propõe, me perdoe a franqueza, é uma quimera. Nem a URSS nem seus satélites aceitarão jamais a aproximação com a República Dominicana, baluarte anticomunista no Continente. Os Estados Unidos também não o admitiriam. O senhor quer outros oito anos de ocupação americana? Temos que chegar a algum entendimento com Washington ou será o fim do regime.

O coronel deixou cair a cinza do seu cigarro no chão. Dava uma tragada atrás da outra, como se temesse que fossem lhe arrebatar o cigarro, e, de tanto em tanto, enxugava a testa com seu lenço que parecia labareda.

— Seu amigo Henry Dearborn não pensa assim, pena. — Encolheu os ombros de novo, como um cômico barato. — Continua tentando financiar um golpe contra o Chefe. Enfim, essa discussão é inútil. Espero que esclareça a sua situação, para tirar-lhe a escolta. Obrigado pela visita, senador.

Não lhe estendeu a mão. Limitou-se a fazer uma pequena vênia com seu rosto de bochechas inchadas meio dissolvido numa auréola de fumaça, com o fundo daquela fotografia do Chefe em uniforme de grande parada. Então, o senador lembrou a entrevista de Ortega e Gasset, apontada na caderneta que sempre levava no bolso.

Também o papagaio Sansón parece petrificado com as palavras de Urania; permanece quieto e mudo, como tia Adelina, que deixou de se abanar e abriu a boca. Lucinda e Manolita a olham, desconcertadas. Marianita pisca sem parar. Urania tem a absurda ideia de que aquela belíssima lua que espia da janela aprova o que ela disse.

— Não sei como diz isso do seu pai — reage sua tia Adelina. — Na minha longa vida, nunca conheci alguém que se sacrificasse mais por uma filha que meu pobre irmão. Você disse "mau pai" a sério? Você foi a adoração dele. E o seu tormento. Para não fazê-la sofrer, não voltou a se casar quando sua mãe morreu, apesar de ficar viúvo tão jovem. Graças a quem você teve a sorte de estudar nos Estados Unidos? Não gastou tudo o que tinha? A isso chama de mau pai?

Não deve lhe responder, Urania. Que culpa tem esta velhinha que passa seus últimos anos, meses ou semanas imóvel e amargurada por um fato tão remoto? Não lhe responda. Concorde, finja. Dê uma desculpa, despeça-se e esqueça-se dela para sempre. Com calma, sem a menor beligerância, diz:

— Não fazia esses sacrifícios por amor a mim, tia. Queria me comprar. Lavar sua consciência pesada. Sabendo que era em vão, que fizesse o que fizesse viveria o resto dos seus dias sentindo-se o homem vil e malvado que era.

Ao sair dos escritórios do Serviço de Inteligência na esquina das avenidas México e 30 de Março, achou que os policiais da guarda lhe davam uma olhada misericordiosa, e que um deles, inclusive, olhando-o fixo, acariciava intencionalmente a metralhadora San Cristóbal que usava atravessada nas costas. Sentiu-se sufocado, com uma ligeira vertigem. Teria a citação de Ortega e Gasset na sua caderneta? Tão oportuna, tão profética. Afrouxou a gravata e tirou o paletó. Passavam táxis mas nenhum parou. Iria para sua casa? Para sentir-se enjaulado e espremer os miolos enquanto descia do seu quarto ao gabinete ou subia de novo ao quarto passando pela sala, perguntando-se, mil vezes, o que tinha acontecido? Por que era este coelho perseguido por caçadores invisíveis? Tinham-lhe tirado o gabinete do Congresso e o carro oficial, e sua carteira do Country Clube, onde poderia ter se refugiado, beber uma bebida fresca, vendo, do bar, aquela paisagem de jardins cuidados e remotos jogadores de golfe. Ou ir para a casa de um amigo, mas restava algum? Todos com os quais falara ao telefone pareceram-lhe assustados, reticentes, hostis: fazia mal a eles querendo vê-los. Caminhava sem rumo, com o paletó dobrado embaixo do braço. Podia ser a causa aquele coquetel na casa de Henry Dearborn? Impossível. Numa reunião de Conselho de ministros, o Chefe decidiu que ele e Paíno Pichardo compareceriam, "para explorar o terreno". Como podia castigá-lo por obedecer? Insinuou talvez Paíno a Trujillo que naquele coquetel ele se mostrou cordial demais com o gringo? Não, não, não. Não podia ser que por uma insignificância tão estúpida o Chefe pisoteasse alguém que o servira com devoção, com mais desinteresse que ninguém.

Andava como se estivesse perdido, mudando de direção a cada certo número de quadras. O calor o fazia transpirar. Era a primeira vez em muitíssimos anos que vagabundeava pelas ruas de Trujillo. Uma cidade que tinha visto crescer e transfigurar-se, do pequeno povoado avariado e em ruínas em que a deixou transformada o ciclone de San Zenón, em 1930, à moderna, bonita e próspera cidade que era agora, com ruas pavimentadas, luz elétrica, longas avenidas sulcadas por carros último modelo.

Quando olhou o relógio eram cinco e quinze da tarde. Estava andando havia duas horas e morria de sede. Estava em Casimiro de Moya, entre Pasteur e Cervantes, a poucos metros de um bar: El Turey. Entrou, sentou-se à primeira mesa. Pediu uma Presidente bem fria. Não havia ar-condicionado mas ventiladores, e na sombra estava gostoso. A longa caminhada o tinha serenado. O que seria dele? E de Uranita? O que seria da menina se o mandavam para a cadeia, ou se, num arranque, o Chefe ordenava matá-lo? Estaria Adelina em condições de educá-la, de transformar-se na sua mãe? Sim, sua irmã era uma mulher boa e generosa. Uranita seria mais uma filha, como Lucindita e Manolita.

Saboreou a cerveja com prazer, enquanto revisava sua caderneta de notas em busca da citação de Ortega e Gasset. O frio líquido, descendo por suas vísceras, produziu-lhe uma sensação benfeitora. Não perder as esperanças. O pesadelo podia se desvanecer. Não aconteceu, algumas vezes? Tinha enviado três cartas ao Chefe. Francas, dilaceradas, mostrando sua alma. Pedindo perdão pela falta que poderia ter cometido, jurando que faria qualquer coisa para desagravá-lo e redimir-se, se num ato de ligeireza ou de inconsciência tivesse falhado. Recordava-lhe os longos anos de entrega, sua absoluta honradez, como provava o fato de que agora, ao lhe congelarem as contas no Banco de Reserva — uns duzentos mil pesos, as economias de toda uma vida — tenha ficado na rua, com apenas a casinha de Gazcue para morar. (Só lhe ocultou aqueles vinte e cinco mil dólares depositados no Chemical Bank de Nova York que guardava para alguma emergência.) Trujillo era magnânimo, é verdade. Podia ser cruel, quando o país exigia. Mas, também, generoso, magnífico como esse Petrônio de *Quo Vadis*? que sempre citava. A qualquer momento, ele o chamaria ao Palácio Nacional ou à Fazenda Radhamés. Teriam uma explicação teatral, dessas de que o Chefe gostava. Tudo se esclareceria. Diria que, para ele, Trujillo não só tinha sido o Chefe, o estadista, o fundador da República, mas também um modelo humano, um pai. O pesadelo terminaria. Sua vida anterior seria recuperada, como por arte de magia. A citação de Ortega e Gasset apareceu, na esquina de uma página, escrita com sua letra miudinha: "Nada do que o homem foi, é ou será, foi, é nem será de uma vez para sempre, mas chegou a sê-lo um belo dia e outro belo dia deixará de sê-lo." Ele era um exemplo vivo da precariedade da existência que essa filosofia postulava.

Numa das paredes de El Turey, um cartaz anunciava a partir das sete da noite o piano do maestro Enriquillo Sánchez. Havia duas mesas ocupadas, com casais que cochichavam e se olhavam romanticamente. "Acusar-me de traidor, a mim." A ele, que, por Trujillo, renunciou aos prazeres, às diversões, ao dinheiro, ao amor, às mulheres. Alguém tinha deixado abandonado, numa cadeira contígua, um exemplar de *La Nación*. Pegou o jornal e, para ocupar as mãos, passou as páginas. Na terceira, um quadro anunciava que o muito ilustre e distinto embaixador don Manuel Alfonso acabava de chegar do estrangeiro, para onde viajou por motivos de saúde. Manuel Alfonso! Ninguém tinha acesso mais direto ao Chefe; este o distinguia e confiava-lhe seus assuntos mais íntimos, desde seu vestuário e perfumes até suas aventuras galantes. Manuel era amigo dele, devia-lhe favores. Podia ser a pessoa-chave.

Pagou e saiu. O "fusca" não estava ali. Ele se escapuliu sem perceber, ou parara a perseguição? No seu peito brotou um sentimento de gratidão, de esperança alvoroçada.

XIV

O Benfeitor entrou no gabinete do doutor Joaquín Balaguer às cinco, como fazia de segunda a sexta-feira, desde que, nove meses antes, no dia 3 de agosto de 1960, tentando evitar as sanções da OEA, fez seu irmão Héctor Trujillo (Negro) renunciar e ascendeu à Presidência da República o afável e diligente poeta e jurista que se levantava e aproximava para cumprimentá-lo:

— Boa tarde, Excelência.

Depois do almoço oferecido ao casal Gittleman, o Generalíssimo repousou meia hora, trocou de roupa — usava um finíssimo terno de linho branco — e despachou assuntos comuns com seus quatro secretários até cinco minutos antes. Vinha com a cara transfigurada e foi ao ponto, sem disfarçar sua irritação:

— Autorizou há duas semanas a saída da filha de Agustín Cabral para o estrangeiro?

Os olhinhos míopes do pequeno doutor Balaguer pestanejaram atrás dos grossos óculos.

— De fato, Excelência. Uranita Cabral, sim. As Dominican Nuns lhe deram uma bolsa para sua universidade de Michigan. A menina devia partir quanto antes, para umas provas. A diretora me explicou e o arcebispo Ricardo Pittini se interessou pelo assunto. Pensei que esse pequeno gesto podia estender pontes com a hierarquia. Expliquei tudo num memorando, Excelência.

O homenzinho falava com a suavidade bondosa de costume e um esboço de sorriso na cara redonda, pronunciando com a perfeição de um ator de radioteatro ou um professor de fonética. Trujillo o esquadrinhou, tentando desentranhar na sua expressão, na forma da sua boca, nos seus olhinhos evasivos, o menor indício, alguma alusão. Apesar da sua infinita desconfiança, não percebeu nada; claro, o Presidente fantoche era um político hábil demais para que seus gestos o traíssem.

— Quando me enviou esse memorando?

— Faz um par de semanas, Excelência. Depois da gestão do arcebispo Pittini. Dizia-lhe que, como a viagem da menina era urgente, eu lhe concederia a permissão a menos que o senhor tivesse objeção. Como não recebi sua resposta, procedi. Ela já tinha o visto dos Estados Unidos.

O Benfeitor sentou-se frente à escrivaninha de Balaguer e indicou a este para sentar. Neste gabinete do segundo andar do Palácio Nacional se sentia bem; era amplo, arejado, sóbrio, com prateleiras cheias de livros, de chão e paredes reluzentes, e o escritório sempre pulcro. Não se podia dizer que o Presidente fantoche fosse um homem elegante (como poderia sê-lo com essa silhueta entalhada e rechonchuda que fazia dele não só um homem baixo mas também, quase, um anão?), mas se vestia com a correção que falava, respeitava o protocolo e era um trabalhador infatigável para quem não existiam festas nem horários. Notou-o alarmado; percebia que, dando aquela permissão à filha de Craninho, podia ter cometido um grave engano.

— Só vi esse memorando faz meia hora — disse admonitório. — Poderia ter se extraviado. Mas isso seria estranho. Meus papéis estão sempre muito ordenados. Nenhum dos secretários o viu até agora. De modo que algum amigo de Craninho, temendo que eu fosse negar a permissão, extraviou-o.

O doutor Balaguer fez uma expressão consternada. Tinha adiantado o corpo e entreabria essa boquinha da qual saíam suaves arpejos e delicados gorjeios quando declamava, e, nas suas arengas políticas, frases altissonantes e até furiosas.

— Farei uma investigação a fundo, para saber quem levou ao seu gabinete o memorando e a quem o entregou. Precipitei-me, sem dúvida. Devia ter falado pessoalmente com o senhor. Peço que me desculpe esse deslize. — Suas mãozinhas gordinhas, de unhas curtas, abriram-se e fecharam-se, contritas. — Na verdade, pensei que o assunto não tinha importância. O senhor nos indicou, em Conselho de Ministros, que a situação de Craninho não incluía a família.

Calou-o, com um movimento de cabeça.

— Tem importância que alguém me escondesse esse memorando durante algumas semanas — disse, com secura. — Na secretaria há um traidor ou um inepto. Espero que seja um traidor, os ineptos são mais daninhos.

Suspirou, um pouco fatigado, e se lembrou do doutor Enrique Lithgow Ceara: teria querido matá-lo, de verdade, ou perdeu o controle? Por duas das janelas do gabinete via o mar; nuvens de grandes barrigas brancas tampavam o sol e na cinzenta tarde a superfície marinha parecia agitada, efervescente. Grandes ondas batiam na costa quebradiça. Embora nascido em San Cristóbal, longe do mar, o espetáculo das ondas espumosas e da superfície líquida perdendo-se no horizonte era o seu preferido.

— As freiras lhe deram a bolsa porque sabem que Cabral está em desgraça — murmurou aborrecido. — Porque pensam que agora servirá ao inimigo.

— Garanto que não, Excelência. — O Generalíssimo viu que o doutor Balaguer vacilava ao escolher as palavras. — A mãe María, *sister* Mary, e a diretora do Santo Domingo não têm bom conceito de Agustín. Parece que não se dava bem com a menina e esta sofria em casa. Queriam ajudar a ela, não a ele. Garantiram-me que é uma garota excepcionalmente dotada para o estudo. Apressei-me assinando a permissão, sinto muito. Fiz, mais que tudo, tentando suavizar as relações com a Igreja. Esse conflito me parece perigoso, Excelência, o senhor já sabe a minha opinião.

Voltou a calá-lo, com um gesto quase imperceptível. Já teria traído, Craninho? Sentir-se à margem, abandonado, sem cargos, sem meios econômicos, sumido na incerteza o teria empurrado para as filas do inimigo? Tomara que não; era um antigo colaborador, tinha prestado bons serviços no passado e talvez pudesse prestá-los no futuro.

— Viu Craninho?

— Não, Excelência. Segui suas instruções de não recebê-lo nem responder às chamadas dele. Escreveu-me essas cartas que o senhor conhece. Por Aníbal, seu cunhado, o de La Tabacalera, sei que está muito afetado. "À beira do suicídio", disse-me.

Tinha sido uma leviandade submeter um eficiente servidor como Cabral a uma prova assim nestes momentos difíceis para o regime? Talvez.

— Basta de perder o tempo com Agustín Cabral — disse. — A Igreja, os Estados Unidos. Comecemos por aí. O que vai acontecer com o bispo Reilly? Até quando vai continuar entre as freiras do Santo Domingo, fazendo-se de mártir?

— Falei longamente com o arcebispo e com o núncio a respeito. Insisti-lhes que monsenhor Reilly deve abandonar o Santo Domingo, que sua presença ali é intolerável. Acredito tê-los convencido. Pedem que se garanta a integridade do bispo, que pare a campanha em *La Nación*, *El Caribe* e *La Voz Dominicana*. E que possa voltar para sua diocese de San Juan de la Maguana.

— Não querem também que o senhor lhe ceda a Presidência da República? — perguntou o Benfeitor. O simples nome de Reilly ou de Panal fazia ferver seu sangue. E se, depois de tudo, o chefe do SIM tivesse razão? Se arrebentasse aquele foco infeccioso de uma vez? — Abbes García me sugere enfiar Reilly e Panal num avião de volta aos seus países. Expulsá-los como indesejáveis. O que Fidel Castro está fazendo em Cuba com os padres e freiras espanhóis.

O Presidente não disse uma palavra nem fez o menor gesto. Aguardava, imóvel.

— Ou permitir que o povo castigue esses dois traidores — continuou, depois de uma pausa. — O pessoal está ansioso por fazê-lo. Eu vi, nas viagens dos últimos dias. Em San Juan de la Maguana, em La Vega, mal se contêm.

O doutor Balaguer admitiu que o povo, se pudesse, os lincharia. Estava ressentido com esses cardeais, ingratos com alguém que tinha feito pela Igreja Católica mais que todos os governos da República, desde 1844. Mas o Generalíssimo era muito sábio e realista para seguir os conselhos desatinados e impolíticos do chefe do SIM, que, caso aplicados, trariam infaustas consequências à nação. Falava sem pressa, com uma cadência que, somada à sua limpa elocução, parecia embalá-lo.

— O senhor é a pessoa que mais detesta Abbes García dentro do regime — interrompeu-o. — Por quê?

O doutor Balaguer tinha a resposta na ponta da língua.

— O coronel é um técnico em questões de segurança e presta um bom serviço ao Estado — respondeu. — Mas, geralmente, seus julgamentos políticos são temerários. Com todo o respeito e a admiração que sinto por Vossa Excelência, permito-me exortá-lo a que despreze essas ideias. A expulsão, e, ainda pior, a morte de Reilly e Panal, nos traria uma nova invasão militar. E o fim da Era de Trujillo.

Como seu tom era muito suave e cordial, e a música das suas palavras tão agradável, parecia que as coisas que o doutor Joaquín Balaguer dizia não tivessem a firmeza de julgamento e a severidade que, às vezes, como agora, o minúsculo homenzinho se permitia com o Chefe. Estava se excedendo? Tinha sucumbido, como Craninho, à idiotice de sentir-se seguro e precisava também de um banho de realidade? Curioso personagem, Joaquín Balaguer. Estava ao seu lado desde que, em 1930, mandou-o chamar com dois guardas ao hotelzinho de Santo Domingo onde estava hospedado e o levou para sua casa por um mês, para que o ajudasse na campanha eleitoral em que teve como efêmero aliado o líder cibaenho Estrella Ureña, de quem o jovem Balaguer era partidário ardente. Um convite e um bate-papo de meia hora bastaram para que o poeta, professor e advogado de vinte e quatro anos, nascido no desprezado povoado de Navarrete, se transformasse em trujillista incondicional, em competente e discreto servidor em todos os cargos diplomáticos, administrativos e políticos que lhe confiou. Apesar de estar trinta anos ao seu lado, na verdade, o inconspícuo personagem a quem Trujillo batizou por isso numa época de Sombra era ainda hermético para ele, que se gabava de ter um olfato de grande sabujo para os homens. Uma das poucas certezas que abrigava respeito a ele era sua falta de ambições. Diferente dos outros do grupo íntimo, cujos apetites podia ler como num livro aberto em suas condutas, iniciativas e lisonjas, Joaquín Balaguer sempre lhe deu a impressão de só aspirar ao que ele quisesse lhe dar. Nos postos diplomáticos na Espanha, França, Colômbia, Honduras, México, ou nos ministérios de Educação, da Presidência, de Relações Exteriores, pareceu-lhe preenchido, aflito com essas missões acima dos seus sonhos e aptidões, e que, por isso mesmo, esforçava-se de maneira impetuosa em realizar bem. Mas — pensou de repente o Benfeitor — graças a essa humildade, o pequeno poeta e jurisconsulto sempre estivera no cume, sem que, devido à sua insignificância, nunca passasse por períodos de desgraça, como outros. Por isso era Presidente fantoche. Quando, em 1957, tentaram designar um vice-presidente na lista que encabeçava seu irmão Negro Trujillo, o Partido Dominicano, seguindo suas ordens, escolheu o embaixador na Espanha, Rafael Bonnelly. Subitamente, o Generalíssimo decidiu substituir esse aristocrata pelo escrupuloso Balaguer, com um argumento contundente: "Este carece de ambições." Mas, agora, graças a sua falta de ambições, este intelectual de delicadas maneiras e finos discursos era primeiro mandatário da nação e se permitia destrambelhar contra o chefe do Serviço de Inteligência. Terei que pô-lo no seu lugar, uma hora dessas.

Balaguer permanecia quieto e mudo, sem atrever-se a interromper suas reflexões, esperando que se dignasse dirigir-lhe a palavra. Afinal o fez, mas sem retomar o assunto da Igreja:

— Sempre o tratei de senhor, não é mesmo? É o único dos meus colaboradores que nunca tratei de você. Não lhe chama a atenção?

O rostinho redondo corou.

— De fato, Excelência — murmurou, envergonhado.
— Sempre me pergunto se não me trata de você porque confia menos em mim que nos meus colegas.

— Só neste momento me dou conta — acrescentou Trujillo, surpreso. — E, também, que o senhor nunca me diz Chefe, como os outros. Apesar de todos estes anos juntos, para mim o senhor é bastante misterioso. Nunca pude descobrir-lhe as fraquezas humanas, doutor Balaguer.

— Estou cheio delas, Excelência — sorriu o Presidente.
— Mas, em vez de um elogio, parece que me censura.

O Generalíssimo não estava brincando. Cruzou e descruzou as pernas, sem tirar o agudo olhar de Balaguer. Passou a mão pelo bigodinho mosca e os lábios ressecados. Escrutinava-o com obstinação.

— Há algo desumano no senhor — monologou, como se o objeto do seu comentário não estivesse presente. — Não tem os apetites naturais dos homens. Que eu saiba, não gosta de mulheres, nem de rapazes. Tem uma vida mais casta que a do seu vizinho da avenida Máximo Gómez, o núncio. Abbes García não lhe descobriu uma amante, uma namorada, um casinho. De tal maneira que a cama não lhe interessa. Tampouco o dinheiro. Mal tem economias; exceto a casinha onde mora, carece de propriedades, de ações, de investimentos, pelo menos aqui. Não esteve metido nas intrigas e guerras ferozes em que meus colaboradores se sangram, embora todos intriguem contra o senhor. Eu tive que lhe impor os ministérios, as embaixadas, a vice-presidência e até a Presidência que ocupa. Se o tirar daqui e o mandar para um cargo perdido em Montecristi ou Azua, iria para lá, igualmente contente. O senhor não bebe, não fuma, não come, não corre atrás de saias, dinheiro nem poder. O senhor é assim? Ou essa conduta é uma estratégia, com um intuito secreto?

O barbeado semblante do doutor Balaguer voltou a corar. Sua tênue vozinha não hesitou ao afirmar:

— Desde que conheci Vossa Excelência, naquela manhã de abril de 1930, meu único vício tem sido servi-lo. Daquele momento em diante soube que, servindo a Trujillo, servia ao meu país. Isso enriqueceu a minha vida, mais do que poderia tê-lo feito uma mulher, o dinheiro ou o poder. Nunca terei palavras para agradecer a Vossa Excelência por me permitir trabalhar ao seu lado.

Ora, as lisonjas de sempre, as que qualquer trujillista menos lido teria falado. Por um momento, imaginou que o pequeno e inofensivo personagem lhe abriria seu coração, como no confessionário, e revelaria seus pecados, medos, animosidades, sonhos. Quem sabe não tinha nenhuma vida secreta, e sua existência era a que todos conheciam: funcionário frugal e laborioso, tenaz e sem imaginação, que modelava em belos discursos, proclamas, cartas, acordos, arengas, negociações diplomáticas as ideias do Generalíssimo, e poeta que produzia acrósticos e loas à beleza da mulher dominicana e à paisagem de Quisqueya que engalanavam os Jogos Florais, as efemérides, os concursos da Senhorita República Dominicana e os festejos patrióticos. Um homenzinho sem luz própria, como a lua, a quem Trujillo, astro solar, iluminava.

— Eu sei, o senhor foi um bom colega — afirmou o Benfeitor. — Desde aquela manhã de 1930, sim. Mandei-o chamar por sugestão da minha esposa da época, Bienvenida. Sua parente, não é?

— Minha prima, Excelência. Aquele almoço decidiu a minha vida. O senhor me convidou a acompanhá-lo na turnê eleitoral. Fez-me a honra de me pedir que o apresentasse nos comícios de San Pedro de Macorís, da capital e de La Romana. Foi minha estreia como orador político. Meu destino tomou outro rumo, a partir daquela momento. Até então, minha vocação eram as letras, o ensino, o foro. Graças ao senhor, a política tomou a frente.

Um secretário bateu na porta, pedindo permissão para entrar. Balaguer consultou com o olhar e o Generalíssimo o autorizou. O secretário — terno ajustado, bigodinho, cabelo achatado pela brilhantina — trazia um memorando assinado por quinhentos e setenta e seis vizinhos notáveis de San Juan de la Maguana, "para que se impeça a volta a essa diocese de monsenhor Reilly, o bispo traidor". Uma comissão presidida pelo prefeito e o chefe local do Partido Dominicano queria entregá-lo ao Presidente. Ele a receberia? Consultou de novo e o Benfeitor confirmou.

— Que tenham a bondade de esperar — indicou Balaguer. — Receberei esses senhores quando terminar de despachar com Sua Excelência.

Seria Balaguer tão católico como diziam? Corriam incontáveis piadas sobre seu celibato e a maneira pia e reconcentrada que adotava nas missas, te-déuns e procissões; ele o tinha visto aproximar-se para comungar com as mãos juntas e os olhos baixos. Quando se construiu a casa em que habitava com as irmãs, na Máximo Gómez, contígua à nunciatura, Trujillo fez o Imundície Ambulante escrever uma carta a "Foro Público" caçoando dessa vizinhança e perguntando que compadrios tinha o diminuto doutorzinho com o enviado da Sua Santidade. Por sua fama de beato e suas excelentes relações com os padres, encomendou-lhe desenhar a política do regime com a Igreja Católica. Ele fez muito bem; até no domingo dia 25 de janeiro de 1960, em que leram nas paróquias a Carta Pastoral desses imbecis, a Igreja tinha sido uma sólida aliada. A Concordata entre a República Dominicana e o Vaticano, que Balaguer negociou e Trujillo assinou em Roma, em 1954, foi um formidável respaldo para o seu regime e a sua figura no mundo católico. O poeta e jurisconsulto devia sofrer com este confronto, que já durava um ano e meio, entre o governo e as batinas. Seria tão católico? Sempre defendeu que o regime se desse bem com os bispos, padres e o Vaticano alegando razões pragmáticas e políticas, não religiosas: a aprovação da Igreja Católica legitimava as ações do regime diante do povo dominicano. Não devia acontecer com Trujillo o que aconteceu com Perón, cujo governo começou a desmoronar quando a Igreja mirou nele. Tinha razão? A hostilidade desses eunucos de batinas acabaria com Trujillo? Antes, Panal e Reilly engordariam tubarões no recife.

— Vou dizer uma coisa que vai lhe agradar, Presidente — disse, de repente. — Eu não tenho tempo para ler as bobagens que escrevem os intelectuais. As poesias, os romances. As questões de Estado são muito absorventes. De Marrero Aristy, apesar de trabalhar tantos anos comigo, nunca li nada. Nem *Over*, nem os artigos que escreveu sobre mim, nem a *História dominicana*. Tampouco li as centenas de livros que me dedicaram os poetas, dramaturgos, romancistas. Nem sequer as bobagens da minha mulher eu li. Eu não tenho tempo para isso, nem para ver filmes, ouvir música, ir ao balé ou às brigas de galo. Além do mais, nunca confiei nos artistas. São desossados, sem senso da honra, propensos à traição e muito servis. Tampouco li seus versos nem seus ensaios. Mal folheei seu livro sobre Duarte, *O Cristo da liberdade*, que me enviou com dedicatória tão carinhosa. Mas há uma exceção. Um discurso seu, faz sete anos. O que pronunciou em Belas-Artes, quando o incorporaram à Academia da Língua. Lembra?

O homenzinho se acendeu mais ainda. Irradiava uma luz exaltada, de júbilo indescritível:

— "Deus e Trujillo: uma interpretação realista" — murmurou, baixando as pálpebras.

— Eu o reli muitas vezes — chiou a melíflua vozinha do Benfeitor. — Sei parágrafos de cor, como poesias.

Por que essa revelação ao Presidente fantoche? Era uma fraqueza, às que nunca sucumbia. Balaguer podia gabar-se disso, sentir-se importante. A situação não comportava a perda de um segundo colaborador em tão curto intervalo. Tranquilizou-o lembrar que, talvez o maior atributo deste homenzinho era não só saber o conveniente, mas também, principalmente, não inteirar-se do inconveniente. Não repetiria isso, para não ganhar inimizades homicidas entre os outros cortesãos. Aquele discurso de Balaguer o estremeceu, levou-o a perguntar-se muitas vezes se não expressava uma profunda verdade, uma dessas insondáveis decisões divinas que marcam o destino de um povo. Naquela noite, ouvindo os primeiros parágrafos que, enfiado no fraque que levava com sua pouca altura, o novo acadêmico lia no cenário do Teatro de Belas-Artes, o Benfeitor não lhes prestou maior atenção. (Ele também vestia fraque, como toda a concorrência masculina; as damas foram de vestido longo e em toda parte cintilavam joias e brilhantes.) Aquilo parecia uma síntese da história dominicana, desde a chegada de Cristóvão Colombo na Hispaniola. Começou a se interessar quando, nas palavras educadas e na elegante prosa do conferencista, foi aparecendo uma visão, uma tese. A República Dominicana sobreviveu mais de quatro séculos — quatrocentos e trinta e oito anos — a adversidades múltiplas — os corsários, as invasões haitianas, as tentativas anexionistas, o massacre e fuga de brancos (só restavam sessenta mil ao emancipar-se do Haiti) — graças à Providência. A tarefa foi assumida até então diretamente pelo Criador. A partir de 1930, Rafael Leonidas Trujillo Molina relevou Deus nesta ímproba missão.

— "Uma vontade aguerrida e enérgica que secunda na marcha da República em direção à plenitude dos seus destinos a ação tutelar e benfeitora daquelas forças sobrenaturais" — recitou Trujillo, com os olhos entrecerrados. — "Deus e Trujillo: eis aí, em síntese, a explicação, primeiro da sobrevivência do país e, depois, da atual prosperidade da vida dominicana."

Entreabriu os olhos e suspirou, com melancolia. Balaguer o ouvia arroubado, diminuído pela gratidão.

— O senhor ainda acha que Deus me passou a posta? Que me delegou a responsabilidade de salvar este país? — perguntou, com uma mistura indefinível de ironia e ansiedade.

— Mais que naquela época, Excelência — replicou a delicada e clara vozinha. — Trujillo não poderia ter realizado a missão sobre-humana sem apoio transcendente. O senhor foi, para este país, instrumento do Ser Supremo.

— Pena que esses bispos babacas não tenham percebido — sorriu Trujillo. — Se sua teoria for verdadeira, espero que Deus lhes faça pagar a cegueira.

Balaguer não foi o primeiro a associar a divindade com a sua obra. O Benfeitor lembrava que, antes, o professor de leis, advogado e político don Jacinto B. Peynado (que pôs como Presidente fantoche em 1938, quando, devido à matança de haitianos, houve protestos internacionais contra sua terceira reeleição) pôs um grande letreiro luminoso na porta da sua casa: "Deus e Trujillo." A partir de então, insígnias idênticas se exibiam em muitos lares da cidade capital e do interior. Não, não era a frase; eram os argumentos justificando aquela aliança o que tinha sobressaltado Trujillo como uma verdade esmagadora. Não era fácil sentir nos seus ombros o peso de uma mão sobrenatural. Reeditado todo ano pelo Instituto Trujilloniano, o discurso de Balaguer era leitura obrigatória nas escolas e texto central da Cartilha Cívica, destinada a educar escolares e universitários na Doutrina Trujillista, que redigiu um trio escolhido por ele: Balaguer, Craninho Cabral e Imundície Ambulante.

— Muitas vezes pensei nessa teoria dela, doutor Balaguer — confessou. — Foi uma decisão divina? Por que eu? Por que a mim?

O doutor Balaguer molhou os lábios com a ponta da língua antes de responder:

— As decisões da divindade são inelutáveis — disse, com entusiasmo. — Devem levar-se em conta suas condições excepcionais de liderança, de capacidade de trabalho e, principalmente, seu amor por este país.

Por que perdia o tempo nestas bobagens? Havia assuntos urgentes. No entanto, coisa raríssima, sentia necessidade de prolongar essa conversa vaga, reflexiva, pessoal. Por que com Balaguer? Dentro do círculo de colaboradores, era com quem tinha compartilhado menos intimidades. Não o havia convidado jamais aos jantares privados de San Cristóbal, na Casa de Caoba, onde corria o licor solto e às vezes se cometiam excessos. Talvez porque, entre toda a horda de intelectuais e literatos, era o único que, até agora, não o tinha decepcionado. E por sua fama de inteligente (embora, segundo Abbes García, uma aura suja circundasse o Presidente).

— Minha opinião sobre intelectuais e literatos sempre foi ruim — voltou a dizer. — No escalão, por ordem de méritos, em primeiro lugar, os militares. Trabalham, intrigam pouco, não ocupam tempo. Depois, os camponeses. Nos engenhos e nas cabanas, nas administrações, está a gente saudável, trabalhadora e com honra deste país. Depois, funcionários, empresários, comerciantes. Literatos e intelectuais, os últimos. Depois dos padres, inclusive. O senhor é uma exceção, doutor Balaguer. Mas, os outros! Uma corja de canalhas. Os que mais favores receberam e os que mais dano fizeram ao regime que os alimentou, vestiu e encheu de honras. Os espanhóis, por exemplo, como José Almoina ou Jesus de Galíndez. Demo-lhes asilo, trabalho. E de adular e mendigar passaram a caluniar e escrever baixezas. E Osorio Lizarazo, o manco colombiano que o senhor trouxe? Veio escrever a minha biografia, me pôr nas nuvens, viver como rei, voltou para a Colômbia com os bolsos cheios e se tornou antitrujillista.

Outro mérito de Balaguer era saber quando não falar, quando virar uma esfinge diante da qual o Generalíssimo podia permitir-se esses desafogos. Trujillo calou-se. Ouviu, tentando detectar o som dessa superfície metálica, com linhas paralelas e espumosas, que via pelas janelas. Mas não conseguiu ouvir o murmúrio marinho, apagado por motores de carros.

— O senhor acha que Ramón Marrero Aristy me traiu? — perguntou abruptamente, tornando a quieta presença em participante do diálogo. — Acha que deu a esse gringo do *New York Times* informação para nos atacar?

O doutor Balaguer nunca se deixava surpreender por essas súbitas perguntas de Trujillo, comprometedoras e perigosas, que a outros encurralavam. Ele tinha um atalho para essas ocasiões:

— Ele jurava que não, Excelência. Com lágrimas nos olhos, sentado ali onde está o senhor, jurou-me por sua mãe e todos os santos que não foi o informante de Tad Szulc.

Trujillo reagiu com um gesto irritado:

— Viria aqui Marrero a confessar-lhe que se vendeu? Pergunto a sua opinião. Traiu ou não?

Balaguer também sabia quando não tinha mais jeito além de jogar-se na água: outra virtude que o Benfeitor reconhecia nele.

— Com dor na minha alma, pelo apreço intelectual e pessoal que senti por Ramón, acho que sim, que foi quem informou a Tad Szulc — disse, em voz muito baixa, quase imperceptível. — As evidências eram esmagadoras, Excelência.

A essa mesma conclusão também ele tinha chegado. Mesmo que em trinta anos no governo — e antes, quando era guarda civil, e antes ainda, quando capataz de engenhos — acostumara-se a não perder o tempo olhando para trás e lamentando-se ou felicitando-se pelas decisões já tomadas, o que aconteceu com Ramón Marrero Aristy, esse "ignorante genial", como o chamava Max Henríquez Ureña, a quem chegou a ter verdadeiro apreço, esse escritor e historiador que cobriu de honras, dinheiro e cargos — colunista e diretor de *La Nación* e ministro do Trabalho —, e cujos três volumes de *História da República Dominicana* custeou do seu bolso, às vezes voltava na sua memória, deixando um sabor cinza na sua boca.

Se por alguém teria posto suas mãos no fogo era pelo autor do romance dominicano mais lido no país e no estrangeiro — *Over*, sobre o Central Romana —, traduzido inclusive para o inglês. Um trujillista convicto; como diretor de *La Nación* o demonstrou, defendendo Trujillo e o regime com ideias claras e prosa aguerrida. Um excelente ministro do Trabalho, que se deu muito bem com sindicalistas e patrões. Por isso, quando o jornalista Tad Szulc do *New York Times* anunciou que vinha escrever umas crônicas sobre o país, ordenou a Marrero Aristy que o acompanhasse. Viajou com ele por toda parte, conseguiu-lhe as entrevistas que pedia, incluída uma com Trujillo. Quando Tad Szulc voltou aos Estados Unidos, Marrero Aristy o escoltou até Miami. O Generalíssimo nunca esperou que os artigos no *New York Times* fossem uma apologia ao seu regime. Mas, tampouco que estivessem dedicados à corrupção de "a satrapia trujillista", nem que Tad Szulc expusesse com semelhante precisão dados, datas, nomes e números sobre as propriedades da família Trujillo, e os negócios com que tinham sido favorecidos parentes, amigos e colaboradores. Só Marrero Aristy podia tê-lo informado. Tinha certeza de que seu ministro do Trabalho não voltaria a pôr os pés em Trujillo. Ficou surpreso que, de Miami, mandasse uma carta ao jornal nova-iorquino desmentindo Tad Szulc, e ainda mais que tivesse a audácia de voltar para a República Dominicana. Compareceu ao Palácio Nacional. Chorou que era inocente; o ianque burlou sua vigilância, conversou em segredo com adversários. Foi uma das poucas vezes que Trujillo perdeu o controle dos seus nervos. Enojado com as choradeiras, soltou-lhe uma bofetada que o fez cambalear e emudecer. Retrocedia, espantado. Mandou-o à merda, chamando-o de traidor e, quando o chefe dos ajudantes militares o matou, ordenou a Johnny Abbes que resolvesse o problema do cadáver. Em 17 de julho de 1959 o ministro do Trabalho e seu chofer deslizaram por um precipício na cordilheira Central, quando iam rumo à Constanza. Fizeram-lhe exéquias oficiais, e, no cemitério, o senador Henry Chirinos destacou a obra política do finado, e o doutor Balaguer fez o panegírico literário.

— Apesar da sua traição, fiquei com pena de que morresse — disse Trujillo, com sinceridade. — Era jovem, só quarenta e seis anos, poderia dar muito de si.

— As decisões da divindade são inelutáveis — repetiu, sem um pingo de ironia, o Presidente.

— Afastamo-nos dos assuntos — reagiu Trujillo. — Vê alguma possibilidade de que as coisas com a Igreja se ajeitem?

— Imediata, não, Excelência. O desacordo se envenenou. Para falar com franqueza, temo que irá de mal a pior se o senhor não ordenar ao coronel Abbes que *La Nación* e Rádio Caribe moderem os ataques aos bispos. Hoje mesmo recebi uma queixa formal do núncio e do arcebispo Pittini pelo escárnio que fizeram ontem de monsenhor Panal. O senhor leu?

Tinha o recorte sobre sua mesa e leu para o Benfeitor, de maneira respeitosa. O editorial de Radio Caribe, reproduzido por *La Nación*, afirmava que monsenhor Panal, o bispo de La Vega, "antigamente conhecido pelo nome de Leopoldo do Ubrique", era fugitivo da Espanha e fichado pela Interpol. Acusava-o de encher "de devotas a casa curial de La Vega antes de dedicar-se às suas imaginações terroristas", e, agora, "como teme uma justa represália popular, se esconde atrás de devotas e mulheres doentias com as que, pelo visto, tem um desmedido comércio sexual".

O Generalíssimo riu de boa vontade. As ideias de Abbes García! Da última vez que a verga desse espanhol matusalênico ficara em pé devia ser vinte, trinta anos antes; acusá-lo de foder as devotas de La Vega era muito otimista; no máximo, devia bolinar os coroinhas, como todos os padres lascivos e afeminados.

— O coronel às vezes exagera — comentou risonho.

— Recebi, também, outra queixa formal do núncio e da cúria — prosseguiu Balaguer, muito sério. — Pela campanha lançada no dia 17 de maio na imprensa e nos rádios contra os frades de San Carlos Borromeo, Excelência.

Levantou uma pasta azul, com recortes de manchetes chamativas. "Os frades franciscanos-capuchinos terroristas" fabricavam e armazenavam bombas caseiras naquela igreja. Os vizinhos descobriram pelo estouro casual de um explosivo. *La Nación* e *El Caribe* pediam que a força pública ocupasse a cova terrorista.

Trujillo passeou um olhar aborrecido sobre os recortes.

— Esses padres não têm colhões para fabricar bombas. Atacam com sermões, no máximo.

— Conheço o abade, Excelência. Frei Alonso de Palmira é um homem santo, dedicado à sua missão apostólica, respeitoso do governo. Absolutamente incapaz de uma ação subversiva.

Fez uma pequena pausa e com o mesmo tom de voz cordial com que teria mantido um papo de sobremesa, expôs um argumento que o Generalíssimo tinha ouvido muitas vezes de Agustín Cabral. Para voltar a estender pontes com a hierarquia, o Vaticano e os padres — que, em sua imensa maioria, continuavam afeiçoados ao regime por temor ao comunismo ateu — era indispensável que parasse, ou pelo menos amainasse, essa campanha diária de acusações e diatribes, que permitia aos inimigos apresentar o regime como anticatólico. O doutor Balaguer, sempre com sua cortesia inalterável, mostrou ao Generalíssimo um protesto do Departamento de Estado pela perseguição às religiosas do Colégio Santo Domingo. Ele respondera explicando que a custódia policial protegia as madres contra atos hostis. Mas, na verdade, o acosso era real. Por exemplo, os homens do coronel Abbes García tocavam todas as noites, com alto-falantes dirigidos ao local, os merengues trujillistas da moda, a fim de que as freirinhas não pregassem o olho. O mesmo faziam, antes, em San Juan de la Maguana, com a residência de monsenhor Reilly, e o continuavam fazendo em La Vega com a de monsenhor Panal. Ainda era possível uma reconciliação com a Igreja. Mas essa campanha estava levando a crise à ruptura total.

— Fale com o rosa-cruz e convença-o — encolheu os ombros Trujillo. — Ele é o comecuras; está convencido de que já é tarde para aplacar a Igreja. Que os padres me querem ver exilado, preso ou morto.

— Garanto que não é assim, Excelência.

O Benfeitor não lhe prestou atenção. Escrutinava o Presidente fantoche, sem dizer nada, com esses olhos inquiridores que desconcertavam e assustavam. O pequeno doutor estava acostumado a resistir mais tempo que outros à inquisição ocular, mas, agora, depois de alguns minutos de estar sendo despido pelo olhar impudico, começou a delatar desconforto: seus olhinhos se abriam e fechavam sem trégua por baixo dos óculos grossos.

— O senhor acredita em Deus? — perguntou Trujillo, com certa ansiedade: perfurava-o com seus olhos frios, exigindo uma resposta franca. — Que há outra vida, depois da morte? O céu para os bons e o inferno para os maus? Acredita nisso?

Achou que a figurinha de Joaquín Balaguer se retraía mais ainda, esmagada por aquelas perguntas. E que, atrás dele, sua fotografia — de etiqueta e tricórnio com penas, a banda presidencial atravessada sobre o peito junto à condecoração que mais o orgulhava, a grande cruz espanhola de Carlos III — crescia em sua moldura dourada. As mãozinhas do Presidente fantoche se acariciaram uma à outra enquanto dizia, como quem transmite um segredo:

— Às vezes duvido, Excelência. Mas, já faz anos, cheguei a esta conclusão: não há alternativa. É preciso acreditar. Não é possível ser ateu. Não num mundo como o nosso. Não, se tiver vocação de serviço público e se fizer política.

— O senhor tem fama de ser um beato — insistiu Trujillo, remexendo-se no assento. — Ouvi, inclusive, que não se casou, nem tem amante, nem bebe, nem faz negócios, porque fez os votos em segredo. Que é um padre laico.

O pequeno mandatário negou com a cabeça: nada disso era verdade. Não tinha feito nem faria voto algum; ao contrário de alguns companheiros da Escola Normal, que se torturavam perguntando-se se tinham sido escolhidos pelo Senhor para servi-lo como pastores da grei católica, ele sempre soube que sua vocação não era o sacerdócio, mas o trabalho intelectual e a ação política. A religião dava-lhe uma ordem espiritual, uma ética com que confrontar a vida. Duvidava às vezes da transcendência, de Deus, mas nunca da função insubstituível do catolicismo como instrumento de contenção social das paixões e apetites perturbadores da besta humana. E, na República Dominicana, como força constitutiva da nacionalidade, como a língua espanhola. Sem a fé católica, o país cairia na desintegração e na barbárie. Quanto a acreditar, ele praticava a receita de santo Ignácio de Loyola, nos seus *Exercícios espirituais*: agir como se acreditasse, imitando os rituais e preceitos: missas, preces, confissões, comunhões. Essa repetição sistemática da forma religiosa ia criando o conteúdo, preenchendo o vazio — em algum momento — com a presença de Deus.

Balaguer calou e baixou os olhos, como envergonhado de ter revelado ao Generalíssimo as reviravoltas da sua alma, seus pessoais arranjos com o Ser Supremo.

— Se eu tivesse tido dúvidas, nunca teria levantado este morto — disse Trujillo. — Se tivesse esperado algum sinal do céu antes de agir. Tive que confiar em mim, em ninguém mais, quando se tratou de tomar decisões de vida ou morte. Alguma vez pude me enganar, naturalmente.

O Benfeitor percebia, pela expressão de Balaguer, que este se perguntava do que ou de quem estava falando. Não lhe disse que tinha na memória o rosto do doutorzinho Enrique Lithgow Ceara. Foi o primeiro urologista que consultou — recomendado por Craninho Cabral como uma eminência — quando percebeu que custava para urinar. No começo dos anos cinquenta, o doutor Marión, depois de operá-lo de uma afecção periuretral, garantiu que nunca mais teria moléstias. Mas logo esses desconfortos com a urina recomeçaram. Depois de muitos exames e de um desagradável tato retal, o doutor Lithgow Ceara, pondo uma cara de prostituta ou de sacristão untuoso, e vomitando palavrinhas incompreensíveis para desmoralizá-lo ("esclerose uretral perineal", "uretrografias", "prostatite acinosa") formulou aquele diagnóstico que lhe custaria caro:

— Deve encomendar-se a Deus, Excelência. A afecção na próstata é cancerosa.

Seu sexto sentido lhe fez saber que exagerava ou mentia. Convenceu-se disso quando o urologista exigiu uma operação imediata. Riscos demais se não se extirpasse a próstata, podia produzir-se metástase, o bisturi e a quimioterapia prolongariam sua vida por alguns anos. Exagerava e mentia, porque era um médico picareta ou um inimigo. Que pretendia adiantar a morte do Pai da Pátria Nova, soube de vez quando trouxe uma eminência de Barcelona. O doutor Antonio Puigvert negou que tivesse câncer; o crescimento dessa maldita glândula, devido à idade, podia-se aliviar com drogas e não ameaçava a vida do Generalíssimo. A prostatectomia era desnecessária. Trujillo deu essa mesma manhã a ordem e o ajudante de ordens tenente José Oliva se encarregou de que o insolente Lithgow Ceara desaparecesse no cais de Santo Domingo com sua peçonha e sua ciência errada. A propósito! O Presidente fantoche não tinha assinado ainda a promoção de Peña Rivera a capitão. Desceu da existência divina ao mundano tema do pagamento de serviços a um dos rufiões mais hábeis recrutados pelo Abbes García.

— Esquecia — disse, fazendo um gesto de desgosto com sua própria cabeça. — O senhor não assinou a resolução de promoção a capitão por méritos excepcionais do tenente Peña Rivera. Faz uma semana que lhe mandei o expediente, com meu visto.

O rostinho redondo do Presidente Balaguer se avinagrou e sua boca se contraiu; suas mãozinhas se crisparam. Mas sobrepôs-se e voltou a adotar a postura serena de costume.

— Não a assinei porque achei conveniente comentar essa promoção com o senhor, Excelência.

— Não há comentário que fazer — cortou o Generalíssimo, com aspereza. — O senhor recebeu instruções. Não eram claras?

— Claro que sim, Excelência. Rogo-lhe que me ouça. Se minhas razões não o convencerem, assinarei a promoção do tenente Penha Rivera imediatamente. Aqui está, pronto para a rubrica. Pelo delicado do assunto, achei preferível comentá-lo pessoalmente.

Sabia muito bem as razões que Balaguer ia expor e começava a irritar-se. Achava-o, esta insignificância, envelhecido ou cansado demais para se atrever a desobedecer uma ordem dele? Disfarçou seu desgosto e o ouviu, sem interrompê-lo. Balaguer fazia prodígios de retórica para que as coisas que dizia parecessem, graças às palavras suaves e à educadíssima tonalidade, menos temerárias. Com todo o respeito do mundo se permitia aconselhar a Sua Excelência que reconsiderasse a decisão de promover, ainda mais por méritos excepcionais, alguém como o tenente Víctor Alicinio Peña Rivera. Tinha um currículo tão negativo, tão manchado de ações reprováveis — talvez injustamente — que essa promoção seria usada pelos inimigos, principalmente nos Estados Unidos, como uma recompensa pela morte das irmãs Minerva, Patria e María Teresa Mirabal. Embora a justiça tivesse estabelecido que as irmãs e seu motorista morreram num acidente de estrada, no estrangeiro se apresentava como um assassinato político, executado pelo tenente Peña Rivera, Chefe do SIM em Santiago quando a tragédia aconteceu. O Presidente se permitia recordar o escândalo armado pelos adversários quando, por ordem da Sua Excelência, no dia 7 de fevereiro do presente ano autorizou, mediante decreto presidencial, que se cedesse ao tenente Peña Rivera o sítio de quatro hectares e a casa expropriada pelo Estado a Patria Mirabal e seu marido por atividades subversivas. A gritaria ainda não parava. Os comitês instalados nos Estados Unidos continuavam fazendo grande alvoroço, exibindo aquela doação de terras e da casa de Patria Mirabal ao tenente Peña Rivera como pagamento por um crime. O doutor Joaquín Balaguer exortava Sua Excelência a não dar um novo pretexto aos inimigos para que repetissem que perfilhava a assassinos e torturadores. Embora, sem dúvida, Sua Excelência lembrava, permitia-se afirmar, além do mais, que o lugar-tenente preferido do coronel Abbes García não só estava associado, nas campanhas caluniosas dos exilados, à morte das Mirabal. Também ao acidente de Marrero Aristy e a supostos desaparecimentos. Nessas circunstâncias, resultava imprudente premiar ao tenente dessa maneira pública. Por que não de maneira discreta, com compensações econômicas, ou algum cargo diplomático num país afastado?

Ao calar-se, outra vez esfregou as mãos. Piscava, inquieto, intuindo que sua cuidadosa argumentação não serviria e temendo uma reprimenda. Trujillo refreou a cólera que fervia dentro dele.

— O senhor, Presidente Balaguer, tem a sorte de ocupar-se só daquilo que a política tem de melhor — disse glacial. — Leis, reformas, negociações diplomáticas, transformações sociais. Fez isso durante trinta e um anos. Ocupou-se do aspecto grato, amável, de governar. Invejo-o! Gostaria de ter sido só um estadista, um reformador. Mas, governar tem uma cara suja, sem a qual seria impossível o que o senhor faz. E a ordem? E a estabilidade? E a segurança? Procurei que o senhor não se ocupasse dessas coisas ingratas. Mas não me diga que não sabe como se consegue a paz. Com quanto sacrifício e quanto sangue. Agradeça que eu lhe permitisse olhar para outro lado, dedicar-se ao bem, enquanto eu, Abbes, o tenente Peña Rivera e outros mantínhamos o país tranquilo, para que o senhor escrevesse seus poemas e seus discursos. Tenho certeza de que sua aguda inteligência me entende bem demais.

Joaquín Balaguer assentiu. Estava pálido.

— Não falemos mais de coisas ingratas — concluiu o Generalíssimo. — Assine a promoção do tenente Peña Rivera, que se publique amanhã em *La Gaceta Oficial*, e mande-lhe uma felicitação do seu punho e letra.

— Assim farei, Excelência.

Trujillo passou a mão pelo rosto porque achou que vinha um bocejo. Falso alarme. Esta noite, respirando pelas janelas abertas da Casa de Caoba a fragrância das árvores e plantas e vendo a miríade de estrelas num céu preto como o carvão, acariciaria o corpo de uma garota nua, carinhosa, um pouco intimidada, com a elegância de Petrônio, o Árbitro, e sentiria nascer a excitação entre suas pernas, enquanto sorvia os suquinhos mornos do seu sexo. Teria uma longa e sólida ereção, como as de antigamente. Faria a garota gemer e gozar e gozaria ele também, e desse modo apagaria a má lembrança daquele esqueletinho estúpido.

— Revisei a lista dos detidos que o governo vai pôr em liberdade — disse, com um tom mais neutro. — Exceto aquele professor de Montecristi, Humberto Meléndez, não há objeção. Proceda. Cite as famílias no Palácio Nacional, na quinta-feira à tarde. Vão se reunir ali com os liberados.

— Começarei os trâmites imediatamente, Excelência.

O Generalíssimo se levantou e indicou ao Presidente fantoche, que ia imitá-lo, para continuar sentado. Ainda não iria embora. Queria desentorpecer as pernas. Deu uns passos diante da escrivaninha.

— Essa nova liberação de presos vai acalmar os ianques? — monologou. — Duvido. Henry Dearborn continua encorajando conspirações. Há outra a caminho, segundo Abbes. Até Juan Tomás Díaz está metido.

O silêncio que ouviu às suas costas — ouviu-o, como uma presença pesada e grudenta — o surpreendeu. Mexeu-se no ato para olhar o Presidente fantoche: lá estava, imóvel, observando-o com sua expressão beatífica. Não se tranquilizou. Essas intuições nunca lhe mentiram. Podia ser que esta microscópica humanidade, este pigmeu, soubesse de algo?

— O senhor ouviu sobre essa nova conspiração?

Viu-o negar, com enérgicos movimentos de cabeça.

— Teria reportado no ato ao coronel Abbes García, Excelência. Como sempre faço quando chega até mim qualquer rumor subversivo.

Deu dois ou três passos mais, diante da escrivaninha, sem dizer uma palavra. Não, se havia um entre todos os homens do regime incapaz de ver-se envolto em um complô, era o circunspeto Presidente. Sabia que sem Trujillo não existiria, que o Benfeitor era a seiva que lhe dava vida, que sem ele se esfumaria da política para nunca mais.

Foi para a frente de uma das amplas janelas. Em silêncio, observou longamente o mar. As nuvens haviam tapado o sol e o cinza do céu e o ar tinha uma celagem prateada; a água azul-escura reverberava por partes. Um barquinho sulcava a baía, rumo à desembocadura do rio Ozama; um pesqueiro deve ter terminado a tarefa e voltava a atracar. Ia deixando uma esteira de espuma e, embora a essa distância não pudesse vê-las, adivinhou as gaivotas chiando e batendo as asas sem parar. Antecipou com alegria o passeio de hora e meia que daria, depois de cumprimentar sua mãe, pela Máximo Gómez e a Avenida, cheirando o ar salgado, embalado pelas ondas. Não esquecer de puxar as orelhas do chefe das Forças Armadas por esse escoadouro quebrado na entrada da Base Aérea. Que Pupo Román enfiasse o nariz nesse atoleiro pútrido, para que nunca mais encontrasse um espetáculo tão nojento na porta de uma guarnição.

Saiu do gabinete do Presidente Joaquín Balaguer, sem se despedir.

XV

— Se nós estamos assim, acompanhados, como estará Fifí Pastoriza, lá sozinho — disse Huáscar Tejeda, apoiando-se no volante do pesado Oldsmobile 98 preto de quatro portas, estacionado no quilômetro sete da estrada para San Cristóbal.

— Que merda fazemos aqui — enfureceu-se Pedro Livio Cedeño. — Quinze para as dez. Não vem mais!

Apertou a carabina semiautomática M1 que tinha sobre as pernas como querendo triturá-la. Pedro Livio era propenso a explosões de raiva; seu mau caráter estragou sua carreira militar, da qual foi expulso quando capitão. Quando aquilo ocorreu, já percebera que, devido às antipatias que seu caráter lhe granjeava, nunca progrediria no escalão. Saiu do Exército envergonhado. Na academia militar americana onde estudou, graduou-se com excelentes qualificações. Mas esse humor que o levava a acender-se como uma tocha quando alguém lhe dizia Negro e a dar socos por qualquer motivo freou suas promoções no Exército, apesar de sua excelente folha de serviços. Expulsaram-no por puxar o revólver para um general que o admoestava por confraternizar muito com a tropa sendo oficial. No entanto, quem o conhecia, como seu companheiro de espera, o engenheiro Huáscar Tejeda Pimentel, sabia que, por trás desse exterior violento, escondia-se um homem de bons sentimentos, capaz — ele o viu — de soluçar pelo assassinato das irmãs Mirabal, que nem mesmo conhecia.

— A impaciência também mata, Negro — tentou brincar Huáscar Tejeda.

— Negra é a puta que te pariu.

Tejeda Pimentel tentou rir, mas a destemperada reação do seu colega o entristeceu. Pedro Livio não tinha jeito.

— Desculpe — ouviu-o desculpar-se, um momento depois. — É que estou com os nervos em frangalhos pela maldita espera.

— Estamos igual, Negro. Porra, chamei-o de Negro de novo. Vai insultar minha mãe outra vez?

— Desta vez, não — terminou rindo Pedro Livio.

— Por que o enfurece que o chamemos de Negro? Falamos com afeto, homem.

— Já sei, Huáscar. Nos Estados Unidos, na academia, quando os cadetes ou os oficiais me diziam *nigger*, não era por carinho, mas por racismo. Tinha que me fazer respeitar.

Passavam alguns veículos pela autoestrada, rumo ao oeste, para San Cristóbal, ou ao leste, para Trujillo, mas não o Chevrolet Bel Air de Trujillo seguido pelo Chevrolet Biscayne de Antonio de la Maza. As instruções eram simples: assim que vissem os carros se aproximar, que reconheceriam pelo sinal de Tony Imbert — apagar e acender três vezes os faróis —, adiantariam o pesado Oldsmobile preto até cortar a passagem do Bode. E ele, com a carabina semiautomática M1 para a qual Antonio lhe dera várias munições extras, e Huáscar com seu Smith & Wesson de 9 mm modelo 39 com nove tiros, mandariam pela frente tanto chumbo como o que estariam mandando de trás Imbert, Amadito, Antonio e o Turco. Não passaria; mas, se passasse, dois quilômetros ao oeste, Fifí Pastoriza, ao volante do Mercury de Estrella Sadhalá, viria para cima dele, fechando outra vez a passagem.

— Sua mulher sabe sobre esta noite, Pedro Livio? — perguntou Huáscar Tejeda.

— Acha que estou na casa de Juan Tomás Díaz, vendo um filme. Está grávida e...

Viu atravessar, a grande velocidade, um carro seguido a menos de dez metros por outro que, na escuridão, pareceu-lhe o Chevrolet Biscayne de Antonio de la Maza.

— Não são eles, Huáscar? — Tentou perfurar as trevas.

— Viu os faróis se apagarem e acenderem? — gritou, excitado, Tejeda Pimentel. — Você viu?

— Não, não fizeram o sinal. Mas são eles.

— O que fazemos, Negro?

— Vai, vai!

O coração de Pedro Livio começou a bater com uma beligerância que mal o deixava falar. Huáscar fez a curva com o Oldsmobile. As luzes vermelhas dos dois carros se afastavam mais e mais, logo os perderiam de vista.

— São eles, Huáscar, têm que ser eles. Por que diabo não fizeram o sinal.

As luzinhas vermelhas tinham desaparecido; só tinham na frente o cone de luz dos faróis do Oldsmobile e uma noite fechada: as nuvens acabavam de ocultar a lua. Pedro Livio — sua carabina semiautomática apoiada na janela — pensou em Olga, sua mulher. Qual seria sua reação quando soubesse que seu marido era um dos assassinos de Trujillo? Olga Despradel era sua segunda mulher. Davam-se maravilhosamente, pois Olga — ao contrário da sua primeira mulher, com quem a vida doméstica tinha sido um inferno — tinha uma paciência infinita com suas explosões de raiva, e evitava, nesses arrebatamentos, contradizê-lo ou discutir; e administrava a casa com um esmero que o fazia feliz. Teria uma surpresa descomunal. Ela achava que não lhe interessava a política, apesar de manter uma amizade estreita estes últimos tempos com Antonio de la Maza, o general Juan Tomás Díaz e o engenheiro Huáscar Tejeda, antitrujillistas notórios. Até fazia poucos meses, toda vez que os seus amigos começavam a falar mal do regime, ele se calava como uma esfinge e ninguém tirava uma opinião dele. Não queria perder seu trabalho de administrador da Fábrica Dominicana de Baterias, que pertencia à família Trujillo. Tinham tido uma situação muito boa até que, devido às sanções, os negócios ficaram de ponta-cabeça.

Certamente, Olga estava a par de que Pedro Livio guardava rancor ao regime, porque sua primeira mulher, trujillista raivosa e amiga íntima do Generalíssimo, que a fez governadora de San Cristóbal, valeu-se dessa influência para conseguir uma sentença judicial proibindo Pedro Livio de visitar sua filha Adanela, cuja custódia foi confiada a sua ex-esposa. Talvez Olga pensasse amanhã que ele se meteu neste complô em vingança por essa injustiça. Não, não era essa a razão pela qual estava aqui, com sua carabina semiautomática M1 pronta, correndo atrás de Trujillo. Era — Olga não o entenderia — pelo assassinato das Mirabal.

— Não são tiros, Pedro Livio?
— Sim, sim, tiros. São eles, porra! Acelere, Huáscar.

Seus ouvidos sabiam distinguir os tiros. Aquilo que ouviram, quebrando a noite, eram várias rajadas — as carabinas de Antonio e Amadito, o revólver do Turco, talvez o de Imbert —, coisa que encheu de exaltação esse seu ânimo azedo pela espera. O Oldsmobile voava agora sobre a pista. Pedro Livio colocou a cabeça na janela, mas não conseguiu ver o Chevrolet do Bode nem os perseguidores. Em compensação, numa curva da estrada, reconheceu o Mercury de Estrella Sadhalá e, um segundo, iluminada pelos faróis do Oldsmobile, a cara esquálida de Fifí Pastoriza.

— Também passaram Fifí — disse Huáscar Tejeda. — Outra vez esqueceram o sinal. Que babacas!

O Chevrolet de Trujillo apareceu, a menos de cem metros, detido e inclinado para a direita da estrada, com os faróis ligados. "Ali está!", "É ele, porra!", gritaram Pedro Livio e Huáscar no instante em que voltavam a estourar disparos de revólver, de carabina, de metralhadora. Huáscar apagou as luzes e, a menos de dez metros do Chevrolet, freou de repente. Pedro Livio, que abria a porta do Oldsmobile, saiu correndo para a estrada, antes de atirar. Sentiu que arranhava e golpeava todo o corpo, e chegou a ouvir um exultante Antonio de la Maza — "Este gavião não come mais frango" ou algo parecido —, e vozes e gritos do Turco, de Tony Imbert, de Amadito, em direção aos quais começou a correr às cegas, assim que conseguiu se levantar. Deu dois ou três passos e ouviu novos disparos, muito perto, e uma queimadura o parou e derrubou, segurando a boca do estômago.

— Não disparem, porra, somos nós — gritava Huáscar Tejeda.

— Estou ferido — queixou-se e, sem transição, ansioso, a toda voz: — O Bode está morto?

— Supermorto, Negro — disse, ao seu lado, Huáscar Tejeda. — Olhe!

Pedro Livio sentiu que as forças o abandonavam. Estava sentado no pavimento, no meio de cascalhos e fragmentos de vidro. Ouviu Huáscar Tejeda dizer que ia procurar Fifí Pastoriza e ouviu o Oldsmobile arrancar. Percebia a excitação e a gritaria dos seus amigos, mas se sentia enjoado, incapaz de participar dos seus diálogos; mal entendia o que diziam, porque sua atenção estava concentrada agora no ardor do seu estômago. Também queimava-lhe o braço. Tinha recebido dois tiros? O Oldsmobile voltou. Reconheceu as exclamações de Fifí Pastoriza: "Porra, porra, Deus é grande, porra."

— Ponhamo-lo na mala — ordenou um Antonio de la Maza que falava com grande calma. — Temos que levar o cadáver para Pupo, para que ponha o Plano em marcha.

Sentia as mãos úmidas. Essa substância viscosa só podia ser sangue. Dele ou do Bode? O asfalto estava molhado. Como não tinha chovido, devia ser sangue também. Alguém lhe passou a mão pelos ombros e perguntou como se sentia. Sua voz soava aflita. Reconheceu Salvador Estrella Sadhalá.

— Uma bala no estômago, acho. — Em vez de palavras, saíam uns ruídos guturais.

Percebeu as silhuetas dos seus amigos carregando um vulto e jogando-o na mala do Chevrolet de Antonio. Trujillo, porra! Tinham conseguido. Não sentiu alegria; antes, alívio.

— Onde está o motorista? Ninguém viu Zacarías?

— Supermorto também, ali, na escuridão — disse Tony Imbert. — Não perca tempo buscando-o, Amadito. É preciso voltar. É importante levar este cadáver para Pupo Román.

— Pedro Livio está ferido — exclamou Salvador Estrella Sadhalá.

Tinham fechado a mala do Chevrolet, com o cadáver dentro. Silhuetas sem rosto o rodeavam, apalpavam, perguntavam-lhe como se sente, Pedro Livio. Iam dar o tiro de misericórdia? Tinham combinado, por unanimidade. Não deixariam um companheiro ferido abandonado para cair nas mãos dos *caliés* e Johnny Abbes o submeter a torturas e humilhações. Lembrou-se daquela conversa, no jardim cheio de mangas, flamboaiãs e frutas-pães do general Juan Tomás Díaz e sua mulher Chana, na que também participava Luis Amiama Tió. Todos coincidiram: nada de morrer aos pouquinhos. Se saísse errado e alguém ficasse ferido gravemente, o tiro de misericórdia. Ia morrer? Iam lhe dar fim?

— Cololquem ele no carro — ordenou Antonio de la Maza. — Na casa de Juan Tomás, chamaremos um médico.

As sombras dos seus amigos se afainavam, tirando o carro do Bode fora da autoestrada. Sentia-os ofegar. Fifí Pastoriza assobiou: "Ficou feito um coador, porra."

Quando seus amigos o carregaram para colocá-lo no Chevrolet Biscayne, a dor foi tão viva que perdeu os sentidos. Mas, por poucos segundos, porque quando recuperou a consciência, ainda não haviam partido. Estava no assento de trás,

Salvador tinha passado o braço sobre seu ombro e o apoiava no seu peito como num travesseiro. Reconheceu, no volante, a Tony Imbert, e, ao seu lado, a Antonio de la Maza. Como está, Pedro Livio? Quis dizer-lhes: "Com aquele pássaro morto, melhor", mas emitiu só um murmúrio.

— O assunto do Negro parece sério — resmungou Imbert.

Quer dizer que seus amigos lhe diziam Negro quando não estava presente. Que importava. Eram seus amigos, porra: nenhum pensou em lhe dar o tiro de misericórdia. A todos pareceu natural colocá-lo no carro e agora o levavam para a casa de Chana e Juan Tomás Díaz. O ardor no estômago e no braço tinha diminuído. Sentia-se fraco e não tentava falar. Estava lúcido, entendia totalmente o que diziam. Tony, Antonio e o Turco estavam também feridos pelo visto, embora não de gravidade. A Antonio e Salvador os projéteis tinham aberto feridas, na testa do primeiro, no crânio do segundo. Levavam lenços na mão e se enxugavam as feridas. A Tony um casquilho arranhou o bico do mamilo esquerdo e dizia que o sangue manchava sua camisa e sua calça.

Reconheceu o prédio da Loteria Nacional. Tinham pegado a velha estrada Sánchez para voltar à cidade por um lugar menos transitado? Não, não era por isso. Tony Imbert queria passar pela casa do seu amigo Julito Senior, que morava na avenida Angelita, e telefonar dali ao general Díaz e advertir-lhe que estavam levando o cadáver para Pupo Román com a frase combinada: "Os pombinhos estão prontos para metê-los no forno, Juan Tomás." Pararam diante de uma casa às escuras. Tony desceu. Não se via ninguém pelos arredores. Pedro Livio ouviu Antonio: seu pobre Chevrolet tinha ficado perfurado por dezenas de tiros e com um pneu arriado. Pedro Livio havia ouvido, causava um horrível chiado e um solavanco que repicava no seu estômago.

Imbert voltou: não havia ninguém na casa de Julito Senior. Melhor era ir direto para a casa de Juan Tomás. Voltaram a arrancar, muito devagar; o carro, inclinado e chiando, evitava as avenidas e ruas concorridas.

Salvador se inclinou sobre ele:

— Como vai, Pedro Livio?

"Bem, Turco, bem", e apertou seu braço.

— Já falta pouco. Na casa de Juan Tomás, um médico vai vê-lo.

Que pena não ter forças para dizer aos seus amigos que não se preocupassem, que estava contente, com o Bode morto. Tinham vingado as irmãs Mirabal e o pobre Rufino de la Cruz, o motorista que as levou para a Fortaleza de Puerto Plata para visitar os maridos presos, e a quem Trujillo mandou assassinar também para fazer mais verossímil a farsa do acidente. Aquele assassinato remexeu as fibras mais íntimas de Pedro Livio e o impulsionou, daquele 25 de novembro de 1960, a juntar-se à conspiração que armava seu amigo Antonio de la Maza. Só conhecia as Mirabal de ouvir falar. Mas, como a muitos dominicanos, a tragédia daquelas garotas de Salcedo transtornou-o. Agora também se assassinavam mulheres indefesas, sem que ninguém fizesse nada! A esses extremos de ignomínia tínhamos chegado na República Dominicana? Já não havia colhões neste país, porra! Ouvindo Antonio Imbert falar tão comovido — ele, sempre parco em exteriorizar seus sentimentos — sobre Minerva Mirabal, teve, na frente dos seus amigos, aquele pranto, o único na sua vida de adulto. Sim, ainda havia homens com colhões na República Dominicana. A prova, esse cadáver que sacolejava na mala.

— Estou morrendo! — gritou. — Não me deixem morrer!

— Já chegamos, Negro — acalmou-o Antonio de la Maza. — Agora vamos curá-lo.

Fez um esforço por manter a consciência. Pouco depois, reconheceu a intercessão da Máximo Gómez com a avenida Bolívar.

— Viram esse carro oficial? — disse Imbert. — Não era o general Román?

— Pupo está em casa, esperando — respondeu Antonio de la Maza. — Disse a Amiama e Juan Tomás que não sairia esta noite.

Um século depois, o carro parou. Entendia, pelos diálogos dos seus amigos, que estavam na entrada dos fundos da casa do general Díaz. Alguém abria o portão. Puderam entrar no pátio, instalar-se frente às garagens. No tênue resplendor dos faróis da rua e das luzes das janelas, reconheceu o jardim cheio de árvores e flores que Chana mantinha tão cuidado e onde tinha vindo tantos domingos, só ou com Olga, aos suculentos almoços típicos que o general preparava para seus amigos. Ao mesmo tempo, parecia-lhe que ele não era ele, mas um observador, ausente daquela faina. Essa tarde, quando soube que ia ser esta noite e se despediu da sua mulher inventando que vinha a esta casa para ver um filme, Olga enfiou um peso no bolso pedindo-lhe para trazer sorvete de chocolate e baunilha. Pobre Olga! A gravidez lhe causava desejos. O choque a faria perder o bebê? Não, meu Deus. Esta seria a menina que faria casal com Luis Mariano, seu filhinho de dois anos. O Turco, Imbert e Antonio tinham descido. Estava sozinho, deitado no assento do Chevrolet, na semiescuridão. Pensou que nada nem ninguém o salvaria da morte e que morreria sem saber quem ganhou o jogo de beisebol que o time da sua empresa, Baterias Hércules jogava esta noite com o da Companhia Dominicana de Aviação, no campo de beisebol da Cervejaria Nacional Dominicana.

Começou uma violenta discussão, no pátio. Estrella Sadhalá repreendia Fifí, Huáscar e Amadito, que acabavam de chegar no Oldsmobile, por deixarem o Mercury do Turco na estrada. "Imbecis, babacas. Não percebem? Delataram-me! Têm que ir agora mesmo procurar meu Mercury." Estranha situação: sentir que estava e não estava ali. Fifí, Huáscar e Amadito acalmavam o Turco: com a pressa ficaram aturdidos e ninguém se lembrou do Mercury. Que importava, o general Román tomaria o poder esta mesma noite. Não tinham nada a temer. O país sairia para as ruas para aclamar os justiceiros do tirano.

Esqueceram-se dele? A voz cheia de autoridade de Antonio de la Maza pôs ordem. Ninguém voltaria para a estrada, aquilo estaria já cheio de *caliés*. O mais importante era encontrar Pupo Román e mostrar-lhe o cadáver, como exigiu. Havia um problema; Juan Tomás Díaz e Luis Amiama acabavam de passar por sua casa — Pedro Livio a conhecia, ficava na outra esquina — e Mireya, sua mulher, disse-lhes que Pupo saiu com o general Espaillat, "porque parece que algo aconteceu com o Chefe". Antonio de la Maza os tranquilizou: "Não se alarmem. Luis Amiama, Juan Tomás e Modesto Díaz foram buscar Bibín, o irmão de Pupo. Ele nos ajudará a localizá-lo."

Sim, esqueceram-se dele. Morreria neste carro crivado, junto ao cadáver de Trujillo. Teve um desses ataques de cólera que tinham sido a desgraça da sua vida, mas ali mesmo se acalmou. De que merda serve ficar bravo neste momento, babaca?

Entreabriu as pálpebras porque um refletor ou uma potente lanterna lhe deu na cara. Reconheceu, apinhados, o rosto do genro de Juan Tomás Díaz, o dentista Bienvenido García, o de Amadito e o de Linito? Sim, Linito, o médico, o doutor Marcelino Vélez Santana. Inclinavam-se sobre ele, apalpavam-no, levantaram sua camisa. Perguntaram-lhe algo que não entendeu. Quis dizer que a dor tinha diminuído, checar quantos orifícios tinha no seu corpo, mas a voz não saiu. Mantinha os olhos muito abertos, para que soubessem que estava vivo.

— É preciso levá-lo para a clínica — afirmou o doutor Vélez Santana. — Está sangrando.

Os dentes do doutor batiam como se morresse de frio. Não eram tão amigos para que Linito ficasse tremendo dessa maneira por ele. Devia tremer porque acabava de saber que tinham matado o Chefe.

— Há hemorragia interna — a voz tremia, também —, pelo menos uma bala entrou na região precordial. Deve ser operado imediatamente.

Discutiam. Não se importava de morrer. Sentia-se contente, apesar de tudo. Deus o perdoaria, com certeza. Por deixar Olga abandonada, com sua barriga de seis meses, e Luis Marianito. Deus sabia que ele não ia ganhar nada com a morte de Trujillo. Pelo contrário; administrava uma das suas companhias, era um privilegiado. Metendo-se nesse assunto, pôs seu trabalho e a segurança da sua família em perigo. Deus entenderia e o perdoaria.

Sentiu uma forte contração no estômago e gritou. "Calma, calma, Negro", pediu Huáscar Tejeda. Teve vontade de responder "Negra é a sua mãe", mas não pôde. Tiravam-no do Chevrolet. Tinha muito perto o rosto de Bienvenido — o genro de Juan Tomás, o marido da sua filha Marianela — e o do doutor Vélez Santana: ainda batiam seus dentes. Reconheceu Mirito, o motorista do general, e Amadito, que mancava. Com grandes precauções, instalaram-no no Opel de Juan Tomás, estacionado junto ao Chevrolet. Pedro Livio viu a Lua: brilhava, num céu agora sem nuvens, entre as mangas e os amores-perfeitos.

— Vamos para a Clínica Internacional, Pedro Livio — disse o doutor Vélez Santana. — Aguenta, aguenta um pouco.

Cada vez se importava menos com o que lhe acontecia. Estava no Opel, Mirito dirigia, Bienvenido ia na frente e, atrás, ao seu lado, o doutor Vélez Santana. Linito o fazia aspirar algo que tinha um forte cheiro de éter. "O cheiro dos carnavais." O dentista e o médico o animavam: "Já chegamos, Pedro Livio." Tampouco se importava com o que diziam, nem com o que parecia importar tanto a Bienvenido e Linito: "Onde se enfiou o general Román?" "Se não aparecer, isto se fode." Olga, em vez do sorvete de chocolate e baunilha, receberia a notícia de que o seu marido estava sendo operado na Clínica Internacional, a três quadras do Palácio, depois de justiçar o assassino das Mirabal. Havia poucas quadras da casa do Juan Tomás até a Clínica. Por que demoravam tanto?

Por fim, o Opel freou. Bienvenido e o doutor Vélez Santana desceram. Viu-os bater na porta, onde cintilava uma luz fluorescente: "Pronto-socorro." Apareceu uma enfermeira de touca branca, e, depois, uma maca. Ao levantá-lo do assento Bienvenido García e Vélez Santana, sentiu uma dor muito forte: "Me matam, porra!" Piscou, cegado pela brancura de um corredor. Subiam-no num elevador. Agora, estava num quarto limpo, com uma Virgem na cabeceira. Bienvenido e Vélez Santana tinham desaparecido; duas enfermeiras o despiam e um homem jovem, de bigodinho, batia na sua cara:

— Sou o doutor José Joaquín Puello. Como se sente?

— Bem, bem — murmurou, feliz de que a voz saísse.

— É grave?

— Vou lhe dar algo para a dor — disse o doutor Puello.

— Enquanto o preparamos. É preciso tirar essa bala de dentro.

Por sobre o ombro do médico apareceu um rosto conhecido, de testa aberta e grandes olhos penetrantes: o doutor Arturo Damirón Ricart, dono e chefe de cirurgiões da Clínica Internacional. Mas, em vez de risonho e bonachão como costumava estar, notou-o chateado. Bienvenido e Linito tinham contado tudo?

— Esta injeção é para prepará-lo, Pedro Livio — preveniu. — Não tema, vai ficar bem. Quer ligar para sua casa?

— Para Olga não, está grávida, não quero assustá-la. Para minha cunhada Mary, é melhor.

A voz lhe saía mais firme. Deu o telefone de Mary Despradel. Os comprimidos que acabavam de lhe fazer engolir, a injeção e as garrafas de esterilizante que as enfermeiras esvaziaram em cima do braço e o estômago lhe faziam bem. Já não se sentia desfalecer. O doutor Damirón Ricart pôs o fone na sua mão. "Alô, alô?"

— Sou Pedro Livio, Mary. Estou na Clínica Internacional. Um acidente. Não diga nada a Olga, não a assuste. Vão me operar.

— Deus santo, Deus santo! Vou para aí, Pedro Livio.

Os médicos o examinavam, moviam-no, e ele não sentia suas mãos. Invadiu-o uma grande serenidade. Com toda lucidez, pensou que, por amigo que fosse, Damirón Ricart não podia deixar de informar ao SIM da chegada ao Pronto-Socorro de um homem com feridas de bala, como tinham obrigação todas as clínicas e hospitais, sob pena de que médicos e enfermeiras fossem para a cadeia. De modo que, logo, apareceriam por aqui os do SIM, para fazer averiguações. Mas, não. Juan Tomás, Antonio, Salvador já teriam mostrado a Pupo o cadáver, Román teria levantado os quartéis e anunciado a Junta cívico-militar. Talvez naquele instante os militares leais a Pupo prendiam ou liquidavam Abbes García e seu bando de assassinos, metiam nos calabouços os irmãos e parentes de Trujillo e o povo estaria indo para a rua, convocado pelos rádios que anunciavam a morte do tirano. A cidade colonial, o parque Independencia, El Conde, os contornos do Palácio Nacional, viveriam um verdadeiro carnaval, festejando a liberdade. "Que pena estar numa mesa de operações, em vez de dançando, Pedro Livio."

E, então, viu o rosto choroso e espantado da sua mulher: "O que é isso, meu amor, o que aconteceu, o que lhe fizeram?" Enquanto a abraçava e beijava, tentando acalmá-la ("Um acidente, amor, não se assuste, vão me operar"), reconheceu seus cunhados, Mary e Luis Despradel Brache. Este era médico, e fazia perguntas ao doutor Damirón Ricart sobre a operação. "Por que fez isso, Pedro Livio?" "Para que nossos filhos vivam livres, amor." Ela o comia a perguntas, sem parar de chorar. "Meu Deus, tem sangue por toda parte." Dando saída para uma corrente de emoções contidas, pegou sua mulher pelos braços e, olhando-a nos olhos, exclamou:

— Está morto, Olga! Morto! Morto!

Foi como nos filmes, quando a imagem se congela e sai do tempo. Sentiu vontade de rir vendo a incredulidade com que Olga, seus cunhados, enfermeiras e doutores o olhavam.

— Cale-se, Pedro Livio — murmurou o doutor Damirón Ricart.

Todos se viraram para a porta, porque no corredor havia um turba de passos, pessoas sapateando, sem importarem-se com os avisos de "Silêncio" que pendiam nas paredes. A porta se abriu. Pedro Livio reconheceu imediatamente, entre as silhuetas militares, o rosto flácido, a papada dupla, o queixo cortado e os olhos circundados por lóbulos protuberantes do coronel Johnny Abbes García.

— Boa noite — disse este, olhando para Pedro Livio, mas dirigindo-se aos outros. — Saiam, façam o favor. O doutor Damirón Ricart? O senhor fique, doutor.

— É o meu marido — choramingou Olga, abraçando-se a Pedro Livio. — Quero estar com ele.

— Tirem-na — ordenou Abbes García, sem olhá-la.

Tinham entrado mais homens no quarto, *caliés* com revólveres na cintura e militares com metralhadoras San Cristóbal no ombro. Entrecerrando os olhos, viu que levavam Olga, soluçando ("Não lhe façam nada, está grávida"), Mary, e que o seu cunhado as seguia sem necessidade de empurrões. Olhavam-no com curiosidade e um pouco de nojo. Reconheceu o general Félix Hermida e o coronel Figueroa Carrión, que tinha conhecido no Exército. Era o braço direito de Abbes García no SIM, diziam.

— Como vai? — perguntou Abbes ao médico, com voz timbrada e lenta.

— Grave, coronel — respondeu o doutor Damirón Ricart. — O projétil deve estar perto do coração, pelo epigástrio. Demos-lhe medicamentos para conter a hemorragia e poder operá-lo.

Muitos tinham cigarros e o quarto se encheu de fumaça. Que vontade de fumar, de aspirar um desses mentolados Salem, de aroma refrescante, que Huáscar Tejeda fumava e que oferecia sempre na sua casa Chana Díaz.

Tinha em cima, roçando-o, o rosto inchado, os olhos de pálpebras caídas, de tartaruga, de Abbes García.

— O que aconteceu com você? — ouviu-o dizer, suavemente.

— Não sei. — Arrependeu-se, sua resposta não podia ser mais estúpida. Mas não lhe ocorria nada.

— Quem lhe deu esses tiros? — insistiu Abbes García, sem alterar-se.

Pedro Livio Cedeño ficou calado. Incrível que jamais tivessem pensado, em todos esses meses, enquanto preparavam a execução de Trujillo, numa situação como a que vivia. Em algum álibi, numa evasiva para evitar um interrogatório. "Que babacas!"

— Um acidente. — Voltou a arrepender-se de inventar algo tão tolo.

Abbes García não se impacientava. Havia um silêncio tenso. Pedro Livio sentia, pesados, hostis, os olhares dos homens que o rodeavam. As pontas dos cigarros se avermelhavam quando os levavam para a boca.

— Me conte sobre esse acidente — disse o chefe do SIM, no mesmo tom.

— Atiraram em mim ao sair de um bar, de um carro. Não sei quem.

— De que bar?

— El Rubio, na rua Palo Hincado, perto do parque Independencia.

Em poucos minutos os *caliés* comprovariam que havia mentido. E se seus amigos, não cumprindo o acordo de dar um tiro de misericórdia em quem ficasse ferido, lhe tivessem feito um péssimo favor?

— Onde está o Chefe? — perguntou Johnny Abbes. Havia certa emoção na voz do seu interrogador.

— Sei lá. — A garganta começava a se fechar; outra vez estava perdendo forças.

— Ele está vivo? — perguntou o chefe do SIM. E repetiu: — Onde está?

Embora estivesse tonto outra vez e a ponto de desmaiar, Pedro Livio percebeu que, sob sua aparência serena, o chefe do SIM estava fervendo de inquietação. A mão com que levava o cigarro até a boca se movia com lentidão, procurando os lábios.

— Espero que no inferno, se houver inferno — ouviu-se dizer. — Mandamo-lo para lá.

O rosto de Abbes García, um pouco velado pela fumaça, tampouco se alterou dessa vez; mas abriu a boca, com falta de ar. O silêncio parecia mais denso. Perder as forças, apagar de uma vez.

— Quem? — perguntou, muito suave. — Quem o mandou para o inferno?

Pedro Livio não respondeu. Olhava-o nos olhos e ele sustentava o olhar, lembrando sua infância, em Higuey, quando brincava na escola de quem piscava primeiro. A mão do coronel se ergueu, tirou o cigarro aceso da sua boca e, sem mudar a expressão, esmagou-o contra sua cara, perto do seu olho esquerdo. Pedro Livio não gritou, não gemeu. Fechou as pálpebras. A ardência era viva; cheirava a carne chamuscada. Quando os abriu, Abbes García continuava ali. Aquilo tinha começado.

— Essas coisas, se não forem benfeitas, é melhor não fazer — ouviu-o dizer. — Sabe quem é Zacarías de la Cruz? O motorista do Chefe. Acabo de falar com ele, no Hospital Marión. Está pior que você, costurado de balas da cabeça aos pés. Mas vivo. Está vendo, não saiu bem. Você está fodido. Também não vai morrer. Vai viver. E me contar tudo o que aconteceu. Quem estava com você na estrada?

Pedro Livio afundava, flutuava, a qualquer momento começaria a vomitar. Não haviam dito Tony Imbert e Antonio que Zacarías de la Cruz também estava mortinho? Será mentira de Abbes García para lhe arrancar nomes? Que idiotas. Deviam ter se certificado de que o chofer do Bode também estava morto.

— Imbert disse que Zacarías estava mortinho — protestou. É curioso ser você mesmo e um outro, ao mesmo tempo.

A cara do chefe do SIM se inclinou sobre ele. Podia sentir seu hálito, impregnado de tabaco. Os olhinhos eram escuros, com laivos amarelos. Pensou que queria ter força para morder aquelas bochechas flácidas. Pelo menos, para cuspir nelas.

— Errado, está só ferido — disse Abbes García. — Que Imbert?

— Antonio Imbert — explicou ele, devorado pela ansiedade. — Então, ele me enganou? Porra, porra.

Pressentiu passos, movimento de corpos, os presentes se apertavam em volta da sua cama. A fumaça dissolvia os rostos. Sentiu-se sufocado, como se estivessem pisando no seu peito.

— Antonio Imbert e quem mais — dizia, em seu ouvido, o coronel Abbes García. Ficou arrepiado ao pensar que, desta vez, ele apagaria o cigarro no seu olho e o deixaria cego. — É Imbert quem manda? Foi ele que organizou tudo?

— Não, não há chefes — balbuciou, com medo de não ter forças para terminar a frase. — Se houvesse, seria Antonio.

— Antonio de quê?

— Antonio de la Maza — explicou. — Se houvesse, seria ele, claro. Mas não há chefes.

Outro longo silêncio. Será que lhe deram pentotal sódico, e por isso falava com tanta loquacidade? Mas com pentotal a pessoa adormecia e ele estava acordado, superexcitado, com vontade de contar, botar para fora aqueles segredos que lhe mordiam as vísceras. Ia continuar respondendo a tudo o que lhe perguntassem, porra. Havia murmúrios, soavam passos no assoalho. Será que iam embora? Uma porta se abrindo e fechando.

— Onde estão Imbert e Antonio de la Maza? — O chefe do SIM soltou uma baforada de fumaça e Pedro Livio sentiu que lhe entrava pela garganta e pelo nariz e descia até as tripas.

— Procurando Pupo, onde mais podem estar, merda. — Teria energias para terminar a frase? A estupefação de Abbes García, do general Félix Hermida e do coronel Figueroa Carrión era tão grande que fez um esforço sobre-humano para explicar o que não entendiam: — Se ele não vir o cadáver do Bode, não vai dar um passo.

Tinham arregalado os olhos e o esquadrinhavam com desconfiança e pavor.

— Pupo Román? — Agora sim, Abbes García havia perdido a segurança.

— O general Román Fernández? — repetiu Figueroa Carrión.

— O chefe das Forças Armadas? — exclamou o general Félix Hermida, alterado.

Pedro Livio não estranhou que aquela mão descesse de novo e apertasse o cigarro aceso na sua boca. Um gosto ácido, de tabaco e cinza, na língua. Não teve forças para cuspir esse resto fedido e ardente que lhe arranhava as gengivas e o paladar.

— Desmaiou, coronel — ouviu o doutor Damirón Ricart murmurar. — Se não o operarmos, vai morrer.

— Quem vai morrer, se não o reanimar, é o senhor — respondeu Abbes García, com uma cólera surda. — Faça uma transfusão, qualquer coisa, mas que ele acorde. Este sujeito precisa falar. Reanime-o, senão eu meto todo o chumbo deste revólver no seu corpo.

Como falavam assim, ele não estava morto. Teriam encontrado Pupo Román? Mostrado o cadáver a ele? Se a revolução tivesse começado, nem Abbes García, nem Félix Hermida, nem Figueroa Carrión estariam em volta da sua cama. Estariam presos ou mortos, assim como os irmãos e sobrinhos de Trujillo. Tentou em vão pedir que lhe explicassem por que não estavam presos ou mortos. A barriga não doía; mas ardiam as pálpebras e a boca, por causa das queimaduras. Então lhe deram uma injeção e o fizeram aspirar um algodão que cheirava a menta, como os cigarros Salem. Viu uma garrafa de soro ao lado da cama. Ele os ouvia e eles achavam que não.

— Será verdade? — Figueroa Carrión parecia mais atemorizado que surpreso. — O ministro das Forças Armadas metido nisso? Impossível, Johnny.

— Surpreendente, absurdo, inexplicável — retificou Abbes García. — Mas impossível, não.

— Por quê, para quê — o general Félix Hermida elevou o tom de voz. — O que ele ganha com isso. Ele deve ao Chefe tudo o que é, tudo o que tem. Este babaca está entregando nomes para nos confundir.

Pedro Livio se contorceu, tentando levantar, para que soubessem que não estava grogue, nem morto, e que havia falado a verdade.

— Você não deve mais achar que isto é uma comédia do Chefe para descobrir quem é leal e quem não é, Félix — disse Figueroa Carrión.

— Não — reconheceu, pesaroso, o general Hermida. — Se esses filhos da puta o mataram, não sei que merda pode acontecer.

O coronel Abbes García bateu na testa:

— Agora entendo para que Román me chamou ao Quartel General do Exército. Claro que ele está envolvido! Queria ter à mão as pessoas de confiança do Chefe para trancafiá-las antes de dar o golpe. Se eu tivesse ido, já estaria morto.

— Não acredito, cacete — repetia o general Félix Hermida.

— Mande patrulhas do SIM bloquearem a Ponte Radhamés — ordenou Abbes García. — Que ninguém do governo e, principalmente, os parentes de Trujillo, atravessem o Ozama nem se aproximem da Fortaleza 18 de Dezembro.

— O secretário das Forças Armadas, o general José René Román, o marido de Mireya Trujillo — monologava, idiotizado, o general Félix Hermida. — Não entendo mais porra nenhuma, cacete.

— Acredite, enquanto não ficar provado que são inocentes — disse Abbes García. — Vá correndo avisar os irmãos do Chefe. Que se reúnam todos no Palácio Nacional. Não fale de Pupo ainda. Diga a eles que há boatos de atentados. Vá voando! Como está o sujeito? Posso interrogá-lo?

— Está morrendo, coronel — afirmou o doutor Damirón Ricart. — Como médico, meu dever...

— Seu dever é calar a boca, se não quiser ser tratado como cúmplice. — Pedro Livio viu, outra vez, bem de perto, o rosto do chefe do SIM. "Não estou morrendo", pensou. "O doutor mentiu para que ele não continue apagando guimbas no meu rosto."

— O general Román mandou matar o Chefe? — Outra vez, no nariz e na boca, o bafo azedo do coronel. — Isso é verdade?

— Estão à procura dele para mostrar-lhe o cadáver — ouviu-se gritar. — Ele é assim: ver para crer. E, além do mais, a maleta.

O esforço o deixara extenuado. Temeu que nesse mesmo momento os *caliés* estivessem apagando cigarros no rosto de Olga. Coitada, que tristeza. Perderia o bebê, amaldiçoaria ter se casado com o ex-capitão Pedro Livio Cedeño.

— Que maleta? — perguntou o chefe do SIM.

— A de Trujillo — respondeu, no ato, articulando bem. — Cheia de sangue por fora e de pesos e dólares por dentro.

— Com as iniciais dele? — insistiu o coronel. — As iniciais RLTM, em metal?

Não conseguiu responder, a memória o traía. Tony e Antonio a encontraram no carro, abriram e disseram que estava cheia de pesos dominicanos e dólares. Milhares e milhares. Notou a angústia do chefe do SIM. Ah, filho da puta, a maleta o convenceu de que era verdade, de que tinham matado o Bode.

— Quem mais está envolvido? — perguntou Abbes García. — Diga nomes. Assim vai poder descer para a sala de cirurgia e tirar as balas. Quem mais?
— Encontraram Pupo? — perguntou, excitado, atropelando as palavras. — Mostraram a ele o cadáver? E também a Balaguer?
A mandíbula do coronel Abbes García caiu outra vez. Ficou assim, boquiaberto de surpresa e apreensão. De um modo obscuro, ele estava vencendo o jogo.
— Balaguer? — Pronunciou, sílaba por sílaba, letra por letra. — O Presidente da República?
— Ele vai fazer parte da Junta cívico-militar — explicou Pedro Livio, lutando para conter as ânsias de vômito. — Eu fui contra. Mas disseram que é necessário, para tranquilizar a OEA.
Dessa vez, as ânsias não lhe deram tempo de inclinar a cabeça e vomitar fora da cama. Uma coisa morna e viscosa escorreu pelo seu pescoço, manchando o peito. Viu o chefe do SIM se afastar, enojado. Tinha fortes espasmos e sentia frio nos ossos. Não poderia mais falar. Pouco depois, o rosto do coronel estava em cima dele de novo, transtornado de impaciência. Olhava para ele como se quisesse trepanar seu crânio para descobrir toda a verdade.
— Joaquín Balaguer também?
Só resistiu ao seu olhar por alguns segundos. Fechou os olhos, queria dormir. Ou morrer, tanto fazia. Ouviu, duas ou três vezes, a pergunta: "Balaguer? Balaguer também?" Não respondeu nem abriu os olhos. Nem quando um violentíssimo ardor no lóbulo da orelha direita o fez se encolher. O coronel havia apagado o cigarro e agora o retorcia e desmanchava no pavilhão da orelha. Não gritou, nem se mexeu. Transformado em cinzeiro do chefe dos *caliés*, Pedro Livio, veja como você acabou. Ora, que merda. O Bode estava morto. Dormir. Morrer. No poço profundo em que estava caindo, continuava a ouvir Abbes García: "Um beato como ele tinha que estar conspirando com os padres. É um complô dos bispos, mancomunados com os gringos." Havia longos silêncios, intercalados de murmúrios e, às vezes, o tímido pedido do doutor Damirón Ricart: se não o operassem, o paciente ia morrer. "Mas o que eu quero é morrer", pensava Pedro Livio.

Corridas, passos precipitados, uma porta batendo. O quarto se encheu de gente outra vez, e entre os recém-chegados estava novamente o coronel Figueroa Carrión:

— Encontramos uma ponte dentária na estrada, perto do Chevrolet de Sua Excelência. O dentista dele, o doutor Fernando Caminho Certeiro, está examinando-a. Eu mesmo fui acordá-lo. Em meia hora nos dará um relatório. À primeira vista, parece ser do Chefe.

A voz era lúgubre. E, também, o silêncio em que os outros ouviam.

— Não encontraram mais nada? — Abbes García falava mastigando as palavras.

— Uma pistola automática, calibre 45 — disse Figueroa Carrión. — Vai levar umas horas para conferir a numeração. E um carro abandonado, a duzentos metros do atentado. Um Mercury.

Pedro Livio pensou que Salvador tivera razão em se zangar com Fifí Pastoriza por ter deixado o seu Mercury largado na estrada. Eles iam identificar o dono, e dentro de pouco os *caliés* estariam apagando guimbas no rosto do Turco.

— Ele cantou mais alguma coisa?

— Balaguer, ninguém menos — silvou Abbes García. — Você imagina? O chefe das Forças Armadas e o Presidente da República. Falou de uma Junta cívico-militar, na qual colocariam Balaguer para tranquilizar a OEA.

O coronel Figueroa Carrión soltou outro "Porra!"

— Isso é um truque, para despistar. Incluir nomes importantes, comprometer todo mundo.

— Pode ser, veremos — disse o coronel Abbes García. — Uma coisa é certa. Tem muita gente implicada, traidores de alto nível. E, naturalmente, os padres. Temos que tirar o bispo Reilly do Colégio Santo Domingo. Por bem ou por mal.

— Vamos levá-lo para La Cuarenta?

— É lá que vão procurá-lo, assim que souberem. Melhor para San Isidro. Mas espere um pouco, isso é delicado, temos que consultar os irmãos do Chefe. Se há alguém que não pode estar envolvido na conspiração é o general Virgilio García Trujillo. Vá lá e informe a ele, pessoalmente.

Pedro Livio ouviu os passos do coronel Figueroa Carrión se afastando. Estaria sozinho com o chefe do SIM? Ia apagar mais cigarros nele? Mas não era isso que mais o atormentava agora. Era entender que, embora tivessem matado o Chefe, as coisas não tinham saído como o planejado. Por que Pupo não tomava o poder, com seus soldados? O que fazia ali Abbes García, dando ordens para os *caliés* prenderem o bispo Reilly? Este sanguinário degenerado continuava mandando? Ainda estava em cima dele; não o via, mas sentia aquele bafo carregado que seu nariz e sua boca captavam.

— Mais alguns nomes e deixo você descansar — ouviu-o dizer.

— Ele não ouve, não vê nada, coronel — implorou o doutor Damirón Ricart. — Entrou em coma.

— Opere-o, então — disse Abbes García. — Mas quero ele vivo, não se esqueça. É a vida deste sujeito contra a sua.

— Não pode me tirar tantas. — Pedro Livio ouviu o médico suspirar. — Só tenho uma vida, coronel.

XVI

— Manuel Alfonso? — tia Adelina põe a mão na orelha, como se não houvesse escutado, mas Urania sabe que a velhinha tem um ouvido excelente e está fingindo enquanto se refaz do choque. Lucinda e Manolita também a encaram de olhos arregalados. Só Marianita não parece abalada.
— Sim, ele, Manuel Alfonso — repete Urania. — Nome de conquistador espanhol. Chegou a conhecê-lo, tia?
— Eu o vi algumas vezes — admite a velhinha, intrigada e ofendida. — O que ele tem a ver com a barbaridade que você disse sobre Agustín?
— Ele era o *playboy* que arranjava mulheres para Trujillo — lembra Manolita. — Não é isso mesmo, mami?
"*Playboy, playboy*", grita Sansón. Mas, dessa vez, só a sobrinha magrela ri.
— Era bonitão, um adônis — diz Urania. — Antes do câncer.
Foi o dominicano mais charmoso da sua geração, mas durante as semanas, talvez meses, que Agustín Cabral deixou de vê-lo, aquele semideus cuja elegância e cujo porte faziam as garotas virar a cabeça para olhá-lo, ele se transformou numa sombra de si mesmo. O senador não acreditava nos próprios olhos. Devia ter perdido uns dez ou quinze quilos; abatido, pálido, tinha umas olheiras profundas em volta dos olhos, antes sempre orgulhosos e risonhos — um olhar de gozador, um sorriso de vencedor —, que agora careciam de vida. Ele tinha ouvido falar do pequeno tumor debaixo da língua descoberto pelo dentista quando Manuel, ainda embaixador em Washington, foi fazer a limpeza anual dos dentes. Essa notícia, diziam, abalou Trujillo como se houvesse aparecido um tumor num dos seus filhos. Enquanto o operavam na Clínica Mayo, nos Estados Unidos, o Chefe ficou pendurado no telefone.

— Mil desculpas por incomodá-lo assim, logo depois da sua chegada, Manuel. — Cabral se levantou ao vê-lo entrar na saleta onde o esperava.

— Meu querido Agustín, que alegria. — Manuel Alfonso o abraçou. — Você me entende? Tiveram que me tirar parte da língua. Mas com um pouco de terapia vou voltar a falar normalmente. Consegue me entender?

— Perfeitamente, Manuel. Não noto nada estranho na sua voz, acredite.

Não era verdade. O embaixador falava como se mastigasse pedrinhas, tivesse a língua presa ou fosse gago. Nas caretas que ele fazia se refletia o esforço que cada frase lhe custava.

— Sente-se, Agustín. Um café? Uma bebida?

— Nada, obrigado. Não vou lhe tomar muito tempo. Desculpe-me outra vez por incomodar, você ainda convalescendo de uma operação. Estou numa situação muito difícil, Manuel.

Calou-se, envergonhado. Manuel Alfonso pôs uma mão amiga em seu joelho.

— Eu imagino, Craninho. Povoado pequeno, inferno grande: as fofocas até chegaram aos Estados Unidos. Que você foi destituído da Presidência do Senado e que estão investigando sua administração no ministério.

A doença e o sofrimento tinham envelhecido em muitos anos o apolíneo dominicano cujo rosto, de dentes perfeitos e branquíssimos, havia intrigado o Generalíssimo Trujillo na sua primeira viagem oficial aos Estados Unidos, e, com isso, o destino de Manuel Alfonso sofreu uma reviravolta como a de Cinderela ao ser tocada pela varinha mágica. Mas ele continuava sendo um homem elegante, vestido como o modelo que foi na sua juventude de imigrante dominicano nova-iorquino: mocassim de camurça, calça creme de veludo cotelê, camisa de seda italiana e um charmoso lencinho no pescoço. Um anel de ouro brilhava no dedo mindinho. Ele estava barbeado, perfumado e penteado com esmero.

— Eu lhe agradeço muito por me receber, Manuel. — Agustín Cabral recuperou a compostura: sempre desprezara os homens que têm piedade de si mesmos. — Você é o único. Eu virei um pária. Ninguém quer me receber.

— Não esqueço os serviços recebidos, Agustín. Você sempre foi generoso, apoiou todas as minhas nomeações no

Congresso, fez mil favores. Vou fazer o que puder. Quais são as acusações contra você?

— Não sei, Manuel. Se soubesse, poderia me defender. Até agora, ninguém me disse que erro cometi.

— Sim, muito, todas nós ficávamos de coração pulando quando ele estava por perto — reconhece, impaciente, tia Adelina. — Mas que relação pode haver entre ele e o que você disse sobre Agustín.

Urania está com a garganta seca, bebe uns goles d'água. Por que insiste em falar disso? Para quê?

— Porque Manuel Alfonso foi o único, entre todos os amigos, que tentou ajudar papai. Aposto que você não sabia. Nem vocês, primas.

As três a olham como se a achassem um pouco bizarra.

— Pois é, não sabia — murmura tia Adelina. — Tentou ajudar quando seu pai caiu em desgraça? Tem certeza?

— Tanta certeza como a que tenho de que meu pai não contou a você nem ao tio Aníbal as tentativas de Manuel Alfonso para tirá-lo do problema.

Cala-se, porque a empregada haitiana entra na sala. Esta pergunta, num espanhol incerto e cadenciado, se precisam dela ou pode ir dormir. Lucinda a despacha com a mão: pode ir.

— Quem era Manuel Alfonso, tia Urania? — inquire o fio de voz de Marianita.

— Um verdadeiro personagem, sobrinha. De boa estampa e excelente família. Foi tentar a vida em Nova York e acabou sendo modelo de costureiros e lojas de luxo e aparecendo de boca aberta nos cartazes de rua, fazendo propaganda de Colgate, a pasta que refresca, limpa e dá brilho aos seus dentes. Trujillo, numa viagem aos Estados Unidos, soube que o rapaz dos cartazes era um dominicano de berço. Mandou chamá-lo e o adotou. Fez dele uma personalidade. Seu intérprete, porque falava inglês perfeitamente; seu professor de protocolo e etiqueta, porque era um elegante profissional; e, função muito importante, era quem lhe escolhia os ternos, gravatas, sapatos, meias e os alfaiates nova--iorquinos onde ele se vestia. Sempre o mantinha atualizado na última moda masculina. E o ajudava a desenhar seus uniformes, *hobby* do Chefe.

— E, principalmente, escolhia suas mulheres — interrompe Manolita. — Não é mesmo, mami?

— O que tem a ver tudo isso com o meu irmão. — Fulmina um soquinho irado no ar.

— Mulheres era o de menos — Urania continua informando à sobrinha. — Trujillo estava pouco ligando, porque tinha todas as que quisesse. Os ternos e acessórios é que lhe importavam de verdade. Manuel Alfonso fazia com que se sentisse refinado, elegante, sofisticado. Como o Petrônio de *Quo Vadis?*, que ele sempre citava.

— Ainda não vi o Chefe, Agustín. Tenho uma audiência esta tarde, na casa dele, na Estância Radhamés. Vou tentar averiguar, prometo.

Manuel o deixara falar sem interromper, limitando-se a assentir e a esperar, quando o senador desanimava e a amargura ou a angústia cortavam a sua voz. Ele contou tudo o que estava acontecendo, o que tinha dito, feito e pensado desde que, dez dias antes, saíra a primeira carta no "Foro Público". E se abriu com aquele homem que tinha consideração por ele, o primeiro que lhe demonstrava simpatia desde o dia funesto, contando-lhe detalhes íntimos da sua vida, dedicada desde os vinte anos a servir ao homem mais importante da história dominicana. Era justo que se negasse a ouvir alguém que vivia havia trinta anos por e para ele? Estava disposto a reconhecer os seus erros, se os tivesse cometido. Fazer um exame de consciência. Pagar os seus pecados, se existissem. Mas que o Chefe lhe concedesse cinco minutos, pelo menos.

Manuel Alfonso voltou a bater no seu joelho. A casa, num bairro novo, Arroyo Hondo, era imensa, rodeada de um parque, mobiliada e decorada com gosto refinado. Infalível para detectar nas pessoas suas possibilidades recônditas — faculdade que sempre surpreendeu Agustín Cabral —, o Chefe acertara em cheio em relação ao modelo. Manuel Alfonso era capaz de circular com desenvoltura no mundo da diplomacia, graças a sua simpatia e facilidade de comunicação, e obter vantagens para o regime. Ele fizera isso em todas as missões, principalmente na última, em Washington, o período mais difícil, quando Trujillo, até então o xodó dos governos americanos, passou a ser um estorvo, atacado pela imprensa e por muitos parlamentares. O embaixador pôs a mão no rosto, num gesto de dor.

— De vez em quando dá uma pontada — desculpou-se.
— Acontece de repente. Espero que o cirurgião tenha me falado a verdade. Que eles descobriram bem a tempo. Noventa por cento de chances de sucesso. Por que ele iria mentir? Os gringos são diretos, não têm nossa delicadeza, não douram a pílula.

Então se cala, porque outra careta contrai o seu rosto devastado. Logo depois se recompõe, fica sério, filosofa:

— Sei como você se sente, Craninho, sei o que está passando. Isso já aconteceu comigo algumas vezes, em vinte e tantos anos de amizade com o Chefe. Nunca chegou ao extremo do seu caso, mas houve um distanciamento por parte dele, uma frieza que não conseguia entender. Lembro do desânimo, da solidão que senti, da sensação de ter perdido a bússola. Mas depois tudo se esclareceu, e o Chefe voltou a me honrar com sua confiança. Deve ser intriga de algum invejoso que não perdoa o seu talento, Agustín. Mas, você sabe, o Chefe é um homem justo. Vou falar com ele esta tarde, dou minha palavra.

Cabral se levantou, comovido. Ainda havia gente decente na República Dominicana.

— Vou estar o dia todo em casa, Manuel — disse, apertando-lhe a mão com força. — Não se esqueça de dizer a ele que estou disposto a tudo para recuperar a sua confiança.

— Eu pensava nele como num ator de Hollywood, Tyrone Power ou Errol Flynn — diz Urania. — Fiquei muito decepcionada quando o vi, naquela noite. Não era a mesma pessoa. Tinham tirado a metade da garganta. Parecia tudo, menos um dom-juan.

Tia Adelina, as primas e a sobrinha ouvem em silêncio, trocando olhares entre si. Até o papagaio Sansón parece interessado, pois faz tempo que não a interrompe com sua tagarelice.

— Você é a Urania? A filhinha do Agustín? Que crescida, e que linda, menina. Eu a conheço desde que você usava fraldas. Venha cá e me dê um beijo.

— Falava mastigando as palavras, parecia um débil mental. E me tratou com muito carinho. Eu não acreditava que aquele farrapo humano fosse Manuel Alfonso.

— Tenho que falar com o seu pai — disse ele, dando um passo para dentro. — Mas como está linda. Você vai roubar muitos corações na vida. Agustín está? Vá chamá-lo.

— Ele tinha falado com Trujillo e veio da Estância Radhamés direto para a nossa casa, relatar a conversa. Papai quase não acreditava. A única pessoa que não me virou as costas, a única que me estende a mão, repetia.

— Será que não foi um sonho essa intervenção do Manuel Alfonso? — exclama a tia Adelina, desconcertada. — Agustín teria nos contado, a Aníbal e a mim.

— Deixe Urania continuar, não interrompa, mami — diz Manolita.

— Naquela noite, fiz uma promessa para Nossa Senhora da Altagracia ajudar meu pai a sair disso. Adivinhem o que foi.

— Que ia entrar para o convento? — ri a prima Lucinda.

— Que ia ficar pura pelo resto da vida — ri Urania.

As primas e a sobrinha também riem, mas sem muito entusiasmo, disfarçando o embaraço. Tia Adelina permanece séria, sem tirar os olhos dela e sem esconder a impaciência: o que mais, Urania, o que mais.

— Como cresceu e ficou bonita esta menina — repete Manuel Alfonso, deixando-se cair na poltrona, em frente a Agustín Cabral. — Lembra a mãe. Os mesmos olhos lânguidos e o corpo fininho e gracioso da sua mulher, Craninho.

Este lhe agradece com um sorriso. Levara o embaixador para o seu gabinete, em vez de recebê-lo na salinha, para evitar que a menina e os empregados os ouvissem. Agradece outra vez a Manuel Alfonso por ter se dado ao trabalho de vir pessoalmente, em vez de telefonar. O senador fala de maneira atropelada, sentindo que cada palavra faz o seu coração pular. Tinha conversado com o Chefe?

— Claro que sim, Agustín. Prometi e cumpri. Falamos de você quase uma hora. Não vai ser fácil. Mas você não deve perder a esperança. Isso é o principal.

Usava um terno escuro, de corte impecável, uma camisa branca com o colarinho engomado e uma gravata azul de bolinhas brancas, presa com uma pérola. Um lencinho de seda branca despontava no bolso de cima do paletó, e, quando ele subiu a calça para não amassar ao sentar-se, apareceram suas meias azuis, sem uma dobra. Os sapatos brilhavam.

— Ele está muito magoado com você, Craninho. — Parecia que a ferida incomodava, porque, volta e meia, o embaixador fazia umas contorções estranhas com os lábios e Agustín Cabral ouvia sua dentadura ranger. — Não é uma coisa concreta, são muitas, que foram se acumulando nos últimos meses. O Chefe é extraordinariamente perceptivo. Nada lhe escapa, sempre detecta as menores mudanças nas pessoas. Ele diz que, desde que a crise começou, com a Carta Pastoral e as confusões na OEA provocadas pelo macaco Betancourt e o rato Muñoz Marín, você foi esfriando. Que não demonstrou toda a dedicação que ele esperava.

O senador assentia: se o Chefe notou, talvez seja verdade. Nada premeditado, certamente, muito menos causado por uma queda na sua admiração e lealdade ao Chefe. Qualquer coisa inconsciente, a fadiga, a tremenda tensão deste último ano provocada pela conspiração continental contra Trujillo, dos comunistas e Fidel Castro, dos padres, de Washington e o Departamento de Estado, de Figueres, Muñoz Marín e Betancourt, as sanções econômicas, as canalhices dos exilados. Sim, sim, era possível que, sem querer, tivesse decaído o seu rendimento no trabalho, no Partido, no Congresso.

— O Chefe não aceita esmorecimento nem fraqueza, Agustín. Quer que todos sejam como ele. Incansáveis, umas rochas, de ferro. Você sabe.

— E tem toda a razão. — Agustín Cabral deu uma pancada na sua pequena escrivaninha. — Foi agindo assim que ele construiu este país. Ele nunca desmontou do cavalo, Manuel, como disse na campanha de 1940. Tem o direito de exigir que nós todos o imitemos. Eu o decepcionei sem querer. Será por não ter conseguido que os bispos o proclamassem Benfeitor da Igreja, talvez? Ele queria esse desagravo, depois daquela iníqua Carta Pastoral. Eu fiz parte da comissão, junto com Balaguer e Paíno Pichardo. Por causa desse fracasso, você acha?

O embaixador negou com a cabeça.

— Ele é muito delicado. Mesmo que se sinta magoado por isso, não me diria nunca. Possivelmente essa é uma das causas. Mas temos que entendê-lo. Ele sempre é traído, há trinta e um anos, pelas pessoas que mais ajuda. Como pode não ser suscetível um homem cujos melhores amigos o apunhalam pelas costas?

— Eu lembro bem do perfume dele — diz Urania, após uma pausa. — Desde então, não estou mentindo, toda vez que estou perto de um homem muito perfumado, volto a ver Manuel Alfonso. E ouvir aquela algaravia que ele falava, nas duas vezes em que tive a honra de desfrutar da sua grata companhia.

Sua mão direita aperta a toalha da mesa. A tia, as primas e a sobrinha, atônitas com sua hostilidade e seu sarcasmo, hesitam, constrangidas.

— Se você não gosta de falar dessa história, não o faça, prima — insinua Manolita.

— Essa história me incomoda e me dá náuseas — replica Urania. — Sempre me enche de ódio e de nojo. Nunca contei a ninguém. Talvez me faça bem livrar-me disso, de uma vez por todas. E ninguém melhor do que a família para ouvir.

— O que você acha, Manuel? O Chefe vai me dar outra oportunidade?

— Por que não tomamos um uísque, Craninho — diz o embaixador, fugindo de uma resposta. Levanta as mãos, para evitar a censura. — Sei que não deveria, que me proibiram de beber álcool. Ora essa! Vale a pena viver sem as coisas boas? Um uísque de boa marca é uma delas.

— Desculpe, não lhe ofereci nada. Claro, eu também vou tomar uma dose. Vamos descer para a sala. Uranita já foi deitar.

Mas ela ainda não estava na cama. Tinha acabado de jantar e se levanta ao vê-los descer a escada.

— Você era uma criança na última vez que a vi — elogia Manuel Alfonso, sorrindo. — Agora é uma mocinha muito bonita. Você nem deve ter percebido a mudança, Agustín.

— Até amanhã, papai. — Urania beija o pai. Vai dar a mão ao visitante, mas este oferece o rosto. Ela o beija de leve, corando: — Boa-noite, senhor.

— Pode me chamar de tio Manuel. — E a beija, na testa.

Cabral indica ao mordomo e à empregada que podem se retirar e ele mesmo traz a garrafa de uísque, os copos, o baldinho com gelo. Serve uma dose ao amigo e se serve outra, também com gelo.

— Saúde, Manuel.

— Saúde, Agustín.

O embaixador saboreia com satisfação, entrefechando os olhos. "Ah, que agradável", exclama. Mas tem dificuldade para engolir o líquido, pois seu rosto se contrai de dor.

— Nunca fui beberrão, nunca perdi o controle dos meus atos — diz. — Mas, isso sim, sempre soube desfrutar a vida. Mesmo no tempo em que não sabia se ia ter o que comer no dia seguinte, pude extrair o máximo prazer das pequenas coisas: um bom drinque, um bom charuto, uma paisagem, um prato bem-feito, uma fêmea que requebra as cadeiras com graça.

Ri, nostálgico, e Cabral o imita sem ânimo. Como voltar ao único assunto que lhe interessa? Por cortesia, reprime a impaciência. Há muitos dias que ele não bebe nada, e os dois ou três goles o deixaram tonto. Mesmo assim, após encher de novo o copo de Manuel Alfonso, serve também o seu.

— Quem diria que você já passou dificuldade financeiras, Manuel — tenta adular. — Lembro de você sempre elegante, magnífico, pródigo, pagando todas as contas.

O ex-modelo, balançando o copo, concorda, satisfeito. A luz do lustre lhe bate bem na cara e só agora Cabral nota a cicatriz sinuosa que se enrosca em sua garganta. Devia ser duro, para uma pessoa tão orgulhosa do seu rosto e do seu corpo, ter sido cortado assim.

— Eu sei o que é passar fome, Craninho. Quando era jovem, em Nova York, cheguei a dormir nas ruas, feito um *tramp*. Muitas vezes, a minha única refeição do dia era um prato de macarrão ou um pão. Sem Trujillo, quem sabe qual teria sido a minha sorte. Eu sempre agradei as mulheres, mas nunca dei para gigolô, como o nosso grande Porfirio Rubirosa. O mais provável é que acabasse fazendo michê nas ruas, no Bowery.

Manuel Alfonso bebe o último gole, esvaziando o seu copo. O senador volta a encher.

— Eu devo tudo a ele. Tudo o que tenho, tudo o que pude ser. — Contempla cabisbaixo os cubinhos de gelo. — Lidei com ministros e presidentes dos países mais poderosos, fui convidado à Casa Branca, joguei pôquer com o Presidente Truman, estive nas festas dos Rockefeller. Meu tumor foi extirpado na Clínica Mayo, a melhor do mundo, pelo melhor cirurgião dos Estados Unidos. Quem pagou a operação? O Chefe, naturalmente. Você entende, Agustín? Tal como o nosso país, eu também devo tudo a Trujillo.

Agustín Cabral se arrependeu de todas as vezes em que, na intimidade do Country Clube, no Congresso ou num sítio afastado, com um círculo de amigos íntimos (que ele considerava íntimos) ele tinha rido das piadas contra o ex-anunciante da pasta Colgate, que devia seus altíssimos postos diplomáticos e sua posição de conselheiro de Trujillo aos sabonetes, talcos, perfumes que encomendava para Sua Excelência e ao seu bom gosto para escolher as gravatas, ternos, camisas, pijamas e sapatos que o Chefe usava.

— Eu também devo a ele tudo o que sou e o que fiz, Manuel — afirmou. — Entendo você muito bem. E, por isso, estou disposto a qualquer coisa para recuperar a amizade dele.

Manuel Alfonso olhou-o, espichando a cabeça. Não disse nada por um bom tempo, mas continuou esquadrinhando o senador, como que sopesando, milímetro por milímetro, a seriedade das suas palavras.

— Mãos à obra então, Craninho!

— Ele foi o segundo homem que me cortejou, depois de Ramfis Trujillo — diz Urania. — Que eu era linda, que parecia com a minha mãe, que olhos bonitos. Eu já tinha ido a festas com rapazes e dançado. Umas cinco ou seis vezes. Mas ninguém tinha falado comigo daquela forma, antes. Porque o galanteio de Ramfis, na feira, era dirigido a uma menina. O primeiro a me tratar como uma mulherzinha foi o meu *tio* Manuel Alfonso.

Disse tudo isso rapidamente, com uma fúria surda, e nenhuma das presentes lhe pergunta nada. O silêncio na pequena sala se parece com aquele que antecede os trovões nas ruidosas tempestades de verão. Ao longe, uma sirene fere a noite. Sansón passeia nervoso em seu poleirinho de madeira, encrespando as penas.

— Para mim era um velho, ele me fazia rir com aquela maneira tão dolorosa de falar, a cicatriz no pescoço me deu medo. — Urania torce as mãos. — Como ia me fazer um galanteio, bem naquela hora. Mas, depois, eu me lembrei muito dessas pérolas que ele disse.

Volta a se calar, exausta. Lucinda faz um comentário — "Você tinha quatorze anos, não é?" — que Urania acha estúpido. Lucinda sabe muito bem que elas duas são do mesmo ano. Quatorze, que idade mentirosa. Haviam deixado de ser meninas mas ainda não eram moças.

— Três ou quatro meses antes, tive as regras pela primeira vez — sussurra. — Adiantadas, parece.

— Isso acabou de me ocorrer, bem ali quando entrei — diz o embaixador, esticando a mão e servindo-se outro uísque; serve, também, ao dono da casa. — Sempre fui assim: primeiro o Chefe, depois eu. Você ficou estranho, Agustín. Estou errado? Não falei nada, esqueça. Eu já esqueci. Saúde, Craninho!

O senador Cabral bebe um gole prolongado. O uísque arranha sua garganta e deixa seus olhos vermelhos. Cantava um galo nessa hora?

— É que, é que... — repete, perplexo.

— Vamos esquecer isso. Espero que não tenha levado a mal, Craninho. Esqueça! Vamos esquecer!

Manuel Alfonso se levantou. Passeia entre os móveis anódinos da salinha, arrumada e limpa mas sem o toque feminino de uma dona de casa eficiente. O senador Cabral pensa — quantas vezes pensou em todos estes anos? — que fez mal permanecendo sozinho, depois da morte da sua esposa. Devia ter se casado, tido outros filhos, talvez não lhe estaria acontecendo esta desgraça. Por que não o fez? Por Uranita, como dizia a todo mundo? Não. Para dedicar mais tempo ao Chefe, entregar a ele seus dias e suas noites, demonstrar-lhe que nada nem ninguém era mais importante que ele na vida de Agustín Cabral.

— Não levei a mal. — Faz um enorme esforço para parecer sereno. — É que fiquei desconcertado. Era uma coisa que eu não esperava, Manuel.

— Você pensa que é uma menina, não percebeu que já virou mulherzinha. — Manuel Alfonso faz os cubinhos de gelo tilintarem no copo. — Uma moça linda. Você deve estar orgulhoso de ter uma filha assim.

— Claro. — E acrescenta, sem saber o que dizer: — Sempre foi a primeira da turma.

— Sabe de uma coisa, Craninho? Eu não vacilaria um segundo. Não para reconquistar a confiança do Chefe, não para mostrar que sou capaz de qualquer sacrifício por ele. Simplesmente porque nada me daria mais satisfação, mais felicidade, que ver o Chefe fazer uma filha minha gozar, e gozar com ela. Não é exagero, Agustín. Trujillo é uma anomalia da história. Carlos Magno, Napoleão, Bolívar: dessa estirpe. Forças da Natureza, instrumentos de Deus, fazedores de povos. Ele é um deles, Craninho. Nós tivemos o privilégio de estar ao seu lado, de vê-lo em ação, de colaborar com ele. Isso não tem preço.

Esvaziou o copo e Agustín Cabral levou o seu à boca, mas apenas molhou os lábios. Não estava mais tonto, mas agora sentia o estômago embrulhado. A qualquer momento ia vomitar.

— Ela ainda é uma menina — balbuciou.

— Melhor! — exclamou o embaixador. — O Chefe vai apreciar ainda mais o seu gesto. Vai ver que se enganou, que o julgou de forma precipitada, deixando-se levar por suscetibilidades ou dando ouvidos aos seus inimigos. Não pense só em você, Agustín. Não seja egoísta. Pense na sua filhinha. O que vai ser dela se você perder tudo e acabar na prisão, acusado de má administração e fraude?

— Acha que nunca pensei nisso, Manuel?

O embaixador levantou os ombros.

— Acabou de me ocorrer, vendo como ela ficou bonita — repetiu. — O Chefe aprecia a beleza. Se eu lhe disser: "O Craninho quer lhe oferecer, como prova de apreço e de lealdade, a sua linda filha, que ainda é mocinha", ele não a rejeitará. Eu o conheço. O Chefe é um cavalheiro, tem um tremendo senso de honra. Isso vai tocar seu coração. Ele vai mandar chamá-lo. Vai devolver tudo o que tiraram de você. Uranita terá um futuro seguro. Pense nela, Agustín, e jogue fora esses preconceitos antiquados. Não seja egoísta.

Pega a garrafa de novo e serve um pouco de uísque no seu copo e outro no de Cabral. Joga cubinhos de gelo com a mão em ambos os copos.

— Acabou de me ocorrer, vendo como ela ficou bonita — insistiu, pela quarta ou quinta vez. A garganta o estava incomodando, enlouquecendo? Mexia a cabeça e acariciava a cicatriz com a ponta dos dedos. — Se isso o incomoda, eu não disse nada.

— Você disse vil e malvado — tia Adelina explode de repente. — Foi isso que você falou do seu pai, um morto em vida, já esperando o final. Do meu irmão, do ser que eu mais amei e respeitei na vida. Você não vai sair desta casa sem me explicar o porquê desses insultos, Urania.

— Eu disse vil e malvado porque não há palavras mais fortes — explica Urania, devagarzinho. — Se houvesse, teria usado. Ele teve os seus motivos, certamente. Seus atenuantes, suas razões. Mas eu não o perdoei, nem vou perdoar nunca.

— Então por que o ajuda, se você o odeia tanto? — A velha treme de indignação; está muito pálida, como se fosse desmaiar. — Para que a enfermeira, a comida? Deixe-o morrer, então.

— Prefiro que ele viva assim, morto em vida, sofrendo — responde, muito calma, com os olhos baixos. — É por isso que eu o ajudo, tia.

— Mas, mas o que ele fez para que você o odeie tanto, para que diga uma coisa tão monstruosa? — Lucindita levanta os braços, sem acreditar no que acaba de ouvir. — Deus do céu!

— Você vai se surpreender com o que vou dizer, Craninho — exclama Manuel Alfonso, em tom dramático. — Quando vejo uma beleza, uma fêmea de verdade, dessas de virar a cabeça, eu não penso em mim. Penso no Chefe. Sim, nele. Será que ele gostaria de abraçá-la, fazer amor? Nunca contei isso a ninguém. Nem ao Chefe. Mas ele sabe. Ele sabe que, para mim, Trujillo sempre foi o primeiro, até nisso. E conste que gosto muito de mulher, Agustín. Não pense que me sacrifiquei cedendo mulheres belíssimas a ele por adulação, para obter favores, negócios. É o que imaginam os maus, os porcos. Sabe por que fiz isso? Por carinho, por compaixão, por piedade. Você pode entender, Craninho. Você e eu sabemos o que é a vida dele. Trabalhar do alvorecer até a meia-noite, sete dias por semana, doze meses por ano. Sem descansar jamais. Tratando das coisas importantes e das insignificantes. Tomando a toda hora decisões cruciais para a vida e a morte de três milhões de dominicanos. Para entrar no século XX. Tendo que se proteger dos ressentidos, dos medíocres, da ingratidão desses pobres-diabos. Um homem assim não merece se distrair de vez em quando? Passar alguns minutos com uma garota? É uma das poucas compensações que ele tem na vida, Agustín. Por isso, eu me sinto orgulhoso de ser o que tantas víboras dizem que sou: a celestina do Chefe. Com muita honra, Craninho!

Levou aos lábios o copo sem uísque e meteu um cubo de gelo na boca. Ficou um bom tempo em silêncio, sugando, concentrado, extenuado pelo solilóquio. Cabral o observava, também calado, acariciando o seu copo cheio de uísque.

— A garrafa acabou e não tenho outra — desculpou-se.
— Beba o meu, não quero mais.

Concordando, o embaixador lhe deu o copo vazio e o senador Cabral derramou nele os restos do seu.

— Estou emocionado com o que você diz, Manuel — murmurou. — Mas não me surpreende. O que você sente por ele, essa admiração, essa gratidão, é o que sempre senti pelo Chefe. Por isso é tão dolorosa esta situação.

O embaixador pôs a mão em seu ombro.

— Tudo vai se ajeitar, Craninho. Eu falarei com ele. Sei como dizer as coisas. Vou explicar. Não direi que a ideia é minha, e sim que é sua. Iniciativa do Agustín Cabral. Um homem leal à toda prova, mesmo na desgraça, na humilhação. Você conhece o Chefe. Ele gosta de gestos. Pode ter idade, pode ter a saúde abalada, mas nunca recusou os desafios do amor. Vou organizar tudo, com a mais absoluta discrição. Não se preocupe. Você vai recuperar a sua posição, todos os que lhe deram as costas muito em breve vão fazer fila aqui na porta. Agora tenho que ir. Obrigado pelo uísque. Lá em casa não me deixam tomar uma gota de álcool. Foi bom ter essa sensação um pouco ardente, um pouco amarga de novo na minha pobre garganta. Até logo, Craninho. Não se angustie mais. Deixe comigo. É bom você ir preparando a Uranita. Sem entrar em detalhes. Não é preciso, o Chefe se encarrega. Você não imagina a delicadeza, a ternura, a gentileza dele em casos assim. Vai fazê-la feliz, recompensá-la, a menina tem o futuro garantido. Ele sempre faz isso. Ainda mais com uma garota tão doce e tão bonita.

Cambaleou até a porta e saiu batendo com força. No sofá da sala, onde continuava com o copo vazio na mão, Agustín Cabral ouviu o motor do carro partindo. Sentia lassidão, uma abulia imensa. Não teria forças para se levantar, subir os degraus, tirar a roupa, ir ao banheiro, escovar os dentes, deitar, apagar a luz.

— Você está querendo dizer que Manuel Alfonso propôs ao seu pai que, que...? — Tia Adelina não consegue concluir, a cólera a sufoca, não encontra palavras que atenuem, tornem mais apresentável o que tem a dizer. Para terminar de algum jeito, ameaça com o punho o papagaio Sansón, que nem abrira o bico: — Quieto, droga de bicho!

— Não quero dizer nada. Só estou contando o que aconteceu — diz Urania. — Se a senhora não quer ouvir, eu calo a boca e vou embora.

Tia Adelina abre a boca, mas não consegue falar.

Na verdade, Urania não sabia os pormenores da conversa entre Manuel Alfonso e seu pai naquela noite em que o senador, pela primeira vez na vida, não subiu para se deitar. Adormeceu na sala, todo vestido, com um copo e uma garrafa de uísque vazios aos pés. O espetáculo que ela encontrou na manhã seguinte, ao descer para tomar café antes de ir ao colégio, deixou-a assustada. O seu pai não era um beberrão, pelo contrário, sempre criticava os bêbados e farristas. Tinha se embriagado por desespero, porque estava sendo acossado, perseguido, investigado, destituído, tivera suas contas congeladas, tudo por uma coisa que ele não fez. Soluçou, abraçada ao pai, deitado na poltrona da sala. Quando este abriu os olhos e a viu ao seu lado, chorando, beijou-a muitas vezes: "Não chore, meu coração. Vamos sair dessa, você vai ver, não vão nos derrotar." Ele se levantou, ajeitou a roupa, foi tomar o café com a filha. Enquanto acariciava o seu cabelo e lhe dizia que não contasse nada no colégio, olhou para ela de uma maneira estranha.

— Ele devia estar dividido, sofrendo por dentro — imagina Urania. — Na certa pensou em se exilar. Mas não havia forma de entrar numa embaixada. Não existiam mais representações latino-americanas no país, desde as sanções. E os *caliés* rondavam, fazendo guarda na porta das que restavam. Ele deve ter passado um dia horrível, lutando contra os escrúpulos. Nessa tarde, quando voltei do colégio, já tinha dado o passo.

Tia Adelina não protesta. Somente olha para ela, do fundo das suas órbitas afundadas, com uma mistura de recriminação e espanto, e uma incredulidade que, apesar dos seus esforços, vai se apagando. Manolita enrola e desenrola uma mecha de cabelo. Lucinda e Marianita tinham virado estátuas.

Ele estava de banho tomado e vestido com a correção de sempre; não havia sinais da noite ruim. Mas não tinha comido nada, e a incerteza e a amargura se refletiam em sua palidez cadavérica, nas olheiras e no brilho assustadiço do seu olhar.

— Você está passando mal, papai? Por que está tão pálido?

— Precisamos conversar, Uranita. Venha, vamos subir para o seu quarto. Não quero que os empregados escutem.

"Ele vai ser preso", pensou a menina. "Veio me dizer que tenho que ir morar na casa de tio Aníbal e tia Adelina."

Entraram no quarto, Urania largou os livros na mesinha e sentou na beira da cama ("Com uma colcha azul e os bichinhos de Walt Disney"); o pai se encostou na janela.

— Você é a pessoa que mais amo no mundo. — Sorriu. — O que tenho de melhor na vida. Desde que sua mãe morreu, você é a única coisa que me resta. Entende, filhinha?

— Claro, papai — respondeu ela. — Aconteceu outra coisa terrível? Vão prender você?

— Não, não — negou ele com a cabeça. — Aliás, há uma possibilidade de tudo se ajeitar.

Fez uma pausa, incapaz de continuar. Seus lábios e suas mãos tremiam. Ela o observava, surpresa. Mas, então, era uma grande notícia. Uma possibilidade de que as rádios e os jornais parassem de atacá-lo? De que voltasse a ser Presidente do Senado? Se é assim, por que esta cara, papai, por que você está tão abatido, tão triste.

— Porque estão me pedindo um sacrifício, filhinha — murmurou. — Quero que você saiba de uma coisa. Eu nunca faria nada, nada, entenda bem, meta isso na cabecinha, que não fosse pelo seu bem. Jure que nunca vai esquecer o que estou lhe dizendo.

Uranita começa a ficar irritada. Do que ele estava falando? Por que não dizia de uma vez?

— Juro, papai — diz afinal, com um gesto de cansaço. — Mas o que houve, por que tanto rodeio.

Seu pai deixou-se cair ao seu lado na cama, pegou-a pelos ombros, atraiu-a para si, beijou sua cabeça.

— Vai haver uma festa e o Generalíssimo convidou você. — Ainda tinha os lábios apertados contra a testa da menina. — Na casa dele em San Cristóbal, na Fazenda Fundación.

Urania se desprendeu dos seus braços.

— Uma festa? E Trujillo nos convidou? Mas, papai, então quer dizer que está tudo resolvido. Não é mesmo?

O senador Cabral encolheu os ombros.

— Não sei, Uranita. O Chefe é imprevisível. As intenções dele nem sempre são fáceis de adivinhar. Não convidou nós dois. Só você.

— Eu?

— Manuel Alfonso vai levar você. E também trazer. Não sei por que você foi convidada e eu não. Na certa é um primeiro gesto, uma maneira de me dizer que nem tudo está perdido. Foi isso, pelo menos, que Manuel deduziu.

— Como ele estava sem jeito — diz Urania, notando que tia Adelina, cabisbaixa, não a censura mais com esse olhar que perdera a segurança. — Ele se enrolava, contradizia. Morria de medo de que eu não acreditasse nas suas mentiras.

— Manuel Alfonso também pode ter enganado o seu pai... — começa a dizer a tia Adelina, mas a frase se interrompe. Faz um gesto de contrição, desculpando-se com as mãos e a cabeça.

— Se não quer ir, não vá, Uranita. — Agustín Cabral esfrega as mãos como se, naquele entardecer morno que está virando noite, estivesse com frio. — Telefono para Manuel Alfonso agora mesmo e digo que você não se sente bem, que peça desculpas ao Chefe. Você não tem nenhuma obrigação, filhinha.

Ela não sabe o que responder. Por que tinha que tomar aquela decisão?

— Não sei, papai — hesita, confusa. — Acho tudo isso estranhíssimo. Por que ele me convidou sozinha? O que eu vou fazer lá, numa festa de velhos? Ou estão convidando outras garotas da minha idade?

Na garganta fininha do senador Cabral o pomo de adão sobe e desce. Seus olhos se esquivam dos de Urania.

— Assim como convidou você, também deve haver outras jovens — balbucia. — Na certa ele não a considera mais uma menina, e sim uma mocinha.

— Mas ele nem me conhece, só me viu de longe, no meio de um monte de gente. Como pode se lembrar, papai.

— Devem ter feito comentários a seu respeito, Uranita — disfarça o pai. — Repito, você não tem obrigação nenhuma. Se quiser, telefono para Manuel Alfonso e lhe digo que está se sentindo mal.

— Bem, não sei, papai. Se você quiser eu vou, e se não, não. O que quero é ajudar você. Ele não vai ficar zangado se eu não for?

— Você não desconfiou de nada? — Manolita se atreve a perguntar.

De nada, Urania. Você ainda era uma menina, num tempo em que ser menina queria dizer ser totalmente inocente para certas coisas relacionadas com o desejo, os instintos e o poder, e com os infinitos excessos e bestialidades que essas coisas misturadas podiam significar num país modelado por Trujillo. Ela, que era esperta, achou tudo aquilo meio precipitado, é claro. Onde já se viu um convite para uma festa feito no mesmo dia, sem dar tempo à convidada de se preparar? Mas ela era uma menina normal e saudável — o último dia que você seria assim, Urania —, devoradora de romances, e, de repente, essa festa, em San Cristóbal, na famosa fazenda do Generalíssimo, de onde saíam os cavalos e as vacas premiadas em todos os concursos, não podia deixar de instigá-la, dar-lhe curiosidade, pensando no que ia contar depois às suas amigas do Santo Domingo, a inveja que daria nas colegas que, nos últimos tempos, tanto a perseguiram com as barbaridades contra o senador Agustín Cabral que se diziam nos jornais e nas rádios. Por que sentiria medo de uma coisa que tinha a aprovação do seu pai? Pelo contrário, alimentou a fantasia de que aquele convite, como disse o senador, fosse o primeiro sinal de um desagravo, um gesto para indicar ao seu pai que o calvário havia terminado.

Não desconfiou de nada. Como mulherzinha em botão que era, ela se preocupou com coisas mais cotidianas, o que devia usar, papai?, que sapatos?, pena que fosse tão tarde, poderiam ter chamado a cabeleireira que a penteou e maquiou no mês passado, quando foi dama de honra da Rainha de Santo Domingo.

Foi essa a sua única preocupação, a partir do momento em que, para não ofender o Chefe, seu pai e ela decidiram que iria à festa. Don Manuel Alfonso viria buscá-la às oito da noite. Não havia tempo para fazer os deveres.

— Até que horas você disse ao senhor Alfonso que eu posso ficar lá?

— Bem, até que as pessoas comecem a se despedir — diz o senador Cabral, esfregando as mãos. — Se você quiser sair antes, porque se sente cansada ou o que for, peça ao Manuel Alfonso e ele a traz de volta imediatamente.

XVII

Quando o doutor Vélez Santana e Bienvenido García, genro do general Juan Tomás Díaz, levaram Pedro Livio Cedeño na caminhonete para a Clínica Internacional, o trio inseparável — Amadito, Antonio Imbert e o Turco Estrella Sadhalá — decidiu: não havia sentido em continuar ali esperando até que o general Díaz, Luis Amiama e Antonio de la Maza encontrassem o general José René Román. Era melhor procurar um médico para tratar as feridas, trocar as roupas manchadas e arranjar um refúgio, até que as coisas ficassem mais claras. Que médico de confiança podiam procurar, a esta hora? Era quase meia-noite.

— Meu primo Manuel — disse Imbert. — Manuel Durán Barreras. Mora perto daqui e tem o consultório ao lado da casa. É de confiança.

Tony tinha uma expressão sombria, o que surpreendeu Amadito. No carro em que Salvador os levava para a casa do doutor Durán Barreras — a cidade estava em silêncio e as ruas sem trânsito, a notícia ainda não havia circulado —, perguntou-lhe:

— Por que esta cara de enterro?

— Porque esse negócio deu merda — respondeu Imbert, com a voz surda.

O Turco e o tenente olharam para ele.

— Vocês acham normal que Pupo Román não apareça? — acrescentou, falando entre os dentes. — Só pode haver duas explicações. Ou ele foi descoberto e preso, ou se assustou. Em qualquer caso, estamos fodidos.

— Mas nós matamos Trujillo, Tony! — animou-o Amadito. — Ninguém vai ressuscitar o Bode.

— Não pense que estou arrependido — disse Imbert. — Na verdade, nunca tive ilusões sobre o golpe de Estado, a Junta cívico-militar, esses sonhos de Antonio de la Maza. Eu sempre nos vi como um comando suicida.

— Você devia ter dito isso antes, meu irmão — brincou Amadito. — Para fazer o meu testamento.

O Turco deixou-os na casa do doutor Durán Barreras e foi para a sua; como sabia que os *caliés* descobririam logo seu carro abandonado na estrada, queria alertar a mulher e os filhos, e pegar alguma roupa e dinheiro. O doutor Durán Barreras estava na cama. Apareceu de roupão, ainda se espreguiçando. Ficou boquiaberto quando Imbert lhe explicou por que estavam enlameados e ensanguentados daquele jeito e o que esperavam dele. Olhou para eles durante muitos segundos, atônito, com seu grande rosto ossudo, de barba malfeita, deformado pela perplexidade. Amadito via o pomo de adão subindo e descendo na garganta do médico. De vez em quando ele esfregava os olhos como se quisesse verificar que não estava vendo fantasmas. Por fim, decidiu:

— A primeira providência é cuidar das feridas. Vamos para o consultório.

Quem estava pior era Amadito. Uma bala havia perfurado seu tornozelo; viam-se os orifícios de entrada e de saída do projétil, com pedaços estilhaçados do osso aparecendo pela ferida. O inchaço deformava o pé e parte do tornozelo.

— Não sei como você pode ficar em pé com um estrago desses — comentou o doutor, enquanto desinfetava a ferida.

—Só agora notei que dói — respondeu o tenente.

Com a euforia dos acontecimentos, nem prestara atenção no seu pé. Mas, agora, a dor estava ali, junto com uma ardência que subia até o joelho. O médico o enfaixou, deu-lhe uma injeção e um frasquinho de comprimidos, para tomar de quatro em quatro horas.

— Você tem aonde ir? — perguntou-lhe Imbert, enquanto fazia o curativo.

Amadito pensou imediatamente na sua tia Meca. Era uma das suas onze tias-avós, a que mais o mimava desde criança. A velhinha morava sozinha, numa casa de madeira cheia de vasos de flores na avenida San Martín, próxima ao parque Independencia.

— Vão nos procurar primeiro na casa dos parentes — advertiu Tony. — É melhor algum amigo de confiança.

— Todos os meus amigos são militares, irmão. Trujillistas fanáticos.

Ele não conseguia entender por que Imbert parecia tão preocupado e pessimista. Pupo Román ia aparecer e executar o Plano, não havia dúvida. E, de todo modo, com a morte de Trujillo o regime ia se desmanchar como um castelo de cartas.

— Acho que eu posso ajudar, rapaz — interveio o doutor Durán Barreras. — O mecânico que conserta a caminhonete tem um sítio e quer alugar. Perto do bairro Ozama. Falo com ele?

Ligou para o homem e tudo foi surpreendentemente fácil. O mecânico se chamava Antonio Sánchez (Toño) e, apesar do horário, veio à casa do doutor assim que este o chamou. Eles contaram a verdade. "Porra, esta noite vou encher a cara!", exclamou Toño. Era uma honra emprestar o sítio. O tenente estaria seguro, não havia vizinhos por perto. Ele mesmo o levaria no seu jipe e se encarregaria de que não lhe faltasse comida.

— Como posso lhe pagar por tudo isso, curandeiro? — perguntou Amadito a Durán Barreras.

— Cuidando-se bem, rapaz. — O médico lhe estendeu a mão, olhando-o com compaixão. — Não queria estar na sua pele se o pegarem.

— Isso não vai acontecer, curandeiro.

Estava sem balas, mas Imbert tinha uma boa reserva e lhe deu um punhado. O tenente municiou sua pistola 45 e, à guisa de despedida, declarou:

— Assim me sinto mais seguro.

— Espero vê-lo em breve, Amadito. — Abraçou-o Tony.

— Sua amizade foi uma das boas coisas que me aconteceram.

No trajeto para o bairro Ozama no jipe de Toño Sánchez, a cidade havia mudado. Cruzaram com um par de fuscas dos *caliés* e, ao atravessarem a Ponte Radhamés, viram chegar um caminhão cheio de guardas, que pulavam para instalar uma barreira.

— Já sabem que o Bode está morto — disse Amadito.

— Eu gostaria de ver a cara deles, agora que ficaram sem o seu Chefe.

— Ninguém vai acreditar até verem e cheirarem o cadáver — comentou o mecânico. — Como vai ficar diferente este país sem Trujillo, porra!

O sitiozinho era uma construção rústica no centro de um terreno de dez tarefas, sem cultivar. A casa estava quase vazia:

um catre com colchão, algumas cadeiras quebradas e um garrafão de água destilada. "Amanhã trago alguma coisa para comer", prometeu Toño Sánchez. "Não se preocupe. Ninguém vem aqui."

A casa não tinha luz elétrica. Amadito tirou os sapatos e se deitou no catre todo vestido. O motor do jipe de Toño Sánchez foi se apagando, até desaparecer. Ele estava cansado e com dor no calcanhar e no tornozelo, mas sentia uma grande serenidade. Com Trujillo morto, havia tirado um peso das costas. A dor de consciência que roía a sua alma desde que se viu obrigado a matar aquele pobre homem — o irmão de Luisa Gil, meu Deus! —, agora, tinha certeza, iria se dissipar. Ia voltar a ser o mesmo de antes, um rapaz que se olhava no espelho sem sentir nojo da cara que via refletida. Ah, porra, se ele pudesse acabar também com Abbes García e o major Roberto Figueroa Carrión, nada mais lhe interessaria. Morreria em paz. Encolheu-se, mudou várias vezes de posição tentando dormir, mas não conseguiu. Ouvia barulhinhos, corridinhas na escuridão. Ao amanhecer, a excitação e a dor amainaram e conseguiu conciliar o sono, por algumas horas. Acordou sobressaltado. Tivera um pesadelo, não se lembrava sobre o quê.

Passou todas as horas do novo dia espiando pelas janelas à espera do jipe. Não havia nada de comer no casebre, mas não sentia fome. Os golinhos de água destilada que bebia de vez em quando enganavam o seu estômago. Mas a solidão, o tédio, a falta de notícias o atormentavam. Se pelo menos tivesse um rádio! Resistiu à tentação de ir andando até algum lugar habitado, em busca de um jornal. Controle a impaciência, rapaz, Toño Sánchez já ia chegar.

Só veio no terceiro dia. Apareceu ao meio-dia de 2 de junho, justamente a data em que Amadito, quase morto de fome e desesperado pela falta de notícias, fazia trinta e dois anos. Toño não era mais aquele homem afável, efusivo e seguro de si mesmo que o trouxera. Estava pálido, dominado pela ansiedade, barbado, e gaguejava ao falar. Trouxe uma garrafa térmica com café quente e uns sanduíches de linguiça e queijo, que Amadito devorou enquanto ouvia as más notícias. Seu retrato estava em todos os jornais e aparecia toda hora na televisão, junto com os do general Juan Tomás Díaz, Antonio de la Maza, Estrella Sadhalá, Fifí Pastoriza, Pedro Livio Cedeño, Antonio Imbert, Huáscar

Tejeda e Luis Amiama. Pedro Livio Cedeño, preso, os denunciara. Ofereciam uma boa soma de pesos a quem desse informações sobre eles. Havia começado uma perseguição feroz contra todo e qualquer suspeito de antitrujillismo. O doutor Durán Barreras havia sido preso na véspera; Toño pensava que, submetido a torturas, ele terminaria por delatá-los. Era muito perigoso que Amadito continuasse aqui.

— Eu não ficaria mesmo que fosse um esconderijo seguro, Toño — disse o tenente. — Prefiro que me matem, antes de passar mais três dias nesta solidão.

— E para onde vai?

Pensou no seu primo Máximo Mieses, que tinha uma terrinha na estrada Duarte. Mas Toño desaconselhou: as estradas estavam cheias de patrulhas que revistavam os veículos. Ele não chegaria à propriedade do primo sem ser reconhecido.

— Você não está entendendo a situação — Toño Sánchez se enfureceu. — Já prenderam centenas de pessoas. Estão como doidos atrás de vocês.

— Que se fodam — disse Amadito. — Podem me matar. O Bode esticou as canelas e não vai ressuscitar. Não se preocupe, meu irmão. Você fez muito por mim. Pode me levar até a estrada? Vou voltar para a capital a pé.

— Estou com medo, mas não a ponto de deixar você na mão, não sou tão filho da puta — disse um Toño mais sereno. Deu-lhe uma palmadinha. — Suba, eu o levo. Se nos pegarem, você me forçou com o revólver, ok?

Ajeitou Amadito na parte traseira do jipe, debaixo de uma lona, sobre a qual pôs um rolo de corda e umas latas de gasolina que sacolejavam em cima do tenente, todo encolhido. A posição lhe deu cãibra e piorou a dor no pé; cada buraco da estrada significava uma pancada nos ombros, nas costas, na cabeça. Mas em momento algum se descuidou da pistola 45; vinha na sua mão direita, sem trava. Houvesse o que houvesse, não iam pegá-lo vivo. Não tinha medo. Na verdade, nunca alimentara muitas esperanças de sair dessa. Mas, e daí. Não sentia uma tranquilidade assim desde aquela noite sinistra com Johnny Abbes.

— Estamos chegando à Ponte Radhamés — ouviu Toño Sánchez dizer, apavorado. — Não se mexa, não faça barulho, uma patrulha.

O jipe parou. Ouviu vozes, passos e, após uma pausa, exclamações amistosas: "Mas é você, Toñito." "O que há de novo, compadre." Foram autorizados a passar, sem revista do veículo. Já deviam estar no meio da ponte quando ouviu Toño Sánchez de novo:

— O capitão era meu amigo, o magrelo Rasputín, que sorte, cacete! Ainda estou com o coração na mão, Amadito. Onde quer ficar?

— Na avenida San Martín.

Pouco depois, o jipe freou.

— Não vejo *caliés* em lugar nenhum, aproveite agora — disse Toño. — Que Deus o acompanhe, rapaz.

O tenente se livrou da lona e das latas e pulou para a calçada. Passavam alguns carros, mas não viu pedestres, exceto um homem de bengala que se afastava, dando-lhe as costas.

— Deus lhe pague, Toño.

— Que Ele o acompanhe — repetiu Toño Sánchez, dando a partida.

A casinha da tia Meca — toda de madeira, de um só andar, com grades e sem jardim mas cheia de vasos com gerânios nas janelas — ficava a uns vinte metros, que Amadito atravessou em passos largos, mancando, sem esconder o revólver. Assim que ele bateu, a porta se abriu. Tia Meca não teve tempo de se surpreender, porque o tenente entrou de supetão, afastando-a e fechando a porta atrás de si.

— Não sei o que fazer, onde me esconder, tia Meca. É só por um dia ou dois, até encontrar um lugar seguro.

Sua tia o beijava e abraçava com o carinho de sempre. Não parecia tão assustada como Amadito temia.

— Devem ter visto você entrar, filhinho. Como pode vir assim, em plena luz do dia. Meus vizinhos são trujillistas furiosos. Você está todo cheio de sangue. E essas ataduras? Foi ferido?

Amadito espiava a rua através das cortinas. Não havia ninguém nas calçadas. As portas e janelas do outro lado da rua estavam fechadas.

— Desde que vi a notícia, fiquei rezando para são Pedro Claver proteger você, Amadito, ele é um santo tão milagroso. — Tia Meca tinha seu rosto entre as mãos. — Quando você apareceu na televisão e no *El Caribe*, várias vizinhas vieram me perguntar, sondar. Espero que não o tenham visto agora. Olhe só o seu estado, filhinho. Você quer alguma coisa?

— Sim, tia — riu ele, acariciando-lhe os cabelos brancos. — Um chuveiro e alguma coisa para comer. Estou morrendo de fome.

— E além do mais é seu aniversário! — lembrou tia Meca e voltou a abraçá-lo.

Ela era uma velha miúda e enérgica, com uma expressão firme e olhos profundos e bondosos. Mandou-o tirar a calça e a camisa para limpá-las e, enquanto Amadito tomava um banho — foi um prazer dos deuses —, esquentou todos os restos de comida que havia na cozinha. De cueca e camiseta, o tenente encontrou um banquete sobre a mesa: banana verde frita, linguiça frita, arroz e torresmo de frango. Comeu com apetite, ouvindo as histórias da tia Meca. O tumulto na família quando se soube que ele era um dos assassinos de Trujillo. Os *caliés* haviam ido à casa de três das suas irmãs, de madrugada, perguntando por ele. Aqui ainda não tinham aparecido.

— Se você não se incomoda, quero dormir um pouco, tia. Há vários dias que não prego um olho. De tédio. Fico contente por estar aqui com você.

Ela levou o sobrinho para o quarto e o fez deitar na sua cama, sob uma imagem de são Pedro Claver, seu santo favorito. Fechou as cortinas para escurecer o quarto e disse que, enquanto ele estivesse dormindo, ela ia limpar e passar a sua farda. "Nós vamos arranjar algum lugar para esconder você, Amadito." Beijou-o muitas vezes, na testa e na cabeça: "E eu, que o achava tão trujillista, filho." Adormeceu imediatamente. Sonhou que o Turco Sadhalá e Antonio Imbert o chamavam com insistência: "Amadito, Amadito!" Queriam lhe dizer algo importante mas ele não entendia seus gestos nem suas palavras. Pensava que tinha acabado de fechar os olhos quando sentiu que alguém o sacudia. Lá estava tia Meca, tão pálida e assustada que ele sentiu pena, remorsos por vê-la envolvida naquela situação.

— Eles estão aí, estão aí. — Ela quase se sufocava, fazendo o sinal da cruz. — Dez ou doze fuscas e um monte de *caliés*, filhinho.

Amadito agora estava lúcido e sabia perfeitamente o que fazer. Obrigou a velha a se deitar no chão, atrás da cama, contra a parede, aos pés de são Pedro Claver.

— Não se mexa, não se levante por nada deste mundo — ordenou. — Amo muito você, tia Meca.

Estava com a pistola 45 na mão. Descalço, só com a camiseta e a cueca cáqui do uniforme, foi escorregando, colado na parede, até a porta principal. Espiou por entre as cortinas, sem se deixar ver. Era uma tarde nublada e ao longe se ouvia um bolero. Vários Volkswagen pretos do SIM bloqueavam a pista. Havia pelo menos uns vinte *caliés,* armados com metralhadoras e revólveres, rodeando a casa. Três indivíduos estavam diante da porta. Um deles bateu, sacudindo as madeiras. Gritou em altos brados:

— Sabemos que você está aí, García Guerrero! Saia de braços para cima, se não quiser morrer como um cachorro!

"Como um cachorro, não", murmurou. Enquanto abria a porta com a mão esquerda, atirou com a direita. Conseguiu esvaziar sua arma e viu cair, urrando, atingido no peito, o homem que o intimara a se render.

Mas, alvejado por inúmeras balas de metralhadora e de revólver, não viu que, além de matar um *calié,* havia ferido outros dois antes de morrer. Não viu como seu cadáver foi colocado — como faziam os caçadores com os veados mortos nas caçadas da cordilheira Central — no teto de um Volkswagen e que, assim, com os tornozelos e os pulsos seguros pelos homens de Johnny Abbes que estavam dentro do fusca, foi exibido aos curiosos do parque Independencia, por onde seus vitimários deram uma volta triunfal, enquanto outros *caliés* entravam na casa, encontravam tia Meca mais morta do que viva onde ele a deixara e a levavam entre empurrões e cusparadas para a sede do SIM, enquanto uma turba ávida começava, ante os olhares irônicos ou impassíveis da polícia, a saquear a casa, apoderando-se de tudo o que os *caliés* não tinham roubado antes, casa que, depois de saquear, destroçariam, desmanchariam, destelhariam e, por fim, queimariam, até que, ao anoitecer, não sobrasse nada além de cinzas e escombros carbonizados.

XVIII

Quando um dos ajudantes de ordens introduziu Luis Rodríguez, chofer de Manuel Alfonso, no gabinete, o Generalíssimo se levantou para recebê-lo, coisa que não fazia nem com os personagens mais importantes.
— Como vai o embaixador? — perguntou, ansioso.
— Regular, Chefe. — O chofer fez uma cara solene e mostrou a garganta. — Muitas dores, de novo. Esta manhã me mandou buscar o médico, para lhe dar uma injeção.
Coitado do Manuel. Não era justo, porra. Logo ele, que dedicou sua vida a cuidar do corpo, a ser belo, elegante, a lutar contra a maldita lei da Natureza de que com o tempo tudo perde a beleza, castigado assim no que mais o podia humilhar: o rosto que transpirava vida, garbo, saúde. Seria melhor ter ficado na mesa de operações. Quando o viu, na sua volta para a Trujillo depois da operação na Clínica Mayo, o Benfeitor ficou com os olhos cheios d'água. Ele estava um trapo. E quase não entendia o que falava, agora que tinham lhe tirado metade da língua.
— Transmita a ele os meus cumprimentos. — O Generalíssimo examinou Luis Rodríguez; terno escuro, camisa branca, gravata azul, sapatos lustrados: o negro mais elegante da República Dominicana. — Quais são as notícias?
— Muito boas, Chefe. — Os olhos de Luis Rodríguez brilharam. — Encontrei a moça, não houve problema. Quando o senhor quiser.
— Tem certeza de que é a mesma?
Aquele rosto grande, moreno, com várias cicatrizes e bigode, assentiu várias vezes.
— Certeza absoluta. A moça que lhe entregou as flores na segunda-feira, em nome da Juventude Sancristobalense. Yolanda Esterel. Dezessete aninhos. Eis a foto.

Era uma fotografia de carteira de estudante, mas Trujillo reconheceu os olhinhos lânguidos, a boquinha de lábios grossos e os cabelos soltos varrendo os ombros. A menina tinha desfilado à frente das escolas, levando uma grande fotografia do Generalíssimo, diante do palanque instalado no parque central de San Cristóbal, e depois subiu para lhe entregar um buquê de rosas e hortênsias embrulhado em papel celofane. Lembrou do corpinho cheio, das formas desenvolvidas, dos peitinhos pequenos, soltos, insinuados sob a blusa, do quadril marcado. Uma comichão nos testículos animou seu espírito.

— Leve-a para a Casa de Caoba, por volta das dez — disse, reprimindo um devaneio que o fazia perder tempo. — Mande um abraço para Manuel. Que ele se cuide.

— Sim, Chefe, transmito o recado. Vou levá-la um pouco antes das dez.

E se despediu fazendo uma mesura. O Generalíssimo ligou, por um dos seis telefones da sua mesa laqueada, para a guarda na Casa de Caoba e disse a Benita Sepúlveda que perfumasse os quartos com anis e enchesse de flores frescas. (Precaução desnecessária, pois a governanta, sabendo que o Chefe podia aparecer a qualquer momento, mantinha a Casa de Caoba sempre brilhando, embora ele nunca deixasse de avisá-la.) Mandou seus ajudantes de ordens prepararem o Chevrolet e chamarem o seu motorista, ajudante de ordens e guarda-costas Zacarías de la Cruz, porque aquela noite, depois do passeio, ele iria a San Cristóbal.

Essa perspectiva o deixava entusiasmado. Quem sabe era filha daquela diretora de escola de San Cristóbal que, dez anos antes, recitou uma poesia de Salomé Ureña em outra visita política à sua cidade natal e o deixou tão excitado com suas axilas depiladas, que apareciam enquanto declamava, que ele saiu da recepção oficial em sua homenagem logo no começo para levar a sancristobalense à Casa de Caoba. Terencia Esterel? Era esse o nome dela. Sentiu outra pontada de excitação imaginando que Yolanda fosse filha ou irmã daquela professorinha. Ia depressa, atravessando os jardins entre o Palácio Nacional e a Estância Radhamés, e mal ouvia as informações de um ajudante de ordens da escolta: vários telefonemas do secretário de Estado das Forças Armadas, o general Román Fernández, colocando-se à disposição, caso Sua Excelência quisesse vê-lo antes do passeio. Ah, ele ficou assustado com o telefonema desta manhã. Ia levar um susto ainda maior quando lhe desse uma descompostura, mostrando-lhe a poça de água imunda.

Entrou em seus aposentos da Estância Radhamés como uma tromba d'água. Seu uniforme comum, verde oliva, estava estendido na cama. Sinforoso era adivinho. Não lhe dissera que iria para San Cristóbal, mas o velho tinha preparado a roupa que sempre usava na Fazenda Fundación. Por que preferia essa farda cotidiana na Casa de Mogno? Não sabia. Uma paixão pelos ritos, pela repetição dos gestos e dos atos, que tinha desde jovem. Os sinais eram favoráveis: nem a cueca nem a calça tinham manchas de urina. Já se dissipara a irritação que Balaguer lhe causou ao se atrever a questionar a promoção do tenente Víctor Alicinio Peña Rivera. Sentia-se otimista, rejuvenescido com aquele gracioso formigamento nos testículos e a expectativa de ter em seus braços a filha ou irmã daquela Terencia de tão boas lembranças. Seria virgem? Desta vez não ia ter a experiência desagradável que teve com o esqueletinho.

Sentia-se alegre com a ideia de passar a hora seguinte aspirando o ar salobro, recebendo no rosto a brisa marinha e vendo as ondas baterem contra a Avenida. O exercício ia ajudá--lo a esquecer o gosto amargo de boa parte desta tarde, coisa que raramente lhe acontecia: nunca foi propenso a depressões nem a bobagens assim.

Quando ia sair, uma empregada veio dizer que dona María queria lhe dar um recado do jovem Ramfis, que havia telefonado de Paris. "Mais tarde, mais tarde, não tenho tempo." Uma conversa com aquela velha inconveniente estragaria o seu humor.

Atravessou de novo os jardins da Estância Radhamés em passos rápidos, impaciente para chegar à beira-mar. Mas antes, como todos os dias, passou pela casa da sua mãe, na avenida Máximo Gómez. Na porta da grande mansão cor-de-rosa de dona Julia, estavam à sua espera as vinte pessoas que passeariam com ele, os privilegiados que, por acompanhá-lo todo entardecer, eram invejados e detestados pelos que não haviam obtido tal honra. Entre os oficiais e civis aglomerados nos jardins da Excelsa Matrona que se abriram em duas bandas para deixá-lo passar,

"Boa tarde, Chefe", "Boa tarde, Excelência", reconheceu Navajita Espaillat, o general José René Román — que preocupação nos olhos do pobre tolo! —, o coronel Johnny Abbes García, o senador Henry Chirinos, seu genro, o coronel León Estévez, o seu amigo comarcano Modesto Díaz, o senador Jeremías Quintanilla, que acabava de substituir Agustín Cabral como Presidente do Senado, o diretor de *El Caribe*, don Panchito, e, perdido entre eles, o diminuto Presidente Balaguer. Não apertou a mão de ninguém. Subiu para o primeiro andar, onde dona Julia costumava ficar na sua cadeira de balanço à hora do crepúsculo. Lá estava a velha, afundada na poltrona. Miúda, uma anãzinha, ela olhava fixamente as pirotecnias do sol mergulhando no horizonte, aureolado de nuvens vermelhas. As senhoras e empregadas que estavam rodeando sua mãe se afastaram. Ele se inclinou, beijou as bochechas de pergaminho de dona Julia e acariciou seu cabelo com ternura.

— Você gosta do pôr do sol, não é mesmo, mãezinha?

Ela concordou, sorrindo com uns olhinhos fundos porém vivos, e o pequeno gancho que era sua mão lhe roçou a bochecha. Será que ela o reconhecia? Dona Altagracia Julia Molina tinha noventa e seis anos, e sua memória devia ser uma água saponácea onde as lembranças se derretem. Mas um instinto devia lhe dizer que aquele homem que vinha visitá-la pontualmente, toda tarde, era um ser querido. Sempre foi muito bondosa essa filha ilegítima de haitianos que emigraram para San Cristóbal, cujos traços faciais ele e seus irmãos tinham herdado, coisa que, apesar de amá-la tanto, nunca deixou de lhe dar vergonha. Se bem que, às vezes, quando via todas as famílias aristocráticas dominicanas lhe prestando homenagens no Hipódromo, no Country Clube ou no Belas-Artes, pensava com ironia: "Eles lambem o chão para um descendente de escravos." Que culpa tinha a Excelsa Matrona de que corresse sangue negro em suas veias? Dona Julia só tinha vivido para o marido, um bêbado boa-gente e mulherengo que era don José Trujillo Valdez, e para os filhos, esquecendo-se de si mesma e se colocando sempre em último lugar. Ele nunca deixou de se maravilhar com essa mulherzinha que jamais lhe pediu dinheiro, nem roupas, nem viagens, nem bens. Nada, nunca. Tudo isso ele teve que lhe dar à força. Com uma frugalidade congênita, se fosse por ela dona Julia continuaria morando na modesta casinha onde o Generalíssimo nasceu e passou sua infância em San Cristóbal, ou num desses barracos dos seus ancestrais haitianos mortos de fome. A única coisa que dona Julia lhe pedia na vida era comiseração com Petán, Negro, Pipí, Aníbal, seus irmãos lerdos e malandros, cada vez que eles faziam das suas, ou para Angelita, Ramfis e Radhamés, que desde pequenos se escudavam na avó para amortecer a fúria do pai. E, por causa de dona Julia, Trujillo os perdoava. Será que ela sabia que centenas de ruas, parques e colégios da República se chamavam Viúva Julia Molina de Trujillo? Mesmo tão adulada e aplaudida, ela continuava sendo a mulher discreta, invisível que Trujillo lembrava da sua infância.

Às vezes, ficava um bom tempo ao lado da mãe, contando os acontecimentos do dia, mesmo que ela não entendesse. Hoje se limitou a dizer umas frases carinhosas e voltou à rua Máximo Gómez, impaciente para sentir o cheiro do mar.

Assim que chegou à larga Avenida — o ramalhete de civis e oficiais voltou a se abrir —, o Generalíssimo começou a andar. Via o Caribe oito ruas abaixo, iluminado pelos ouros e fogos do crepúsculo. Sentiu outra onda de satisfação. Caminhava pela direita, seguido pelos cortesãos abertos em leque e grupos que ocupavam a pista e a calçada. A essa hora, era interrompido o tráfego na rua Máximo Gómez e na Avenida, embora, por ordem sua, Johnny Abbes fizesse a vigilância nas ruas laterais de forma quase secreta, pois o Generalíssimo sentia claustrofobia com aquelas esquinas cheias de guardas e *caliés*. Ninguém atravessava a barreira dos ajudantes de ordens, a um metro do Chefe. Ficavam todos esperando que este indicasse quem devia se aproximar. Depois de andar meio quarteirão, aspirando o aroma dos jardins, ele se virou, procurou a cabeça semicalva de Modesto Díaz e lhe fez um gesto. Houve uma pequena confusão, pois o polpudo senador Chirinos, que ia ao lado de Modesto Díaz, pensou que era ele o ungido e se precipitou em direção ao Generalíssimo. Foi barrado e devolvido ao grupo. Para Modesto Díaz, bastante balofo, aqueles passeios, no ritmo de Trujillo, eram um grande esforço. Estava suando copiosamente. Tinha um lenço na mão e, de vez em quando, enxugava a testa, o pescoço e os pômulos inchados.

— Boa tarde, Chefe.

— Você devia fazer uma dieta — aconselhou Trujillo.
— Cinquenta anos, e já está sem fôlego. Aprenda comigo, setenta primaveras e em plena forma.
— Minha mulher me diz isso todo dia, Chefe. Ela só faz canjinhas de galinha e saladas. Mas essas coisas não me apetecem. Posso renunciar a tudo, menos à boa mesa.
Sua silhueta redonda mal conseguia acompanhar o Generalíssimo. Parecido com seu irmão, o general Juan Tomás Díaz, Modesto tinha como ele um rosto largo de nariz achatado, lábios grossos e pele com inconfundíveis reminiscências raciais, mas era mais inteligente do que ele e do que a maior parte dos dominicanos que Trujillo conhecia. Havia sido Presidente do Partido Dominicano, congressista e ministro; mas o Generalíssimo não lhe permitiu durar muito tempo no governo, justamente porque achou que sua lucidez mental para expor, analisar e resolver problemas era perigosa, podia enchê-lo de soberba e levá-lo à traição.
— Em que conspiração Juan Tomás anda metido? — disparou, virando-se para ele. — Imagino que você deve estar a par das aventuras do seu irmão e genro.
Modesto sorriu, levando a coisa na brincadeira:
— Juan Tomás? Com suas fazendas e negócios, mais o uísque e as sessões de cinema no jardim da casa, duvido que ainda tenha tempo para conspirar.
— Pois anda conspirando com Henry Dearborn, o diplomata ianque — afirmou Trujillo, como se não tivesse ouvido.
— Diga a ele que é bom parar com essas bobagens, porque já se deu mal uma vez e agora pode ser pior.
— Meu irmão não é bobo para conspirar contra o senhor, Chefe. Mas, enfim, vou falar com ele.
Que agradável: a brisa marinha ventilava os seus pulmões, enquanto ouvia o barulho das ondas batendo nas pedras e no muro de cimento da Avenida. Modesto Díaz fez menção de se afastar, mas o Benfeitor o reteve:
— Espere, ainda não terminei. Ou não está aguentando mais?
— Pelo senhor, eu me arrisco a ter um infarto.
Trujillo o premiou com um sorriso. Sempre sentira simpatia por Modesto que, além de inteligente, era ponderado, justo, afável, direto. No entanto, sua inteligência não era controlável e

aproveitável, como acontecia com Craninho, o Constitucionalista Bêbado ou Balaguer. Modesto tinha um traço indômito e uma independência que podiam se tornar subversivos se ele adquirisse poder demais. Ele e Juan Tomás também eram de San Cristóbal, tinha convivido com ambos desde jovens e, além de nomeá-lo para vários cargos, usou Modesto inúmeras vezes como conselheiro. Trujillo o submeteu a provas muito duras, nas quais ele se saiu perfeitamente. A primeira foi no final dos anos quarenta, depois de visitar a feira de touros de raça e vacas leiteiras que Modesto Díaz organizou em Vila Mella. Que surpresa: a propriedade, não muito grande, era tão limpa, moderna e próspera como a Fazenda Fundación. Mais que os estábulos impecáveis e as vistosas vacas leiteiras, o que feriu sua suscetibilidade foi a satisfação arrogante de Modesto ao mostrar a granja a ele e aos outros convidados. No dia seguinte, mandou Imundície Ambulante lhe entregar um cheque de dez mil pesos para formalizar a compra. Sem a menor reticência em vender a menina dos seus olhos por um preço ridículo (uma das suas vacas custava mais que isso), Modesto assinou o contrato e mandou um bilhete manuscrito a Trujillo agradecendo "a Sua Excelência por considerar minha pequena empresa agropecuária digna de ser explorada por sua mão experiente". Depois de ponderar se havia naquelas linhas uma ironia punível, o Benfeitor decidiu que não. Cinco anos mais tarde, Modesto Díaz já tinha outro extenso e belo empreendimento pecuário, numa região afastada de La Estrella. Será que ele pensava que passaria despercebido naquelas lonjuras? Morrendo de rir, Trujillo mandou Craninho Cabral levar-lhe outro cheque de dez mil pesos, dizendo que o Chefe tinha tanta confiança no seu talento agropecuário que comprava o sítio às cegas, sem visitá-lo. Modesto assinou a transferência, embolsou a quantia simbólica e agradeceu ao Generalíssimo, em outro bilhete afetuoso. Para premiar sua docilidade, algum tempo depois Trujillo lhe deu uma concessão exclusiva para importar máquinas de lavar roupa e batedeiras domésticas, de maneira que o irmão do general Juan Tomás Díaz acabou sendo ressarcido daqueles prejuízos.

— Essa encrenca com aqueles padres idiotas — resmungou Trujillo. — Tem jeito ou não tem?

— Claro que tem, Chefe. — Modesto estava com a língua de fora; como a testa e o pescoço, sua careca também estava suando. — Mas, se me permitir uma opinião, os problemas com a Igreja não têm importância. Vão se resolver sozinhos se o senhor solucionar o principal: os americanos. Tudo depende deles.

— Então, não há solução. Kennedy quer a minha cabeça. Como não tenho intenção de entregá-la, vai haver guerra por muito tempo.

— Os gringos não têm medo do senhor, mas de Fidel Castro, Chefe. Principalmente depois do fracasso da baía dos Porcos. Agora, mais do que nunca, estão preocupados com a possibilidade de que o comunismo se espalhe pela América Latina. Esta é a hora de mostrar a eles que o senhor é a melhor defesa contra os comunas na região, não Betancourt nem Figueres.

— Já tiveram tempo suficiente para perceber isso, Modesto.

— Temos que abrir os olhos deles, Chefe. Os gringos às vezes são lerdos. Atacar Betancourt, Figueres e Muñoz Marín não é suficiente. Seria mais eficaz ajudar, com discrição, os comunistas venezuelanos e costa-riquenhos. E os independentistas porto-riquenhos. Quando Kennedy notar que as guerrilhas estão começando a agitar esses países e os comparar com a tranquilidade daqui, ele vai entender.

— Depois conversamos — interrompeu o Generalíssimo, de maneira abrupta.

Ouvir falar dessas coisas do passado lhe deu uma sensação ruim. Nada de pensamentos sombrios. Queria manter a boa disposição que tinha no início do passeio. Então se forçou a pensar na menina do cartaz e das flores. "Meu Deus, conceda-me essa graça. Tenho que trepar direito com Yolanda Esterel esta noite. Para saber que não estou morto. Que não estou velho. Que posso continuar substituindo o Senhor na tarefa de comandar este diabólico país de bundões. Não ligo para os padres, os gringos, os conspiradores, os exilados. Eu me arranjo para varrer sozinho toda essa merda. Mas para trepar com essa garota preciso da sua ajuda. Não seja mesquinho, não seja avaro. Conceda-me essa graça." Suspirou, com a desagradável suspeita de que aquele a quem implorava, se existisse, devia estar olhando divertido para ele, naquele fundo azul-escuro em que apareciam as primeiras estrelas.

A caminhada pela rua Máximo Gómez estava cheia de reminiscências. As casas que ia deixando para trás eram símbolos de personagens e episódios notáveis dos seus trinta e um anos no poder. A de Ramfis, no solar onde morou Anselmo Paulino, seu braço direito por dez anos até que, em 1955, confiscou todas as suas propriedades e, depois de deixá-lo por um tempo na cadeia, despachou-o para a Suíça com um cheque de sete milhões de dólares pelos serviços prestados. Em frente à casa de Angelita e do Pechito León Estévez ficava, antes, a do general Ludovino Fernández, um animal serviçal que derramou muito sangue pelo regime e que ele fora obrigado a matar porque teve veleidades politiqueiras. Contíguos à Estância Radhamés ficavam os jardins da embaixada dos Estados Unidos, que por mais de vinte e oito anos foi uma casa amiga e agora se tornara um ninho de cobras. Lá estava a quadra de beisebol que ele mandou construir para Ramfis e Radhamés se divertirem jogando bola. Logo ali, como duas irmãs gêmeas, a casa de Balaguer e a nunciatura, outra que se tornara dúbia, ingrata e vil. Mais adiante, a imponente mansão do general Espaillat, o antigo chefe dos serviços secretos. À frente, descendo, a do general Rodríguez Méndez, companheiro de farras de Ramfis. Depois, as embaixadas, agora desertas, da Argentina e do México, e a casa do seu irmão Negro. E, por último, a residência dos Vicini, milionários da cana-de-açúcar, com sua ampla esplanada com grama e canteiros de flores bem-cuidados, por onde passava nesse momento.

Quando atravessou a ampla Avenida para andar pela calçada do *malecón* à beira-mar, rumo ao obelisco, sentiu salpicos de espuma. Então se encostou na mureta e, de olhos fechados, ouviu os gritos e o adejar dos bandos de gaivotas. A brisa inundou seus pulmões. Um banho purificador, que lhe devolvia as forças. Mas não podia se distrair; ainda tinha trabalho pela frente.

— Chame Johnny Abbes.

Separado do grupo de civis e militares — o Generalíssimo caminhava em passos enérgicos, rumo à estela de cimento copiada do obelisco de Washington —, a deselegante figura balofa do chefe do SIM veio para o seu lado. Apesar da obesidade, Johnny Abbes García o acompanhava sem esforço.

— O que sabemos de Juan Tomás? — perguntou-lhe, sem olhar para ele.

— Nada de importante, Excelência — respondeu o chefe do SIM. — Hoje foi ao seu sítio de Moca, com Antonio de la

Maza. Trouxeram um bezerro. Houve uma briga doméstica, entre o general e sua esposa Chana, porque ela dizia que dá muito trabalho cortar e temperar o bezerro.

— Balaguer e Juan Tomás se encontraram estes dias? — Trujillo interrompeu.

Como Abbes García demorou a responder, virou-se para olhá-lo. O coronel negou com a cabeça.

— Não, Excelência. Que eu saiba, não se veem faz tempo. Por que pergunta isso?

— Nada de concreto. — O Generalíssimo encolheu os ombros. — Mas, agora, no gabinete, quando mencionei a conspiração de Juan Tomás, notei algo estranho. *Senti* algo estranho. Não sei bem o quê, alguma coisa. Nos seus relatórios não há nada que permita suspeitar do Presidente?

— Nada, Excelência. O senhor sabe que ele está sob vigilância durante as vinte e quatro horas do dia. Não dá um passo, não recebe ninguém, não faz um telefonema sem que nós saibamos.

Trujillo assentiu. Não havia qualquer motivo para desconfiar do Presidente fantoche: o palpite podia estar errado. Aquela conspiração não parecia coisa séria. Antonio de la Maza, um dos conspiradores? Outro ressentido que se consolava das suas frustrações com uísque e comilanças. Iam comer um bezerro nonato esta noite. E se ele aparecesse na casa de Juan Tomás, em Gazcue? "Boa noite, cavalheiros. Não querem compartilhar a carne comigo? Está cheirando tão bem! Este aroma chegou até o Palácio e me guiou até aqui." Será que eles fariam caras de terror ou de alegria? Pensariam que aquela visita inesperada selava a sua reabilitação? Não, esta noite ele iria para San Cristóbal, faria Yolanda Esterel gritar, e amanhã se sentiria saudável e jovem.

— Por que deixou a filha de Cabral viajar para os Estados Unidos, há duas semanas?

Dessa vez ele surpreendeu o coronel Abbes García. Viu-o passar a mão pelas bochechas gordas, sem saber o que responder.

— A filha do senador Agustín Cabral? — murmurou, ganhando tempo.

— Uranita Cabral, a filha do Craninho. As monjas do colégio Santo Domingo deram uma bolsa para ela estudar nos Estados Unidos. Por que a deixou sair do país sem me consultar?

Teve a impressão de que o coronel estava pálido. Ele abria e fechava a boca, procurando o que dizer.

— Sinto muito, Excelência — exclamou, baixando a cabeça. — Suas instruções eram seguir o senador e prendê-lo se tentasse pedir asilo. Não pensei que a garota, que outra noite estava na Casa de Caoba e tinha uma autorização de saída assinada pelo Presidente Balaguer... Na verdade, nem pensei em comentar com o senhor, não achei que tivesse importância.

— Mas você tem que pensar nessas coisas — advertiu Trujillo. — Quero que investigue o pessoal da minha secretaria. Alguém escondeu de mim um memorando de Balaguer sobre a viagem dessa jovem. Quero saber quem foi e por que fez isso.

— Imediatamente, Excelência. Peço desculpas por esse descuido. Não vai voltar a acontecer.

— É o que espero — despachou-o Trujillo.

O coronel bateu continência (dava vontade de rir) e voltou para junto dos cortesãos. Trujillo andou dois quarteirões sem chamar ninguém, refletindo. Abbes García só cumprira em parte suas instruções de retirar os guardas e *caliés*. Não via nas esquinas as barreiras de arame farpado e as barricadas, nem os pequenos Volkswagen, nem policiais fardados portando metralhadoras. Mas, vez por outra, nas entradas da avenida, divisava ao longe um fusca preto com cabeças de *caliés* nas janelas, ou civis de aspecto rufianesco encostados nos postes, com os sovacos inflados pelas armas. O tráfego da avenida George Washington não tinha sido interrompido. Nos caminhões e carros apareciam pessoas que o saudavam: "Viva o Chefe!" Concentrado no esforço da caminhada, que lhe dera um delicioso calorzinho no corpo e certo cansaço nas pernas, ele agradecia com a mão. Não havia adultos na Avenida, só crianças esfarrapadas, engraxates e vendedores de chocolate e cigarros, que o contemplavam boquiabertos. Enquanto caminhava, Trujillo fazia um carinho em algum deles ou jogava umas moedas (sempre tinha muito trocado nos bolsos). Pouco depois, chamou o Imundície Ambulante.

O senador Chirinos se aproximou dele ofegando como um cão de caça. Suava mais que Modesto Díaz. Isso o deixou animado. O Constitucionalista Bêbado era mais moço que ele, e uma pequena caminhada já o deixava esgotado. Em vez de responder ao seu "Boa tarde, Chefe", perguntou:

— Você ligou para Ramfis? Explicou tudo ao Lloyd's de Londres?

— Falei com ele duas vezes. — O senador Chirinos arrastava os pés, as solas e as ponteiras dos seus sapatos já disformes batiam nas lajotas levantadas pelas raízes de palmeiras e amendoeiras. — Expliquei o problema, repeti as suas ordens. Bem, o senhor pode imaginar. Mas afinal aceitou os meus argumentos. Prometeu que ia escrever uma carta ao Lloyd's, esclarecendo o mal-entendido e confirmando que os recursos devem ser transferidos para o Banco Central.

— Ele já fez isso? — interrompeu-o Trujillo, com brutalidade.

— Foi para isso que liguei pela segunda vez, Chefe. Ele quer que um tradutor revise o telegrama, seu inglês é fraco e o texto não pode chegar ao Lloyd's com erros. Mas vai mandá-lo sem falta. Disse que lamenta o que aconteceu.

Será que Ramfis o estava achando velho demais para lhe obedecer? Antes, ele não teria demorado a acatar sua ordem com um pretexto tão fútil.

— Telefone outra vez — ordenou, com rispidez. — Se não resolver ainda hoje essa confusão com o Lloyd's, ele vai ter que se ver comigo.

— Agora mesmo, Chefe. Mas não se preocupe, Ramfis entendeu a situação.

Despediu-se de Chirinos e desistiu de continuar sua caminhada solitária, para não decepcionar os outros, ansiosos para trocar algumas palavras com ele. Esperou a coluna de gente e se incorporou a ela, entre Virgilio Álvarez Dente e o secretário de Estado do Interior e Cultos, Paíno Pichardo. No grupo também estavam Navalhinha Espaillat, o chefe de Polícia, o diretor de *El Caribe* e o novo Presidente do Senado, Jeremías Quintanilla, a quem parabenizou e desejou sucesso. O promovido brilhava de felicidade, desmanchando-se em agradecimentos. No mesmo passo rápido, avançando para o leste pelo lado do mar, pediu, em voz alta:

— Vamos, senhores, contem-me as últimas piadas antitrujillistas.

Uma onda de risadas aplaudiu essa tirada e pouco depois todos tagarelavam como papagaios. Fingindo escutar, ele assentia, sorria. Vez por outra, espiava o melancólico general José René Román. O secretário de Estado das Forças Armadas não podia esconder sua angústia: por que o Chefe o repreendia? Você vai saber logo, seu tonto. Conversando com um grupo e com outro, para que ninguém se sentisse preterido, atravessou os bem--cuidados jardins do Hotel Jaragua, de onde chegaram aos seus ouvidos os sons da orquestra que animava a hora do coquetel, e, uma quadra adiante, passou sob os balcões do Partido Dominicano. Funcionários, gente do escritório e as pessoas que tinham ido pedir dádivas saíram para aplaudi-lo. Ao chegar ao obelisco, olhou o relógio: uma hora e três minutos. Começava a escurecer. As gaivotas não estavam voando; haviam se recolhido em seus esconderijos na praia. Algumas estrelas refulgiam, mas umas nuvens gordas cobriam a lua. Ao pé do obelisco, encontrou à sua espera o Cadillac último modelo estreado na semana anterior. Despediu-se de forma coletiva ("boa noite, cavalheiros, obrigado pela companhia"), enquanto, sem dirigir-lhe a vista, com um gesto imperioso, indicava ao general José René Román a porta do carro que o motorista uniformizado estava abrindo:

— Você, venha comigo.

O general Román — enérgica batida de calcanhares, mão na viseira do quepe — se apressou a obedecer. Entrou no carro e se sentou numa ponta do assento, com o quepe nos joelhos, todo empertigado.

— Vamos a San Isidro, para a Base.

Enquanto o carro oficial avançava rumo ao centro, para chegar à margem direita do rio Ozama pela Ponte Radhamés, ficou contemplando a paisagem, como se estivesse sozinho. O general Román não ousava dirigir-lhe a palavra, esperando a tempestade. Esta começou a se anunciar quando já tinham percorrido umas três milhas das dez que separavam o obelisco da Base Aérea.

— Quantos anos você tem? — perguntou Trujillo, sem se virar para ele.

— Acabei de fazer cinquenta e seis, Chefe.

Román — todos o chamavam de Pupo — era um homem alto, forte e atlético, com o cabelo cortado bem rente. Graças aos esportes que praticava, mantinha um excelente físico, sem nada de gordura. Respondia baixinho, com humildade, tentando apaziguá-lo.

— Quantos no Exército? — prosseguiu Trujillo, olhando para fora, como se estivesse interrogando um ausente.
— Trinta e um, Chefe, desde a minha formatura.
Deixou passar alguns segundos sem dizer nada. Por fim, virou-se para o chefe das Forças Armadas, examinando-o com o infinito desprezo que este sempre lhe inspirara. Nas sombras, que tinham avançado rapidamente, não conseguia ver seus olhos, mas tinha certeza de que Pupo Román piscava ou tinha os olhos entrecerrados, como fazem as crianças quando acordam de noite com medo da escuridão.
— E em tantos anos não aprendeu que um superior responde pelos seus subordinados? Que é responsável pelos erros destes?
— Sei disso muito bem, Chefe. Se o senhor me disser do que se trata, talvez possa dar uma explicação.
— Você vai ver já, já do que se trata — disse Trujillo, com sua calma aparente que os colaboradores temiam mais do que seus gritos. — Você toma banho e se ensaboa bem todos os dias?
— Claro, Chefe. — O general Román tentou dar um risinho, mas, como o Generalíssimo continuava sério, desistiu.
— Espero que sim, por causa de Mireya. Acho ótimo que você tome banho e se ensaboe bem todo dia, que mantenha sua farda bem-passada e seus sapatos engraxados. Como chefe das Forças Armadas, você tem que ser um exemplo de asseio e boa aparência para todos os oficiais e soldados dominicanos. Não é mesmo?
— Certamente, Chefe — humilhou-se o general. — Eu suplico que me diga em que falhei. Para retificar, para me emendar. Não quero decepcionar o senhor.
— A aparência é o espelho da alma — filosofou Trujillo. — Se alguém fede e está com o nariz escorrendo, não é uma pessoa a quem se possa confiar a higiene pública. Você não acha?
— Sem dúvida, Chefe.
— O mesmo acontece com as instituições. Que respeito elas podem pretender se não cuidam da própria aparência?
O general Román preferiu emudecer. O Generalíssimo foi se inflamando e não parou de censurá-lo durante os quinze minutos de trajeto até a Base Aérea de San Isidro. Lembrou a Pupo como tinha lamentado que a filha da sua irmã Marina

fosse louca a ponto de casar-se com um oficial medíocre como ele, coisa que continuava sendo embora tivesse subido, graças ao parentesco com o Benfeitor, e chegado ao cume da hierarquia. Esses privilégios, em vez de estimulá-lo, o levaram a dormir sobre os louros, decepcionando mil vezes a confiança de Trujillo. Não satisfeito em ser a nulidade que era como militar, havia se metido a fazendeiro, como se não fosse preciso ter miolos para a pecuária e administração de terras e estábulos. Qual era o resultado? Tinha acumulado dívidas, uma vergonha para a família. Há dezoito dias ele mesmo pagara do próprio dinheiro a dívida de quatrocentos mil pesos contraída por Román com o Banco Agrícola, para evitar que mandassem leiloar o sítio do quilômetro quatorze da autoestrada Duarte. E, ainda assim, ele não fazia o menor esforço para deixar de ser tão bobo.

O general José René Román Fernández permaneceu mudo e imóvel enquanto as recriminações e insultos caíam sobre ele. Trujillo não se atropelava; a cólera o fazia pronunciar com cuidado, como se, dessa forma, cada sílaba, cada letra fosse mais ferina. O motorista dirigia em velocidade, sem se desviar um milímetro do centro da estrada deserta.

— Pare — ordenou Trujillo, pouco antes da primeira guarita da extensa e cercada Base Aérea de San Isidro.

Desceu com agilidade e, embora já estivesse escuro, localizou imediatamente a grande poça de águas pestilentas. A porcaria líquida continuava jorrando do escoadouro arrebentado e, além de lama e fedor, a atmosfera estava constelada de mosquitos que sem demora foram picá-los.

— A principal guarnição militar da República — disse Trujillo, devagar, mal reprimindo a nova onda de raiva. — Você acha bonito que, na entrada da Base Aérea mais importante do Caribe, seja esta merda de lixo, lama, fedores e animálias que receba os visitantes?

Román se agachou. Examinava, levantava, voltava a se abaixar, não hesitou em sujar as mãos apalpando o tubo do desaguadouro em busca do furo. Parecia aliviado depois de descobrir a causa da irritação do Chefe. Será que o imbecil temia algo mais grave?

— É uma vergonha, lógico. — Ele tentava mostrar mais indignação do que sentia. — Vou tomar as providências para que o defeito seja reparado agora mesmo, Excelência. Castigarei os responsáveis, de cima a baixo.

— A começar por Virgilio García Trujillo, o chefe da Base — rugiu o Benfeitor. — Você é o primeiro responsável e o segundo, ele. Espero que você tenha a coragem de dar a punição máxima a ele, por mais que seja meu sobrinho e seu cunhado. Se não tiver, serei obrigado a aplicar a punição cabível aos dois. Ninguém, nem você, nem Virgilio, nem nenhum generalzinho chinfrim vai destruir a minha obra. As Forças Armadas continuarão sendo a instituição modelo que criei, nem que tenha que prender você, Virgilio e todos os militares inúteis num calabouço pelo resto da vida.

O general Román ficou em posição de sentido e bateu os calcanhares.

— Sim, Excelência. Isso não vai se repetir, juro.

Mas Trujillo já tinha dado meia-volta, entrando no carro.

— Coitado de você, se ainda houver algum indício do que estou vendo e cheirando aqui quando eu voltar. Soldadinho de merda!

Virou-se para o motorista e ordenou: "Vamos." Partiram, deixando o ministro das Forças Armadas no lamaçal.

Logo que deixou Román para trás, uma figurinha patética chapinhando no lodo, seu mau humor desapareceu. Deu uma risadinha. De uma coisa ele estava certo: Pupo ia mover céus e terras, soltaria os cachorros para que o problema fosse reparado. Se aquilo acontecia com ele vivo, o que não iria acontecer quando não pudesse mais impedir pessoalmente que a incompetência, o descaso e a imbecilidade jogassem por terra o que tanto esforço custou? Será que voltariam à anarquia e à miséria, ao atraso e isolamento de 1930? Ah, se Ramfis, o filho tão desejado, tivesse se mostrado capaz de prosseguir a sua obra. Mas ele não tinha o menor interesse por política nem pelo país; só queria saber de bebida, polo e mulheres. Porra! O general Ramfis Trujillo, chefe do Estado-Maior das Forças Armadas da República Dominicana, jogando polo e trepando com as bailarinas do Lido de Paris, enquanto o pai lutava sozinho aqui contra a Igreja, os Estados Unidos, os conspiradores e os imbecis como Pupo Román. Balançou a cabeça, tentando expulsar esses pensamentos amargos. Dentro de uma hora e meia estaria em San Cristóbal, nos pagos tranquilos da Fazenda Fundación, cercado de campos e estábulos reluzentes, com seus belos arvoredos, o largo rio Nigua cujo lento caminhar pelo vale observaria através das copas dos mognos, das palmeiras reais e da grande árvore de *anacahuita* da casa da colina. Seria bom acordar lá amanhã, acariciando o corpinho de Yolanda Esterel, enquanto contemplava aquela vista sossegada e limpa. Era a receita de Petrônio e do rei Salomão: uma xoxotinha fresca para devolver a juventude a um veterano de setenta primaveras.

Na Estância Radhamés, Zacarías de la Cruz já havia tirado da garagem o Chevrolet Bel Air 1957 azul-claro, de quatro portas, no qual sempre ia a San Cristóbal. Um ajudante de ordens o esperava com a maleta que continha documentos que iria estudar amanhã na Casa de Caoba e cento e dez mil pesos em dinheiro vivo, para a folha de pagamento da fazenda, mais imprevistos. Fazia vinte anos que ele não se deslocava, mesmo por poucas horas, sem essa maleta marrom com suas iniciais gravadas e alguns milhares de dólares ou pesos em espécie, para presentes e gastos inesperados. Pediu ao ajudante de ordens que pusesse a maleta no banco da frente e disse a Zacarías, o moreno alto e parrudo que o acompanhava há três décadas — havia sido seu ordenança no Exército —, que desceria logo. Nove horas. Já era tarde.

Subiu para se aprontar no quarto e, assim que entrou no banheiro, percebeu a mancha. Da braguilha até a coxa. Sentiu que tremia da cabeça aos pés: logo agora, porra. Pediu a Sinforoso outro uniforme verde oliva e outra muda de roupa de baixo. Levou quinze minutos no bidê e no lavatório, ensaboando os testículos, o pênis, o rosto e as axilas, e passando cremes e perfumes, antes de trocar de roupa. A culpa era daquele ataque de mau humor por causa do babaca do Pupo. Voltou a cair num estado lúgubre. Achou que era um prognóstico de mau agouro para San Cristóbal. Quando se vestia, Sinforoso lhe trouxe o telegrama: "Assunto Lloyd's solucionado. Falei com a pessoa encarregada. Remessa diretamente para o Banco Central. Carinhos e lembranças Ramfis." Seu filho estava envergonhado: por isso, em vez de telefonar, mandou um telegrama.

— Já é um pouco tarde, Zacarías — disse. — Depressa.
— Entendido, Chefe.

Ajeitou as costas nas almofadas do assento e entrefechou os olhos, dispondo-se a descansar durante a hora e dez minutos que a viagem levaria até San Cristóbal. Avançavam para o sudoeste, rumo ao acesso da avenida George Washington à estrada, quando abriu os olhos:
— Você se lembra da casa da Moni, Zacarías?
— Ali, na Wenceslao Álvarez, onde Marrero Aristy morava?
— Vamos lá.
Tinha sido uma iluminação, uma labareda. De repente, viu o rosto cor de canela de Moni, sua cabeleira cacheada, a malícia dos seus olhos amendoados, cheios de estrelas, suas formas justas, seus peitos altos, sua bundinha com nádegas firmes, o quadril voluptuoso, e sentiu outra vez o delicioso comichão nos testículos. A cabecinha do pênis, despertando, roçava na calça. Moni. Por que não. Era uma garota linda e carinhosa, que nunca o desapontava, desde aquela vez, em Quinigua, quando seu pai a levou pessoalmente à festa que os americanos de La Yuquera organizaram para ele: "Olhe a surpresa que trouxe para o senhor, Chefe." A casinha onde ela morava, na nova urbanização, ao final da avenida México, foi presente dele, no dia do seu casamento com um rapaz de boa família. Quando a requisitava, muito de vez em quando, sempre a levava para uma das suítes no El Embajador ou no El Jaragua que Manuel Alfonso mantinha prontas para essas ocasiões. A ideia de possuir Moni na própria casa o deixou excitado. Mandariam o marido tomar uma cerveja no Rincón Pony, por conta de Trujillo — riu — ou que se distraísse conversando com Zacarías de la Cruz.

A rua estava deserta e às escuras, mas havia luz no primeiro andar da casa. "Chame-a." Viu o motorista passar pela grade da entrada e tocar a campainha. Demoraram a abrir. Por fim apareceu uma empregada, a quem Zacarías cochichou alguma coisa. Ficou na porta, esperando. A bela Moni!

Seu pai era um bom dirigente do Partido Dominicano em Cibao, foi ele mesmo quem a levou para o Chefe naquela recepção, gesto simpático. Já haviam passado alguns anos e, na verdade, todas as vezes que trepou com essa linda mulher ficou muito satisfeito. A porta se abriu de novo e, contra a luz do interior, viu a silhueta de Moni. Sentiu outra lufada de excitação.

Depois de falar com Zacarías, ela veio até o carro. Na penumbra, não distinguiu como estava vestida. Abriu a porta para que ela entrasse e a recebeu beijando-lhe a mão:

— Você não esperava esta visita, belezinha.
— Puxa, que honra. Como vai, como vai, Chefe.

Trujillo retinha a sua mão entre as dele. Ao tê-la tão perto, tocando sua pele, aspirando seu aroma, ele sentiu que recuperava todas as forças.

— Estava indo para San Cristóbal mas, de repente, lembrei-me de você.

— Que honra, Chefe — repetiu ela, totalmente confusa. — Se eu soubesse, teria me preparado para receber o senhor.

— Você sempre é bonita, esteja como estiver. — Puxou-a para si e, enquanto suas mãos acariciavam os peitos e as pernas da moça, beijou-a. Sentiu um princípio de ereção que o reconciliou com o mundo e com a vida. Moni se deixava acariciar e também o beijava, coibida. Zacarías permanecia lá fora, a alguns metros do Chevrolet, e, precavido como sempre, com o fuzil automático nas mãos. O que era aquilo? Sentiu um nervosismo incomum em Moni.

— Seu marido está em casa?
— Está — respondeu ela, baixinho. — Íamos jantar.
— Diga a ele que vá tomar uma cerveja — disse Trujillo. — Eu darei uma volta no quarteirão. Volto em cinco minutos.
— É que... — balbuciou ela, e o Generalíssimo sentiu que ficava tensa. Vacilou e, por fim, murmurou, quase inaudível:
— Estou naqueles dias, Chefe.

Toda a excitação foi embora, em segundos.
— As regras? — exclamou, decepcionado.
— Mil desculpas, Chefe — balbuciou ela. — Depois de amanhã já vou estar em condições.

Trujillo soltou-a e respirou fundo, aborrecido.
— Bem, volto qualquer dia. Adeus. — Pôs a cabeça para fora, pelo vão da porta pela qual Moni acabava de sair. — Vamos, Zacarías!

Pouco depois, perguntou ao motorista se alguma vez tinha fodido com uma mulher menstruada.

— Nunca, Chefe — escandalizou-se o outro, fazendo uma careta. — Dizem que dá sífilis.

— É, antes de mais nada, sujo — lamentou Trujillo. E se, por uma maldita coincidência, Yolanda Esterel também estiver hoje com as regras?

Rodavam pela estrada de San Cristóbal e, à sua direita, viu as luzes da Feira de Gado e do restaurante El Pony cheio de casais comendo e bebendo. Não era estranho que Moni se mostrasse tão reticente e acanhada? Ela costumava ser atirada, sempre estava disposta. Será que a presença do marido a deixava assim? Teria inventado a menstruação para que ele a deixasse em paz? Vagamente, percebeu que um carro buzinava atrás. Estava com os faróis altos acesos.

— Esses bêbados... — comentou Zacarías de la Cruz.

Nesse instante, Trujillo pensou que talvez não fosse um bêbado e virou-se em busca do revólver que tinha no assento, mas não conseguiu pegá-lo, e ao mesmo tempo ouviu a explosão de um fuzil cujo projétil estilhaçou o vidro da janela de trás e arrancou um pedaço do seu ombro e do braço esquerdo.

XIX

Quando Antonio de la Maza viu as caras do general Juan Tomás Díaz, do seu irmão Modesto e de Luis Amiama quando voltaram, soube, antes que eles abrissem a boca, que a procura pelo general Román fora inútil.

— Não dá para acreditar — murmurou Luis Amiama, mordendo os lábios finos. — Mas parece que Pupo está fugindo de nós. Nem sombra dele.

Tinham rodado por todos os lugares onde ele podia estar, inclusive o Estado-Maior, na Fortaleza 18 de Dezembro; mas Luis Amiama e Bibín Román, irmão mais novo de Pupo, foram expulsos de forma áspera pela guarda: o compadre não podia ou não queria vê-los.

— Minha última esperança é que ele esteja executando o Plano por conta própria — fantasiou Modesto Díaz, sem muita convicção. — Mobilizando guarnições, convencendo os chefes militares. Seja como for, agora nós estamos numa situação muito comprometedora.

Conversavam em pé, na sala do general Juan Tomás Díaz. Chana, a jovem esposa deste, serviu limonada com gelo.

— Temos que nos esconder, até saber o que podemos esperar de Pupo — disse o general Juan Tomás Díaz.

Antonio de la Maza, que havia permanecido em silêncio, sentiu uma onda de ira percorrendo o corpo.

— Vamos nos esconder? — exclamou furioso. — Só os covardes se escondem. Vamos terminar o serviço, Juan Tomás. Vista o seu uniforme de general, arranje umas fardas para nós e vamos para o Palácio. Lá, convocamos o povo à revolta.

— Tomar o Palácio, nós quatro? — Luis Amiama tentou devolvê-lo à razão. — Você está doido, Antonio?

— Não tem ninguém lá agora, só a guarda — insistiu ele. — Temos que nos antecipar aos trujillistas, antes que reajam. Vamos convocar o povo, usando a cadeia de rádio do país. Mandar o povo para as ruas. O Exército vai acabar nos apoiando.

As expressões céticas de Juan Tomás, Amiama e Modesto Díaz o deixaram ainda mais exasperado. Pouco depois se juntaram a eles Salvador Estrella Sadhalá, que acabara de deixar Antonio Imbert e Amadito na casa do médico, e o doutor Vélez Santana, que tinha levado Pedro Livio Cedeño à Clínica Internacional. Todos ficaram consternados com o sumiço de Pupo Román. Também acharam uma temeridade inútil, um suicídio, a ideia de se infiltrarem no Palácio Nacional disfarçados de oficiais. E todos se opuseram energicamente à nova proposta do Antonio: levar o cadáver de Trujillo para o parque Independencia e pendurá-lo no bastião, para que o povo da capital visse como ele tinha acabado. A oposição dos companheiros provocou em De la Maza um daqueles ataques de raiva descontrolados que tinha nos últimos tempos. Medrosos, traidores! Não estavam à altura do que tinham feito, livrando a Pátria da Besta! Quando viu Chana Díaz entrar na sala com os olhos assustados por causa da gritaria, entendeu que tinha ido longe demais. Resmungou umas palavras de desculpa aos amigos e ficou calado. Mas, por dentro, sentia náuseas e desgosto.

— Estamos todos alterados, Antonio — disse Luis Amiama, dando-lhe uma palmadinha. — O mais importante, agora, é encontrar um lugar seguro. Até que Pupo apareça. E ver como o povo reage quando souber que Trujillo morreu.

Muito pálido, Antonio de la Maza concordou. Sim, afinal de contas, Amiama, que tinha trabalhado tanto para incorporar militares e autoridades do regime à conspiração, talvez tivesse razão.

Luis Amiama e Modesto Díaz decidiram ir cada um para o seu lado; achavam que, separados, tinham mais chances de passar despercebidos. Antonio convenceu Juan Tomás e o Turco Sadhalá a ficarem juntos os três. Examinaram possibilidades — parentes, amigos — que foram descartando; todas essas casas seriam revistadas pela polícia. Quem sugeriu um nome aceitável foi Vélez Santana:

— Robert Reid Cabral. É meu amigo. Totalmente apolítico, ele só vive para a medicina. Não vai se negar.

Levou-os no seu carro. O general Díaz e o Turco não o conheciam pessoalmente; mas Antonio de la Maza era amigo do irmão mais velho de Robert, Donald Reid Cabral, que trabalhava em Washington e Nova York a favor da conspiração. A surpresa do jovem médico, que acordaram por volta de meia-noite, foi enorme. Ele não sabia de nada sobre o complô; nem sequer estava a par de que seu irmão Donald colaborava com os americanos. No entanto, assim que recuperou a cor e a palavra, mandou-os entrar na sua casinha de dois andares estilo mourisco, tão estreita que parecia cenário de um conto de fadas. Era um rapaz imberbe, de olhos bondosos, que fazia esforços sobre-humanos para disfarçar seu desagrado. Apresentou a mulher, Ligia, grávida de vários meses. Ela encarou aquela invasão de forasteiros com benevolência, sem ficar muito alarmada. Mostrou o filhinho de dois anos, que haviam instalado num canto da sala de jantar.

O jovem casal guiou os conspiradores até um quartinho estreito do andar de cima, que servia de sótão e despensa. Quase não tinha ventilação e o calor era insuportável, por causa do teto baixo. Só cabiam ali sentados e com as pernas encolhidas; quando se levantavam, precisavam ficar agachados para não bater nas vigas. Nessa primeira noite, quase nem notaram o desconforto nem o calor; ficaram conversando em voz baixa, tentando adivinhar o que havia acontecido com Pupo Román: por que sumiu no ar, quando tudo dependia dele? O general Díaz se lembrou da conversa com Pupo, no dia 24 de maio, seu aniversário, no sítio do quilômetro quatorze. Garantiu a ele e a Luis Amiama que estava tudo preparado para mobilizar as Forças Armadas assim que lhe mostrassem o cadáver.

Marcelino Vélez Santana ficou com eles, por solidariedade, pois não tinha motivo para se esconder. Na manhã seguinte, saiu em busca de notícias. Voltou pouco antes de meio-dia, transfigurado. Não havia levantamento militar algum. Pelo contrário, via-se uma mobilização frenética de fuscas do SIM e de jipes e caminhões militares. As patrulhas vasculhavam todos os bairros. Segundo os boatos, centenas de homens, mulheres, velhos e crianças tinham sido tirados das suas casas aos empurrões e levados para La Victoria, El Nueve ou La Cuarenta. No interior também estavam fazendo operações contra os suspeitos de antitrujillismo. Um colega de La Vega contou ao doutor Vélez Santana que toda a família De la Maza, a começar pelo pai, don Vicente, e seguindo com todos os irmãos, irmãs, sobrinhos, sobrinhas, primos e primas de Antonio, tinha sido presa em Moca. A cidade agora estava ocupada por guardas e *caliés*. As casas de Juan Tomás, do seu irmão Modesto, de Imbert e a de Salvador estavam cercadas de barricadas com arame farpado e guardas armados.

Antonio não fez comentário algum. Não tinha por que se surpreender. Sempre soube que, se o complô não desse certo, a reação do regime seria de uma ferocidade inigualável. Ficou com o coração na mão imaginando o seu velho pai, don Vicente, e seus irmãos humilhados e maltratados por Abbes García. Por volta da uma da tarde, apareceram na rua dois Volkswagens pretos cheios de *caliés*. Ligia, a esposa de Reid Cabral — ele tinha ido ao consultório, para não despertar suspeitas na vizinhança — veio sussurrar que homens à paisana com metralhadoras estavam revistando uma casa vizinha. Antonio explodiu em impropérios (mesmo baixando a voz):

— Vocês tinham que ter me ouvido, seus babacas. Não era preferível morrer lutando no Palácio que nesta ratoeira?

Durante o dia, discutiram e fizeram recriminações mútuas, uma e outra vez. Numa dessas brigas, Vélez Santana explodiu. Segurou o general Juan Tomás Díaz pela camisa, acusando-o de tê-lo envolvido à toa num complô disparatado, absurdo, no qual nem sequer tinham previsto a fuga dos conspiradores. Ele sabia o que ia acontecer com eles agora? O Turco Estrella Sadhalá se interpôs entre os dois, para evitar que se engalfinhassem. Antonio reprimia a vontade de vomitar.

Na segunda noite estavam tão exaustos de discutir e de se xingar que dormiram, uns em cima dos outros, servindo-se de travesseiros, jorrando suor, quase sufocados pela atmosfera escaldante.

No terceiro dia, quando o doutor Vélez Santana trouxe um exemplar de *El Caribe* para o esconderijo e viram suas fotos sob a grande manchete: "Assassinos procurados pela morte de Trujillo" e, mais abaixo, a foto do general Román Fernández abraçando Ramfis no enterro do Generalíssimo, souberam que estavam perdidos. Não ia haver Junta cívico-militar nenhuma.

Ramfis e Radhamés tinham voltado, e o país inteiro chorava pelo ditador.
— Pupo nos traiu. — O general Juan Tomás Díaz parecia desarvorado. Ele havia tirado os sapatos, seus pés estavam muito inchados e ele ofegava.
— Temos que sair daqui — disse Antonio de la Maza. — Não podemos prejudicar mais esta família. Se nos descobrirem, eles morrem também.
— Tem razão — apoiou o Turco. — Não seria justo. Vamos sair daqui.
Para onde podiam ir? Passaram o dia 2 de junho inteiro analisando possíveis planos de fuga. Pouco antes de meio-dia, dois fuscas com *caliés* pararam na casa em frente e meia dúzia de homens armados, abrindo a porta a pontapés, entrou. Alertados por Ligia, eles ficaram esperando, com os revólveres engatilhados. Mas os *caliés* foram embora, arrastando um jovem já algemado. De todas as sugestões que surgiram, a de Antonio parecia a melhor: arranjar um carro ou uma caminhonete e tentar chegar a Restauración, onde ele, por causa das suas plantações de pinheiros e de café e da serraria de Trujillo que administrava, conhecia muita gente. Estando tão perto da fronteira, não seria difícil passar para o Haiti. Mas como conseguir um carro? A quem pedir? Nessa noite tampouco pregaram o olho, atormentados pela angústia, o cansaço, o desânimo, as dúvidas. À meia-noite, o dono de casa, com lágrimas nos olhos, subiu ao sótão:
— Já vasculharam três casas nesta rua — implorou. — A qualquer momento é a minha vez. Não me importo em morrer. Mas, e a minha mulher e meu filhinho? E a criança que vai nascer?
Eles juraram que iriam embora no dia seguinte, do jeito que fosse. E assim fizeram, ao entardecer do dia 4 de junho. Salvador Estrella Sadhalá decidiu escapulir por própria conta. Não sabia para onde, mas pensava que, sozinho, tinha mais possibilidades de se salvar do que com Juan Tomás e Antonio, cujos nomes e caras apareciam mais na televisão e nos jornais. O Turco foi o primeiro a sair, às dez para as seis, quando começava a escurecer. Pelas persianas do quarto do casal Reid Cabral, Antonio de la Maza o viu andar depressa até a esquina e lá, levantando as mãos, parar um táxi. Sentiu tristeza: o Turco havia sido seu ami-

go do peito e nunca chegaram se reconciliar totalmente, desde aquela maldita briga. Não haveria outra oportunidade.

O doutor Marcelino Vélez Santana decidiu ficar um pouco mais com seu colega e amigo, o doutor Reid Cabral, que parecia aflito. Antonio raspou o bigode e enfiou até as orelhas um chapéu velho que encontrou no desvão. Juan Tomás Díaz, por sua vez, não fez o menor esforço para se disfarçar. Ambos abraçaram o doutor Vélez Santana.

— Sem mágoas?
— Sem mágoas. Boa sorte.

Ligia Reid Cabral, quando foram lhe agradecer a hospitalidade, começou a chorar e fez o sinal da cruz: "Deus os proteja."

Andaram oito quadras pelas ruas desertas, com as mãos nos bolsos, apertando os revólveres, até a casa de um cunhado de Antonio de la Maza, Toñito Mota. Ele tinha uma caminhonete Ford; talvez a emprestasse ou deixasse que eles a roubassem. Mas Toñito não estava em casa, nem a caminhonete na garagem. O mordomo que abriu a porta reconheceu De la Maza na hora: "Don Antonio! O senhor, por aqui!" Fez uma cara apavorada, e Antonio e o general, certos de que ele chamaria a polícia assim que partissem, saíram dali depressa. Não sabiam que diabos fazer.

— Posso lhe dizer uma coisa, Juan Tomás?
— O quê, Antonio?
— Estou contente de ter saído daquela ratoeira. Desse calor, desse pó que se metia no nariz e não deixava a gente respirar. Desse desconforto. Que bom estar ao ar livre, sentir que os pulmões estão se limpando.

— Só falta que me diga: "Vamos beber umas cervejinhas e brindar que a vida é linda." Que merda você tem na cabeça, bróder!

Os dois riram, umas risadas intensas e fugazes. Na avenida Pasteur, tentaram parar um táxi durante um bom tempo. Os que passavam, estavam cheios.

— Eu lamento não ter estado com vocês lá na Avenida — disse de repente o general Díaz, como que lembrando de uma coisa importante. — Não ter atirado também no Bode. Porra, que porra!

— É como se tivesse estado lá, Juan Tomás. Pergunte a Johnny Abbes, ao Negro, a Petán, a Ramfis, você vai ver o que dizem. Para eles, você também estava conosco na estrada, metendo chumbo no Chefe. Não se preocupe. Um dos tiros, eu dei por você.

Finalmente, um táxi parou. Entraram e, ao ver que os dois vacilavam ao dizer aonde queriam ir, o chofer, um moreno gordo e grisalho em mangas de camisa, virou-se para olhá-los. Antonio de la Maza viu em seus olhos que os reconhecera.

— Para a rua San Martín — ordenou.

O moreno assentiu, sem abrir a boca. Pouco depois, murmurou que estava ficando sem gasolina; precisava abastecer. Cruzou a rua 30 de Março, onde o trânsito era mais intenso, e na esquina de San Martín e Tiradentes, parou num posto Texaco. Desceu do carro para abrir o tanque. Antonio e Juan Tomás já tinham os revólveres nas mãos. De la Maza tirou o sapato direito e manipulou o salto, de onde extraiu um saquinho de papel celofane, que guardou no bolso. Como Juan Tomás Díaz o olhou intrigado, explicou:

— É estricnina. Consegui em Moca, com o pretexto de sacrificar um cachorro raivoso.

O gordo general encolheu os ombros, desdenhoso, e lhe mostrou seu revólver:

— Não há melhor estricnina que esta, meu irmão. Veneno é para cachorros e mulheres, não me venha com essas bobeiras. Além do mais, quem quer se suicidar toma cianureto, não estricnina, seu babaca.

Voltaram a rir, a mesma risada feroz e triste.

— Notou o cara que está no caixa? — Antonio de la Maza apontou pela janela. — Para quem você acha que está telefonando?

— Pode ser para a mulher dele, perguntando como vai a sua boceta.

Antonio de la Maza voltou a rir, dessa vez de verdade, uma gargalhada longa e franca.

— De que porra você está rindo, seu babaca.

— Não acha engraçado? — disse Antonio, agora sério. — Nós dois, neste táxi. Que merda estamos fazendo aqui? Nem sabemos para onde ir.

Mandaram o motorista voltar para a cidade colonial. Antonio teve uma ideia, e quando chegaram ao centro antigo disseram ao taxista que entrasse na rua Espaillat, pela Billini. Lá morava o advogado Generoso Fernández, que ambos conheciam. Antonio se lembrava de tê-lo ouvido falar cobras e lagartos de Trujillo; quem sabe poderia emprestar um veículo. O advogado veio até a porta, mas não os deixou entrar. Quando se recuperou do choque — olhava para eles aterrorizado, piscando — só atinou a acusá-los, indignado:

— Vocês estão loucos? Como podem me comprometer assim! Sabem quem entrou há um minuto ali na frente? O Constitucionalista Bêbado! Não podiam pensar um pouquinho antes de me fazer isso? Vão embora, vão embora, eu tenho família. Pelo que mais respeitem, vão embora! Eu não sou ninguém, ninguém.

Bateu a porta nas suas caras. Voltaram para o táxi. O velho mulato continuava sentado docilmente ao volante, sem olhar para eles. Depois de um tempo, resmungou:

— Para onde, agora?

— Parque Independencia — respondeu Antonio, para dizer alguma coisa.

Segundos depois de começar a rodar — tinham acendido as luzes das esquinas e o pessoal começava a sair às calçadas, para tomar ar fresco —, o motorista avisou:

— Aí vêm os fuscas, atrás de nós. Sinto muito, cavalheiros, realmente.

Antonio sentiu alívio. Aquele ridículo trajeto sem rumo afinal ia terminar. Era melhor morrer atirando do que como um babaca. Olharam para trás. Dois Volkswagens verdes os seguiam a uns dez metros de distância.

— Eu não quero morrer, cavalheiros — implorou o taxista, benzendo-se. — Pela Virgem, senhores!

— Está bem, siga até o parque como puder e nos deixe na esquina da loja de ferragens — disse Antonio.

Havia muito trânsito. O motorista, manobrando, conseguiu abrir passagem entre um ônibus com pencas de gente penduradas nas portas e um caminhão. Freou de supetão, a poucos metros da grande fachada de vidro da loja de ferragens Reid. Quando saltou do táxi, de revólver na mão, Antonio chegou a perceber que as luzes do parque se acenderam, como se lhes dessem boas-vindas. Encostados nas paredes, havia engraxates, vendedores ambulantes, jogadores de baralho, vagabundos e mendigos. Tudo cheirava a frutas e a fritura. Virou-se para apressar Juan Tomás que, gordo e cansado, não conseguia correr no seu ritmo. Nesse momento começou o tiroteio às suas costas. Uma gritaria ensurdecedora se desatou em volta; as pessoas corriam entre os carros, os carros subiam nas calçadas. Antonio ouviu vozes histéricas: "Rendam-se, porra!" "Vocês estão cercados, babacas!" Ao ver que Juan Tomás, exausto, tinha parado, parou também ao seu lado e começou a atirar. Disparava às cegas, porque os *caliés* e guardas se protegiam atrás dos Volkswagens atravessados na pista como parapeitos, interrompendo o tráfego. Viu Juan Tomás cair de joelhos, e viu-o levar a pistola à boca, mas não chegou a atirar porque vários impactos o derrubaram. Muitas balas já o haviam atingido, mas não estava morto. "Não estou morto, porra, não estou." Tinha disparado todas as balas do pente e, deitado no chão, tentava meter a mão no bolso para engolir a estricnina. A porra da mão não lhe obedeceu. Não seria preciso, Antonio. Via as estrelas brilhantes da noite que começava, via a cara risonha de Tavito e se sentia jovem outra vez.

XX

Quando a limousine do Chefe arrancou, deixando-o sozinho na lama fedorenta, o general José René Román tremia da cabeça aos pés, como os soldados que vira morrer de malária em Dajabón, guarnição da fronteira haitiano-dominicana, no começo da sua carreira militar. Fazia muitos anos que Trujillo se encarniçava com ele, sempre deixando bem claro na família e diante de estranhos o pouco respeito que lhe tinha, tratando-o de bobo por qualquer motivo. Mas nunca antes tinha levado seu menosprezo e suas ofensas ao extremo dessa noite.

Esperou que a tremedeira parasse antes de ir para a Base Aérea de San Isidro. O oficial de guarda levou um susto ao ver surgir no meio da noite, a pé e todo enlameado, o chefe das Forças Armadas em pessoa. O general Virgilio García Trujillo, comandante de San Isidro e cunhado de Román — era irmão gêmeo de Mireya — não estava, mas o ministro das Forças Armadas reuniu todos os oficiais e os repreendeu: o escoadouro quebrado que tirou do sério Sua Excelência tinha que ser consertado *ipso facto*, caso contrário haveria castigos severíssimos. O Chefe viria verificar, e todos sabiam que ele era implacável no que diz respeito à limpeza. Pediu um jipe com motorista para levá-lo de volta; não trocou de roupa nem tomou banho antes de partir.

No jipe, rumo a Trujillo, pensou que, na verdade, aquela tremedeira não se devia aos insultos do Chefe mas à tensão que sentiu desde que recebera o telefonema em que soube que o Benfeitor estava bravo. Ao longo do dia, pensou mil vezes que era impossível, absolutamente impossível, que ele pudesse saber da conspiração tramada pelo seu compadre Luis Amiama e seu íntimo amigo, o general Juan Tomás Díaz. Se soubesse, não teria telefonado; mandaria prendê-lo e agora ele estaria em La Cuarenta ou El Nueve. Mesmo assim, ficou com uma pulga atrás da orelha e não conseguiu comer nada na hora do almoço. Enfim, apesar da situação difícil, era um alívio saber que os insultos se deviam a um cano quebrado e não a uma conspiração. A simples ideia de que Trujillo pudesse saber que ele era um dos conspiradores lhe deu um frio na espinha.

Podia ser acusado de muitas coisas, menos de covarde. Desde que era cadete, e em todos os lugares onde serviu, mostrou arrojo físico e agiu com tanto destemor diante do perigo que ganhou fama de macho entre seus companheiros e subordinados. Sempre foi bom lutando, com luvas ou no braço. Jamais permitiu que alguém lhe faltasse ao respeito. Mas, como tantos oficiais, como tantos dominicanos, diante de Trujillo sua valentia e seu senso da honra se apagavam, ele era dominado por uma paralisia da razão e dos músculos, uma docilidade e uma reverência servis. Muitas vezes se perguntou por que a simples presença do Chefe — sua vozinha esganiçada e seu olhar fixo — o deixava moralmente aniquilado.

Como conhecia o poder que Trujillo tinha sobre a sua personalidade, o general Román respondera instantaneamente a Luis Amiama, cinco meses e meio atrás, quando este veio lhe falar pela primeira vez de uma conspiração para acabar com o regime:

— Sequestrar o Chefe? Besteira! Enquanto ele estiver vivo, nada mudará. É preciso matá-lo.

Estavam na varanda ensolarada do sítio onde Luis Amiama plantava bananas em Guayubín, Montecristi, olhando as águas terrosas do rio Yaque. Seu compadre lhe explicou que ele e Juan Tomás tinham montado aquela operação para evitar que o regime afundasse completamente o país e desencadeasse outra revolução comunista, estilo Cuba. Era um plano sério, que contava com o respaldo dos Estados Unidos. Henry Dearborn, John Banfield e Bob Owen, da representação diplomática, tinham dado seu apoio formal e solicitado ao responsável pela CIA em Trujillo, Lorenzo D. Berry ("O dono do supermercado Wimpy's?" "Sim, ele mesmo."), que lhes fornecesse dinheiro, armas e explosivos. Os Estados Unidos estavam preocupados com os excessos de Trujillo, desde o atentado contra o Presidente venezuelano Rómulo Betancourt, e queriam se livrar dele, mas, ao mesmo tempo, garantindo que não fosse substituído por um segundo Fidel Castro. Por isso, apoiariam um grupo sério, claramente anticomunista, que instaurasse uma Junta cívico-militar para, seis meses depois, convocar eleições. Amiama, Juan Tomás Díaz e os americanos concordavam: era Pupo Román quem tinha que presidir essa Junta. Quem melhor do que ele para conquistar a adesão das tropas e uma transição disciplinada para a democracia?

— Sequestrá-lo, pedir sua renúncia? — escandalizou-se Pupo. — Vocês estão enganados de país e de pessoa, compadre. Parece que não o conhecem. Ele jamais vai se deixar capturar vivo. E ninguém vai conseguir que renuncie. É preciso matá-lo.

O motorista do jipe, um sargento, guiava em silêncio, e Román dava tragadas profundas no seu Lucky Strike, o cigarro que preferia. Por que havia aceitado participar da conspiração? Ao contrário de Juan Tomás, que havia caído em desgraça e estava afastado do Exército, ele tinha tudo a perder. Chegara ao posto mais alto a que um militar podia aspirar e, embora não fosse muito bem-sucedido nos negócios, ainda tinha as suas terras. O perigo de que fossem leiloadas desapareceu com o pagamento dos quatrocentos mil pesos ao Banco Agrícola. O Chefe não cobriu essa dívida em deferência à sua pessoa, mas movido pelo sentimento arrogante de que a sua família jamais devia causar má impressão, de que a imagem dos Trujillo e de seus parentes precisava ficar imaculada. Também não foi o apetite de poder, a perspectiva de ser ungido Presidente provisório da República Dominicana — e a possibilidade, grande, de vir a ser Presidente eleito — que o fez aprovar a conspiração. Foi a mágoa acumulada das infinitas ofensas de Trujillo desde que seu casamento com Mireya fez dele um membro do clã privilegiado e, portanto, intocável. Por isso o Chefe o promoveu antes de outros, nomeou-o para cargos importantes e, de vez em quando, lhe deu dinheiro ou prebendas que lhe permitiram manter um alto nível de vida. Mas teve que pagar esses favores e distinções aceitando desaforos e maus-tratos. "E isso é o que mais conta", pensou.

Nestes últimos cinco meses e meio, cada vez que o Chefe o humilhava, o general Román, tal como agora, enquanto o jipe atravessava a Ponte Radhamés, pensava que em breve se sentiria um homem inteiro, com vida própria, e não, como Trujillo se esforçava para que se sentisse, um fracassado. Luis Amiama e Juan Tomás nem desconfiavam, mas ele estava na conspiração só para provar ao Chefe que não era um inútil como este o considerava.

Suas condições foram muito concretas. Não mexeria uma palha enquanto seus olhos não vissem o corpo. Só então começaria a mobilizar tropas e prender os irmãos de Trujillo e os oficiais e civis mais comprometidos com o regime, a começar por Johnny Abbes García. Luis Amiama e o general Díaz não podiam revelar a ninguém — nem mesmo ao chefe do grupo de ação, Antonio de la Maza — que ele fazia parte da conspiração. Não haveria mensagens escritas nem comunicação telefônica, só conversas diretas. Ele iria, com cautela, colocando oficiais de sua confiança nos postos-chaves, de modo que quando chegasse o dia as guarnições obedeceriam a uma única voz.

Assim fez, pondo à frente da Fortaleza de Santiago de los Caballeros, a segunda do país, o general César A. Oliva, seu colega de turma e amigo íntimo. Também conseguiu pôr no comando da Quarta Brigada, com sede em Dajabón, o general García Urbáez, seu aliado leal. Por outro lado, também contava com o general Guarionex Estrella, comandante da Segunda Brigada, baseada em La Vega. Não era muito amigo de Guaro, trujillista radical, mas, sendo irmão do Turco Estrella Sadhalá, do grupo de ação, era lógico que tomaria o partido do irmão. Não revelou seu segredo a nenhum desses generais; ele era astuto demais para se expor a uma delação. Mas contava que, após os acontecimentos, todos eles adeririam sem titubear.

Quando seria? Muito em breve, sem dúvida. No dia do seu aniversário, 24 de maio, seis dias atrás, Luis Amiama e Juan Tomás Díaz, convidados à sua casa de campo, afirmaram que estava tudo pronto. Juan Tomás foi categórico: "A qualquer momento, Pupo." Contaram também que o Presidente Joaquín Balaguer teria aceitado fazer parte da Junta cívico-militar, presidida por ele. Pediu detalhes, mas eles não puderam dizer muita coisa; o contato foi feito pelo doutor Rafael Batlle Viñas, casado com Indiana, prima de Antonio de la Maza, e médico de cabeceira de Balaguer. Ele sondou o Presidente fantoche, perguntando-lhe se, no caso de um desaparecimento súbito de Trujillo, "colaboraria com os patriotas". A resposta foi críptica: "Segundo a Constituição, se Trujillo desaparecer, terão que contar comigo." Era uma boa notícia? Aquele homenzinho suave e astuto sempre inspirou em Pupo Román a mesma desconfiança instintiva que tinha dos burocratas e intelectuais. Era impossível saber o que ele pensava; por trás das suas maneiras afáveis e da sua desenvoltura, havia um enigma. Mas, enfim, era verdade o que seus amigos diziam: a cumplicidade de Balaguer tranquilizaria os americanos.

Quando chegou à sua casa, em Gazcue, eram nove e meia da noite. Mandou o jipe de volta para San Isidro. Mireya e seu filho Álvaro, jovem tenente do Exército que estava de folga e viera visitá-los, se assustaram ao vê-lo naquele estado. Enquanto tirava a roupa suja, explicou tudo. Pediu a Mireya que ligasse para o irmão e pôs o general Virgilio García Trujillo a par da birra do Chefe:

— Sinto muito, cunhado, mas sou obrigado a lhe fazer uma advertência. Venha amanhã ao meu gabinete, antes das dez.

— Por causa de um cano quebrado, cacete! — exclamou Virgilio, achando graça. — Que gênio esse homem tem!

Tomou um banho e se ensaboou da cabeça aos pés. Ao sair do chuveiro, Mireya lhe deu um pijama limpo e um roupão de seda. Ficou ao seu lado enquanto ele se enxugava, passava colônia e se vestia. Ao contrário do que muita gente pensava, a começar pelo Chefe, ele não se casara com Mireya por interesse. Havia se apaixonado por aquela garota morena e tímida, e arriscou a vida cortejando-a apesar da oposição de Trujillo. Formavam um casal feliz, sem brigas nem rupturas nesses vinte e tantos anos juntos. Enquanto conversava com Mireya e Álvaro na mesa — não estava com fome, limitou-se a tomar um rum com gelo —, ele se perguntava qual seria a reação da esposa. Tomaria partido pelo marido ou pelo clã? Essa dúvida o mortificava. Muitas vezes vira Mireya indignada com os modos desdenhosos do Chefe; talvez isso inclinasse a balança ao seu favor. Além do mais, que dominicana não gostaria de se tornar primeira-dama da nação?

Depois do jantar, Álvaro foi tomar cerveja com os amigos. Mireya e ele foram para o quarto, no segundo andar, assistir à La Voz Dominicana. Havia um programa de música para dançar com cantores e orquestras na moda. Antes das sanções, o canal contratava os melhores artistas latino-americanos, mas no último ano, devido à crise, quase toda a produção da emissora de televisão de Petán Trujillo era feita com artistas locais. Enquanto ouviam os merengues e *danzones* da orquestra Generalíssimo, dirigida pelo maestro Luis Alberti, Mireya comentou, com tristeza, que esperava que aquelas confusões com a Igreja acabassem logo. Havia um clima pesado, e suas amigas, enquanto jogavam cartas, falavam dos boatos de uma revolução, de que Kennedy ia mandar os *marines* para cá. Pupo a tranquilizou: o Chefe ia superar os problemas mais uma vez e o país voltaria a ser sossegado e próspero. Sua voz parecia tão falsa que parou, simulando uma tosse.

Pouco depois, os freios de um carro rangeram e soou uma buzinada frenética. O general pulou da cama e foi à janela. Distinguiu, saindo do carro que havia parado, a silhueta aguda do general Arturo Espaillat, o Navalhinha. Quando divisou seu rosto, amarelado pela luz do poste, seu coração deu um pulo: pronto.

— O que houve, Arturo? — perguntou, esticando a cabeça.

— Uma coisa muito séria — disse o general Espaillat, aproximando-se. — Eu estava com a minha mulher no El Pony e passou o Chevrolet do Chefe. Pouco depois, ouvi um tiroteio. Fui lá olhar e me deparei com uma chuva de balas, no meio da pista.

— Já desço, já desço — gritou Pupo Román. Mireya vestiu um roupão fazendo o sinal da cruz: "Meu Deus, meu tio", "Deus nos proteja, Jesus santo."

A partir desse momento, e em todos os minutos e horas seguintes, tempo em que se decidiu sua sorte, a da sua família, a dos conspiradores e, afinal de contas, a da República Dominicana, o general José René Román sabia o tempo todo, com completa lucidez, o que devia fazer. Por que fez exatamente o contrário? Ele se perguntaria isso muitas vezes, nos meses seguintes, sem encontrar a resposta. Sabia, enquanto descia a escada, que naquelas circunstâncias a única coisa sensata a fazer, se tivesse apego à vida e não quisesse que a conspiração fracassasse, era abrir a porta para o ex-chefe do SIM, o militar mais comprometido com as operações criminosas do regime, executor de inúmeros sequestros, chantagens, torturas e assassinatos por ordem de Trujillo, e descarregar nele todas as balas do seu revólver. Navalhinha não tinha outra alternativa, devido ao seu prontuário, senão manter uma lealdade canina a Trujillo e ao regime, para não ser preso ou assassinado.

Embora soubesse muito bem disso, abriu a porta para o general Espaillat e sua esposa, que beijou no rosto e tentou acalmar, pois Ligia Fernández de Espaillat havia perdido o controle e balbuciava incoerências. Navalhinha lhe contou os detalhes: quando chegou, de carro, se deparou com um tiroteio ensurdecedor, de revólveres, fuzis e metralhadoras. Entre os clarões reconheceu o Chevrolet do Chefe e conseguiu ver uma figura na pista, atirando, talvez Trujillo. Não pôde ajudá-lo; estava à paisana, desarmado e, por temor de que uma bala perdida atingisse Ligia, veio para cá. Fazia quinze, no máximo vinte minutos que tudo acontecera.

— Espere, vou me vestir. — Román subiu a escada correndo, seguido por Mireya, que mexia as mãos e a cabeça como uma louca.

— Temos que avisar o tio Negro — exclamou, enquanto ele vestia a farda de todos os dias. Viu-a correr para o telefone e ligar, sem lhe dar tempo de abrir a boca. E, mesmo sabendo que tinha que impedir essa ligação, não o fez. Pegou o aparelho e, abotoando a camisa, preveniu o general Héctor Bienvenido Trujillo:

— Acabam de me informar de um possível atentado contra Sua Excelência, na estrada de San Cristóbal. Vou para lá. Eu o mantenho informado.

Terminou de se vestir e desceu, com um fuzil M1 nas mãos já carregado. Em vez de disparar uma rajada e acabar com o Navalhinha, preservou sua vida outra vez e concordou quando Espaillat, com seus olhinhos de rato assolados pela preocupação, aconselhou-o a avisar o Estado-Maior e ordenar estado de prontidão. O general Román ligou para a Fortaleza 18 de Dezembro e determinou um aquartelamento rigoroso a todas as guarnições, que fossem bloqueadas todas as saídas da capital, e avisou aos comandantes do interior que em breve entraria em contato com eles por telefone ou por rádio, para tratar de um assunto de máxima urgência. Estava perdendo um tempo irrecuperável, mas não podia deixar de agir dessa maneira, que, pensava, eliminaria qualquer dúvida sobre ele na mente de Navalhinha.

— Vamos — disse a Espaillat.
— Vou levar Ligia para casa — respondeu este. — Encontro você na estrada. É no quilômetro sete, mais ou menos.

Quando saiu, ao volante do seu próprio carro, sabia que deveria ir imediatamente à casa do general Juan Tomás Díaz, a poucos metros da sua, verificar se o assassinato se consumara — certamente — e desencadear o golpe de Estado. Não tinha mais escapatória; estivesse Trujillo morto ou ferido, ele era cúmplice. Mas, em vez de ir para a casa de Juan Tomás ou de Amiama, dirigiu seu carro para a avenida George Washington. Perto da Feira do Gado viu num carro, fazendo-lhe sinais, o coronel Marcos Antonio Jorge Moreno, chefe da escolta pessoal de Trujillo, acompanhado pelo general Pou.

— Estamos preocupados — gritou Moreno, esticando o pescoço. — Sua Excelência não chegou a San Cristóbal.

— Houve um atentado — informou Román. — Sigam-me!

No quilômetro sete, quando, sob os feixes de luz das lanternas de Moreno e Pou, reconheceu o Chevrolet preto todo furado, com os vidros pulverizados e manchas de sangue no asfalto entre os estilhaços e cartuchos, soube que o atentado tinha sido bem-sucedido. O Chefe só podia estar morto depois de tamanho tiroteio. E, portanto, devia prender, recrutar ou matar Moreno e Pou, dois trujillistas convictos e confessos, e, antes que Espaillat e outros militares chegassem, voar para a Fortaleza 18 de Dezembro, onde estaria seguro. Mas também não fez isso e, pelo contrário, demonstrando a mesma consternação que Moreno e Pou, revistou os arredores junto com eles e ficou contente quando o coronel encontrou um revólver entre umas moitas. Pouco depois chegava Navalhinha, e também patrulhas e guardas, que mandou continuarem as buscas. Ele estaria no Estado-Maior.

Enquanto, já no carro oficial, era levado por seu motorista, o primeiro sargento Morones, para a Fortaleza 18 de Dezembro, fumou vários Lucky Strike. Na certa Luis Amiama e Juan Tomás o estavam procurando exaustivamente, com o cadáver do Chefe nas costas. Tinha o dever de mandar algum sinal. Mas, em vez disso, quando chegou ao Estado-Maior instruiu a guarda que não deixasse entrar, por nenhum motivo, qualquer elemento civil, fosse quem fosse.

Encontrou a Fortaleza em ebulição, com um movimento inconcebível àquela hora em um dia normal. Enquanto subia a escada aos saltos rumo ao seu posto de comando e respondia às continências dos oficiais que o cumprimentavam, ouviu perguntas — "Uma tentativa de desembarque em frente à Feira Agrícola e Pecuária, general?" — que não parou para responder.

Entrou agitado, sentindo o coração bater, e uma simples olhada nos vinte oficiais de alta graduação reunidos em seu gabinete foi suficiente para fazê-lo entender que, apesar das oportunidades perdidas, ainda havia uma chance de pôr o Plano em prática. Esses oficiais que, ao vê-lo, bateram os calcanhares e fizeram continência eram um grupo seleto do alto-comando, amigos na grande maioria, e aguardavam as suas ordens. Sabiam ou intuíam que acabava de se produzir um pavoroso vazio e, formados na tradição da disciplina e de total dependência ao Chefe, esperavam que ele assumisse o comando, com clareza de propósitos. Nos rostos do general Fernando Sánchez, do general Radhamés Hungria, dos generais Fausto Caamaño e Félix Hermida, dos coronéis Rivera Cuesta e Cruzado Piña, e nos dos majores Wessin y Wessin, Pagán Montás, Saldaña, Sánchez Pérez, Fernández Domínguez e Hernando Ramírez, havia medo e esperança. Queriam que ele os tirasse da sensação de insegurança da qual não sabiam se defender. Uma arenga pronunciada com voz de chefe que tem colhões e sabe o que faz, explicando a eles que, naquelas gravíssimas circunstâncias, o desaparecimento ou morte de Trujillo, ocorrido por motivos que seria preciso avaliar, dava à República uma oportunidade providencial para a mudança. Antes de mais nada, era preciso evitar o caos, a anarquia, uma revolução comunista e seu corolário, a ocupação norte-americana. Eles, patriotas por vocação e por profissão, tinham o dever de agir. O país estava afundando, isolado e de quarentena por causa dos desmandos de um regime que, embora tivesse prestado serviços valiosíssimos no passado, havia degenerado em uma tirania que causava repulsa universal. Era preciso se adiantar aos acontecimentos, com visão de futuro. Ele os exortava a segui-lo, para enfrentarem juntos o abismo que começava a se abrir. Como chefe das Forças Armadas, presidiria uma Junta cívico-militar de figuras notáveis, encarregada de fazer a transição para a democracia, que permitiria a suspensão das sanções impostas pelos Estados Unidos e a convocação de eleições, sob o controle da OEA. A Junta tinha o beneplácito de Washington e ele esperava a colaboração de todos, chefes da instituição mais prestigiosa do país. Sabia que suas palavras teriam sido recebidas com aplausos e que, se houvesse alguém mais reticente, a convicção dos outros terminaria por conquistá-lo. Seria fácil então mandar os oficiais executivos, como Fausto Caamaño e Félix Hermida, prenderem os irmãos Trujillo e desarticularem Abbes García, o coronel Figueroa Carrión, o capitão Candito Torre, Clodoveo Ortiz, Américo Dante Minervino, César Rodríguez Villeta e Alicinio Peña Rivera, deixando as engrenagens do SIM inutilizadas.

Mas, embora soubesse com toda clareza o que devia fazer e dizer naquele momento, também não o fez. Após alguns segundos de silêncio vacilante, limitou-se a informar aos oficiais, numa linguagem vaga, sincopada, gaguejante que, tendo em vista o atentado contra a vida do Generalíssimo, as Forças Armadas deviam se manter unidas e prontas para atuar. Podia sentir, tocar, a decepção dos seus subordinados, aos quais, em vez de infundir ânimo, contagiava com a própria insegurança. Não era isso que eles esperavam. Para disfarçar sua confusão, foi ligar para as guarnições do interior. Repetiu para o general César A. Oliva, de Santiago, o general García Urbáez, de Dajabón, e para o general Guarionex Estrella, de La Vega, da mesma maneira insegura — sua língua não obedecia, como se estivesse bêbado —, que, devido ao suposto magnicídio, mantivessem as tropas de prontidão e não fizessem nada sem a sua autorização.

Depois da sessão de telefonemas, rompeu a secreta camisa de força que o imobilizava e tomou uma iniciativa na direção correta:

— Não se retirem — anunciou, levantando-se. — Vou convocar imediatamente uma reunião do mais alto nível.

Mandou chamar o Presidente da República, o chefe do Serviço de Inteligência Militar e o ex-Presidente general Héctor Bienvenido Trujillo. Faria com que eles viessem e os prenderia aqui, os três. Se Balaguer estava na conspiração, poderia lhe dar uma mão nos passos seguintes. Notou um certo desconcerto nos oficiais; trocas de olhares, cochichos. Passaram-lhe o telefone. Tinham acabado de tirar da cama o doutor Joaquín Balaguer:

— Desculpe acordá-lo, senhor Presidente. Houve um atentado contra Sua Excelência, quando ele ia para San Cristóbal. Estou convocando, como secretário das Forças Armadas, uma reunião urgente na Fortaleza 18 de Dezembro. Peço-lhe que venha, sem perda de tempo.

O Presidente Balaguer não respondeu durante um bom tempo, tão longo que Román pensou que a linha havia caído. Seria a surpresa o motivo do seu silêncio? Satisfação por saber que o Plano começava a ser cumprido? Ou desconfiança daquela ligação inoportuna? Por fim, ouviu a resposta, pronunciada sem a menor emoção:

— Se houver ocorrido uma coisa tão grave, como Presidente da República não me cabe estar num quartel, e sim no Palácio Nacional. Vou para lá. Sugiro que a reunião se realize no meu gabinete. Boa noite.

Sem lhe dar tempo de dizer nada, desligou.

Johnny Abbes García ouviu-o com atenção. Sim, iria à reunião, mas só depois de ouvir o depoimento do capitão Zacarías de la Cruz que, ferido, tinha acabado de entrar no Hospital Marión. Só o Negro Trujillo aparentemente aceitou a convocação. "Vou imediatamente para aí." Parecia atordoado pelos acontecimentos. Mas, como após meia hora de espera ele não apareceu, o general José René Román entendeu que seu plano de último minuto não tinha possibilidades de se realizar. Nenhum dos três cairia na emboscada. E ele, por sua forma de agir, começava a afundar em areias movediças das quais muito em breve seria tarde demais para escapar. A menos que se apoderasse de um avião militar que o levasse para o Haiti, Trindade, Porto Rico, as Antilhas francesas ou para a Venezuela, onde o receberiam de braços abertos. A partir desse momento, entrou num estado de sonambulismo. O tempo deixara de existir ou então, em vez de avançar, girava, numa repetição obsessiva que o deixava deprimido e encolerizado. Não saiu mais desse estado, nos quatro meses e meio de vida que teve, se é que aquilo mereceu ser chamado de vida e não de inferno, pesadelo. Até 12 de outubro de 1961 não voltou a ter uma noção clara da cronologia; teve, pelo contrário, da misteriosa eternidade, que nunca lhe interessou. Nos lampejos de lucidez que o assaltavam para lembrar que estava vivo, que aquilo não tinha terminado, ele se martirizava com a mesma indagação: por quê, sabendo que era aquilo que o esperava, não agiu como devia? Essa pergunta o maltratava mais que as torturas que enfrentou com grande bravura, talvez para provar a si mesmo que não foi por covardia que se comportou com tanta indecisão naquela interminável noite de 31 de maio de 1961.

Incapaz de coordenar seus atos, ele caiu em contradições e iniciativas erráticas. Mandou que seu cunhado, o general Virgilio García Trujillo, enviasse quatro tanques e três companhias de infantaria de San Isidro, onde estavam as divisões blindadas, para reforçar a Fortaleza 18 de Dezembro. Mas, logo depois, decidiu sair de lá e se instalar no Palácio. Pediu ao chefe de Estado-Maior do Exército, o jovem general Tuntin Sánchez, que o mantivesse informado sobre as investigações. Antes de sair, telefonou para La Victoria e pediu para falar com Américo Dante Minervino. De forma incisiva, ordenou que ele mandasse eliminar imediatamente, com a mais absoluta discrição, os presos major Segundo Imbert Barreras e Rafael Augusto Sánchez Saulley e fizesse os cadáveres desaparecerem, pois temia que Antonio Imbert, do grupo de ação, tivesse informado o irmão sobre sua cumplicidade na conspiração. Américo Dante Minervino, habituado com essas missões, não fez perguntas: "Entendida a ordem, general." Deixou o general Tuntin Sánchez desconcertado ao lhe dizer que informasse às patrulhas do SIM, do Exército e da Aeronáutica que faziam as buscas que as pessoas que constavam das listas de "inimigos" e "desafetos" deviam ser executadas ante a menor tentativa de resistir à prisão. ("Não queremos prisioneiros para serem usados em campanhas internacionais contra o nosso país.") O subordinado não fez comentários. Transmitiria as instruções ao pé da letra, general.

Ao sair da Fortaleza, rumo ao Palácio, o tenente de guarda lhe informou que um carro com dois civis, um dos quais dizia ser seu irmão Ramón (Bibín), havia chegado à entrada da guarnição e exigira vê-lo. Seguindo suas ordens, ele os mandou embora. Assentiu, sem dizer nada. Então seu irmão estava participando da conspiração e, portanto, também pagaria pelas suas dúvidas e hesitações. Imerso nessa espécie de hipnose, pensou que talvez sua indolência fosse porque, embora o corpo do Chefe estivesse morto, sua alma, seu espírito, ou como se chamasse isso, continuava a escravizá-lo.

No Palácio Nacional encontrou desordem e desolação. Quase toda a família Trujillo estava reunida. Petán, com botas de montar e a metralhadora ao ombro, tinha acabado de chegar do seu feudo em Bonao e andava de um lado para o outro como um aldeão de caricatura. Héctor (Negro), afundado no sofá, esfregava os braços como se estivesse com frio. Mireya e sua sogra Marina consolavam dona María, a mulher do Chefe, pálida como um defunto, cujos olhos expeliam fogo. A bela Angelita, por seu lado, chorava e torcia as mãos, sem que seu marido, o coronel José León Estévez (Peitinho), fardado e compungido, conseguisse acalmá-la. Sentiu os olhos de todos fixos nele: alguma notícia? Abraçou-os, um por um: estavam passando o pente-fino na cidade, casa por casa, rua por rua, e, logo... Então, descobriu que eles sabiam mais do que o chefe das Forças Armadas. Um dos conspiradores caíra, o ex-militar Pedro Livio Cedeño, que Abbes García estava interrogando na Clínica Internacional. E o coronel José León Estévez já tinha avisado Ramfis e Radhamés, que estavam tentando fretar um avião da Air France para trazê-los de Paris. A partir desse momento, soube também que estava começando a perder o poder atribuído ao seu cargo, tão mal empregado nas últimas horas; as decisões não saíam mais do seu gabinete, e sim das mesas dos chefes do SIM, Johnny Abbes García e o coronel Figueroa Carrión, ou de parentes e achegados de Trujillo, como Peitinho ou seu cunhado Virgilio. Uma pressão invisível o afastava do poder. Não se surpreendeu por não receber qualquer explicação do Negro Trujillo por não ter comparecido à reunião que ele o convocara.

Afastou-se do grupo, correu para uma cabine e ligou para a Fortaleza. Ordenou ao chefe do seu Estado-Maior que mandasse as tropas cercarem a Clínica Internacional para assumir a guarda do ex-oficial Pedro Livio Cedeño e impedir que o SIM o tirasse dali, usando a força se necessário. O prisioneiro devia ser transferido para a Fortaleza 18 de Dezembro. Ele iria interrogá-lo pessoalmente. Tuntin Sánchez, após um intervalo agourento, apenas se despediu: "Boa noite, general." Pensou, atormentado, que talvez aquele tivesse sido o seu pior erro em toda a noite.

Na sala onde estavam os Trujillo, havia mais gente. Todos estavam ouvindo, num silêncio compungido, o coronel Johnny Abbes García que, em pé, dizia pesaroso:

— A ponte dentária que foi encontrada na estrada é mesmo de Sua Excelência. O doutor Fernando Caminho confirmou. Devemos supor que, se ele não morreu, seu estado é muito grave.

— E os assassinos? — interrompeu Román, em atitude desafiante. — O sujeito falou? Denunciou os cúmplices?

A cara bochechuda do chefe do SIM virou-se para ele. Seus olhinhos de batráquio lhe derramaram um olhar que, no grau extremo de suscetibilidade em que se encontrava, lhe pareceu zombeteiro.

— Delatou três — explicou Johnny Abbes, olhando-o sem piscar. — Antonio Imbert, Luis Amiama e o general Juan Tomás Díaz. Este é o cabeça, pelo que diz.

— Capturaram os três?

— Meu pessoal está atrás deles em toda Trujillo — afirmou Johnny Abbes García. — Mais uma coisa. Os Estados Unidos podem estar por trás disso.

Murmurou umas palavras de parabéns ao coronel Abbes e voltou para o telefone. Ligou de novo para o general Tuntin Sánchez. As patrulhas deviam prender imediatamente o general Juan Tomás Díaz, Luis Amiama e Antonio Imbert, assim como os seus familiares, "vivos ou mortos, não fazia diferença, talvez melhor mortos, pois a CIA pode tentar tirá-los do país". Quando desligou, teve uma certeza; do jeito que as coisas iam, nem o exílio seria possível. Teria que dar um tiro na cabeça.

No salão, Abbes García continuava falando. Não mais dos assassinos; da situação em que o país se encontrava.

— É indispensável que um membro da família Trujillo assuma a Presidência da República neste momento — afirmou. — O doutor Balaguer precisa renunciar e ceder o cargo ao general Héctor Bienvenido ou ao general José Arismendi. Assim, o povo vai saber que o espírito, a filosofia e a política do Chefe não serão esquecidos e continuarão guiando a vida dominicana.

Houve um silêncio constrangedor. Todos se entreolharam. O vozeirão vulgar e abusado de Petán Trujillo dominou a sala:

— Johnny tem razão. Balaguer tem que renunciar. O Negro ou eu vamos assumir a Presidência. O povo saberá que Trujillo não morreu.

Então, seguindo os olhares de todos os presentes, o general Román descobriu que o Presidente fantoche também estava lá. Miúdo e discreto como sempre, tinha ouvido aquilo sentado numa cadeira no canto, como se não quisesse incomodar. Estava vestido com a correção de sempre e aparentava absoluta tranquilidade, como se tudo aquilo fosse um assunto corriqueiro. Esboçou meio sorriso e falou com uma calma que sedou o ambiente:

— Como vocês sabem, eu sou Presidente da República por decisão do Generalíssimo, que sempre se submeteu aos procedimentos constitucionais. Ocupo este cargo para facilitar as coisas, não para complicar. Se a minha renúncia for aliviar a situação, aqui está ela. Mas, permitam-me uma sugestão. Antes de tomar essa decisão fundamental, que representa uma ruptura da legalidade, não seria prudente esperar a chegada do general Ramfis Trujillo? O filho mais velho do Chefe, seu herdeiro espiritual, militar e político não deveria ser consultado?

Olhava para a mulher que o rígido protocolo trujillista obrigava os cronistas sociais a só chamar de Excelsa Dama. María Martínez de Trujillo reagiu, imperativa:

— O doutor Balaguer tem razão. Até Ramfis chegar, não mudaremos nada. — Sua face redonda havia recuperado a cor.

Vendo o Presidente da República baixar timidamente os olhos, o general Román saiu por alguns segundos do seu estado mental gelatinoso para pensar que, ao contrário de si mesmo, aquele homenzinho desarmado que escrevia versos e parecia tão insignificante nesse mundo de machos cheios de pistolas e metralhadoras sabia muito bem o que queria e o que fazia, pois não perdia a serenidade por um instante. Durante essa noite, a mais longa do seu meio século de existência, o general Román descobriu que, no vazio e no caos provocados pelo desaparecimento do Chefe, aquele ser secundário, que todos sempre consideraram um amanuense, uma figurinha decorativa do regime, começava a adquirir uma autoridade surpreendente.

Como se estivesse sonhando, nas horas seguintes viu como se fazia e se desfazia em grupos e logo depois se refazia aquela assembleia de parentes, amigos e comandantes trujillistas, à medida que os fatos iam se ligando como peças que preenchem os vazios de um quebra-cabeças até dar forma a uma figura compacta. Antes de meia-noite, avisaram que a pistola encontrada no local do atentado pertencia ao general Juan Tomás Díaz. Quando Román ordenou que, além da casa deste também fossem revistadas as residências de todos os seus irmãos, lhe informaram que as patrulhas do SIM dirigidas pelo coronel Figueroa Carrión já estavam fazendo isso e que o irmão de Juan Tomás, Modesto Díaz, entregue ao SIM por um amigo, o galeiro Chucho Malapunta, em cuja casa se refugiara, estava preso em La Cuarenta. Quinze minutos depois, Pupo telefonou para seu filho Álvaro. Pediu que ele trouxesse mais munição para o seu fuzil M1 (não o tirara do ombro), convencido de que a qualquer momento teria que defender a vida, ou dar cabo dela com suas próprias mãos. Depois de conferenciar em seu gabinete com Abbes García e o coronel Luis José León Estévez (Peitinho) sobre o bispo Reilly, tomou a iniciativa de dizer que, sob sua responsabilidade, este fosse retirado à força do Colégio Santo Domingo e apoiou a tese do chefe do SIM de executá-lo, pois não cabiam dúvidas quanto à cumplicidade da Igreja na maquinação criminosa. O marido de Angelita Trujillo, batendo no revólver, disse que para ele seria uma honra executar a ordem. Voltou em menos de uma hora, furioso. A operação transcorreu sem maiores incidentes, exceto umas porradas numas freiras e em dois padres redentoristas, também gringos, que tentaram defender o cardeal. O único morto era um cachorro pastor-alemão, cão de guarda do colégio, que, antes de receber um tiro, mordeu um *calié*. O bispo estava agora no centro de detenção da Força Aérea, no quilômetro nove da estrada de San Isidro. O comandante Rodríguez Méndez, chefe do centro, se negou a executar o bispo e impediu que Peitinho León Estévez o matasse, alegando ordens da Presidência da República.

Estupefato, Román perguntou se ele estava se referindo a Balaguer. O marido de Angelita Trujillo, não menos desconcertado, assentiu:

— Pelo visto, ele pensa que existe. O mais incrível não é que esse enxerido se intrometa nesta história. É que as ordens dele sejam obedecidas. Ramfis vai colocá-lo no seu lugar.

— Não é necessário esperar Ramfis. Vou acertar as contas com ele agora mesmo — explodiu Pupo Román.

Dirigiu-se a passos largos para o gabinete do Presidente, mas no corredor teve uma vertigem. Tateando, conseguiu chegar até uma poltrona isolada, onde desabou. Adormeceu instantaneamente. Quando acordou, algumas horas mais tarde, só lembrava de um pesadelo polar no qual, tremendo de frio numa estepe nevada, via uma matilha de lobos avançar contra ele. Levantou-se sobressaltado e se dirigiu quase correndo para o gabinete do Presidente Balaguer. As portas estavam totalmente abertas. Entrou decidido a fazer esse pigmeu intrometido sentir o peso da sua autoridade mas, nova surpresa, no gabinete deu de cara com o bispo Reilly em pessoa. Desfigurado, com a túnica rasgada, marcas no rosto de ter sido maltratado, mesmo assim a figura alta do bispo conservava uma majestosa dignidade. O Presidente da República se despedia dele.

— Ah, monsenhor, veja quem está aqui, o secretário das Forças Armadas, general José René Román Fernández — fez as apresentações. — Ele veio reafirmar pessoalmente que as autoridades militares lamentam este deplorável mal-entendido. O senhor tem a minha palavra, e a palavra do chefe do Exército, não é mesmo, general Román?, de que nem o senhor, nem prelado algum, nem as irmãs do Santo Domingo voltarão a ser incomodados. Vou explicar tudo à *sister* Williemine e à *sister* Helen Claire. Estamos vivendo momentos muito difíceis, e o senhor, homem de experiência, há de entender. Temos colaboradores que perdem o controle e se excedem, como aconteceu esta noite. Isso não vai se repetir. Determinei que uma escolta o acompanhe até o colégio. Peço-lhe que, se houver qualquer problema, entre em contato comigo pessoalmente.

O bispo Reilly, que olhava aquilo tudo como se estivesse cercado de marcianos, fez um vago movimento de cabeça à guisa de despedida. Román encarou o Presidente de maus modos, batendo na metralhadora:

— O senhor me deve uma explicação, doutor Balaguer. Quem pensa que é para contrariar uma ordem minha, telefonando para um centro militar, falando com um oficial subalterno, passando por cima da hierarquia? Quem o senhor pensa que é, porra?

O homenzinho o olhou com cara de paisagem. Depois de observá-lo um pouco, esboçou um sorrisinho amistoso. E, apontando para a cadeira em frente à escrivaninha, convidou-o a sentar. Pupo Román não se mexeu. O sangue fervilhava nas suas veias, como uma caldeira a ponto de estourar.

— Responda à minha pergunta, porra! — gritou.
O doutor Balaguer não se alterou. Com a mesma suavidade com que declamava ou lia discursos, advertiu-o paternalmente:
— O senhor está fora de si, e não é para menos, general. Mas faça um esforço. Estamos vivendo o momento talvez mais crítico da República, e o senhor mais do que ninguém tem que dar um exemplo de serenidade ao país.
Resistiu ao seu olhar encolerizado — Pupo sentia vontade de agredi-lo e, ao mesmo tempo, a curiosidade o refreava —, e depois de sentar-se à escrivaninha, no mesmo tom de voz, acrescentou:
— Ainda vai me agradecer por ter impedido o senhor de cometer um grave erro, general. Assassinando um bispo, não teria resolvido seus problemas. Teria agravado. Se lhe interessa saber, este Presidente que veio insultar está disposto a ajudá-lo. Mas receio que não possa fazer muito pelo senhor.
Román não detectou qualquer ironia nessas palavras. Esconderiam uma ameaça? Não, a julgar pela forma bondosa como Balaguer o olhava. A fúria se dissipou. Agora tinha medo. Invejava a tranquilidade daquele anão meloso.
— Saiba que ordenei a execução de Segundo Imbert e Papito Sánchez, em La Victoria — rugiu, descontrolado, sem pensar no que dizia. — Eles também estavam metidos na conspiração. Vou fazer o mesmo com todos os envolvidos no assassinato do Chefe.
O doutor Balaguer assentiu levemente, sem alterar a expressão.
— Para grandes males, grandes remédios — murmurou, de forma enigmática. E, levantando-se, foi até a porta do gabinete e saiu, sem se despedir.
Román permaneceu ali sem saber o que fazer. Optou por voltar à sua sala. Às duas e meia da madrugada, levou Mireya, que tinha tomado um calmante, para a casa de Gazcue. Lá encontrou seu irmão Bibín, dando golinhos aos soldados da guarda de uma garrafa de Carta Dorada que brandia como um estandarte. Bibín, o vagabundo, o farrista, o pinguço, o jogador, o simpático Bibín mal se mantinha em pé. Teve que levá-lo para o banheiro do segundo andar, a pretexto de ajudá-lo a vomitar e

lavar o rosto. Assim que ficaram sozinhos, Bibín começou a chorar. Fitava seu irmão com uma tristeza infinita nos olhos cheios d'água. Um fiozinho de baba pendia dos seus lábios como uma teia de aranha. Baixando a voz, engasgando, contou que, durante a noite inteira, ele, Luis Amiama e Juan Tomás o procuraram pela cidade, que chegaram a amaldiçoá-lo, desesperados. O que houve, Pupo? Por que você não fez nada? Por que se escondeu? Não tinham um Plano, por acaso? O grupo de ação fez a sua parte. Trouxeram o cadáver, como ele pediu.

— Por que você não cumpriu o Plano, Pupo? — Os suspiros estremeciam seu peito. — O que vai acontecer conosco agora?

— Houve um contratempo, Bibín, o Navalhinha Espaillat apareceu, viu tudo. Não foi possível. Agora...

— Agora, estamos fodidos — tossiu e engoliu o catarro Bibín. — Luis Amiama, Juan Tomás, Antonio de la Maza, Tony Imbert, todos. Mas, principalmente, você. Você e, depois, eu, porque sou seu irmão. Se você me quer bem, atire em mim agora mesmo, Pupo. Dispare esta metralhadora, aproveite que estou bêbado. Antes que eles façam isso. Pelo amor de Deus, Pupo.

Nisso, Álvaro bateu na porta do banheiro: acabavam de encontrar o cadáver do Generalíssimo na mala de um carro, na casa do general Juan Tomás Díaz.

Não pregou os olhos nessa noite, nem na seguinte, nem na subsequente e, provavelmente, em quatro meses e meio não voltou a saber o que era dormir — descansar, esquecer de si mesmo e dos outros, dissolver-se numa inexistência da qual se volta recuperado, com mais ímpeto —, mas perdeu a consciência muitas vezes, e passou longas horas, dias e noites, num estupor idiota, sem imagens, sem ideias, com o desejo fixo de que a morte viesse libertá-lo. Tudo se misturava e se confundia, como se o tempo tivesse se transformado numa sopa, num amálgama onde o antes, o agora e o depois não tivessem sequência lógica, fossem uma coisa só e recorrente. Lembrava nitidamente do espetáculo, ao chegar ao Palácio Nacional, de dona María Martínez de Trujillo rugindo diante do cadáver do Chefe: "Que o sangue dos assassinos corra até a última gota!" E, como algo consecutivo, mas que só podia ter acontecido um dia depois, a figura esbelta, fardada, impecável, de um Ramfis pálido e atônito, debruçando-se sem se curvar sobre o caixão entalhado, contemplando o rosto maquiado do Chefe e murmurando: "Eu não serei tão magnânimo como você foi com os inimigos, papai." Imaginou que Ramfis não estava falando com o pai, mas com ele. Abraçou-o com força e gemeu no seu ouvido: "Que perda irreparável, Ramfis. Ainda bem que nos resta você."

Via-se, de repente, com o uniforme de gala e seu inseparável fuzil M1 na mão, na igreja de San Cristóbal repleta de gente, assistindo às homenagens fúnebres ao Chefe. Alguns parágrafos do discurso de um agigantado Presidente Balaguer — "Eis, senhores, truncado pelo sopro de uma rajada pérfida, o carvalho poderoso que durante mais de trinta anos desafiou todos os raios e saiu vencedor de todas as tempestades" — deixaram seus olhos úmidos. Ouvia aquilo ao lado de um Ramfis petrificado e rodeado de guarda-costas empunhando metralhadoras. E via-se, ao mesmo tempo, observando (um, dois, três dias antes?) a multitudinária fila de milhares e milhares de dominicanos de todas as idades, profissões, raças e classes sociais, esperando, horas e mais horas, sob um sol inclemente, para subir as escadas do Palácio e, em meio a exclamações histéricas de dor, desmaios, algazarra, oferendas aos santos do vodu, prestar sua última homenagem ao Chefe, ao Homem, ao Benfeitor, ao Generalíssimo, ao Pai. E, no meio de tudo isso, ouvia os relatórios dos seus ajudantes de ordens sobre a captura do engenheiro Huáscar Tejeda e de Salvador Estrella Sadhalá, o fim de Antonio de la Maza e do general Juan Tomás Díaz no parque Independencia, esquina com Bolívar, defendendo-se a tiros, e a morte, quase simultânea, a pouca distância, do tenente Amador García, também matando antes de ser morto, com a devastação e o saque pelo povo da casa da tia que o asilara. Lembrava também dos boatos sobre o misterioso desaparecimento do seu compadre Amiama Tió e de Antonio Imbert — Ramfis oferecia meio milhão de pesos a quem ajudasse na sua captura —, e a prisão de duzentos dominicanos, civis ou militares, em Trujillo, Santiago, La Vega, San Pedro de Macorís e meia dúzia de outros lugares, envolvidos no assassinato de Trujillo.

Tudo aquilo se misturava na sua mente, mas, pelo menos, era inteligível. Também era a última lembrança coerente que sua memória conservaria: como, ao terminar a missa de corpo presente do Generalíssimo na igreja de San Cristóbal, Petán Trujillo pegou-o pelo braço: "Venha comigo no meu carro, Pupo." No Cadillac de Petán, soube — foi a última coisa que soube com total certeza — que aquela era a última oportunidade de evitar o que vinha pela frente, descarregando a metralhadora contra o irmão do Chefe e contra si mesmo, porque aquela viagem não terminaria na sua casa de Gazcue. Terminou na Base de San Isidro onde, Petán mentiu, sem se preocupar em disfraçar, "haverá uma reunião familiar". Na entrada da Base Aérea, dois generais, seu cunhado Virgilio García Trujillo e o chefe do Estado-Maior do Exército, Tuntin Sánchez, lhe informaram que estava preso, acusado de cumplicidade com os assassinos do Benfeitor da Pátria e Pai da Pátria Nova. Muito pálidos, e evitando olhar em seus olhos, pediram-lhe a arma. Docilmente, ele entregou a metralhadora Ml, da qual não havia se separado nos últimos quatro dias.

Levaram-no para um quarto onde havia uma mesa, uma velha máquina de escrever, um maço de folhas em branco e uma cadeira. Disseram que ele tirasse o cinto e os sapatos e os entregasse a um sargento. Obedeceu, sem perguntar nada. Deixaram-no sozinho e, minutos depois, entraram os dois amigos mais íntimos de Ramfis, o coronel Luis José León Estévez (Peitinho) e Pirulo Sánchez Rubirosa que, sem cumprimentar, lhe disseram que escrevesse tudo o que sabia sobre a conspiração, dando nomes e sobrenomes dos conjurados. O general Ramfis — que, por um decreto que o Congresso aprovaria esta noite, o Presidente Balaguer havia acabado de nomear comandante em chefe das Forças de Terra, Mar e Ar da República — estava totalmente a par da trama, graças aos presos, todos os quais o haviam delatado.

Sentou-se à máquina de escrever e, durante algumas horas, fez o que lhe mandaram. Era um péssimo datilógrafo, escrevia só com dois dedos e cometeu muitos erros, que não perdeu tempo corrigindo. Contou tudo, desde a primeira conversa com seu compadre Luis Amiama, seis meses atrás, e citou as vinte pessoas que sabia estar implicadas, mas não Bibín. Explicou que para ele foi decisivo que os Estados Unidos apoiassem a conspiração, e que só aceitou presidir a Junta cívico-militar quando soube, por intermédio de Juan Tomás, que tanto o cônsul Henry Dearborn como o cônsul Jack Bennett e o chefe da CIA em Trujillo, Lorenzo D. Berry (Wimpy), queriam que ele a encabeçasse. Só escreveu uma mentirinha: que exigiu, para participar, que o Generalíssimo Trujillo fosse sequestrado e obrigado a renunciar, mas de nenhuma forma assassinado. Os outros conjurados o traíram, não cumprindo essa promessa. Releu as laudas e assinou.

Ficou sozinho por um bom tempo, esperando, com uma paz de espírito que não sentia desde a noite de 30 de maio. Quando vieram buscá-lo, já estava anoitecendo. Era um grupo de oficiais desconhecidos. Puseram-lhe algemas e o levaram, ainda sem sapatos, para o pátio da Base e o colocaram numa caminhonete com vidros escuros, na qual leu "Instituto Panamericano de Educação". Pensou que iam levá-lo para La Cuarenta. Conhecia muito bem aquela tétrica casa da rua 40, próxima à Fábrica Dominicana de Cimento. Havia pertencido ao general Juan Tomás Díaz, que a vendeu ao Estado para que Johnny Abbes a transformasse no cenário dos seus tenebrosos métodos de arrancar confissões dos prisioneiros. Ele estava presente, inclusive, quando, depois da invasão castrista de 14 de junho, um dos interrogados, o doutor Tejada Florentino, sentado no grotesco Trono — banco de jipe, tubos, bastões elétricos, chifres de touro, garrote com cabo de madeira para estrangular o prisioneiro enquanto recebia as descargas —, foi eletrocutado por engano pelo técnico do SIM, que soltou a voltagem máxima. Mas não, não era La Cuarenta, estava sendo levado para El Nueve, na estrada Mella, uma antiga residência de Pirulo Sánchez Rubirosa. Lá também havia um Trono, menor porém mais moderno.

Não sentia medo. Agora não. O pânico feroz que, a partir da noite do assassinato de Trujillo, quase o transformara num "montado", como eram chamados aqueles que ficavam vazios de si mesmos e eram tomados por espíritos nas cerimônias de vodu, se eclipsou por completo. Em El Nueve, tiraram sua roupa e o sentaram numa cadeira escura, ao centro de uma sala sem janelas e mal iluminada. O forte cheiro de excremento e de urina lhe deu enjoo. A cadeira era disforme e absurda, com os seus apetrechos. Estava cimentada no chão e tinha correias e anéis para prender os tornozelos, os pulsos, o peito e a cabeça. Os braços eram revestidos com placas de cobre para facilitar a passagem da corrente. Um feixe de cabos saía do Trono e ia até uma mesa ou balcão, onde se controlava a voltagem. Sob a luz mortiça, enquanto o prendiam à cadeira, reconheceu, entre Peitinho León Estévez e Sánchez Rubirosa, o rosto exangue de Ramfis. Tinha raspado o bigode e estava sem os eternos óculos Ray-Ban. Olhava para ele com o mesmo ar perdido que tinha quando dirigia as torturas e assassinatos dos sobreviventes de Constanza, Maimón e Estero Hondo, em junho de 1959. Continuava encarando-o sem dizer nada, enquanto um *calié* raspava seu cabelo, outro, ajoelhado, prendia seus tornozelos e um terceiro espalhava perfume no local. O general Román Fernández sustentou aquele olhar.

— Você é o pior de todos, Pupo — ouviu-o dizer, de repente, com a voz cortada de dor. — Tudo o que você é, tudo o que tem, você deve a papai. Por que fez isso?

— Por amor à minha Pátria — ouviu-se dizer.

Houve uma pausa. Ramfis falou de novo:

— Balaguer está envolvido?

— Não sei. Luis Amiama me disse que o tinham sondado, por intermédio do seu médico. Não parecia ter muita certeza. Eu diria que não está envolvido.

Ramfis balançou a cabeça e Pupo se sentiu jogado para a frente com uma força ciclônica. O baque pareceu esmagar todos os seus nervos, do cérebro até os pés. Correias e anéis prendiam seus músculos, via bolas de fogo, agulhas pontudas perfuravam seus poros. Resistiu sem gritar, só urrando. Embora ficasse cego e inconsciente após cada descarga — que se intercalavam com intervalos em que jogavam baldes de água para reanimá-lo —, logo depois recuperava a lucidez. Então, seu nariz se enchia desse perfume de empregadinha. Queria manter a compostura, não se humilhar pedindo compaixão. Nesse pesadelo do qual nunca sairia, teve certeza de duas coisas: entre os seus torturadores jamais apareceu Johnny Abbes García e, em algum momento, alguém que podia ser o Peitinho Leon Estévez ou o general Tuntin Sánchez lhe disse que Bibín tivera mais reflexos que ele, pois conseguira dar um tiro na própria boca quando o SIM foi buscá-lo em sua casa da rua Arcebispo Nouel esquina com José Reyes. Pupo se perguntou muitas vezes se os seus filhos Álvaro e José René, aos quais nunca mencionou a conspiração, teriam conseguido se matar.

Entre uma sessão e outra de cadeira elétrica, eles o arrastavam, nu, para um calabouço úmido, onde baldes de água pestilenta o faziam voltar a si. Para impedi-lo de dormir prenderam suas pálpebras com esparadrapo nas sobrancelhas. Quando, apesar de manter os olhos abertos, entrava em estado de semi-inconsciência, era acordado com pancadas de tacos de beisebol. Várias vezes lhe enfiaram substâncias intragáveis na boca; numa delas detectou que era excremento e vomitou. Depois, em sua rápida descida à desumanidade, conseguiu reter no estômago o que lhe davam. Nas primeiras sessões de eletrochoque, Ramfis o interrogava. Repetia muitas vezes a mesma pergunta, para ver se ele se contradizia. ("O Presidente Balaguer está envolvido?") Ele respondia fazendo esforços inauditos para que a língua lhe obedecesse. Até que ouviu risadas e, depois, a voz anódina e meio feminina de Ramfis: "Cale a boca, Pupo. Você não tem mais nada para me contar. Já sei de tudo. Agora só está pagando pela sua traição a papai." Era a mesma voz, com aquelas irregularidades discordantes, da orgia sanguinária após o 14 de junho, quando ele perdeu a razão e o Chefe teve que mandá-lo para uma clínica psiquiátrica na Bélgica.

  Durante esse último diálogo com Ramfis, Pupo não conseguia mais vê-lo. Tinham tirado os esparadrapos, arrancando também as suas sobrancelhas, e uma voz ébria e exultante avisou: "Agora você vai ficar no escuro, para dormir bem gostoso." Sentiu a agulha perfurando suas pálpebras. Não se mexeu enquanto as costuravam. Ficou surpreso ao constatar que ter seus olhos costurados com linha o fizesse sofrer menos do que os espasmos no Trono. A essa altura, havia falhado em duas tentativas de se matar. A primeira, jogando-se de cabeça, com todas as forças que lhe restavam, contra a parede do calabouço. Perdeu os sentidos e afinal só conseguiu ficar com o cabelo cheio de sangue. Na segunda, quase conseguiu. Subindo pelas grades — haviam lhe tirado as algemas, preparando-o para uma nova sessão no Trono —, quebrou a lâmpada que iluminava o calabouço. De quatro, engoliu todos os cacos de vidro, esperando que uma hemorragia interna acabasse com sua vida. Mas o SIM tinha dois médicos de plantão e uma enfermaria dotada do indispensável para impedir que os torturados morressem pelas próprias mãos. Foi levado para lá, onde lhe deram um líquido que provocou vômito e lhe enfiaram uma sonda para limpar as tripas. Nesse lugar o salvaram para que Ramfis e seus amigos pudessem continuar matando-o aos pouquinhos.

Quando o castraram, o fim estava próximo. Não cortaram os testículos com uma faca, mas com uma tesoura, enquanto estava sentado no Trono. Ouvia risos hiperexcitados e comentários obscenos, de uns sujeitos que eram apenas vozes e cheiros ácidos, de axilas e fumo barato. Não lhes deu o prazer de ouvi-lo gritar. Eles lhe enfiaram os testículos na boca, e ele os engoliu, desejando que tudo aquilo apressasse a sua morte, coisa que nunca imaginou que pudesse desejar tanto.

Em certo momento, reconheceu a voz de Modesto Díaz, o irmão do general Juan Tomás Díaz, de quem diziam que era um dominicano tão inteligente quanto Craninho Cabral ou o Constitucionalista Bêbado. Estaria na mesma cela? Seria torturado como ele? A voz de Modesto era amarga e acusatória:

— Estamos aqui por sua culpa, Pupo. Por que você nos traiu? Não sabia que ia lhe acontecer isso? Arrependa-se de ter traído seus amigos e seu país.

Não teve forças para articular nenhum som, nem para abrir a boca. Algum tempo, que podiam ser horas, dias ou semanas depois daquilo, distinguiu um diálogo entre um médico do SIM e Ramfis Trujillo:

— Impossível prolongar mais a vida dele, general.

— Quanto tempo lhe resta? — Era Ramfis, sem a menor dúvida.

— Algumas horas, talvez um dia, se der o dobro de soro. Mas, no estado em que está, não vai resistir a outro choque. É incrível que tenha aguentado quatro meses, general.

— Afaste-se um pouquinho, então, porque não vou permitir que ele morra de morte natural. Fique atrás de mim, para não ser atingido pelo ricochete de um cartucho.

Feliz, o general José René Román sentiu a rajada final.

XXI

Quando, no sótão asfixiante da casinha de estilo mourisco do doutor Robert Reid Cabral, onde estavam havia dois dias, o doutor Marcelino Vélez Santana, que tinha saído em busca de notícias, veio lhe dizer, pousando compassivamente a mão no seu ombro, que sua casa na rua Mahatma Gandhi havia sido invadida e que os *caliés* levaram sua mulher e seus filhos, Salvador Estrella Sadhalá decidiu se entregar. Suava, sufocado. O que mais podia fazer? Permitir que aqueles bárbaros matassem sua mulher e seus filhos? Certamente os estavam torturando. A angústia não o deixava rezar pela sua família. Então informou aos seus companheiros de esconderijo o que ia fazer.

— Você sabe o que isso significa, Turco — advertiu-o Antonio de la Maza. — Vão humilhar e atormentar você da forma mais brutal, antes de matá-lo.

— E vão continuar torturando a sua família na sua frente, para que você delate todo mundo — insistiu o general Juan Tomás Díaz.

— Ninguém vai me fazer abrir a boca, mesmo que me queimem vivo — jurou, com lágrimas nos olhos. — Só vou denunciar o canalha do Pupo Román.

Eles pediram para que não saísse do esconderijo antes deles, e Salvador aceitou ficar mais uma noite. Mas a ideia de que sua mulher e seus filhos Luis, de quatorze anos, e Carmen Elly, de quatro aninhos somente, estivessem nas masmorras do SIM, rodeados de facínoras sádicos, o manteve acordado a noite toda, ofegando, sem rezar, sem pensar em outra coisa. O arrependimento roía seu coração: como pôde expor assim a sua família? E isso deixou em segundo plano o remorso pesado por ter atirado contra Pedro Livio Cedeño. Pobre Pedro Livio! Onde estaria neste momento. Que horrores teriam feito com ele.

Na tarde de 4 de junho, ele foi o primeiro a sair da casa dos Reid Cabral. Pegou um táxi na esquina e disse o endereço, na rua Santiago, do engenheiro Feliciano Sosa Mieses, primo de sua mulher, com quem sempre se dera muito bem. Só queria perguntar-lhe se tinha notícias dela e dos meninos, ou do resto da família, mas não conseguiu. O próprio Feliciano abriu a porta e, ao vê-lo, fez um gesto de *Vade retro!*, como se estivesse com o demônio à sua frente.

— O que está fazendo aqui, Turco? — exclamou furioso. — Não sabe que tenho família? Quer que nos matem? Vá embora! Pelo amor de Deus, vá embora daqui!

Bateu a porta com uma expressão de medo e nojo que deixou o Turco sem saber o que fazer. Voltou para o táxi com uma depressão que lhe amolecia os ossos. Apesar do calor que fazia, ele estava morrendo de frio.

— Você me reconheceu, não é mesmo? — perguntou ao motorista, já sentado no banco de trás.

O homem, que usava um boné de beisebol puxado até as sobrancelhas, não se virou para olhá-lo.

— Reconheci desde que entrou — disse, muito tranquilo. — Não se preocupe, comigo está seguro. Eu também sou antitrujillista. Se for preciso correr, nós corremos juntos. Para onde quer ir?

— Para uma igreja — disse Salvador. — Qualquer uma.

Ia se encomendar a Deus e, se fosse possível, confessar. Depois de aliviar a consciência, pediria ao padre para chamar os guardas. Mas, pouco depois de estar rodando em direção ao centro por ruas onde as sombras cresciam, o motorista lhe avisou:

— Aquele sujeito denunciou o senhor. Aí vêm os *caliés*.

— Pare — ordenou Salvador. — Antes que eles matem você também.

Fez o sinal da cruz e desceu do táxi, com os braços levantados, indicando assim aos homens, carregados de metralhadoras e pistolas, que saíam dos Volkswagens que ele não ia oferecer nenhuma resistência. Foi imobilizado com algemas que cortavam os seus pulsos e o enfiaram no banco de trás de um dos fuscas; os dois *caliés* que iam sentados em cima dele fediam a suor e chulé. O carro arrancou. Como pegaram a estrada de

San Pedro de Macorís, imaginou que iam levá-lo para El Nueve. Fez todo o trajeto em silêncio, tentando rezar e sofrendo porque não conseguia. Sua cabeça era um turbilhão crepitante, caótico, onde nada parava quieto, nenhum pensamento, nenhuma imagem: tudo estourava, como bolhas de sabão.

Lá estava, de fato, a famosa casa, no quilômetro nove, rodeada por um muro alto de concreto. Atravessaram um jardim e viu um local confortável, com um chalé antigo rodeado de árvores e construções rústicas aos lados. Foi empurrado para fora do fusca. Atravessou um corredor sombrio, com celas onde havia um sem-número de homens nus, e o fizeram descer uma longa escada. Ficou enjoado com o cheiro ácido, agudo, de excrementos, vômito e carne chamuscada. Pensou no inferno. Ao fundo da escada quase não havia luz, mas na semiescuridão conseguiu distinguir uma fileira de celas, com portas de ferro e janelinhas com grades, repletas de cabeças, lutando para ver. No fim do subterrâneo, arrancaram-lhe a calça, a camisa, a cueca, os sapatos e as meias. Ele ficou nu, com as algemas. Sentia as solas dos pés molhadas por uma substância pegajosa, que cobria todo o piso de ladrilho áspero. Sempre aos empurrões, levaram-no para outro quarto, quase totalmente escuro. Ali o sentaram e o amarraram numa poltrona desconjuntada, forrada de placas metálicas — sentiu um calafrio — com correias e anéis de metal para as mãos e os pés.

Durante um bom tempo não aconteceu nada. Tentou rezar. Um dos sujeitos de cueca que o tinha amarrado — seus olhos já começavam a perfurar as sombras — começou a vaporizar alguma coisa no ar que ele reconheceu como um perfume barato, Nice, que anunciavam no rádio. Sentia o frio das lâminas de metal nas coxas, nádegas, costas, e ao mesmo tempo transpirava, quase sufocado pelo ambiente tórrido. Já distinguia os rostos das pessoas que se apertavam ao seu redor; suas silhuetas, seus cheiros, algumas feições. Reconheceu a cara molenga de papada dupla, coroando um corpo deforme, com uma barriguinha proeminente. Estava numa banqueta, sentado entre duas pessoas, a muito pouca distância.

— Que vergonha, porra! Um filho do general Piro Estrella metido nesse negócio — disse Johnny Abbes. — Não há gratidão no seu sangue, cacete.

Ia responder que sua família não tinha nada a ver com o que ele fizera, que nem seu pai, nem seus irmãos, nem sua mulher, e muito menos Luisito e a pequena Carmen Elly sabiam de nada, quando a descarga elétrica o levantou e o espremeu contra as ligaduras e anéis que o prendiam. Sentiu agulhas nos poros, sua cabeça explodiu em pequenos bólidos ardentes, e mijou, cagou e vomitou tudo o que tinha nas vísceras. Um balde de água o fez voltar a si. Imediatamente reconheceu a outra silhueta, à direita de Abbes García: Ramfis Trujillo. Quis xingá-lo e ao mesmo tempo implorar que soltasse sua mulher, Luisito e Carmen, mas sua garganta não emitiu nenhum som.

— É verdade que Pupo Román faz parte desse complô? — desafinou Ramfis.

Outro balde de água lhe devolveu o uso da palavra.

— Sim, sim — articulou, sem reconhecer a própria voz. — Aquele covarde, aquele traidor, sim. Ele nos mentiu. Mate-me, general Trujillo, mas solte minha mulher e meus filhos. Eles são inocentes.

— Não vai ser tão fácil, seu babaca — respondeu Ramfis. — Antes de ir para o inferno, você tem que passar pelo purgatório. Filho da puta!

Uma segunda descarga voltou a empurrá-lo contra as amarras — sentiu seus olhos saírem das órbitas como um sapo — e perdeu os sentidos. Quando voltou a si, estava no chão de uma cela, nu e algemado, no meio de uma poça lamacenta. Doíam-lhe os ossos, os músculos, e sentia um ardor insuportável nos testículo e no ânus, como se estivessem esfolados. Porém o mais angustiante era a sede; sua garganta, sua língua, seu palato pareciam lixas ardentes. Fechou os olhos e rezou. Conseguiu rezar, com intervalos nos quais sua mente ficava em branco; por uns segundos, voltava a se concentrar na oração. Rezou para a Virgem das Mercedes, lembrando-lhe a devoção com que havia peregrinado, quando jovem, a Jarabacoa, e subido o Monte Santo, para se ajoelhar aos seus pés no Santuário consagrado à sua memória. Humildemente lhe pediu que amparasse sua mulher, Luisito e Carmen Elly das crueldades da Besta. No meio do horror, sentiu-se grato. Podia rezar outra vez.

Quando abriu os olhos, reconheceu o seu irmão Guarionex no corpo nu e machucado, cheio de feridas e hematomas, deitado ao seu lado. Em que estado tinham deixado o pobre Guaro, meu Deus! O general estava de olhos abertos e olhava para ele, sob a luz suja que uma lâmpada do corredor filtrava pela janelinha com grades. Será que o reconhecia?

— Sou o Turco, seu irmão, sou Salvador — disse, arrastando-se até ele. — Você está me ouvindo? Consegue me ver, Guaro?

Passou um tempo infinito tentando comunicar-se com o irmão, mas não conseguiu. Guaro estava vivo; ele se mexia, gemia, abria e fechava os olhos. Às vezes explodia em extravagâncias e dava ordens aos seus subordinados: "Tire essa mula daqui, sargento!" E eles tinham escondido o Plano do general Guarionex Estrella Sadhalá por considerá-lo trujillista demais. Que surpresa para o pobre Guaro: ser preso, torturado e interrogado por algo que desconhecia totalmente. Tentou explicar isso a Ramfis e a Johnny Abbes quando o levaram outra vez para a sala de tortura e o sentaram no Trono, e repetiu e jurou muitas vezes, entre os desmaios que os choques lhe provocavam, e enquanto o chicoteavam com os "ovos de touro", uns açoites que arrancavam nesgas de pele. Não pareciam interessados em saber a verdade. Ele jurou por Deus que Guarionex, nem seus outros irmãos, e muito menos seu pai, tinham participado da conspiração e gritou que o que eles tinham feito com o general Estrella Sadhalá era uma injustiça monstruosa, e responderiam por ela na outra vida. Os outros não lhe davam ouvidos, mais interessados em torturar que em interrogá-lo. Só após um tempo interminável — teriam passado horas, dias, semanas, desde a sua captura? — percebeu que, com certa regularidade, lhe davam uma sopa com pedaços de mandioca, uma fatia de pão e umas canecas de água nas quais os carcereiros costumavam cuspir ao entregar. Ele não se incomodava com mais nada. Podia rezar. Rezava em todos os momentos livres e lúcidos, e às vezes até dormindo ou desacordado. Mas não quando estava sendo torturado. No Trono, a dor e o medo o deixavam paralisado. De vez em quando aparecia um médico do SIM para auscultar seu coração e aplicar uma injeção que lhe devolvia as forças.

Um dia, ou noite, porque no calabouço era impossível saber a hora, foi tirado da cela nu e algemado, empurrado escada acima e largado num quartinho ensolarado. A luz branca o cegou. Afinal reconheceu o rosto pálido e benfeito de Ramfis Trujillo e, ao seu lado, ainda ereto apesar da idade, o seu pai, o general Piro Estrella. Ao reconhecer o velho, Salvador ficou com os olhos rasos d'água.

Mas, em vez de se emocionar vendo seu filho transformado num farrapo humano, o general bradou de indignação:

— Eu não o reconheço! Você não é meu filho! Assassino! Traidor! — gesticulava, sufocado de ira. — Não sabe o que eu, você e todos nós devemos a Trujillo? Esse homem que você assassinou? Arrependa-se, miserável!

Ele teve que se apoiar numa mesa porque estava começando a bambear. Baixou os olhos. O velho estaria fingindo? Pretendia conquistar Ramfis dessa maneira, para depois lhe implorar que poupasse a sua vida? Ou o ardor trujillista do seu pai era mais forte que o sentimento filial? Essa dúvida o atormentou o tempo todo, salvo durante as sessões de tortura. Estas se sucediam diariamente, ou a cada dois dias, acompanhadas, agora sim, por interrogatórios longuíssimos, enlouquecedores, nos quais, mil e uma vezes, repetiam as mesmas perguntas, exigiam os mesmos detalhes e tentavam fazê-lo denunciar novos conspiradores. Nunca acreditaram que ele não conhecia ninguém além daqueles que já sabiam, que nenhum dos seus parentes era cúmplice, muito menos Guarionex. Johnny Abbes e Ramfis não apareciam nessas sessões; elas eram comandadas por ajudantes que chegaram a ficar familiares: o tenente Clodoveo Ortiz, o doutor Eladio Ramírez Suero, o coronel Rafael Trujillo Reynoso, o primeiro tenente da polícia Pérez Mercado. Alguns pareciam se divertir com os tubos elétricos que passavam pelo seu corpo, ou batendo com porretes forrados de borracha em sua cabeça e nas costas e queimando-o com cigarros; outros pareciam fazer essas coisas com desagrado ou fastio. Sempre, no começo de cada sessão, um dos esbirros seminus responsáveis pelos choques vaporizava a atmosfera com Nice, para abafar o fedor das defecações e da carne chamuscada.

Um dia, que dia podia ser?, trouxeram para a sua cela Fifí Pastoriza, Huáscar Tejeda, Modesto Díaz, Pedro Livio Cedeño e Tunti Cáceres, o sobrinho de Antonio de la Maza que, no Plano original, guiaria o carro que afinal foi dirigido por Antonio Imbert. Estavam nus e algemados, como ele. Haviam estado o tempo todo aqui, em El Nueve, em outras celas, e recebido o mesmo tratamento de choques, açoites, queimaduras e agulhas nas orelhas e nas unhas. E submetidos a infinitos interrogatórios.

Soube por eles que Imbert e Luis Amiama haviam sumido e que, desesperado para encontrá-los, Ramfis agora oferecia meio milhão de pesos para quem os denunciasse. Também soube por eles que Antonio de la Maza, o general Juan Tomás Díaz e Amadito tinham morrido, lutando. Ao contrário do isolamento em que ele estivera, os outros puderam conversar com os carcereiros e se informar do que ocorria lá fora. Huáscar Tejeda, por intermédio de um dos seus torturadores, de quem se aproximara, ficou sabendo do diálogo entre Ramfis Trujillo e o pai de Antonio de la Maza. O filho do Generalíssimo foi informar a don Vicente de la Maza, na prisão, que seu filho tinha morrido. O velho caudilho de Moca perguntou, sem qualquer tremor na voz: "Morreu lutando?" Ramfis confirmou. Don Vicente de la Maza fez o sinal da cruz: "Obrigado, Senhor!"

Ver que Pedro Livio Cedeño havia se recuperado das feridas lhe fez bem. O Negro não lhe guardava o menor rancor por ter atirado contra ele na confusão daquela noite. "O que não perdoo é vocês não terem me liquidado", brincava. "Para que salvaram a minha vida? Para isso? Babacas!" O ressentimento de todos contra Pupo Román era enorme, mas ninguém ficou alegre quando Modesto Díaz contou que, da sua cela no andar de cima, vira Pupo neste mesmo local, nu e algemado, com as pálpebras costuradas, arrastado por quatro esbirros para a sala de tortura. Modesto Díaz não era nem sombra do político elegante e inteligente que fora durante a vida inteira; além de ter perdido muitos quilos, seu corpo estava todo ulcerado e sua expressão era de um desconsolo infinito. "É assim que eu devo parecer", pensou Salvador. Não se via num espelho desde que o prenderam.

Pediu muitas vezes aos interrogadores que o deixassem falar com um confessor. Por fim, o carcereiro que trazia a comida um dia perguntou quem queria um padre. Todos levantaram a mão. Mandaram que vestissem as calças e os levaram pela escada íngreme para a sala onde o Turco fora insultado pelo pai. Ver o sol, sentir sua lambida quente na pele lhe devolveu o ânimo. E, mais que isso, confessar e comungar, coisa que chegara a pensar que nunca mais ia fazer na vida. Quando o capelão militar, o padre

Rodríguez Canela, convidou os presentes a acompanhá-lo numa oração em memória de Trujillo, só Salvador se ajoelhou e rezou com ele. Seus companheiros continuaram em pé, constrangidos.

O padre Rodríguez Canela lhe disse a data: 30 de agosto de 1961. Só tinham passado três meses! Ele achava que aquele pesadelo já durava séculos. Deprimidos, enfraquecidos, desmoralizados, os presos falavam pouco entre si, e as conversas sempre giravam em torno do que tinham visto, ouvido e vivido em El Nueve. De todos os relatos dos companheiros de cela, ficou gravada em Salvador, como marca indelével, uma história que Modesto Díaz contou soluçando. Durante as primeiras semanas, ele dividiu a cela com Miguel Ángel Báez Díaz. O Turco se lembrava da surpresa que teve, no dia 30 de maio, na estrada de San Cristóbal, quando aquele personagem apareceu no seu Volkswagen para garantir que Trujillo, com quem havia caminhado pela Avenida, viria, e assim ficou sabendo que aquele figurão da elite trujillista também estava envolvido no golpe. Abbes García e Ramfis tinham se encarniçado contra ele, por ter sido tão próximo de Trujillo, assistindo às sessões de choque, açoite e queimadura que lhe infligiam e ordenando aos médicos do SIM que o reanimassem, para continuar. Duas ou três semanas depois, em vez do habitual prato fedorento de farinha de milho, trouxeram para o calabouço uma panela com pedaços de carne. Miguel Ángel Báez e Modesto quase engasgaram, comendo com as mãos até se fartar. Pouco depois, o carcereiro voltou a entrar. Olhou para Báez Díaz: o general Ramfis Trujillo queria saber se não lhe dava nojo comer o seu próprio filho. Do chão, Miguel Ángel o insultou: "Diga a esse filho da puta nojento que engula a língua e se envenene." O carcereiro riu. Foi e voltou, mostrando pela porta uma cabeça juvenil que segurava pelos cabelos. Miguel Ángel Báez Díaz morreu horas depois, nos braços de Modesto, de um ataque cardíaco.

A imagem de Miguel Ángel reconhecendo a cabeça de Miguelito, seu filho mais velho, deixou Salvador obcecado; começou a ter pesadelos nos quais via Luisito e Carmen Elly, decapitados. Os berros que dava enquanto dormia deixavam seus companheiros muito irritados.

Ao contrário dos seus amigos, vários dos quais haviam tentado acabar com a própria vida, Salvador estava decidido a resistir até o fim. Tinha se reconciliado com Deus — continuava rezando dia e noite —, e a Igreja proibia o suicídio. Também não era fácil matar-se. Huáscar Tejeda tentou, com uma gravata que roubou de um dos carcereiros (estava dobrada no bolso de trás). Quis se enforcar mas não conseguiu e, por ter tentado, piorou o castigo. Pedro Livio Cedeño quis morrer provocando Ramfis na sala de torturas: "Filho da puta", "bastardo", "filho de sete porras", "sua mãe, a Españolita, trabalhava num bordel antes de ser amante de Trujillo", e até cuspindo nele. Mas Ramfis não disparou a rajada de metralhadora que ele ansiava: "Ainda não, pode perder as esperanças. Isso, é só no final. Você tem que continuar pagando."

A segunda vez que Salvador Estrella Sadhalá soube a data foi em 9 de outubro de 1961. Nesse dia mandaram que ele vestisse uma calça e mais uma vez subiu a escada rumo àquela sala onde os raios feriam os olhos e alegravam a pele. Pálido e impecável em seu uniforme de general de quatro estrelas, lá estava Ramfis, com um exemplar de *El Caribe* do dia nas mãos: 9 de outubro de 1961. Salvador leu a grande manchete: "Carta do general Pedro A. Estrella ao general Rafael Leonidas Trujillo Filho."

— Leia esta carta que seu pai me enviou. — Ramfis lhe entregou o jornal. — Fala de você.

Salvador, com os pulsos inchados pelas algemas, pegou *El Caribe*. Mesmo sentindo vertigem e uma mistura indefinível de nojo e tristeza, chegou até a última linha. O general Piro Estrela chamava o Bode de "o maior de todos os dominicanos", gabava-se de ter sido amigo, guarda-costas e protegido dele, e se referia a Salvador com epítetos infames; falava da "traição de um filho perdido" e da "traição do meu filho, que traiu o seu protetor" e a sua família. Pior que os insultos, era o parágrafo final: seu pai agradecia a Ramfis, com um servilismo altissonante, pelo dinheiro para ajudá-lo a sobreviver quando os bens da família foram confiscados devido à participação do filho no magnicídio.

Voltou para a cela tonto de desgosto e vergonha. Nunca mais se recuperou, embora, diante dos companheiros, procurasse esconder seu abatimento. "Não é Ramfis, é meu pai quem vai me matar", pensava. E sentia inveja de Antonio de la Maza. Que sorte ser filho de alguém como don Vicente!

Quando, pouco depois desse cruel dia 9 de outubro, ele e os seus cinco companheiros de cela foram transferidos para La Victoria — os guardas os lavaram com mangueiras e lhes devolveram as roupas que estavam usando ao ser presos —, o Turco era um morto ambulante. Nem a possibilidade de receber visitas — às quintas-feiras, durante meia hora —, de abraçar e beijar a mulher, Luisito e Carmen Elly quebrou o gelo que trazia no coração desde que leu a carta pública do general Piro Estrella a Ramfis Trujillo.

Em La Victoria, pararam as torturas e os interrogatórios. Eles continuavam dormindo no chão, porém não mais nus, e sim com roupa que recebiam de casa. Tiraram-lhes as algemas. Agora as famílias podiam mandar comida, refrigerantes e algum dinheiro, com o qual eles corrompiam os carcereiros para que lhes vendessem jornais, dessem informação sobre outros presos ou levassem mensagens para a rua. O discurso do Presidente Balaguer nas Nações Unidas, condenando a ditadura de Trujillo e prometendo uma democratização "dentro da ordem", fez renascer as esperanças na prisão. Parecia incrível, mas estava começando a despontar uma oposição política, com a União Cívica e o 14 de Junho atuando à luz do dia. Seus amigos estavam animados, principalmente por saber que nos Estados Unidos, na Venezuela e em outros lugares havia comitês exigindo que eles fossem julgados por um tribunal civil e com observadores internacionais. Salvador se esforçava para compartilhar as expectativas dos outros. Em suas preces, pedia a Deus que lhe devolvesse a esperança. Porque ele não tinha mais nenhuma. Tinha visto aquela expressão implacável de Ramfis. Deixaria que eles saíssem? Jamais. Ia levar sua vingança até o final.

Houve uma explosão de júbilo em La Victoria quando souberam que Petán e o Negro Trujillo tinham deixado o país. Agora, Ramfis também iria. Balaguer não tinha outro remédio senão dar uma anistia. Mas Modesto Díaz, com sua lógica poderosa e sua maneira fria de analisar as coisas, convenceu-os de que agora, mais do que nunca, é que suas famílias e advogados precisavam se mobilizar para protegê-los. Ramfis não deixaria o país sem liquidar os executores do pai. Enquanto ouvia as suas palavras, Salvador observava a ruína que era Modesto: continuava perdendo peso e sua cara parecia a de um ancião, cheia de sulcos. Quantos quilos ele teria perdido? As calças e as camisas que sua mulher lhe levava ficavam enormes, e toda semana precisava abrir novos buracos no cinto.

Vivia sempre triste, mas não falava com ninguém sobre a carta pública do pai, que era como uma adaga enfiada em suas costas. Embora os planos não tivessem saído como esperavam, com tanta morte e sofrimento, a ação deles contribuíra para mudar as coisas. As notícias que se filtravam até as celas de La Victoria falavam de manifestações, de jovens decapitando as estátuas de Trujillo e arrancando as placas com seu nome e da sua família, da volta de alguns exilados. Aquilo não era o princípio do fim da Era Trujillo? Nada disso estaria acontecendo se eles não tivessem matado a Besta.

A volta dos irmãos de Trujillo foi um balde de água fria para os presos de La Victoria. Sem tentar disfarçar a alegria, em 17 de novembro o major Américo Dante Minervino, diretor da prisão, comunicou a Salvador, Modesto Díaz, Huáscar Tejeda, Pedro Livio, Fifí Pastoriza e ao jovem Tunti Cáceres que seriam transferidos ao anoitecer para as celas do Palácio da Justiça, porque no dia seguinte haveria uma nova reconstituição do crime, na Avenida. Reunindo todo o dinheiro que lhes restava, através de um carcereiro mandaram mensagens urgentes para as famílias, explicando que havia alguma coisa suspeita; com certeza aquela reconstituição era uma farsa, porque Ramfis tinha decidido matá-los.

Ao cair do dia, algemaram os seis e os meteram numa caminhonete preta daquelas que os rapazes da capital chamavam de Carrocinha, com as janelas escuras, escoltados por três guardas armados. De olhos fechados, Salvador pediu a Deus que cuidasse da sua mulher e dos filhos. Mas, ao contrário do que temiam, não os levaram para os recifes, lugar favorito das execuções secretas do regime. Foram para o centro, para as celas que havia no Palácio da Justiça de La Feria. Passaram a maior parte da noite em pé, pois o lugar era tão estreito que não podiam sentar todos ao mesmo tempo. Então se revezavam, de dois em dois. Pedro Livio e Fifí Pastoriza estavam animados; se tinham sido trazidos para cá, então a reconstituição era verdadeira. Esse otimismo contagiou Tunti Cáceres e Huáscar Tejeda. Sim, sim, por que não; seriam entregues ao Poder Judiciário para serem julgados por juízes civis. Salvador e Modesto Díaz permaneciam calados, escondendo o ceticismo que sentiam.

Em voz baixa, o Turco sussurrou no ouvido do amigo: "Isto é o fim, não é, Modesto?" O advogado concordou, sem dizer nada, apertando seu braço.

Antes do raiar do sol vieram tirá-los do calabouço e os meteram de novo na Carrocinha. Havia uma movimentação militar impressionante em volta do Palácio da Justiça, e Salvador, sob a luz ainda instável, percebeu que todos os soldados usavam as insígnias da Força Aérea. Eram da Base de San Isidro, domínio de Ramfis e Virgilio García Trujillo. Não disse nada, para não assustar os companheiros. No furgão estreito tentou falar com Deus, como fizera parte da noite, pedir que o ajudasse a morrer com dignidade, sem se desonrar com demonstrações de covardia, mas dessa vez não conseguiu se concentrar. Esse fracasso o deixou angustiado.

Depois de percorrer um trajeto curto, a caminhonete parou. Estavam na estrada de San Cristóbal. Era o lugar do atentado, sem dúvida. O sol dourava o céu, os coqueiros da beira da estrada e o mar que ronronava ao bater contra as rochas. Havia muitos guardas em volta. A estrada estava toda cercada e haviam cortado o tráfego em ambas as direções.

— Para que esta farsa, o filhinho saiu tão palhaço quanto o pai — ouviu Modesto Díaz dizer.

— Pode não ser uma farsa — protestou Fifí Pastoriza. — Não seja pessimista. É uma reconstituição. Os juízes vieram. Não estão vendo?

— As mesmas palhaçadas que o papai dele adorava — insistiu Modesto, balançando a cabeça com desgosto.

Farsa ou não farsa, a coisa durou muitas horas, até que o sol ficou a pino e começou a perfurar seus crânios. Um por um, eram levados para uma mesinha de campanha armada ao ar livre, onde dois homens à paisana faziam as mesmas perguntas que já tinham respondido em El Nueve e La Victoria. Uns taquígrafos registravam as respostas. Só se viam oficiais subalternos por ali. Nenhum dos chefes — Ramfis, Abbes García, Peitinho León Estévez, Pirulo Sánchez Rubirosa — apareceu durante aquela tediosa cerimônia. Não lhes deram nada de comer, só uns copos de refrigerante ao meio-dia. A tarde já estava começando quando viram aparecer o roliço diretor de La Victoria, o major Américo Dante Minervino. Chegou mordiscando o bigodinho com certo nervosismo e seu semblante parecia mais sinistro que de costume. Estava acompanhado por um preto corpulento, com um nariz amassado de boxeador, uma metralhadora pendurada no ombro e uma pistola entre o corpo e o cinto. Os presos foram metidos na Carrocinha.

— Para onde vamos? — Pedro Livio perguntou a Minervino.

— De volta para La Victoria — disse este. — Vim buscá-los pessoalmente, para que não se percam no caminho.

— Que honra — comentou Pedro Livio.

O major se sentou ao volante e o negro com cara de boxeador ao seu lado. Na caçamba da Carrocinha, os três guardas que os escoltavam eram tão jovens que pareciam recém-recrutados. Estavam tensos, assustados com a responsabilidade de transportar presos tão importantes. Além de algemá-los, amarraram seus tornozelos com umas cordas meio frouxas, que só lhes permitiam dar passinhos curtos.

— Que porra significam estas cordas? — protestou Tunti Cáceres.

Um dos guardas apontou para o major, levando um dedo à boca: "Cale a boca."

Durante o longo percurso, Salvador percebeu que não estavam voltando para La Victoria e, pelas caras dos seus companheiros, eles também tinham adivinhado. Permaneciam mudos, alguns de olhos fechados e outros com as pupilas muito abertas, acesas, como se quisessem atravessar as placas metálicas da caçamba para descobrir onde estavam. Não tentou rezar. Sua inquietação era tão grande que seria inútil. O Senhor entenderia.

Quando a caminhonete parou, ouviram o mar, batendo no sopé de um alto recife. Os guardas abriram a portinha da caçamba. Estavam em uma paragem deserta, de terra vermelha, com raras árvores, que parecia um promontório. O sol continuava brilhando, mas sua curva descendente já começava. Salvador pensou que morrer seria uma maneira de descansar. Tudo o que sentia agora era um enorme cansaço.

Dante Minervino e o negro parrudo com cara de boxeador fizeram os três guardas adolescentes descerem do veículo, mas quando os seis prisioneiros iam segui-los, mandaram parar: "Quietos aí." E começaram imediatamente a atirar. Não neles, mas nos soldadinhos. Os três garotos caíram crivados de balas, sem tempo de se assustar, de entender, de gritar.

— O que vocês estão fazendo, o que estão fazendo, criminosos! — rugiu Salvador. — Por que esses pobres guardas, seus assassinos!

— Não fomos nós que os matamos, foram vocês — respondeu, muito sério, o major Dante Minervino, enquanto voltava a carregar a metralhadora; o negro de cara amassada deu uma gargalhada. — Agora sim, desçam.

Atônitos, idiotizados pela surpresa, os seis desceram e, tropeçando — as cordas os obrigavam a avançar dando uns pulinhos ridículos — nos cadáveres dos três guardas, foram levados para outra caminhonete idêntica, estacionada a poucos metros, com um único homem, à paisana. Depois de trancá-los na caçamba, os três se apertaram no banco da frente. Dante Minervino voltou a pegar o volante.

Agora sim, Salvador conseguiu rezar. Ouvia um dos companheiros soluçando, mas esse pranto não o desconcentrou. Rezava sem dificuldade, como fazia nas melhores épocas, por ele, por sua família, pelos três guardas recém-assassinados, por seus cinco companheiros na caminhonete, um dos quais, num ataque de nervos, batia a cabeça na chapa metálica que os separava do motorista, blasfemando.

Não soube quanto tempo durou aquele trajeto, pois em momento algum parou de rezar. Sentia paz e uma imensa ternura se lembrando da mulher e dos filhos. Quando o carro freou e abriram a portinha, viu o mar, o entardecer, o sol afundando num céu azul-tinteiro.

Foram puxados para fora. Estavam no pátio-jardim de uma casa muito grande, ao lado de uma piscina. Havia um punhado de palmeiras com as folhas eretas e, a vinte metros, uma varanda com silhuetas de homens com copos nas mãos. Reconheceu Ramfis, Peitinho León Estévez, o irmão dele, Alfonso, Pirulo Sánchez Rubirosa e dois ou três desconhecidos. Alfonso León Estévez veio correndo até eles, sem soltar o copo de uísque. Ajudou Américo Dante Minervino e o negro boxeador a empurrá-los para os coqueiros.

— Um por um, Peitinho! — ordenou Ramfis. "Está bêbado", pensou Salvador. O filho do Bode teve que se embriagar para a sua última festa.

Primeiro mataram Pedro Livio, que desabou instantaneamente com a descarga cerrada de tiros de revólver e rajadas de metralhadora que se abateu sobre ele. Depois arrastaram Tunti Cáceres até os coqueiros, e este, antes de cair, xingou Ramfis: "Depravado, covarde, veado!" E, a seguir, Modesto Díaz, que gritou "Viva a República!" e ficou se contorcendo no chão antes de expirar.

Depois foi a sua vez. Não tiveram que empurrá-lo nem arrastá-lo. Com os passos curtinhos que as cordas dos tornozelos lhe permitiam, avançou por conta própria até os coqueiros onde jaziam os seus amigos, agradecendo a Deus por ter lhe permitido estar com Ele nos últimos momentos e pensando, com certa melancolia, que nunca conheceria Basquinta, o povoadinho libanês de onde, para conservar sua fé, os Sadhalá tinham saído para tentar a sorte nestas terras do Senhor.

XXII

Quando, ainda acordando, ouviu o telefone, o Presidente Joaquín Balaguer pressentiu alguma coisa gravíssima. Levantou o aparelho, esfregando os olhos com a mão livre. Ouviu o general José René Román convocá-lo para uma reunião de alto nível no Estado-Maior do Exército. "Eles o mataram", pensou. A conspiração tinha sido bem-sucedida. Acordou totalmente. Não podia perder tempo sentindo pena ou raiva; no momento, o problema era o chefe das Forças Armadas. Pigarreou e disse, pausadamente: "Se ocorreu uma coisa tão grave, como Presidente da República não me cabe estar num quartel, e sim no Palácio Nacional. Vou para lá. Sugiro que a reunião se realize no meu gabinete. Boa noite." Desligou, antes que o ministro das Forças Armadas tivesse tempo de responder.

Levantou da cama e vestiu-se sem fazer barulho, para não acordar suas irmãs. Tinham matado Trujillo, não havia dúvida. E um golpe de Estado estava em marcha, encabeçado por Román. Por que iria chamá-lo à Fortaleza 18 de Dezembro? Para obrigá-lo a renunciar, prendê-lo ou exigir que apoiasse o levantamento. A coisa parecia rudimentar, malplanejada. Em vez de telefonar, Román deveria ter mandado uma patrulha buscá-lo. Por mais que estivesse no comando das Forças Armadas, ele não tinha prestígio para se impor às guarnições. Aquilo ia fracassar.

Saiu e pediu ao oficial de plantão que acordasse o seu motorista. Enquanto este o levava ao Palácio Nacional percorrendo uma avenida Máximo Gómez deserta e escura, previu as horas seguintes: escaramuças entre guarnições rebeldes e leais, e uma possível intervenção militar norte-americana. Washington ia precisar de algum simulacro constitucional para essa ação, e, naquele momento, o Presidente da República representava a legalidade. Seu cargo era decorativo, certo. Mas, morto Trujillo, adquiria realidade. Só dependia do seu comportamento para passar de mero enfeite a autêntico Chefe de Estado da República Dominicana. Talvez, desde que nasceu, em 1906, esperasse por esse momento sem saber. Repetiu mais uma vez o lema da sua vida: em nenhum momento, por nenhuma razão, perder a calma.

Essa decisão se viu reforçada assim que entrou no Palácio Nacional e viu a confusão que reinava. Haviam dobrado a guarda e circulavam soldados armados pelos passadiços e escadas, procurando em quem disparar. Alguns oficiais, ao vê-lo caminhando sem urgência para o seu gabinete, pareciam aliviados; talvez ele soubesse o que fazer. Não chegou ao gabinete. No salão de visitas contíguo ao escritório do Generalíssimo, viu a família Trujillo: a esposa, a filha, os irmãos, sobrinhos e sobrinhas. Caminhou até eles com a expressão grave que o momento exigia. Angelita tinha os olhos rasos de lágrimas e estava pálida; mas na cara gorda e esticada de dona María havia raiva, uma raiva incomensurável.

— O que vai acontecer conosco, doutor Balaguer? — balbuciou Angelita, segurando seu braço.

— Nada, não vai acontecer nada — consolou-a. Abraçou também a Excelsa Dama: — O importante é manter a calma. Ter muita coragem. Deus não vai permitir que Sua Excelência tenha morrido.

Uma simples olhada foi o suficiente para entender que aquela tribo de pobres-diabos tinha perdido a orientação. Petán, brandindo uma metralhadora, dava voltas como um cachorro que quer morder o próprio rabo, suando e vociferando sandices sobre os pirilampos da cordilheira, seu Exército particular, enquanto Héctor Bienvenido (Negro), o ex-Presidente, parecia estar atacado de idiotismo catatônico: olhava para o nada, com a boca cheia de saliva, como se tentasse lembrar quem era e onde estava. E até o mais infeliz dos irmãos do Chefe, Amable Romeo (Pipí), estava lá, vestido como um mendigo, encolhido numa cadeira, boquiaberto. Nas poltronas, as irmãs de Trujillo, Nieves Luisa, Marina, Julieta e Ofelia Japonesa, enxugavam os olhos ou o fitavam, implorando ajuda. Foi murmurando palavras de ânimo para todos eles. Havia um vazio, e era preciso preenchê-lo o quanto antes.

Foi para o seu gabinete e chamou o general Santos Mélido Marte, inspetor-geral das Forças Armadas, o oficial da alta cúpula militar com quem tinha a relação mais antiga. Ele não estava a par de nada e ficou tão estupefato com a notícia que durante meio minuto só conseguiu articular: "Meu Deus, meu Deus." O Presidente lhe pediu que telefonasse para os comandantes e chefes de guarnições em toda a República, garantindo que o provável magnicídio não havia alterado a ordem constitucional e que eles contavam com toda a confiança do Chefe de Estado, que os confirmava nos seus cargos. "Mãos à obra, senhor Presidente", despediu-se o general.

Vieram lhe avisar que o núncio apostólico, o cônsul americano e o encarregado de negócios do Reino Unido estavam na porta do Palácio, retidos pela guarda. Deixou-os entrar. Eles não estavam ali por causa do atentado, mas da captura violenta do monsenhor Reilly por homens armados que entraram no Colégio Santo Domingo arrombando as portas. Lá dentro atiraram para o alto, bateram nas freiras e nos sacerdotes redentoristas de San Juan de la Maguana que estavam com o bispo e mataram um cão de guarda. Levaram o prelado aos empurrões.

— Senhor Presidente, venho responsabilizá-lo pela vida de monsenhor Reilly — ameaçou o núncio.

— Meu governo não vai tolerar que se atente contra a vida dele — advertiu o diplomata americano. — Não preciso lembrar o interesse que Washington tem por Reilly, que é cidadão norte-americano.

— Sente-se, por favor. — Apontou para as cadeiras em torno da escrivaninha. Pegou o telefone e pediu que ligassem para o general Virgilio García Trujillo, chefe da Base Aérea de San Isidro. Dirigiu-se aos diplomatas: — Eu lamento mais do que os senhores, podem acreditar. Não vou poupar esforços para resolver essa barbaridade.

Pouco depois, ouviu a voz do sobrinho do Generalíssimo. Sem tirar os olhos do trio de visitantes, disse, pausado:

— Estou falando como Presidente da República, general. E me dirijo ao chefe da Base de San Isidro, mas também ao sobrinho preferido de Sua Excelência. Sem rodeios, tendo em vista a gravidade da situação. É que algum subalterno, talvez o coronel Abbes García, num ato de enorme irresponsabilidade, mandou prender o bispo Reilly, tirando-o do Colégio Santo Domingo à força. Estão à minha frente os representantes dos Estados Unidos, da Grã-Bretanha e do Vaticano. Se acontecer alguma coisa com monsenhor Reilly, que é cidadão norte-americano, pode haver uma catástrofe no país. Até mesmo um desembarque da infantaria da marinha. Não preciso lhe dizer o que isso significaria para a nossa Pátria. Em nome do Generalíssimo, do seu tio, eu lhe peço que evite uma desgraça histórica.

Esperou a reação do general Virgilio García Trujillo. Aquela respiração nervosa revelava indecisão.

— A ideia não foi minha, doutor — ouviu-o murmurar, afinal. — Nem me informaram sobre isso.

— Sei perfeitamente, general Trujillo — ajudou-o Balaguer. — O senhor é um oficial sensato e responsável. Jamais cometeria uma loucura dessas. Monsenhor Reilly está em San Isidro? Ou o levaram para La Cuarenta?

Houve um silêncio prolongado, cheio de farpas. Ele temeu o pior.

— Monsenhor Reilly está vivo? — insistiu Balaguer.

— Está numa instalação da Base de San Isidro, a dois quilômetros daqui, doutor. O comandante do centro, Rodríguez Méndez, não deixou que o matassem. Acabou de me informar isso.

O Presidente adoçou a voz:

— Eu lhe peço que vá pessoalmente, como meu enviado, resgatar o monsenhor. Peça desculpas a ele, em nome do governo, pelo engano cometido. E, depois, traga o bispo até o meu gabinete. São e salvo. Isso é um pedido de amigo e também uma ordem do Presidente da República. Tenho plena confiança no senhor.

Os três visitantes o olhavam desconcertados. Levantou-se e foi ao encontro deles. Acompanhou-os até a porta. Ao apertar suas mãos, murmurou:

— Não tenho certeza de que serei obedecido, senhores. Mas, como veem, faço o que está ao meu alcance para que a razão se imponha.

— O que pode acontecer, senhor Presidente? — perguntou o cônsul. — Será que os trujillistas vão aceitar a sua autoridade?

— Isso vai depender muito dos Estados Unidos, meu amigo. Francamente, não sei. Agora, com licença, senhores.

Voltou para a sala onde estava a família Trujillo. Havia mais gente. O coronel Abbes García estava explicando que um dos assassinos, preso na Clínica Internacional, tinha delatado três cúmplices: o general da reserva Juan Tomás Díaz, Antonio Imbert e Luis Amiama. Sem dúvida, havia muitos outros. Entre os ouvintes, perplexos, descobriu o general Román; estava com a camisa cáqui encharcada, o rosto suado e apertava a metralhadora com as duas mãos. Brilhava em seus olhos a loucura do animal que se sabe perdido. As coisas não lhe haviam saído bem, era evidente. Com sua vozinha esganiçada, o rechonchudo chefe do SIM garantiu que, segundo o ex-militar Pedro Livio Cedeño, a conspiração não tinha ramificações nas Forças Armadas. Enquanto o ouvia, pensou que havia chegado a hora de enfrentar Abbes García, que o odiava. Ele só sentia desprezo. Em momentos como aquele, infelizmente, não eram as ideias que costumavam se impor, e sim as armas. Pediu a Deus, em quem acreditava às vezes, que ficasse do seu lado.

O coronel Abbes García desferiu o primeiro golpe. Em função do vazio deixado pelo atentado, Balaguer devia renunciar para que alguém da família assumisse a Presidência. Com sua intemperança e grosseria de sempre, Petán o apoiou: "Sim, é melhor renunciar." Balaguer ouvia, calado, com as mãos entrelaçadas na barriga, como um pacífico sacerdote. Quando todos os olhares se voltaram em sua direção, concordou com timidez, como que pedindo desculpas por ter que intervir. Modestamente, lembrou que ocupava a Presidência por decisão do Generalíssimo. Renunciaria no ato, naturalmente, se isso fosse útil à nação. Mas se permitia sugerir que, antes de romper a ordem constitucional, esperassem a chegada do general Ramfis. Será que o primogênito do Chefe podia ser excluído de um assunto tão grave? A Excelsa Dama apoiou na hora: ela não aceitava decisão alguma sem que seu filho mais velho estivesse presente. Conforme anunciou o coronel Luis José León Estévez (Peitinho), Ramfis e Radhamés já estavam se preparando em Paris para fretar um avião da Air France. A questão foi adiada.

Enquanto voltava para o seu gabinete, pensou que a verdadeira batalha não seria contra os irmãos de Trujillo, um bando de valentões idiotas, mas contra Abbes García. Ele era um sádico demente, sim, mas com uma inteligência luciferina. Tinha acabado de cometer um deslize, esquecendo-se de Ramfis. María Martínez se tornou sua aliada. E ele sabia como selar essa aliança: a avareza da Excelsa Dama seria útil nas circunstâncias atuais. Porém o mais urgente era impedir um levantamento. Uma hora depois, no gabinete, recebeu o telefonema do general Mélido Marte. Ele tinha falado com todas as regiões militares e os comandantes lhe garantiram sua lealdade ao governo constituído. Contudo, tanto o general César A. Oliva, de Santiago de los Caballeros, como o general García Urbáez, de Dajabón, e o general Guarionex Estrella, de La Vega, estavam preocupados devido às comunicações contraditórias do secretário das Forças Armadas. O senhor Presidente sabia de alguma coisa?

— Nada de concreto, mas imagino o mesmo que o senhor, meu amigo — disse Balaguer ao general Mélido Marte. — Vou falar com esses comandantes, para tranquilizá-los. Ramfis Trujillo já está voando de regresso, para assumir o comando militar do país.

Sem perder tempo, ligou para os três generais e repetiu que eles gozavam de toda a sua confiança. Pediu que, assumindo todos os poderes administrativos e políticos, garantissem a ordem nas suas regiões e, até a chegada do general Ramfis, só despachassem com ele. Quando já estava se despedindo do general Guarionex Estrella Sadhalá, os ajudantes de ordens anunciaram que o general Virgilio García Trujillo estava na sala de espera com o bispo Reilly. Mandou o sobrinho de Trujillo entrar, sozinho.

— O senhor salvou a República — disse, abraçando-o, coisa que não fazia jamais. — Se as ordens de Abbes García fossem cumpridas e acontecesse alguma coisa irreparável, os *marines* já estariam desembarcando em Trujillo.

— Não eram ordens somente de Abbes García — respondeu o chefe da Base de San Isidro. Parecia atrapalhado. — Quem determinou ao comandante Rodríguez Méndez, do centro de detenção da Força Aérea, que fuzilasse o bispo foi Peitinho León Estévez. Disse que era uma decisão do meu cunhado. Sim, do próprio Pupo. Eu não entendo. Ninguém me consultou. Foi um milagre que Rodríguez Méndez tivesse se negado a fazê-lo antes de falar comigo.

O general García Trujillo cultivava o físico e o vestuário — bigodinho à mexicana, cabelo com brilhantina, uniforme bem cortado e engomado para desfilar numa parada e os inevitáveis óculos Ray-Ban no bolso — com o mesmo capricho que seu primo Ramfis, de quem era íntimo. Mas agora estava com a camisa meio para fora da calça e todo despenteado; em seus olhos havia desconfiança e dúvidas.

— Não entendo por que Pupo e Peitinho tomaram uma decisão dessas sem falar antes comigo. Eles queriam comprometer a Força Aérea, doutor.

— O general Román deve estar tão abalado com a morte do Generalíssimo que não controla os seus nervos — desculpou o Presidente. — Felizmente, Ramfis já está a caminho. A presença dele é imprescindível. Como general de quatro estrelas e filho do Chefe, é ele quem deve garantir a continuidade da política do Benfeitor.

— Mas Ramfis não é político, odeia a política, e o senhor sabe disso, doutor Balaguer.

— Ramfis é um homem muito inteligente e adorava o pai. Não vai poder se recusar a assumir o papel que a Pátria espera dele. Nós o convenceremos.

O general García Trujillo olhou-o com simpatia.

— Pode contar comigo para o que for preciso, senhor Presidente.

— Os dominicanos vão saber que, esta noite, o senhor salvou a República — repetiu Balaguer, enquanto o acompanhava até a porta. — O senhor tem uma grande responsabilidade, general. San Isidro é a base mais importante do país, e por isso depende do senhor a manutenção da ordem. Qualquer coisa, pode me telefonar; ordenei que suas ligações tenham prioridade.

O bispo Reilly devia ter passado horas de horror nas mãos dos *caliés*. Estava com o hábito rasgado e enlameado e uns sulcos profundos cortavam o seu rosto pálido, com um esgar de pavor ainda presente. Ele se mantinha empertigado e silencioso. Ouviu as desculpas e explicações do Presidente da República com dignidade, e até fez um esforço para sorrir quando agradeceu sua intervenção para libertá-lo: "Perdoe-os, senhor Presidente, porque eles não sabem o que fazem." Nesse momento, a porta se abriu e, de metralhadora na mão, suado, com o olhar bestializado pelo medo e pela raiva, o general Román irrompeu no gabinete. Um segundo foi o suficiente para o Presidente entender que, se não tomasse a iniciativa, aquele personagem começaria a atirar. "Ah, monsenhor, veja só quem está aqui." Efusivo, agradeceu ao ministro das Forças Armadas por ter vindo, em nome da instituição militar, pedir desculpas ao senhor bispo de San Juan de la Maguana pelo mal-entendido de que fora vítima. O general Román, petrificado no meio do gabinete, piscava com uma expressão estúpida. Tinha remela nos olhos, como se tivesse acabado de acordar. Sem dizer uma palavra, após hesitar por alguns segundos, estendeu a mão para o bispo, que parecia tão desconcertado com o que estava acontecendo quanto o próprio general. O Presidente se despediu de monsenhor Reilly na porta.

Quando ele voltou para a sua escrivaninha, Pupo Román já vociferava: "O senhor me deve uma explicação. Que merda o senhor pensa que é, Balaguer", gesticulando e passando a metralhadora perto do rosto do outro. O Presidente ficou imperturbável, olhando fixamente nos seus olhos. Sentia no rosto uma chuva invisível, a saliva do general. Aquele energúmeno não ia se atrever a atirar. Depois de soltar insultos e palavrões em meio a frases incoerentes, Román se calou. Ficou parado, resfolegando. Com uma voz suave e respeitosa, o Presidente lhe aconselhou que fizesse um esforço para se controlar. Em horas assim, o chefe das Forças Armadas devia dar um exemplo de ponderação. Apesar dos seus insultos e ameaças, ele estava disposto a ajudá-lo, se fosse preciso. O general Román irrompeu de novo num solilóquio semidelirante, no qual foi logo dizendo que tinha dado a ordem de executar o major Segundo Imbert e Papito Sánchez, presos em La Victoria, por cumplicidade no assassinato do Chefe. Balaguer não quis continuar ouvindo confidências tão perigosas. Sem dizer nada, saiu do gabinete. Não havia mais dúvida: Román tinha alguma relação com a morte do Generalíssimo. Não se podia entender de outro modo aquela conduta irracional.

Voltou para a sala. Tinham encontrado o cadáver de Trujillo na mala de um carro, dentro da garagem do general Juan Tomás Díaz. Nunca mais, nos seus longos anos de vida, o doutor Balaguer esqueceria o desavoramento daquelas caras, o pranto daqueles olhos, a expressão de orfandade, desorientação, desespero, de civis e militares, quando o sanguinolento cadáver crivado de balas, com o rosto desfigurado pelo projétil que lhe destroçou o queixo, foi estendido na mesa nua do salão do Palácio onde poucas horas antes Simon e Dorothy Gittleman haviam sido homenageados e começou a ser despido e lavado para que uma equipe de médicos examinasse os restos mortais e os preparasse para o velório. Entre todos os presentes, a reação mais impressionante foi a da viúva. Dona María Martínez olhou o corpo como que hipnotizada, muito empertigada nos sapatos de salto alto em que sempre parecia estar encarapitada. Tinha os olhos dilatados e vermelhos, mas não chorava. De repente rugiu, gesticulando: "Vingança! Vingança! Temos que matar todos eles!" O doutor Balaguer se apressou a pôr um braço em seus ombros. Ela não o afastou. Sentiu-a respirar fundo, ofegando. Também tremia convulsivamente. "Eles têm que pagar, têm que pagar", repetia. "Nós vamos fazer de tudo para que isso aconteça, dona María", murmurou em seu ouvido. Nesse instante teve um palpite: agora, neste exato momento, ele tinha que reforçar o que já conseguira com a Excelsa Dama; depois, seria tarde.

Pressionando carinhosamente seu braço, levou dona María Martínez para um dos salãozinhos contíguos para afastá-la do espetáculo que a fazia sofrer. Quando se certificou de que estavam sozinhos, fechou a porta.

— Dona María, a senhora é uma mulher excepcionalmente forte — disse, com afeto. — Por isso me atrevo, num momento tão doloroso, a perturbar sua tristeza com um assunto que pode parecer inoportuno. Mas não é. Eu só faço isso por admiração e carinho. Sente-se, por favor.

A cara redonda da Excelsa Dama o observava com desconfiança. Ele sorriu, entristecido. Era impertinente, sem dúvida, perturbá-la com coisas práticas, quando seu espírito estava absorvido por uma dor tão atroz. Mas, e o futuro? Dona María não tinha uma longa vida pela frente? Quem sabia o que podia acontecer depois deste cataclismo? Era imprescindível que ela tomasse algumas precauções, pensando no futuro. A ingratidão dos povos estava provada, desde a traição de Judas a Cristo. Agora o país choraria por Trujillo e vociferaria contra os seus assassinos. Mas será que continuaria, amanhã, leal à memória do Chefe? E se prevalecesse o ressentimento, essa doença nacional? Não queria fazê-la perder mais tempo. Portanto, iria direto ao assunto. Dona María precisava garantir, deixar a salvo de qualquer eventualidade, os bens legítimos adquiridos graças ao esforço da família Trujillo que, além do mais, haviam beneficiado tanto o povo dominicano. E precisava fazer isso antes que as reacomodações políticas criassem, mais tarde, algum empecilho. O doutor Balaguer sugeria que ela discutisse o assunto com o senador Henry Chirinos, encarregado de controlar os negócios da família, e estudar que parte do patrimônio podia ser transferida imediatamente para o exterior, sem muito prejuízo. Isso ainda podia ser feito na mais absoluta discrição. O Presidente da República estava facultado a autorizar operações deste tipo — conversão pelo Banco Central de pesos dominicanos em divisas, por exemplo —, mas sabe-se lá se depois isso continuaria sendo possível. O Generalíssimo, por seus elevados escrúpulos, sempre se opôs a essas transferências. Mas manter essa política nas atuais circunstâncias seria, com perdão pela palavra, uma insensatez. Era apenas um conselho amistoso, inspirado na devoção e na amizade.

A Excelsa Dama ouviu em silêncio, olhando-o nos olhos. Por fim, assentiu, agradecida:

— Eu sabia que o senhor é um amigo leal, doutor Balaguer — disse, muito segura de si mesma.

— Espero poder lhe demonstrar isso, dona María. Espero que não tenha levado o meu conselho a mal.

— É um bom conselho, neste país nunca se sabe o que pode acontecer — resmungou ela, entre os dentes. — Vou falar com o doutor Chirinos amanhã mesmo. Tudo pode ser feito com a maior discrição?

— Pela minha honra, dona María — afirmou o Presidente, batendo no peito.

Viu que uma hesitação alterava a face da viúva do Generalíssimo. E adivinhou o que ela ia dizer:

— Quero lhe pedir que não fale deste assunto nem com os meus filhos — disse, baixinho, como se temesse que estes pudessem ouvir. — Por motivos que levaria tempo explicar agora.

— Com ninguém, nem mesmo com eles, dona María — o Presidente tranquilizou-a. — Naturalmente. Permita-me reiterar o quanto admiro a sua personalidade, dona María. Sem a senhora, o Benfeitor jamais teria feito tudo o que fez.

Tinha marcado mais um ponto em sua guerra de posições contra Johnny Abbes García. A resposta de dona María Martínez era previsível: nela, a cobiça era mais forte que qualquer outra paixão. Mas o doutor Balaguer realmente sentia certo respeito pela Excelsa Dama. Para se manter tantos anos ao lado de Trujillo, primeiro como amante, depois como esposa, a Españolita foi se despojando de toda suscetibilidade, de todo sentimento — principalmente a piedade —, refugiando-se no cálculo, um cálculo frio, e, talvez, também no ódio.

A reação de Ramfis, em contraste, desconcertou o Presidente. Duas horas depois de ter chegado com Radhamés, o *playboy* Porfirio Rubirosa e um grupo de amigos à Base de San Isidro, no avião fretado da Air France — Balaguer foi o primeiro a abraçá-lo, ao pé da escadinha —, já barbeado e com sua farda de general de quatro estrelas, ele chegou ao Palácio Nacional para prestar homenagem ao seu pai. Não chorou, não abriu a boca. Estava lívido e com uma expressão estranha no rosto aflito e benfeito, uma expressão de surpresa, de pasmo, de incredulidade, como se aquela figura que jazia, vestida a rigor, com o peito cheio de condecorações, no suntuoso caixão rodeado de candelabros, nessa sala cheia de coroas fúnebres, não pudesse nem devesse estar ali, como se, por estar, revelasse uma falha na ordem do Universo. Ficou um bom tempo olhando o cadáver do pai, fazendo umas caretas que não conseguia reprimir; parecia que seus músculos faciais tentavam repelir uma invisível teia de aranha aderida na pele. "Não vou ser tão generoso como você foi com os seus inimigos", ouviu-o dizer, afinal. Então o doutor Balaguer, que estava ao seu lado, vestido de luto rigoroso, disse em seu ouvido: "É indispensável que nós conversemos por alguns minutos, general. Sei que é um momento muito difícil para o senhor. Mas há assuntos inadiáveis." Fazendo um esforço, Ramfis aceitou. Foram, sozinhos, para o gabinete da Presidência. No caminho, viam pelas janelas a gigantesca, proliferante multidão, à qual continuavam se incorporando grupos de homens e mulheres vindos dos subúrbios de Trujillo e dos povoados vizinhos. A fila, em linhas de quatro ou cinco, percorria vários quilômetros, e os guardas armados mal podiam contê-la. Aquela gente estava esperando havia muitas horas. Havia cenas traumáticas, choros, ataques histéricos entre aqueles que já haviam chegado às escadarias do Palácio e se sentiam próximos à câmara fúnebre do Generalíssimo.

O doutor Joaquín Balaguer sempre soube que o seu futuro, e o futuro da República Dominicana, dependiam dessa conversa. Por isso, decidiu fazer uma coisa que só fazia em casos extremos, pois contrariava a sua natureza cautelosa: arriscar tudo, numa espécie de ex-abrupto. Esperou até que o filho mais velho de Trujillo se sentasse em frente à sua mesa — pelas janelas, como um mar amotinado, a imensa multidão se movia formando redemoinhos, esperando para chegar até o cadáver do Benfeitor — e, sempre com seu jeito calmo, sem demonstrar a menor inquietação, disse o que havia preparado cuidadosamente:

— Depende do senhor, e só do senhor, que fique alguma coisa, muito ou nada da obra realizada por Trujillo. Se a herança dele desaparecer, a República Dominicana cairá de novo na barbárie. Vamos voltar a competir com o Haiti, como acontecia antes de 1930, pela posição de nação mais miserável e violenta do hemisfério ocidental.

Durante o longo tempo em que o Presidente falou, Ramfis não o interrompeu uma só vez. Será que o ouvia? Não concordava nem negava; seus olhos, fixos nele boa parte do tempo, vez por outra se perdiam, e o doutor Balaguer pensava que com olhares assim é que deviam começar as crises de alienação e depressão extrema pelas quais Ramfis foi internado em clínicas psiquiátricas da França e da Bélgica. Mas, se estivesse ouvindo, ele consideraria seus argumentos. Porque, embora fosse beberrão, farrista, carente de vocação política ou inquietações cívicas, um homem cuja sensibilidade parecia se esgotar nos sentimentos inspirados por mulheres, cavalos, aviões e garrafas, e que podia ser tão cruel como o pai, o Presidente sabia que era inteligente. Talvez fosse o único da família com uma cabeça capaz de enxergar um palmo além do nariz, da barriga e do pau. Tinha uma mente rápida, aguda, que, cultivada, poderia dar excelentes frutos. Sua exposição se dirigiu a essa inteligência, com uma franqueza temerária. Estava convencido de que aquela era a última cartada que lhe restava, se não quisesse ser varrido como papel inútil pelos senhores das armas.

Quando se calou, o general Ramfis estava mais pálido do que antes, quando estava observando o cadáver do pai.

— O senhor poderia perder a vida pela metade das coisas que me disse, doutor Balaguer.

— Sei disso, general. Mas a situação me obriga a falar com sinceridade. Expus a única política que considero possível. Se o senhor vê outra, meus parabéns. Minha carta de renúncia está pronta, aqui nesta gaveta. Devo apresentá-la ao Congresso?

Ramfis fez que não com a cabeça. Respirou fundo e, após uma pausa, com sua voz melodiosa de ator de radionovelas, explicou:

— Por outros caminhos, cheguei a conclusões parecidas há muito tempo. — Fez um movimento de resignação com os ombros. — É verdade, não creio que possa haver outra política. Para nos livrar dos *marines* e dos comunistas, para que a OEA e Washington levantem as sanções. Aceito o seu plano. Mas cada passo, cada medida, cada acordo tem que ser consultado comigo e receber a minha aprovação. Isso sim, o comando militar e a segurança são assuntos meus. Não aceito interferências, nem sua, nem de funcionários civis, nem dos ianques. Ninguém que esteja vinculado, direta ou indiretamente, ao assassinato de papai ficará sem castigo.

O doutor Balaguer se levantou.

— Sei que o senhor o adorava — disse, solene. — O desejo de vingar esse crime terrível revela os seus sentimentos filiais. Ninguém, e muito menos eu, vai criar obstáculos para o seu empenho de fazer justiça. Este é, também, o meu desejo mais fervente.

Quando se despediu do filho de Trujillo, bebeu um copo d'água, em pequenos goles. Seu coração recuperava o ritmo. Ele tinha arriscado a vida, mas ganhou a aposta. Agora, era levar à prática o combinado. Começou durante o enterro do Benfeitor, na igreja de San Cristóbal. Seu discurso fúnebre, cheio de elogios comoventes ao Generalíssimo, se bem que atenuados por sibilinas alusões críticas, fez alguns cortesãos desavisados verterem lágrimas, desconcertou outros, levantou as sobrancelhas de alguns e deixou muita gente confusa, mas mereceu os parabéns do corpo diplomático. "As coisas estão começando a mudar, senhor Presidente", aprovou o novo cônsul dos Estados Unidos, recém-chegado à ilha. No dia seguinte, o doutor Balaguer convocou com urgência o coronel Abbes García ao seu gabinete. Assim que o viu, com seu rosto inchado roído pela inquietação — ele enxugava o suor com o lenço vermelho de sempre —, pensou que o chefe do SIM sabia perfeitamente para que estava ali.

— O senhor me chamou para dizer que estou demitido? — perguntou, sem cumprimentá-lo. Estava fardado, com a calça quase caindo e a boina inclinada de um jeito cômico; além da pistola no cinto, tinha uma metralhadora pendurada no ombro. Balaguer viu, atrás dele, as caras de facínora de quatro ou cinco guarda-costas, que não entraram no gabinete.

— Para lhe pedir que aceite uma nomeação na representação diplomática — disse o Presidente, com amabilidade. Sua mãozinha minúscula apontava uma cadeira. — Um patriota talentoso pode servir à pátria em campos muito diversos.

— Onde é o exílio dourado? — Abbes García não disfarçava sua frustração e sua cólera.

— No Japão — disse o Presidente. — Acabei de assinar sua nomeação como cônsul. Mas o salário e os gastos de representação serão de embaixador.

— Não podia me mandar para mais longe?

— Não havia onde — desculpou-se o doutor Balaguer, sem ironia. — O único país mais distante é a Nova Zelândia, mas não temos relações diplomáticas.

A figura balofa se mexeu na cadeira, ofegando. Uma linha amarela, cheia de um infinito desagrado, circundava a íris dos seus olhos esbugalhados. Manteve por um momento o lenço vermelho junto aos lábios, como se fosse cuspir nele.

— O senhor acha que venceu, doutor Balaguer — disse, injurioso. — Mas está muito enganado. O senhor é tão identificado com este regime quanto eu. Tão manchado como eu. Ninguém vai engolir esse seu joguinho maquiavélico de pretender encabeçar uma transição para a democracia.

— É possível que eu fracasse — admitiu Balaguer, sem hostilidade. — Mas tenho que tentar. Para fazer isso, alguns devem ser sacrificados. Sinto muito que o senhor seja o primeiro da lista, mas não há outro remédio: o senhor representa a pior cara do regime. Uma cara necessária, heroica, trágica, eu sei. Quem me lembrou disso, sentado aí nessa cadeira que o senhor ocupa, foi o próprio Generalíssimo. Mas por essa mesma razão não há como salvá-lo no momento. O senhor é inteligente, não preciso lhe explicar. Não crie complicações inúteis para o governo. Vá para o estrangeiro e mantenha a discrição. O que mais lhe convém é se afastar daqui, ficar invisível até ser esquecido. O senhor tem muitos inimigos. E muitos países gostariam de capturá-lo. Os Estados Unidos, a Venezuela, a Interpol, o FBI, o México, toda a América Central. O senhor sabe disso melhor do que eu. O Japão é um lugar seguro, e ainda mais com *status* diplomático. Sei que o senhor sempre se interessou por espiritualismo. A doutrina rosa-cruz, não é mesmo? Aproveite para se aprofundar nesses estudos. Mas se preferir se instalar em outro lugar, não me diga onde, por favor, continuará recebendo o seu salário. Assinei uma rubrica especial para despesas de mudança e instalação. Duzentos mil pesos, que pode retirar na Tesouraria. Boa sorte.

Não lhe ofereceu a mão, porque supôs que o ex-militar (na véspera havia assinado o decreto afastando-o do Exército) não a apertaria. Por um bom tempo Abbes García ficou imóvel, com as pupilas injetadas, encarando-o. Mas o Presidente sabia que, como homem prático, em vez de reagir com alguma bravata estúpida, ele aceitaria o mal menor. Viu-o levantar-se e sair, sem se despedir. Ele mesmo ditou a um secretário o comunicado informando que o *ex-coronel* Abbes García havia se demitido do Serviço de Inteligência para cumprir uma missão no exterior. Dois dias depois, *El Caribe*, entre as notícias em cinco colunas sobre as mortes e detenções dos assassinos do Generalíssimo, publicava um *box* onde o doutor Balaguer viu Abbes García, enfiado num casaco debruado e um chapéu-coco de personagem de Dickens, subindo pela passarela do avião.

A essa altura, o Presidente havia decidido que o novo líder parlamentar, encarregado de levar discretamente o Congresso a tomar posições mais aceitáveis para os Estados Unidos e a comunidade ocidental, fosse, não Agustín Cabral, mas o senador Henry Chirinos. Ele teria preferido Craninho, cujos hábitos sóbrios combinavam com sua maneira de ser, ao passo que o alcoolismo do Constitucionalista Bêbado lhe dava repugnância. Mas escolheu este último porque reabilitar de repente alguém caído em desgraça por decisão recente de Sua Excelência podia irritar pessoas do núcleo trujillista, gente de que ele ainda necessitava. Não devia provocá-los, por ora. Chirinos era física e moralmente repulsivo; mas tinha um talento infinito para a intriga e as artes de rábula. Ninguém conhecia melhor os ardis parlamentares. Eles nunca tinham sido amigos — por causa do álcool, que dava nojo a Balaguer — mas, quando foi chamado ao Palácio e o Presidente lhe informou o que esperava dele, o senador ficou exultante, tanto como quando lhe pediu que facilitasse, da maneira mais rápida e invisível, a transferência de recursos da Excelsa Dama para o exterior. ("Nobre preocupação a sua, senhor Presidente: garantir o futuro de uma ilustre senhora em desgraça.") Na ocasião, o senador Chirinos, ainda sem captar o que estava acontecendo, confessou que tivera a honra de informar ao SIM que Antonio de la Maza e o general Juan Tomás Díaz estavam rondando a cidade colonial (ele os vira num carro estacionado em frente à casa de um amigo, na rua Espaillat) e lhe pediu seus bons ofícios para solicitar a Ramfis que lhe desse a recompensa oferecida por qualquer informação que permitisse capturar os assassinos do seu pai. O doutor Balaguer lhe aconselhou que desistisse do prêmio e não divulgasse essa delação patriótica: aquilo podia prejudicar seu futuro político de forma irremediável. O homem que Trujillo chamava de Imundície Ambulante na intimidade entendeu na hora:

— Permita-me felicitá-lo, senhor Presidente — exclamou, gesticulando como se estivesse num palanque. — Sempre achei que o regime devia se abrir aos novos tempos. Agora sem o Chefe, ninguém melhor do que o senhor para enfrentar a tempestade e conduzir a nave dominicana até o porto seguro da democracia. Conte comigo como o seu colaborador mais leal e dedicado.

E de fato, Chirinos o foi. Apresentou no Congresso a moção que dava ao general Ramfis Trujillo poderes supremos da cúpula militar e autoridade máxima em todas as questões militares e policiais da República, e instruiu os deputados e senadores sobre a nova política do Presidente, destinada, não a negar o passado ou rejeitar a Era Trujillo, mas a superá-la dialeticamente, adaptando-a aos novos tempos, de maneira que Quisqueya, a República Dominicana, à medida que — sem dar um passo atrás — aperfeiçoava sua democracia, fosse recebida de novo por suas irmãs americanas na OEA e, superadas as sanções, reincorporada à comunidade internacional. Numa de suas frequentes reuniões de trabalho com o Presidente Balaguer, Chirinos perguntou, não sem alguma inquietação, que planos Sua Excelência tinha em relação ao ex-senador Agustín Cabral.

— Ordenei que as contas bancárias dele fossem descongeladas e os serviços que prestou ao Estado, reconhecidos, de modo que possa receber uma pensão — informou Balaguer. — No momento, seu retorno à vida política não me parece oportuno.

— Concordo plenamente — aprovou o senador. — Craninho, com quem mantenho uma velha relação, é conflituoso e desperta inimizades.

— O Estado pode utilizar o talento dele, desde que não apareça muito — acrescentou o Presidente. — Eu lhe propus que prestasse uma assessoria legal na administração.

— Sábia decisão — voltou a aprovar Chirinos. — Agustín sempre teve uma ótima cabeça jurídica.

Haviam passado apenas cinco semanas desde a morte do Generalíssimo e as mudanças já eram consideráveis. Joaquín Balaguer não podia se queixar: nesse tempo curtíssimo, de Presidente fantoche, um joão-ninguém, passou a ser um autêntico Chefe de Estado, cargo reconhecido por gregos e troianos e, principalmente, pelos Estados Unidos. Embora reticentes a princípio, quando ele explicou seus planos ao novo cônsul, os americanos agora levavam mais a sério sua promessa de ir guiando o país, aos poucos, rumo a uma democracia plena, dentro da ordem, sem permitir que os comunistas se aproveitassem da situação. A cada dois ou três dias tinha reuniões com o experiente John Calvin Hill — um diplomata com um corpanzil de caubói, que falava sem divagar —, a quem acabou convencendo de que, nessa etapa, era necessário ter Ramfis como aliado. O general havia aceitado o seu plano de abertura gradual. Tinha o controle militar nas mãos e, graças a isso, tanto os gângsteres bestiais de Petán e Héctor, como os gorilões primitivos mais próximos de Trujillo, estavam sob controle. Caso contrário, ele já teria sido deposto. Talvez Ramfis achasse que, com as concessões que autorizava Balaguer a fazer — a volta de alguns exilados, o aparecimento de uma ou outra tímida crítica ao regime de Trujillo nas rádios e nos jornais (destes, o mais beligerante era um novo, que começara a circular em agosto, *La Unión Cívica*), manifestações públicas das forças opositoras que começavam a ganhar as ruas, a direitista União Cívica Nacional, de Viriato Fiallo e Ángel Severo Cabral, e o esquerdista Movimento Revolucionário 14 de Junho —, ele, Ramfis, podia ter um futuro político. Como se alguém com o sobrenome Trujillo pudesse voltar a participar da vida pública deste país! Por ora, era melhor que ele não perdesse as ilusões. Ramfis controlava os canhões e tinha a adesão dos militares; ia levar muito tempo desmontar as Forças Armadas e expurgá-las do trujillismo. As relações do governo com a Igreja eram excelentes outra vez; ele às vezes tomava chá com o núncio apostólico e o arcebispo Pittini.

Um problema que ele não conseguia resolver de forma aceitável para a opinião internacional era o dos "direitos humanos". Diariamente ocorriam protestos por causa dos presos políticos, dos torturados, dos desaparecidos, dos assassinados em La Victoria, El Nueve, La Cuarenta e nas prisões e quartéis do interior. Em seu gabinete choviam manifestos, cartas, telegramas, relatórios, comunicados diplomáticos. Mas ele não podia fazer grande coisa. Ou, melhor, nada além de prometer coisas vagas e olhar para o outro lado. Cumpria a palavra, deixando Ramfis de mãos livres. Mesmo que quisesse, não poderia deixar de cumprir. O filho do Generalíssimo tinha despachado dona María e Angelita para a Europa e continuava, incansável, procurando mais cúmplices, como se a conspiração para matar Trujillo envolvesse multidões. Um dia, o jovem general lhe perguntou à queima-roupa:

— Sabe que Pedro Livio Cedeño quis implicar o senhor na conspiração para matar papai?

— Eu não me surpreendo — sorriu o Presidente, sem se alterar. — A melhor defesa para os assassinos é comprometer todo mundo. Principalmente, gente próxima ao Benfeitor. Os franceses chamam isso de "intoxicação".

— Se algum outro assassino confirmasse, o senhor teria tido a mesma sorte que Pupo Román. — Ramfis parecia sóbrio, apesar do bafo que exalava. — Neste momento, ele deve estar amaldiçoando ter nascido.

— Não quero saber de nada, general — cortou Balaguer, levantando a mãozinha. — O senhor tem o direito moral de vingar o crime. Mas não me dê detalhes, por favor. Para mim, vai ser mais fácil enfrentar as críticas que recebo do mundo inteiro se não souber que os excessos são verdadeiros.

— Muito bem. Então só lhe informarei a captura de Antonio Imbert e Luis Amiama, se os apanharmos. — Balaguer viu que aquele rostinho de galã se transfigurava, como sempre acontecia ao mencionar os dois únicos participantes do complô que não estavam presos nem mortos. — O senhor acha que eles ainda estão no país?

— A meu ver, sim — afirmou Balaguer. — Se eles tivessem fugido para o estrangeiro, já estariam dando entrevistas coletivas, recebendo prêmios, aparecendo em todas as televisões. Não iam desperdiçar a sua suposta condição de heróis. Devem estar escondidos por aqui mesmo, sem dúvida.

— Então, mais cedo ou mais tarde eles vão cair — murmurou Ramfis. — Tenho milhares de homens fazendo buscas, casa por casa, buraco por buraco. Se os dois estão na República Dominicana, vão cair. E se não estão, não há lugar no mundo onde possam escapar de pagar pela morte de papai. Nem que eu gaste até o último centavo para isso.

— Desejo que se cumpram os seus desejos, general — disse um compreensivo Balaguer. — Mas só lhe suplico uma coisa. Procure manter as aparências. Se houvesse um escândalo, a delicada operação de mostrar ao mundo que o país está se abrindo para a democracia se frustraria. Um outro Caso Galíndez, digamos, ou outro Caso Betancourt.

Só em relação aos conspiradores o filho do Generalíssimo era inflexível. Balaguer não perdia tempo intercedendo por sua libertação — a sorte dos presos estava decidida, assim como a de Imbert e Amiama se fossem capturados —, coisa que, aliás, não tinha muita certeza de que favorecesse seus planos. De fato, os tempos mudavam. Os sentimentos das multidões eram volúveis. O povo dominicano, trujillista radical até 30 de maio de 1961, arrancaria os olhos e corações de Juan Tomás Díaz, Antonio de la Maza, Estrella Sadhalá, Luis Amiama, Huáscar Tejeda, Pedro Livio Cedeño, Fifí Pastoriza, Antonio Imbert e seus associados se os tivesse nas mãos. Mas a identificação mística com o Chefe, que o dominicano vivera durante trinta e um anos, estava se apagando. As manifestações de rua convocadas pelos estudantes, a União Cívica e o movimento 14 de Junho, a princípio raquíticas, formadas por uns grupelhos, depois de um mês, de dois meses, de três meses, foram se multiplicando. Não apenas em Santo Domingo (o Presidente Balaguer já redigira o decreto que devolvia o nome original a Trujillo, que o senador Chirinos faria o Congresso aprovar por aclamação no momento oportuno), onde às vezes lotavam o parque Independencia, mas também em Santiago, La Romana, San Francisco de Macorís e outras cidades. O povo perdia o medo e a rejeição a Trujillo aumentava. O fino faro histórico do doutor Balaguer lhe dizia que esse novo sentimento iria crescer, irresistível. E, num clima de antitrujillismo popular, os assassinos de Trujillo se transformariam em figuras políticas poderosas. A quem interessava isso? Foi por essa razão que fulminou uma tímida tentativa do Imundície Ambulante quando este, como líder parlamentar do novo movimento balaguerista, veio lhe perguntar se não achava que um acordo no Congresso anistiando os conspiradores de 30 de maio convenceria a OEA e os Estados Unidos a suspenderem as sanções.

— Sua intenção é boa, senador. Mas, e as consequências? Uma anistia magoaria os sentimentos de Ramfis, que imediatamente mandaria assassinar todos os anistiados. Nossos esforços iriam por água abaixo.

— Nunca deixarei de me assombrar com a argúcia da sua percepção — exclamou o senador Chirinos, quase aplaudindo.

Com exceção desse assunto, Ramfis Trujillo — que vivia entregue a bebedeiras cotidianas na Base de San Isidro e na sua casa à beira-mar, em Boca Chica, para onde tinha levado, na companhia da mãe, a sua última amante, uma bailarina do Lido de Paris, deixando naquela cidade, grávida, a sua esposa oficial, a jovem atriz Lita Milán — demonstrava uma boa vontade que ia além das expectativas de Balaguer. Ele se resignou a que devolvessem o nome Santo Domingo a Trujillo e rebatizassem as cidades, localidades, ruas, praças, acidentes geográficos e pontes denominadas Generalíssimo, Ramfis, Angelita, Radhamés, dona Julia ou dona María, e não insistia muito para que se castigassem os estudantes, subversivos e vagabundos que destruíam as estátuas, placas, bustos, fotos e letreiros de Trujillo e sua família nas ruas, avenidas, praças e estradas. Sem discutir, aceitou a sugestão do doutor Balaguer de que, "num gesto de abnegação patriótica", cedesse ao Estado, ou seja, ao povo, as terras, imóveis e empresas agrícolas do Generalíssimo e de seus filhos. Ramfis fez isso, em carta pública. Assim, o Estado passou a ser dono de quarenta por cento de todas as terras cultiváveis, o que o transformou, depois do cubano, no que mais empresas públicas tinha em todo o continente. E o general Ramfis apaziguava os ânimos daqueles brutamontes degenerados, os irmãos do Chefe, perplexos com o sistemático desaparecimento dos ouropéis e símbolos do trujillismo.

Certa noite, depois de jantar com suas irmãs o austero menu de todas as noites, caldo de galinha, arroz branco, salada e doce de leite, desmaiou quando se levantou para ir dormir. Só perdeu a consciência por alguns segundos, mas o doutor Félix Goico lhe avisou: se continuasse trabalhando naquele ritmo, antes de fim do ano o seu coração ou o seu cérebro explodiriam como uma granada. Precisava descansar mais — desde a morte de Trujillo só dormia três ou quatro horas por noite —, fazer exercícios e, nos fins de semana, se distrair. Então se obrigou a permanecer na cama cinco horas por noite e, depois do almoço, ia caminhar, porém longe da avenida George Washington para evitar associações comprometedoras; ia ao antigo parque Ramfis, rebatizado como parque Eugenio María de Hostos. E, aos domingos, depois da missa, lia durante algumas horas poesias românticas e modernistas, ou os clássicos castelhanos do Século de Ouro, para relaxar o espírito. Às vezes, algum passante iracundo o insultava na rua — "Balaguer, bonequinho de papel!" —, mas na maioria das vezes acenavam: "Boa tarde, Presidente." Ele agradecia, cerimonioso, tirando o chapéu, que costumava puxar até as orelhas para não deixar que o vento o roubasse.

Quando, no dia 2 de outubro de 1961, anunciou na Assembleia Geral das Nações Unidas, em Nova York, que "na República Dominicana nasce uma democracia autêntica e um novo estado de coisas", reconheceu, diante de uma centena de delegados, que a ditadura de Trujillo havia sido anacrônica, uma feroz supressora de liberdades e direitos. E pediu às nações livres que o ajudassem a devolver a lei e a liberdade aos dominicanos. Poucos dias depois, recebeu uma carta amarga de dona María Martínez, de Paris. A Excelsa Dama se queixava de que o Presidente havia pintado um quadro "injusto" da Era Trujillo, sem lembrar "todas as coisas boas que meu marido também fez, e que o senhor mesmo tanto enalteceu ao longo de trinta e um anos". Mas não era María Martínez quem preocupava o Presidente, e sim os irmãos de Trujillo. Ele ficou sabendo que Petán e Negro tiveram uma reunião tempestuosa com Ramfis, interpelando-o: como permitia que esse mequetrefe fosse à ONU fazer escárnio do seu pai? Era hora de tirá-lo do Palácio Nacional e pôr a família Trujillo de novo no poder, como pedia o povo! Ramfis alegou que se desse um golpe de Estado a invasão dos *marines* seria inevitável: John Calvin Hill lhe advertira isso pessoalmente. A única possibilidade de conservar alguma coisa era cerrar fileiras atrás dessa frágil legalidade: o Presidente. Balaguer manobrava com astúcia para conseguir que a OEA e o State Department levantassem as sanções. Era por isso que precisava fazer discursos como o da ONU, contrários às suas convicções.

No entanto, na reunião que teve com o primeiro mandatário pouco depois que este voltou de Nova York, o filho de Trujillo se mostrou bem menos tolerante. Sua animosidade era tanta que a ruptura parecia inevitável.

— O senhor vai continuar atacando papai, como fez na Assembleia Geral? — Sentado na mesma cadeira em que o Chefe se sentara na última conversa com Balaguer, horas antes de ser morto, Ramfis falava sem olhar para ele, com a vista fixa no mar.

— Não tenho mais remédio, general — confirmou o Presidente, a contragosto. — Se eu quiser que eles acreditem que tudo está mudando, que o país está no caminho da democracia, tenho que fazer um exame autocrítico do passado. É doloroso para o senhor, eu sei. E não é menos para mim. Mas a política às vezes exige cortar na própria carne.

Ramfis não respondeu por um bom tempo. Estaria bêbado? Drogado? Ou ia entrar numa dessas crises mentais que o deixavam à beira da loucura? Estava com grandes olheiras azuis, os olhos acesos e inquietos, uma expressão estranha.

— Eu já lhe expliquei — continuou Balaguer. — Cumpri estritamente o que nós combinamos. O senhor aprovou o meu projeto. Mas, naturalmente, continua de pé o que lhe disse. Se preferir assumir as rédeas, não precisa tirar os tanques de San Isidro. Eu lhe entrego a minha renúncia agora mesmo.

Ramfis olhou-o longamente, enfastiado.

— Todos eles me pedem a mesma coisa — murmurou, sem entusiasmo. — Meus tios, os comandantes das regiões, os militares, meus primos, os amigos de papai. Mas eu não quero me sentar onde o senhor está. Não gosto desse negócio, doutor Balaguer. Para quê? Para que me paguem da mesma forma que fizeram com ele?

Ele se calou, num desânimo profundo.

— Então, general, se o senhor não quer o poder, ajude-me a exercê-lo.

— Ainda mais? — respondeu Ramfis, zombeteiro. — Se não fosse por mim, faz tempo que meus tios já teriam tirado o senhor daqui a bala.

— Não foi o bastante — replicou Balaguer. — O senhor viu a agitação nas ruas. As manifestações da União Cívica e do 14 de Junho estão cada dia mais violentas. As coisas vão piorar se não tomarmos a iniciativa.

As cores voltaram ao rosto do filho do Generalíssimo. Ele esperava, com a cabeça levantada, para ver se o Presidente se atreveria a lhe pedir o que já desconfiava.

— Seus tios precisam ir embora — disse suavemente o doutor Balaguer. — Enquanto eles estiverem aqui, nem a comunidade internacional nem a opinião pública vão acreditar na mudança. Só o senhor pode convencê-los.

Ramfis iria xingá-lo? Olhava para ele com assombro, como se não acreditasse no que tinha ouvido. Fez outra longa pausa.

— O senhor vai pedir que eu também vá embora deste país que papai construiu, para que todo mundo engula essa conversa de novos tempos?

Balaguer aguardou uns segundos.

— Sim, vou pedir — murmurou, com o coração aos pulos. — O senhor também. Mas não agora. Só depois de convencer seus tios a partir. Depois de me ajudar a consolidar o governo, de fazer as Forças Armadas entenderem que Trujillo não está mais aqui. Não é nenhuma novidade para o senhor, general. Sempre soube disso. O melhor para o senhor, para a sua família e os seus amigos é que este projeto dê certo. Com a União Cívica ou o 14 de Junho no poder, seria muito pior.

Não puxou o revólver, não cuspiu nele. Voltou a empalidecer, fazendo a mesma expressão de alienado. Acendeu um cigarro e deu várias tragadas, contemplando a fumaça se desfazer no ar.

— Eu já teria ido embora há muito tempo deste país de babacas e de ingratos — resmungou. — Se tivesse encontrado Amiama e Imbert, não estaria mais aqui. Eles são os únicos que faltam. Assim que cumprir a promessa que fiz a papai, vou partir.

O Presidente lhe informou que havia autorizado a volta do exílio de Juan Bosch e seus companheiros do Partido Revolucionário Dominicano. Teve a impressão de que o general não ouviu suas explicações de que Bosch e o PRD entrariam numa luta cruel com a União Cívica e o 14 de Junho pela liderança do antitrujillismo. E que, dessa forma, fariam um grande favor ao governo. Porque o verdadeiro perigo eram os senhores da União Cívica Nacional, onde havia gente de dinheiro e conservadores com influência nos Estados Unidos, como Severo Cabral; e disso sabia muito bem Juan Bosch, que faria tudo o que fosse conveniente — e talvez o inconveniente também — para impedir o acesso ao governo de um competidor tão poderoso.

Ainda sobravam uns duzentos cúmplices, reais ou imaginários, da conspiração em La Victoria, e convinha anistiar essas pessoas, uma vez que os Trujillo partissem. Mas Balaguer sabia que o filho do Generalíssimo jamais deixaria os executores vivos. Ia se encarniçar com eles, como fizera com o general Román, que torturou durante quatro meses antes de anunciar que havia se suicidado de remorso por sua traição (o cadáver nunca apareceu) e com Modesto Díaz que, se ainda estivesse vivo, ainda devia estar torturando. O problema era que os presos — a oposição os chamava de justiceiros — maculavam a nova imagem que ele queria dar ao regime. Chegavam missões, delegações, políticos e jornalistas estrangeiros o tempo todo perguntando por eles, e o Presidente tinha que fazer malabarismos para explicar por que ainda não haviam sido julgados, jurar que a vida deles seria respeitada e que o julgamento, transparente, seria presenciado por observadores internacionais. Por que Ramfis não tinha acabado com eles, como fez com quase todos os irmãos de Antonio de la Maza — Mario, Bolívar, Ernesto, Pirolo, e muitos primos, sobrinhos e tios, assassinados a bala ou a pancadas no mesmo dia da prisão —, em vez de deixá-los de molho, como fermento para a oposição? Balaguer sabia que o sangue dos justiceiros ia acabar salpicando nele: era o touro bravo que faltava enfrentar.

Poucos dias depois dessa conversa, um telefonema de Ramfis lhe deu uma excelente notícia: ele havia convencido os tios. Petán e Negro iam partir para umas longas férias. No dia 25 de outubro, Héctor Bienvenido decolou com sua esposa norte--americana rumo à Jamaica. E Petán zarpou na fragata *Presidente Trujillo* para um suposto cruzeiro pelo Caribe. O cônsul John Calvin Hill confessou a Balaguer que, agora sim, aumentavam as possibilidades de que as sanções fossem suspensas.

— Espero que isso não demore muito, senhor cônsul — urgiu o Presidente. — A cada dia que passa a República se asfixia mais um pouquinho.

A indústria estava quase paralisada por causa da incerteza política e das dificuldades para importar insumos; o comércio, vazio devido à queda do poder aquisitivo. Ramfis vendia por ninharias as firmas não registradas em nome dos Trujillo e as ações ao portador, e o Banco Central tinha que transferir essas quantias, convertidas em divisas ao câmbio oficial irrealista de um peso por dólar, para bancos do Canadá e da Europa. A família não havia transferido tanto dinheiro para o exterior como o Presidente temia: dona Maria, doze milhões de dólares, Angelita, treze, Radhamés, dezessete e Ramfis, por enquanto, uns vinte e dois, o que somava sessenta e quatro milhões de dólares. Podia ser pior. Mas as reservas iam se extinguir rapidamente e ele não teria como pagar os soldados, professores e funcionários públicos.

No dia 15 de novembro, o ministro do Interior ligou apavorado: os generais Petán e Héctor Trujillo tinham voltado inesperadamente. Suplicou ao Presidente que se asilasse, a qualquer momento haveria um golpe militar. O grosso do Exército apoiava os irmãos. Balaguer telefonou para o cônsul Calvin Hill com toda a urgência. Explicou a situação. A menos que Ramfis impedisse, muitas guarnições apoiariam Petán e o Negro em seu projeto insurrecional. Haveria uma guerra civil de resultado incerto e uma matança generalizada de antitrujillistas. O cônsul sabia de tudo isso e, por sua vez, informou a Balaguer que o Presidente Kennedy, pessoalmente, acabara de ordenar o envio de uma frota de guerra. Procedentes de Porto Rico, navegavam rumo às costas dominicanas o porta-aviões *Valley Forge*, o cruzador *Little Rock*, nau capitânia da Segunda Frota, e os destróieres

Hyman, Bristol e *Beatty.* Uns dois mil *marines* desembarcariam se houvesse um golpe.

Numa breve conversa telefônica com Ramfis — tinha passado quatro horas tentando falar com ele antes de conseguir —, este lhe deu uma notícia funesta. Tivera uma violenta discussão com os tios. Eles não iam sair do país. Ramfis então avisou que, nesse caso, sairia ele.

— O que vai acontecer agora, general?

— A partir deste momento, o senhor fica sozinho na jaula das feras, senhor Presidente — riu Ramfis. — Boa sorte.

O doutor Balaguer fechou os olhos. As horas, os dias seguintes seriam cruciais. O que pretendia fazer o filho de Trujillo? Ir embora? Suicidar-se? Não, ele voltaria para Paris, onde ficaria com a mulher, a mãe e os irmãos, consolando-se com festas, partidas de polo e mulheres na bela casa que comprou em Neuilly. Já havia tirado do país todo o dinheiro que podia; deixava alguns imóveis que mais cedo ou mais tarde seriam confiscados. Enfim, não era esse o problema. Eram as bestas-feras. Os irmãos do Generalíssimo iam começar logo a dar tiros, a única coisa que sabiam fazer bem. Em todas as listas de inimigos a matar que, segundo a *vox populi*, Petán confeccionara, Balaguer figurava na cabeça. De modo que, como dizia um ditado que ele gostava de citar, tinha que "vadear esse rio devagarzinho e pelas pedras". Não sentia medo, só tristeza de que a delicada ourivesaria que pusera em funcionamento fosse estragada pela bala de um meliante.

Ao amanhecer do dia seguinte, o ministro do Interior o acordou para informar que um grupo de militares havia retirado o cadáver de Trujillo da sua cripta, na igreja de San Cristóbal, e levado para Boca Chica, onde, em frente ao cais particular do general Ramfis, estava atracado o iate *Angelita*.

— Eu não ouvi nada, senhor ministro — cortou Balaguer. — O senhor não me disse nada. Eu lhe aconselho que descanse umas horas. Temos um longo dia pela frente.

Ao contrário do que aconselhou ao ministro, ele próprio não se entregou ao descanso. Ramfis não sairia do país sem liquidar os assassinos do seu pai, e esse assassinato podia jogar por água abaixo os seus laboriosos esforços, durante vários meses, para convencer o mundo de que a República, com ele na Presidência, estava se transformando numa democracia sem guerra civil nem o caos temidos pelos Estados Unidos e pelas classes dirigentes dominicanas. Mas o que podia fazer? Qualquer ordem sua em relação aos prisioneiros que contrariasse as determinações de Ramfis seria desobedecida e deixaria clara a sua absoluta falta de autoridade sobre as Forças Armadas.

Entretanto, misteriosamente, além da proliferação de boatos sobre iminentes levantes armados e massacres de civis, nada aconteceu no dia 16 nem no dia 17 de novembro. Balaguer continuou despachando os assuntos de rotina, como se o país vivesse na mais absoluta calma. Ao anoitecer do dia 17, foi informado de que Ramfis tinha desocupado sua casa de praia. Pouco depois, viram-no descer bêbado de um carro e lançar palavrões e uma granada — que não explodiu — contra a fachada do Hotel El Embajador. Desde então, seu paradeiro era desconhecido. Na manhã seguinte, uma comissão da União Cívica Nacional, presidida por Ángel Severo Cabral, exigiu ser recebida imediatamente pelo Presidente: era questão de vida ou morte. Balaguer a recebeu. Severo Cabral estava fora de si. Brandia uma folha de papel rabiscada por Huáscar Tejeda para a sua mulher Lindín, contrabandeada de La Victoria, dizendo que os seis acusados pela morte de Trujillo (inclusive Modesto Díaz e Tunti Cáceres) tinham sido separados dos outros presos políticos e iam ser transferidos para outra prisão. "Vão nos matar, amor", concluía a missiva. O líder da União Cívica exigiu que os presos fossem entregues ao Poder Judicial ou libertados por decreto presidencial. As esposas deles estavam se manifestando às portas do Palácio, com seus advogados. A imprensa internacional havia sido alertada, assim como o State Department e as embaixadas ocidentais.

O alarmado doutor Balaguer afirmou que iria intervir pessoalmente no assunto. Não permitiria que fosse cometido um crime. Segundo os relatórios que recebera, a transferência dos seis conspirados visava, antes, a acelerar a instrução do caso. Tratava-se de um simples procedimento de reconstituição do crime, depois do qual o julgamento começaria sem demora. E, naturalmente, com observadores da Corte Internacional de Haia, que ele mesmo convidaria ao país.

Assim que os dirigentes da União Cívica se despediram, Balaguer ligou para o procurador-geral da República, doutor José

Manuel Machado, perguntando se ele sabia por que o chefe da Polícia Nacional, Marcos A. Jorge Moreno, havia determinado a transferência de Estrella Sadhalá, Huáscar Tejeda, Fifí Pastoriza, Pedro Livio Cedeño, Tunti Cáceres e Modesto Díaz para as celas do Palácio de Justiça. O procurador-geral da República não sabia de nada. Reagiu com indignação: alguém estava usando indevidamente o nome do Poder Judiciário, nenhum juiz tinha pedido uma nova reconstituição do crime. Parecendo preocupadíssimo, o Presidente disse que aquilo era intolerável. Mandaria imediatamente o ministro da Justiça investigar a fundo, apurar responsabilidades e processar quem fosse necessário. Para deixar provas escritas do que estava fazendo, ditou ao seu secretário um memorando que mandou levar com a maior urgência ao Ministério da Justiça. Depois, telefonou para o ministro. Este estava transtornado:

— Não sei o que fazer, senhor Presidente. Estou com as mulheres dos presos aqui na porta. Tenho recebido pressões de todos os lados para dar informações, e não sei de nada. O senhor sabe por que eles foram transferidos para as celas do Poder Judiciário? Ninguém consegue me explicar. Agora estão sendo levados para a estrada, para fazer uma outra reconstituição do crime que ninguém pediu. É impossível chegar até lá, porque os soldados da Base de San Isidro isolaram a área. O que devo fazer?

— Vá pessoalmente e exija uma explicação — instruiu o Presidente. — É imprescindível que haja testemunhas de que o governo fez tudo o que pôde para impedir que se viole a lei. Leve também os representantes dos Estados Unidos e da Grã-Bretanha.

O doutor Balaguer telefonou pessoalmente para John Calvin Hill e lhe pediu que apoiasse aquela iniciativa do ministro da Justiça. Ao mesmo tempo lhe informou que, embora o general Ramfis estivesse se preparando para abandonar o país, como parecia, os irmãos de Trujillo logo entrariam em ação.

Continuou despachando, aparentemente absorvido com a situação crítica das finanças públicas. Não saiu do gabinete para almoçar e, trabalhando com o secretário de Estado das Finanças e o Presidente do Banco Central, não quis receber telefonemas nem visitas. Ao anoitecer, seu secretário lhe trouxe um bilhete do ministro da Justiça informando que ele e o cônsul americano tinham sido impedidos por soldados armados da Aeronáutica de se aproximar do lugar da reconstituição do crime. Também confirmava que ninguém, no Ministério, na promotoria ou nos tribunais, havia solicitado nem estava informado daquele procedimento, uma decisão exclusivamente militar. Ao chegar em casa, às oito e meia da noite, recebeu uma ligação do coronel Marcos A. Jorge Moreno, agora chefe da Polícia. A caminhonete com três guardas armados que, após o trâmite judicial na estrada, trazia os prisioneiros de volta para La Victoria, tinha desaparecido.

— Não poupe esforços para encontrá-los, coronel. Mobilize todas as forças necessárias — ordenou o Presidente. — Pode me ligar a qualquer hora.

Disse às suas irmãs, preocupadas com os boatos de que nessa tarde os Trujillo haviam assassinado os homens que mataram o Generalíssimo, que não sabia de nada. Provavelmente eram invenções dos extremistas para acirrar o clima de agitação e insegurança. Enquanto as tranquilizava com mentiras, conjeturou: Ramfis ia partir esta noite, se é que já não o fizera. O confronto com os irmãos Trujillo se daria, então, ao amanhecer. Mandariam prendê-lo? Matá-lo? Seus cérebros diminutos eram capazes de achar que, matando-o, podiam deter uma engrenagem histórica que muito em breve os varreria da política dominicana. Não sentia nenhuma inquietação, só curiosidade.

Quando estava vestindo o pijama, o coronel Jorge Moreno ligou de novo. A caminhonete havia sido encontrada: os seis prisioneiros tinham fugido, depois de assassinar os três guardas.

— Faça o impossível para encontrar os fugitivos — recitou, sem alterar a voz. — O senhor é responsável pela vida desses prisioneiros, coronel. Eles têm que comparecer a um tribunal, para serem julgados por este novo crime de acordo com a lei.

Antes de dormir, foi dominado por um sentimento de tristeza. Não por causa dos prisioneiros, sem dúvida assassinados esta tarde por Ramfis em pessoa, mas dos três soldadinhos que o filho de Trujillo também mandara matar para tornar verossímil a farsa da fuga. Três pobres guardas executados a sangue-frio, só para dar credibilidade a uma comédia em que ninguém ia acreditar. Que sangria inútil!

No dia seguinte, a caminho do Palácio, leu nas páginas internas do *El Caribe* a notícia da fuga dos "assassinos de Trujillo, depois de assassinarem cruelmente os três guardas que os transportavam de volta para La Victoria". No entanto, o escândalo que ele temia não ocorreu; foi ofuscado por outros acontecimentos. Às dez da manhã, um pontapé abriu a porta do seu gabinete. Com a metralhadora na mão e uma coleção de granadas e revólveres na cintura, irrompeu o general Petán Trujillo, seguido por seu irmão Héctor, ambos fardados de general, e vinte e sete homens armados da sua guarda pessoal, cujas caras lhe pareceram, além de rufianescas, alcoolizadas. O desagrado que essa turba incivilizada lhe provocou foi mais forte que o medo.

— Não posso oferecer cadeiras a todos, não tenho tantas aqui, sinto muito — desculpou-se o pequeno Presidente, levantando-se. Parecia calmo e seu rostinho redondo sorria com urbanidade.

— Chegou a hora da verdade, Balaguer — rugiu o bestial Petán, cuspindo saliva. Brandiu a metralhadora, ameaçador, e passou-a bem perto do rosto do Presidente. Este não recuou. — Chega de besteiras e de hipocrisia! Da mesma forma que Ramfis liquidou ontem aqueles filhos da puta, nós vamos acabar com os que ainda estão soltos. A começar pelos judas, seu anão traidor.

Aquela nulidade vulgar também estava um pouco bêbada. Balaguer dissimulava a sua indignação e a sua apreensão, mantendo um total domínio de si mesmo. Com calma, apontou a janela:

— Peço-lhe que me acompanhe, general Petán. — E depois se dirigiu a Héctor. — O senhor também, por favor.

Avançou e, em frente à janela, apontou para o mar. Era uma manhã radiante. Diante da costa se viam, bem nítidas, cintilando, as silhuetas de três navios de guerra americanos. Não se podia ler os nomes, mas, sim, divisar os longos canhões do cruzador *Little Rock*, equipado com mísseis, e dos porta-aviões *Valley Forge* e *Franklin D. Roosevelt* apontando para a cidade.

— Só estão esperando que vocês tomem o poder para começar o bombardeio — disse o Presidente, bem devagar. — Só precisam de um pretexto para nos invadir outra vez. Vocês querem ficar na história como os dominicanos que permitiram uma segunda ocupação americana na República? Se isso é o que querem, podem atirar e fazer de mim um herói. Meu sucessor não vai ficar sentado nesta cadeira nem por uma hora.

Já que o tinham deixado pronunciar toda essa frase, pensou, era improvável que o matassem. Petán e o Negro cochichavam, falando ao mesmo tempo e sem se entender. Os capangas e guarda-costas se entreolhavam, confusos. Afinal, Petán mandou seus homens saírem. Quando se viu sozinho no gabinete com os dois irmãos, Balaguer deduziu que havia ganhado a parada. Eles vieram se sentar à sua frente. Pobres-diabos! Como pareciam sem jeito! Não sabiam por onde começar. Ele precisava facilitar as coisas.

— O país espera um gesto de vocês — disse, com simpatia. — Que se comportem com o mesmo altruísmo e patriotismo do general Ramfis. O seu sobrinho deixou o país para facilitar a paz.

Petán o interrompeu, mal-humorado e direto:

— É muito fácil ser patriota com os milhões e as propriedades que Ramfis tem no estrangeiro. Mas o Negro e eu não temos casas, ações nem contas correntes lá fora. Todo o nosso patrimônio está aqui, no país. Nós dois fomos os únicos imbecis que obedeceram ao Chefe, que proibiu levar dinheiro para o exterior. Isso é justo? Não somos idiotas, senhor Balaguer. Nós sabemos que vão confiscar todas as terras e bens que temos aqui.

O Presidente ficou aliviado.

— Mas isso tem remédio, senhores — tranquilizou-os. — Era só o que faltava! Um gesto tão generoso, como este que a Pátria lhes pede, tem que ser recompensado.

A partir daí, tudo consistiu numa tediosa negociação pecuniária, que confirmou o desprezo do Presidente por pessoas ávidas de dinheiro. Era uma coisa que ele jamais tinha cobiçado. Afinal aceitou pagar quantias que considerou razoáveis, em vista da paz e da segurança que a República ganhava em troca. Determinou ao Banco Central que entregasse dois milhões de dólares a cada um dos irmãos e que trocasse por divisas os onze milhões de pesos que tinham, parte em caixas de sapato e o resto depositado em bancos da capital. Para terem certeza de que o acordo seria respeitado, Petán e Héctor exigiram que fosse ratificado pelo cônsul americano. Calvin Hill aceitou sem demora, contente de que as coisas se acomodassem com boa vontade e sem derramamento de sangue. Parabenizou o Presidente e sentenciou: "Nas crises é que se conhece o verdadeiro estadista." Abaixando os olhos com modéstia, o doutor Balaguer pensou que, com a partida dos Trujillo, haveria tal explosão de júbilo e alegria — um pouco de caos, também — que pouca gente ia se lembrar do assassinato dos seis presos cujos cadáveres, sem dúvida, jamais apareceriam. O episódio não o prejudicaria muito.

No Conselho de Ministros, pediu apoio unânime do gabinete para uma anistia política geral, que esvaziasse as prisões e anulasse todos os processos judiciais por subversão, e ordenou a dissolução do Partido Dominicano. Os ministros o aplaudiram de pé. Então, com o rosto um pouco enrubescido, o doutor Tabaré Álvarez Pereyra, seu ministro da Saúde, lhe disse que estava escondendo há seis meses em sua casa — na maior parte do tempo trancado num closet estreito, entre roupões e pijamas — o fugitivo Luis Amiama Tió.

O doutor Balaguer enalteceu o seu espírito humanitário e lhe pediu que acompanhasse o doutor Amiama ao Palácio Nacional, pois tanto ele como don Antonio Imbert, que agora sem dúvida ia aparecer a qualquer momento, seriam recebidos pessoalmente pelo Presidente da República com o respeito e a gratidão que mereciam pelos altos serviços prestados à Pátria.

XXIII

Depois da partida de Amadito, Antonio Imbert ficou ainda um tempo na casa do seu primo, o doutor Manuel Durán Barreras. Não tinha mais esperanças de que Juan Tomás Díaz e Antonio de la Maza encontrassem o general Román. Talvez o Plano político militar houvesse sido descoberto e Pupo estivesse morto ou preso; talvez ele tenha se acovardado e dado marcha a ré. Não havia outra alternativa senão se esconder. Discutiu as opções com o primo, até se decidir por uma parente distante, a doutora Gladys de los Santos, cunhada de Durán. Ela morava perto.

Nas primeiras horas do amanhecer, mas ainda escuro, Manuel Durán e Imbert percorreram aqueles seis quarteirões em largas passadas, sem cruzar com veículos nem pedestres. A doutora demorou a abrir a porta. Estava de roupão e ficou esfregando os olhos com fúria, enquanto eles explicavam a situação. Não se assustou além da conta. Reagiu com uma estranha calma. Era uma mulher gordinha, mas ágil, entre os quarenta e cinquenta anos, que parecia serena e olhava o mundo com apatia.

— Vou hospedar você de alguma forma — disse a Imbert. — Mas isto aqui não é um refúgio seguro. Já fui presa uma vez, o SIM tem a minha ficha.

Para evitar que a empregada o visse, ela o instalou ao lado da garagem, numa despensa sem janelas, onde estendeu um colchonete. Era um recinto baixo e sem ventilação, e Antonio não pregou os olhos durante o resto da noite. Deixou o Colt 45 ao seu lado, numa prateleira cheia de latas de conserva; tenso, mantinha os ouvidos alertas para qualquer som suspeito. Às vezes pensava no seu irmão Segundo e se arrepiava: devia estar sendo torturado ou já o teriam matado, lá em La Victoria.

A dona da casa, que tinha trancado a despensa por fora, veio tirá-lo do esconderijo às nove da manhã.

— Dei folga à empregada, para ela ir ver a família em Jarabacoa — tentou animá-lo. — Você vai poder circular pela casa toda. Mas não deixe que os vizinhos o vejam. Que noite deve ter passado neste buraco.

Enquanto tomavam o café da manhã na cozinha, com mangú, queijo frito e café, ouviram as notícias. Nenhum dos noticiários do rádio dizia nada sobre o atentado. Pouco depois, a doutora De los Santos saiu para o trabalho. Imbert tomou banho e desceu para a salinha, onde, largado numa poltrona, adormeceu com o Colt 45 sobre as pernas. Ficou sobressaltado e gemeu quando o sacudiram.

— Os *caliés* prenderam Manuel esta madrugada, pouco depois de você sair de lá — disse, muito ansiosa, Gladys de los Santos. — Mais cedo ou mais tarde vão arrancar dele que você está aqui. Tem que ir embora o quanto antes.

Sim, mas para onde? Gladys havia passado pela casa dos Imbert e a rua estava fervilhando de guardas e *caliés*; com toda certeza, tinham prendido sua mulher e sua filha. Sentiu mãos invisíveis lhe apertando o pescoço. Mas não deixou sua angústia transparecer, para não aumentar o medo da dona da casa, que estava transtornada: de nervosismo, ela ficava abrindo e fechando os olhos sem parar.

— Vi fuscas cheios de *caliés* e caminhões com guardas em toda parte — disse ela. — Eles revistam os carros, pedem documentos a todo mundo, entram nas casas.

A televisão, as rádios e os jornais ainda não diziam nada, mas os rumores já eram incontroláveis. A boataria espalhada por toda a cidade repetia que tinham matado Trujillo. As pessoas pareciam intimidadas e confusas em relação ao que podia acontecer. Durante quase uma hora, ficou matutando: aonde podia ir? Para começar, precisava sair dali. Agradeceu à doutora De los Santos por sua ajuda e foi para a rua, com a mão na arma que levava no bolso direito da calça. Perambulou por um bom tempo, sem rumo, até que se lembrou do seu dentista, o doutor Camilo Soro, que morava perto do Hospital Militar. Camilo e sua esposa, Alfonsina, o receberam. Não podiam escondê-lo, mas ajudariam a estudar possíveis refúgios. E, então, lhe veio à cabeça a figura de Francisco Rainieri, um velho amigo, filho de italiano e embaixador da Ordem de Malta; a esposa dele, Venecia, e

Guarina, a sua, costumavam tomar chá e jogar baralho juntas. Talvez o diplomata pudesse lhe sugerir como se asilar em alguma delegação. Com extrema precaução, telefonou para a residência dos Rainieri e passou o aparelho a Alfonsina, que se fez passar pela senhora Guarina Tessón, nome de solteira da mulher de Imbert. Pediu para falar com Queco. Este atendeu imediatamente e deixou-a estupefata com sua cordialidade:

— Como vai, minha queridíssima Guarina, que prazer falar com você. Está ligando por causa do compromisso desta noite, não é mesmo? Não se preocupe. Vou mandar o carro buscá-la. Às sete em ponto, pode ser? Qual é mesmo o endereço?

— Ou ele é um adivinho, ou ficou maluco, ou sei lá — disse a proprietária da casa, quando desligou.

— E agora, o que fazemos até as sete, Alfonsina?

— Vamos rezar para Nossa Senhora da Altagracia. — Ela se benzeu. — Se os *caliés* aparecerem antes, pode usar a arma.

Às sete em ponto, um reluzente Buick azul com chapa do corpo diplomático parou na porta. O próprio Francisco Rainieri estava na direção. Arrancou assim que Antonio Imbert se sentou ao seu lado.

— Percebi que o recado era seu porque Guarina e sua filha estão na minha casa — disse Rainieri, à guisa de cumprimento. — Não há duas Guarinas Tessón em Trujillo, só podia ser você.

Estava muito calmo, e até risonho, com uma camisa recém-engomada e cheirando a lavanda. Levou Imbert para uma residência por ruas distantes, dando uma grande volta, pois nas avenidas principais havia barreiras que controlavam os veículos. Fazia menos de uma hora que havia sido oficialmente anunciada a morte de Trujillo. Reinava um clima cheio de medo, como se todo mundo esperasse uma explosão. Elegante como sempre, o embaixador não lhe fez qualquer pergunta sobre o assassinato de Trujillo ou sobre seus companheiros de conspiração. Com naturalidade, como se estivesse falando do próximo campeonato de tênis no Country Clube, comentou:

— Do jeito que as coisas estão, é impensável que alguma embaixada lhe dê asilo. Também não adiantaria muito. O governo, se é que ainda há governo, não respeitaria esse asilo. Eles o tirariam à força de onde estivesse. A única saída, no momento, é se esconder. No consulado da Itália, onde tenho amigos, há muito movimento de funcionários e visitantes. Mas encontrei a pessoa certa, com total segurança. Ele já fez isso uma vez, com Yuyo d'Alessandro, quando o estavam perseguindo. Só impõe uma condição. Ninguém pode saber, nem mesmo Guarina. Pela segurança dela, principalmente.

— Claro — murmurou Tony Imbert, assombrado de que esse homem, com quem só tinha uma ligeira amizade, se arriscasse tanto, por iniciativa própria, para salvar a sua vida. Estava tão desconcertado com aquela generosidade temerária de Queco que não atinou a agradecer.

Na casa dos Rainieri pôde abraçar sua mulher e sua filha. Dadas as circunstâncias, elas estavam muita calmas. Mas sentiu o corpinho de Leslie tremer quando a abraçou. Ficou com elas e os Rainieri cerca de duas horas. Sua mulher lhe trouxe uma maleta de mão, com roupa limpa e seus produtos de barbear. Não mencionaram Trujillo. Guarina repetiu o que as vizinhas tinham lhe contado. A casa deles fora invadida ao amanhecer por policiais fardados e à paisana; tinham roubado tudo, quebrando e esmigalhando o que não levaram em duas caminhonetes.

Em certo momento, o diplomata lhe fez um pequeno gesto, apontando o relógio. Ele abraçou e beijou Guarina e Leslie, e seguiu Francisco Rainieri, pela porta de serviço, até a rua. Segundos depois, um carro pequeno com faróis baixos freou à sua frente.

— Até logo e boa sorte — despediu-se Rainieri, apertando-lhe a mão. — Não se preocupe com sua família. Não vai lhe faltar nada.

Imbert entrou e se sentou ao lado do motorista. Este era um homem jovem, de gravata mas sem paletó. Num espanhol impecável, embora com sotaque italiano, ele se apresentou:

— Meu nome é Cavaglieri, sou funcionário da embaixada da Itália. Minha mulher e eu vamos fazer o possível para que sua estada no nosso apartamento seja agradável. Não se preocupe, na minha casa não há testemunhas indiscretas. Nós moramos sozinhos. Não temos cozinheira nem empregados. Minha mulher adora fazer os serviços domésticos. E nós dois gostamos de cozinhar.

O homem riu, e Antonio Imbert imaginou que a cortesia lhe impunha tentar uma risadinha. O casal morava no último andar de um edifício novo, não muito distante da rua Mahatma Gandhi e da casa de Salvador Estrella Sadhalá. A senhora Cavaglieri era ainda mais jovem que o marido — uma moça magra, de olhos amendoados e cabelos pretos — e o recebeu com uma cortesia relaxada e risonha, como se ele fosse um velho amigo de família que veio passar um fim de semana. Não demonstrava a menor apreensão por hospedar em sua casa um desconhecido, assassino do amo supremo do país, que milhares de guardas e policiais procuravam com gana e ódio. Durante os seis meses e três dias que passou com eles, nunca, nem uma única vez, os donos da casa lhe deram a impressão — embora ele fosse sensível, e sua situação o predispusesse a ver fantasmas — de que sua presença causasse algum incômodo. Será que o casal sabia que estava arriscando a vida? Certamente. Ouviram e viram, na televisão, os relatos pormenorizados do pânico que esses pestilentos assassinos provocavam nos dominicanos e como muitos deles, não satisfeitos com lhes negar refúgio, iam correndo denunciá-los. Viram cair, primeiro, o engenheiro Huáscar Tejeda, expulso de forma indigna da igreja do Santo Pai de Ars pelo aterrorizado padre, que o jogou nos braços do SIM. Acompanharam, com todos os detalhes, a odisseia do general Juan Tomás Díaz e de Antonio de la Maza, percorrendo as ruas de Trujillo num carro da praça e sendo denunciados pelas pessoas a quem foram pedir ajuda. E viram como, depois de matá-lo, os *caliés* levaram a pobre velha que deu asilo a Amadito García Guerreiro, e como as turbas desmantelaram e destruíram sua casa. Mas essas cenas e relatos não intimidaram os Cavaglieri nem diminuíram a cordialidade com que o tratavam.

Com a volta de Ramfis, Imbert e os donos de casa souberam que aquele isolamento seria de longa duração. Os abraços públicos entre o filho de Trujillo e o general José René Román eram eloquentes: este último os tinha mesmo traído, não haveria levantamento militar. Do seu pequeno universo, na cobertura dos Cavaglieri, viu as multidões fazendo fila, horas e horas, para prestar homenagens a Trujillo, e se viu, na tela de televisão, retratado junto com Luis Amiama (a quem não conhecia) em anúncios que ofereciam primeiro cem mil, depois duzentos mil e, por fim, meio milhão de pesos a quem denunciasse o seu paradeiro.

— Hum, com a desvalorização do peso dominicano, isso não é mais um negócio tão interessante — comentou Cavaglieri.

Sua vida se encaixou logo em uma rotina rigorosa. Tinha um quartinho só para ele, com uma cama e uma mesa de cabeceira, iluminada com um abajurzinho. Levantava cedo e fazia flexões, corridas no lugar e abdominais, durante quase uma hora. Tomava o café com os donos de casa. Depois de longas discussões, conseguiu que lhe permitissem ajudar na limpeza. Varrer, passar o aspirador, sacudir o espanador sobre os objetos e móveis se transformou para ele num entretenimento e num dever, coisa que fazia resoluto, com total concentração e certa alegria. Entretanto, a senhora Cavaglieri não o deixava entrar na cozinha. Ela cozinhava muito bem, principalmente massas, que servia duas vezes por dia. Ele gostava de massa desde criança. Mas, depois de ficar seis meses ali fechado, nunca mais voltaria a comer talharim, *tagliatelli*, ravióli ou qualquer outra variante desse prato de resistência da cozinha italiana.

Concluídas as obrigações domésticas, lia durante muitas horas. Nunca havia sido um grande leitor; nesses seis meses descobriu o prazer da leitura. Livros e revistas foram sua melhor defesa contra o desânimo que o isolamento, a rotina e a incerteza às vezes lhe provocavam.

Foi só quando a televisão anunciou que uma comissão da OEA viera visitar os presos políticos que ele soube que Guarina estava havia várias semanas na prisão, assim como as esposas de todos os seus amigos do complô. Os donos da casa haviam escondido dele que Guarina tinha sido presa. Em compensação, algumas semanas depois vieram, alvoroçados, lhe dar a boa notícia de que já estava solta.

Nunca deixou, nem quando passava o pano de chão, varria ou aspirava a casa, de ter à mão o seu Colt 45 carregado. Sua decisão era inabalável. Ia fazer o mesmo que Amadito, Juan Tomás Díaz e Antonio de la Maza tinham feito. Não se entregaria vivo, ia morrer matando. Certamente era uma forma de morrer mais digna do que submetido às humilhações e torturas idealizadas pelas mentes deformadas de Ramfis e seus cupinchas.

De tarde e de noite lia os jornais que os donos da casa traziam e assistia com eles aos noticiários da televisão. Sem acreditar muito, acompanhou a confusa dualidade em que o regime embarcava: um governo civil encabeçado por Balaguer que fazia gestos e declarações de que o país estava se democratizando e um poder militar e policial dirigido por Ramfis que continuava assassinando, torturando e sequestrando gente com a mesma impunidade que na época do Chefe. De qualquer forma, não podia deixar de ficar animado com a volta dos exilados, o surgimento de pequenas publicações de oposição — órgãos da União Cívica e do 14 de Junho — e as manifestações estudantis contra o governo de que a imprensa falava às vezes, mesmo que só fosse para acusar os manifestantes de comunistas.

O discurso de Joaquín Balaguer nas Nações Unidas, criticando a ditadura de Trujillo e se comprometendo a democratizar o país, deixou-o atônito. Seria o mesmo homenzinho que, durante trinta e um anos, fora o mais fiel e constante servidor do Pai da Pátria Nova? Nas longas conversas que costumavam ter à mesa, quando os Cavaglieri jantavam em casa — muitas vezes comiam fora, e então a senhora Cavaglieri deixava a inevitável massa no forno —, eles completavam as informações com as fofocas que fervilhavam na cidade agora rebatizada com seu velho nome de Santo Domingo de Guzmán. Embora todos temessem um golpe de Estado dos irmãos Trujillo para restaurar a ditadura nua e crua, era evidente que, pouco a pouco, as pessoas iam perdendo o medo, ou, antes, rompendo o feitiço que dominara a tantos dominicanos que se entregaram a Trujillo de corpo e alma. Surgiam cada vez mais vozes, declarações e atitudes antitrujillistas, e mais apoio à União Cívica, ao 14 de Junho ou ao PRD, cujos líderes tinham acabado de voltar ao país e aberto um escritório no centro.

O dia mais triste da odisseia de Imbert foi também o mais feliz. Em 18 de novembro, ao mesmo tempo em que anunciava a partida de Ramfis do país, a televisão informou que os seis assassinos do Chefe (quatro executores e dois cúmplices) tinham fugido, depois de matarem os três soldados que os traziam de volta para a prisão de La Victoria após uma reconstituição do crime. Em frente à tela da televisão, ele não se controlou e caiu em prantos. Então, seus amigos — o Turco, seu amigo do peito — tinham sido assassinados, junto com três pobres guardas, como álibi para aquela farsa. Certamente os cadáveres nunca seriam encontrados. O senhor Cavaglieri lhe deu um copo de conhaque:

— Pelo menos há um consolo, senhor Imbert. Pense que em breve o senhor vai estar com sua mulher e sua filha. Isto está se acabando.

Pouco depois foi anunciada a partida iminente dos irmãos Trujillo, com suas famílias, para o exterior. Era o fim daquele isolamento, agora sim. Por enquanto, pelo menos, tinha sobrevivido à caçada em que, virtualmente, com exceção de Luis Amiama — logo soube que este tinha passado seis meses enfiado, durante muitas horas por dia, dentro de um *closet* —, todos os principais conspiradores, além de centenas de inocentes, entre os quais seu irmão Segundo, haviam sido assassinados, torturados ou continuavam nas prisões.

No dia seguinte à partida dos Trujillo, houve uma anistia política. Começaram a ser abertas as prisões. Balaguer anunciou a formação de uma comissão para investigar a verdade sobre o que havia ocorrido com os "justiceiros do tirano". A partir desse dia, as rádios, os jornais e a televisão deixaram de tratá-los de assassinos; de justiceiros, seu novo apelido, passariam logo a ser chamados heróis e, não muito tempo depois, ruas, praças e avenidas em todo o país começariam a ser rebatizadas com seus nomes.

No terceiro dia, discretamente — os donos da casa não permitiram sequer que ele perdesse tempo agradecendo o que tinham feito, só pediram que não revelasse a identidade deles, para não comprometer sua condição de diplomatas —, saiu do isolamento ao anoitecer e se dirigiu, sozinho, para a sua casa. Durante muito tempo, ele, Guarina e Leslie ficaram abraçados sem conseguir falar. Examinando-se, verificaram que, enquanto Guarina e Leslie tinham emagrecido, ele engordara cinco quilos. Explicou que na casa onde estava escondido — não podia dizer qual — se comia muito *spaghetti*.

Não puderam conversar muito. O lar desmantelado dos Imbert começou a se encher de flores, de parentes, amigos e desconhecidos que vinham abraçá-lo, parabenizá-lo e — às vezes tremendo de emoção, com os olhos rasos d'água — chamá-lo de herói e agradecer pelo que tinha feito. Entre os visitantes, de repente apareceu um militar. Era um ajudante de ordens da Presidência da República. Depois das saudações de praxe, o major Teofronio Cáceda lhe disse que o Chefe de Estado gostaria de recebê-lo, a ele e ao senhor don Luis Amiama — que também acabava de sair do seu esconderijo, nada menos que a casa do atual ministro da Saúde —, amanhã ao meio-dia no Palácio Nacional. E, com uma risadinha cúmplice, informou que o senador Henry Chirinos acabara de apresentar ao Congresso ("O mesmo Congresso de Trujillo, sim senhor") uma lei nomeando Antonio Imbert e Luis Amiama generais de três estrelas do Exército Dominicano, por serviços extraordinários prestados à nação.

Na manhã seguinte, em companhia de Guarina e Leslie — os três com suas melhores roupas, se bem que Antonio bastante apertado nas suas —, foi à audiência no Palácio. Uma nuvem de fotógrafos os recebeu e uma guarda de militares com uniforme de gala apresentou armas para eles. Ali, na sala de espera, conheceu Luis Amiama, um homem muito magro e severo, com uma boca sem lábios, de quem a partir de então se tornou amigo inseparável. Apertaram as mãos e combinaram um encontro, depois da reunião com o Presidente, para visitarem juntos as esposas (as viúvas) de todos os conspiradores mortos ou desaparecidos e contarem um ao outro suas próprias aventuras. Nisso, abriu-se a porta do gabinete do Chefe de Estado.

Sorridente e com uma expressão de profunda alegria, o doutor Joaquín Balaguer foi até eles, sob os flashes dos fotógrafos, de braços abertos.

XXIV

— Manuel Alfonso veio me buscar com toda a pontualidade — diz Urania, olhando para o nada. — O cuco da sala estava dando oito horas quando ele bateu na porta.

Tia Adelina, as primas Lucinda e Manolita e a sobrinha Marianita não se olham entre si, para evitar que a tensão aumente; todas olham para ela, só para ela, ofegantes e assustadas. Sansón está dormindo, com o curvo bico enterrado nas penas verdes.

— Papai correu para o quarto dele, a pretexto de ir ao banheiro — prossegue uma Urania fria, quase burocrática. — "*Bye-bye*, filhinha, boa sorte." Não teve coragem de se despedir olhando nos meus olhos.

— Você se lembra de todos esses detalhes? — Tia Adelina movimenta a mão enrugada, já sem energia nem autoridade.

— Eu me esqueço de muitas coisas — responde Urania, com argúcia. — Mas, daquela noite, lembro de tudo. Você vai ver. Lembra, por exemplo, que Manuel Alfonso estava de roupa esporte — numa festa do Generalíssimo, vestido assim? —, com uma camisa azul aberta no peito e um paletó creme bem leve, mocassim de couro e um lencinho de seda cobrindo a cicatriz. Com sua voz difícil, disse a Urania que o vestido de organdi rosa que estava usando era muito bonito e que aqueles sapatos de salto alto lhe aumentavam a idade. Beijou-a no rosto: "Vamos logo, já está ficando tarde, belezinha." Abriu a porta do carro, mandou a menina entrar, sentou-se ao seu lado, e o motorista de uniforme e boné — lembrava do nome: Luis Rodríguez — deu a partida.

— Em vez de descer para a avenida George Washington, o carro deu umas voltas absurdas. Subiu pela Independencia até a cidade colonial e a atravessou, ganhando tempo. Mentira que era tarde; ainda estava é cedo para chegar em San Cristóbal.

Manolita ergue as mãos, o corpo cheinho.

— Mas você achou esquisito e não perguntou nada a Manuel Alfonso? Nada de nada?

No começo, não: nada de nada. Era muito estranho, claro, que estivessem atravessando a cidade colonial, tanto quanto ver Manuel Alfonso ir a uma festa do Generalíssimo vestido como se fosse ao Hipódromo ou ao Country Clube, mas Urania não perguntou nada ao embaixador. Estaria começando a desconfiar que Agustín Cabral e ele tinham inventado uma história da carochinha? Permanecia calada, captando metade da fala truculenta e truncada de Manuel Alfonso, que lhe contava sobre as já distantes festividades da coroação da Rainha Isabel II, em Londres, onde ele e Angelita Trujillo ("na época uma garotinha tão bonita como você") representaram o Benfeitor da Pátria. Ela estava mais concentrada nas casas imemoriais, totalmente abertas, exibindo suas intimidades, e nas famílias espalhadas pelas ruas — velhos, velhas, jovens, crianças, cães, gatos e até papagaios e canários — tomando o ar fresco da noite depois de uma jornada abafada, tagarelando nas suas cadeiras de balanço, poltronas e banquetas, ou sentados nos umbrais das portas ou nas pedras dos meios-fios altos, transformando as velhas ruas da capital numa imensa reunião, festa ou quermesse popular, à qual permaneciam totalmente indiferentes, atarraxados às suas mesas iluminadas por lâmpadas ou candeeiros, os grupos de dois ou de quatro — sempre homens, sempre maduros — jogadores de dominó. Era um espetáculo, como o das alegres lojas de comestíveis com seus balcões e prateleiras de madeira pintadas de branco, cheias de latas, garrafas de Carta Dorada, Jaca e cidra de Bermúdez e caixas coloridas, onde sempre havia gente comprando, que a memória de Urania conservou muito vivo, um espetáculo talvez já desaparecido ou em extinção na Santo Domingo de hoje, ou que só existia, talvez, nesse quadrilátero de quarteirões onde séculos antes um grupo de aventureiros vindos da Europa fundou a primeira cidade cristã do Novo Mundo, com o eufônico nome de Santo Domingo de Guzmán. Era a última noite que você veria aquele espetáculo, Urania.

— Assim que pegamos a estrada, talvez quando o carro estava passando pelo lugar onde duas semanas depois mataram Trujillo, Manuel Alfonso começou — uma inflexão de desagrado interrompe o relato de Urania.

— O que você quer dizer? — pergunta Lucindita, após um silêncio. — Começou o quê?

— A me preparar. — Urania recupera a firmeza. — A me amaciar, assustar e encantar. Como as noivas de Moloch, mimadas e vestidas de princesas antes de jogadas na fogueira, pela boca do monstro.

— Então você não conhece Trujillo, nunca falou com ele — exclama, exultante, Manuel Alfonso. — É a experiência da sua vida, garota!

E seria mesmo. O carro avançava rumo a San Cristóbal, sob um céu estrelado, entre coqueiros e palmeiras, bordeando o mar do Caribe, que batia ruidoso contra os recifes.

— Mas o que ele dizia — estimula Manolita, porque Urania tinha se calado.

Descrevia o cavalheiro irrepreensível que era o Generalíssimo lidando com as damas. Ele, tão severo em questões militares e de governo, transformara em filosofia o ditado: "Para a mulher, a pétala de uma rosa." Era assim que sempre tratava as moças bonitas.

— Que sorte você tem, garotinha. — Alfonso tentava lhe contagiar com seu entusiasmo, a emocionada excitação que complicava ainda mais a sua fala. — Trujillo em pessoa convidando você para a Casa de Caoba. Que privilégio! Podem se contar nos dedos as mulheres que mereceram uma coisa dessas. Estou dizendo, garota, pode acreditar.

E, então, Urania fez a primeira e última pergunta da noite:

— Quem mais convidaram para essa festa? — Olha para tia Adelina, Lucindita e Manolita: — Só para ver o que ele respondia. Eu já sabia que não íamos a festa nenhuma.

A desenvolta figura masculina virou-se para ela, e Urania vislumbrou um brilho nas pupilas do embaixador.

— Mais ninguém. É uma festa para você. Só para você! Percebe? Dá para imaginar? Eu não dizia que era uma coisa especial? Trujillo oferece uma festa para você. Isso é ganhar na loteria, Uranita.

— E você? E você? — exclama sua sobrinha Marianita, com um fio de voz. — Em que pensou, tia?

— No motorista do carro, Luis Rodríguez. Só nele.

Que vergonha ela sentiu desse motorista de quepe, testemunha do discurso mentiroso do embaixador. Ele tinha ligado o rádio do carro, e tocaram duas canções italianas na moda — *Volare, Ciao, ciao bambina* —, mas, sem dúvida, não perdia uma palavra das artimanhas com que Manuel Alfonso tentava ludibriá-la, para que se sentisse feliz e afortunada. Uma festa de Trujillo para ela sozinha!

— Não pensou no seu pai? — deixa escapar Manolita. — Que o meu tio Agustín tinha, que ele...?

E se cala, sem saber como concluir. Tia Adelina a repreende com os olhos. O rosto da velha está arrasado, sua expressão revela um abatimento profundo.

— Quem pensava em papai era Manuel Alfonso — diz Urania. — Eu era mesmo boa filha? Queria ajudar o senador Agustín Cabral?

Ele fazia aquilo com a sutileza que adquiriu em seus anos de diplomata encarregado de missões difíceis. Não era, além do mais, uma extraordinária oportunidade para que Urania ajudasse o seu amigo Craninho a sair da encrenca em que os invejosos de sempre o meteram? O Generalíssimo podia ser um homem duro, implacável, quanto aos interesses do país. Mas, no fundo, era um romântico; diante de uma garota graciosa, sua dureza se desmanchava como um cubinho de gelo exposto ao sol. Se ela, inteligente como era, queria que o Generalíssimo desse uma ajuda a Agustín, devolvendo sua posição, seu prestígio, seu poder e seus cargos, ela poderia conseguir. Bastava chegar ao coração de Trujillo, um coração que não sabia negar os pedidos da beleza.

— Ele também me deu uns conselhos — diz Urania. — Que coisas eu não devia fazer, porque o Chefe não gostava. Ele apreciava que as garotas fossem carinhosas, mas não que exagerassem a admiração, o amor. Eu me perguntava: "Por que me está dizendo estas coisas?"

Tinham chegado a San Cristóbal, cidade famosa porque ali nasceu o Chefe, numa casinha modesta contígua à grande igreja que Trujillo mandou construir e aonde o senador Cabral levou Uranita, explicando a ela os afrescos bíblicos pintados nas paredes por Vela Zaneti, um artista espanhol exilado, para quem o Chefe, magnânimo, abrira as portas da República Dominicana. Nesse passeio a San Cristóbal, o senador Cabral também lhe mostrou a fábrica de garrafas e a de armas, e percorreu com ela todo o vale banhado pelo rio Nigua. Agora, seu pai a mandava a San Cristóbal para pedir ao Chefe que o perdoasse, descongelasse suas contas e o recolocasse na Presidência do Senado.

— A Casa de Caoba tem uma vista maravilhosa para o vale, o rio Nigua, os cavalos e o gado da Fazenda Fundación — detalhou Manuel Alfonso.

O carro, depois de passar por uma primeira guarita com guardas, estava subindo a colina em cuja cúpula tinha sido construída, com a preciosa madeira dos mognos que começavam a se extinguir na ilha, a casa que o Generalíssimo usava alguns dias por semana, para fazer reuniões secretas, realizar trabalhos sujos ou negócios astutos em total discrição.

— Durante muito tempo, da Casa de Caoba eu só me lembrava daquele tapete. Cobria todo o aposento e tinha um gigantesco escudo nacional bordado, com todas as cores. Depois me lembrei de mais coisas. No quarto, uma vitrine cheia de uniformes, de todos os estilos, e, acima, uma fileira de bonés e quepes. Até um bicorne, napoleônico.

Ela não ri. Parece muito séria, com um ar cavernoso nos olhos e na voz. Também não riem tia Adelina, nem Manolita, nem Lucinda, nem Marianita, que tinha acabado de voltar do banheiro, onde foi vomitar. (Ela ouviu os arquejos.) O papagaio continua dormindo. O silêncio caíra sobre Santo Domingo: nenhuma buzinada, nenhum motor, nenhum rádio, nenhuma risada de bêbado nem latidos de cachorros vagabundos.

— O meu nome é Benita Sepúlveda, venha, entre, por favor — disse a senhora, ao pé da escada de madeira. Já madura, indiferente e, no entanto, com algo de maternal nos gestos e movimentos, ela usava um uniforme e um lenço na cabeça. — Venha por aqui.

— Era a governanta — diz Urania —, a encarregada de colocar flores nos quartos todos os dias. Manuel Alfonso ficou conversando com o oficial da entrada. Nunca mais o vi.

Benita Sepúlveda, apontando com a mãozinha gorducha para a escuridão, do outro lado das janelas protegidas por telas metálicas, lhe explicou que "aquilo" era um bosque de carvalhos e que no pomar havia mangueiras e cedros; mas o mais bonito do lugar eram as amendoeiras e os mognos que rodeavam a casa e cujos galhos perfumados se infiltravam por todos os cantos. Ela sentia o cheiro? Sentia? Logo ia ter a oportunidade, cedo, de ver a paisagem — o rio, o vale, o central, os estábulos da Fazenda Fundación — quando saísse o sol. Ia querer um café da manhã dominicano, com banana amassada, ovos fritos, salsichão ou carne-seca e suco de frutas? Ou, como o Generalíssimo, só café?

— Foi por intermédio de Benita Sepúlveda que eu soube que ia passar a noite ali, que dormiria com Sua Excelência. Que grande honra!

A governanta, com a desenvoltura de sua longa prática, mandou-a parar no primeiro andar e entrar num recinto amplo, mal iluminado. Era um bar. Tinha bancos de madeira em toda a volta, com os encostos fixados na parede, deixando espaço para uma ampla pista de dança no centro; uma enorme *jukebox* e um balcão com uma prateleira repleta de garrafas, copos e taças de cristal. Mas Urania só tinha olhos para o imenso tapete cinza, com o escudo dominicano, colocado de um limite ao outro do vasto aposento. Mal distinguia os retratos e quadros do Generalíssimo — a pé e a cavalo, como militar e à paisana, sentado numa escrivaninha ou erguido atrás de uma tribuna com a faixa presidencial — pendurados nas paredes, nem os troféus de prata e os diplomas conquistados pelas vacas leiteiras e os cavalos de raça da Fazenda Fundación, intercalados com cinzeiros de plástico e enfeites baratos, ainda com a etiqueta das lojas nova-iorquinas Macy's, que decoravam as mesinhas, vitrines e prateleiras daquele monumento ao *kitsch* onde Benita Sepúlveda a deixou, depois de perguntar se ela não queria mesmo um copinho de licor.

— A palavra *kitsch* ainda não existia, creio — esclarece, como se a tia ou as primas tivessem feito alguma observação. — Anos depois, quando eu a ouvi ou a li, e entendi que extremos de mau gosto e pretensão ela significava, o que me veio à memória foi a Casa de Caoba. Um monumento *kitsch*.

Ela fazia parte do *kitsch*, aliás, naquela noite quente de maio, com seu vestidinho de organdi rosa feito para festas de apresentação à sociedade, o colarzinho de prata com uma esmeralda e os brincos banhados em ouro que tinham sido da mamãe e que, excepcionalmente, papai a deixara usar para a festa de

Trujillo. Sua incredulidade tornava irreal o que estava acontecendo. Não parecia ser ela mesma aquela menina de pé em cima de uma ponta do escudo pátrio, nesse lugar extravagante. Então, o senador Agustín Cabral a mandara como oferenda viva ao Benfeitor e Pai da Pátria Nova? Sim, não havia a menor dúvida, seu pai tinha planejado aquilo com Manuel Alfonso. E, no entanto, ela ainda não queria acreditar.

— Em algum lugar fora do bar puseram para tocar um disco de Lucho Gatica. *Bésame, bésame muito, como si fuera esta noche la última vez.*

— Eu lembro. — Manolita, envergonhada por intervir, faz uma careta de desculpas: — Tocavam *Bésame mucho* o dia todo, no rádio e nas festas.

Parada ao lado de uma janela pela qual entravam uma brisa morna e um aroma denso de campo, ervas e árvores, ouviu vozes. Maltratada, de Manuel Alfonso. A outra, gritona, cheia de altos e baixos, só podia ser de Trujillo. Sentiu cócegas na nuca e nos punhos, onde o médico media o pulso, uma comichão que sempre lhe dava na hora dos exames, e mesmo agora, em Nova York, antes das decisões importantes.

— Pensei em me jogar pela janela. Pensei em me ajoelhar, implorar, chorar. Pensei que devia deixá-lo fazer comigo o que quisesse, apertando os dentes, para continuar viva e, um dia, me vingar de papai. Pensei em mil coisas, enquanto eles conversavam lá embaixo.

Na cadeira de balanço, tia Adelina dá um pulinho, abre a boca. Mas não diz nada. Está branca como papel, os olhinhos fundos arrasados com as lágrimas.

As vozes se interromperam. Houve um parêntese de silêncio; logo depois, passos, subindo a escada. Seu coração tinha parado? Sob a luz mortiça do bar apareceu a silhueta de Trujillo, de uniforme verde-oliva, sem paletó nem gravata. Tinha um copo de conhaque na mão. Foi sorrindo em sua direção.

— Boa noite, beleza — sussurrou, inclinando-se. E lhe ofereceu a mão livre, mas quando Urania, num movimento automático, estendeu a sua, em vez de apertá-la Trujillo a levou aos lábios e beijou: — Bem-vinda à Casa de Caoba, beleza.

— Toda essa história dos olhos, do olhar de Trujillo, eu já tinha ouvido muitas vezes. Do papai, dos amigos de papai.

Naquele momento soube que era verdade. Um olhar que perfurava, que ia até o fundo. Ele sorria, todo galante, mas aquele olhar me esvaziou, me deixou pele pura. Não era mais eu.

— Benita não lhe ofereceu nada? — Sem soltar sua mão, Trujillo a levou para a parte mais iluminada do bar; uma lâmpada fluorescente criava um resplendor azulado. Disse que ela se sentasse num sofá de dois lugares. Examinou-a, passando-lhe seus olhos lentos de cima a baixo, da cabeça aos pés, subindo e baixando, sem disfarçar, como se estivesse examinando as novas aquisições de gado e cavalos da Fazenda Fundación. Nos seus olhinhos pardos, fixos, inquisitivos, não percebeu desejo, excitação, e sim um inventário, uma medição do seu corpo.

— Ele teve uma decepção. Agora sei por quê, mas naquela noite não sabia. Eu era esguia, muito magra, e ele gostava de garotas mais cheinhas, com peitos e quadris avantajados. Mulheres fartas. Um gosto tipicamente tropical. Deve ter até pensado em despachar aquele esqueletinho de volta para Trujillo. Sabem por que não fez isso? Porque a ideia de furar a boceta de uma virgem excita os homens.

Tia Adelina geme. Com a mão enrugada para cima, a boca meio aberta em expressão de espanto e censura, ela implora, fazendo caretas. Não chega a pronunciar uma palavra.

— Perdoe a franqueza, tia. Foi o que ele disse, mais tarde. Juro que estou citando literalmente: "Furar a boceta de uma virgem excita os homens. Petán, o animal do Petán, fica ainda mais excitado furando com o dedo."

Ele disse isso depois, quando já havia perdido a compostura e sua boca vomitava incoerências, suspiros, palavrões, fogo excrementício com que desafogava as suas amarguras. A essa altura, ainda se comportava com uma estudada correção. Não lhe oferecia o que estava bebendo, porque o Carlos I podia queimar as tripas de uma garota tão novinha. Iria lhe dar um copinho de xerez doce. Ele mesmo serviu e brindou, batendo com o seu copo no outro. Embora mal tenha molhado os lábios, Urania sentiu uma coisa ardente na garganta. Será que devia tentar sorrir? Permanecer séria, revelando o seu pânico?

— Não sei — diz, encolhendo os ombros. — Estávamos no sofá, juntinhos. O copo de xerez tremia muito na minha mão.

— Eu não devoro as meninas — sorriu Trujillo, pegando o copo e deixando-o em uma mesinha. — Você é sempre tão quietinha ou só agora, beleza?

— Ele me chamava de beleza, da mesma forma que Manuel Alfonso. Nada de Urania, Uranita, garota. Beleza. Era um joguinho dos dois.

— Você gosta de dançar? Com certeza, como todas as moças da sua idade — disse Trujillo. — Eu gosto muito. Sou um ótimo bailarino, apesar de não ter muito tempo para bailes. Venha, vamos dançar.

Levantou-se, e Urania o imitou. Sentiu seu corpo robusto, o abdômen um pouco volumoso roçando em sua barriga, o bafo de conhaque, a mão morna que apertou sua cintura. Pensou que ia desmaiar. Lucho Gatica não cantava mais *Bésame mucho*, e sim *Alma mía*.

— Ele dançava muito bem, é verdade. Tinha bom ouvido e se movia como um jovem. Era eu quem perdia o ritmo. Dançamos dois boleros e uma *guaracha* de Toña la Negra. Também dançamos merengues. Trujillo me disse que só se dançava merengue nos clubes e nas casas decentes, atualmente, graças a ele. Antes havia preconceitos, os grã-finos diziam que aquilo era música de negros e índios. Não sei quem trocava o disco. Quando o último merengue acabou, ele me beijou no pescoço. Um beijo suave, que me deixou arrepiada.

Apertando sua mão, com os dedos entrecruzados, voltou com ela para a poltrona e se sentou ao seu lado, bem pertinho. Examinou-a, divertido, enquanto aspirava e bebia o conhaque. Parecia tranquilo e contente.

— Você é sempre assim, uma esfinge? Não, não. Deve sentir respeito demais por mim — sorriu Trujillo. — Eu gosto de belezas discretas, que se deixam admirar. As deusas indiferentes. Vou recitar um verso, escrito para você.

— E me recitou um poema do Pablo Neruda. No ouvido, roçando na minha orelha, no cabelo, com seus lábios e o bigodinho: "Gosto de ti quando calas, porque estás como ausente; parece que os olhos te houvessem saltado e parece que um beijo fechara a tua boca." Quando chegou a "boca", sua mão tocou no meu rosto e ele me beijou nos lábios. Naquela noite fiz um monte de coisas pela primeira vez: beber xerez, usar as joias da mamãe, dançar com um velho de setenta anos e receber meu primeiro beijo na boca.

Ela já tinha ido a festas com rapazes e dançado, mas antes disso só uma vez fora beijada por um rapaz, no rosto, em um aniversário na grande casa da família Vicini que fica na esquina da rua Máximo Gómez com a avenida George Washington. Ele se chamava Casimiro Sáenz e era filho de um diplomata. Tirou-a para dançar e, no final, sentiu seus lábios no rosto. Corou até a raiz dos cabelos e, na confissão de sexta-feira com o capelão do colégio, quando foi mencionar esse pecado, a vergonha deixou-a sem voz. Mas aquele beijo não se parecia com isto: o bigodinho-mosca de Sua Excelência lhe arranhava o nariz e, agora, a língua dele, uma pontinha viscosa e quente, lutava para abrir a sua boca. Ela resistiu mas depois separou os lábios e dentes: uma cobrinha úmida, fogosa, entrou com fúria na sua cavidade bucal, movimentando-se com avidez. Sentiu que ia engasgar.

— Você não sabe beijar, beleza — sorriu Trujillo, beijando de novo sua mão, agradavelmente surpreso: — Ainda é virgenzinha, certo?

— Ele estava excitado — diz Urania, olhando para o vazio. — Teve uma ereção.

Manolita solta um risinho histérico, muito breve, mas nem sua mãe, nem sua irmã nem a sobrinha a imitam. A prima abaixa os olhos, confusa.

— Sinto muito, mas tenho que falar de ereção — diz Urania. — Se um macho se excita, o sexo dele endurece e cresce. Quando pôs a língua dentro da minha boca, Sua Excelência se excitou.

— Vamos subir, beleza — disse, com a voz ligeiramente pastosa. — Ficaremos mais à vontade. Você vai descobrir uma coisa maravilhosa. O amor. O prazer. Vai gozar. Eu lhe ensino. Não tenha medo de mim. Não sou um animal como o Petán, eu não gozo tratando as meninas com brutalidade. Quero que elas gozem também. Vou fazer você feliz, beleza.

— Ele tinha setenta anos e eu quatorze — explica Urania, pela quinta ou décima vez. — Nós formávamos um casal muito díspar, subindo aquela escada com um corrimão de metal e barras de madeira. De mãos dadas, como namorados. O avô e a neta, rumo à câmara nupcial.

O abajur da mesinha estava aceso e Urania viu a cama, quadrada, de ferro forjado com o mosquiteiro levantado, e ouviu as pás do ventilador girando vagarosamente no teto. Uma colcha branca toda bordada cobria a cama e muitos almofadões e almofadinhas engordavam a cabeceira. Havia no ar um cheiro de flores frescas e de grama.

— Não tire a roupa ainda, beleza — murmurou Trujillo. — Eu ajudo. Espere, volto já.

— Lembra do nosso nervosismo quando falávamos de perder a virgindade, Manolita? — Urania se dirige à prima. — Nunca imaginei que ia perder na Casa de Caoba, com o Generalíssimo. Eu pensava: "Se pular pela janela, papai vai sentir uns remorsos tremendos."

Ele voltou logo, nu sob um roupão de seda azul com bolinhas brancas e com um chinelo de cetim vermelho. Bebeu um gole de conhaque, deixou o copo num armário entre fotos suas rodeado de netos e, pegando Urania pela cintura, sentou-a na beira da cama, no espaço aberto pelo tule do mosquiteiro, duas grandes asas de borboleta enlaçadas sobre as suas cabeças. Começou a despi-la, sem pressa. Desabotoou o vestido pelas costas, botão após botão, e afastou a fita que circundava a cintura. Antes de tirar o vestido, ele se ajoelhou e, inclinando-se com certa dificuldade, descalçou a menina. Com toda a precaução, como se ela pudesse se quebrar com algum movimento brusco dos seus dedos, puxou as meias de náilon, acariciando-lhe as pernas enquanto o fazia.

— Você está com os pés frios, beleza — murmurou, com ternura. — Não sente frio? Venha cá, deixe que eu os esquento.

Ainda ajoelhado, esfregou os pés dela com as duas mãos. De vez em quando os levava à boca e beijava, começando pelo peito do pé, descendo pelos dedinhos até o calcanhar, perguntando se ela sentia cócegas, com um risinho travesso, como se fosse ele quem estivesse com uma alegre comichão.

— Ficou assim um bom tempo, aquecendo os meus pés. Se vocês querem saber, não senti, nem por um segundo, a menor perturbação.

— Que medo você devia ter, prima — pressiona Lucindita.

— A essa altura, ainda não. Depois, muitíssimo.

Sua Excelência se levantou com dificuldade e voltou a se sentar na beira da cama. Tirou o vestido, o sutiã rosa, que segurava seus peitinhos meio para fora, e a calcinha triangular. Ela o deixava agir, sem oferecer resistência, com o corpo morto. Quando Trujillo deslizou a calcinha rosa por suas pernas, ela sentiu que os dedos de Sua Excelência se agitavam; suados, queimavam a pele onde pousavam. Ele a fez deitar. Levantou-se, tirou o roupão e se deitou ao seu lado, nu. Com todo o cuidado, enredou os dedos no pelo ralo do púbis da menina.

— Ele continuava muito excitado, acho. Quando começou a me tocar e me acariciar. E a me beijar, sempre me forçando com a boca a abrir a minha. Beijava os meus peitos, o pescoço, as costas, as pernas.

Ela não resistia; deixava-se tocar, acariciar, beijar, e seu corpo obedecia aos movimentos e posições que as mãos de Sua Excelência lhe indicavam. Mas não correspondia às carícias e, quando não estava de olhos fechados, os mantinha fixos nas lentas pás do ventilador. Então o ouviu dizer para si mesmo: "Furar a boceta de uma virgem sempre excita os homens."

— O primeiro palavrão, a primeira vulgaridade da noite — explica Urania. — Depois, diria coisas piores. Aí percebi que estava acontecendo alguma coisa com ele. Tinha começado a ficar furioso. Seria porque eu ficava quieta, morta, porque não o beijava?

Não era isso, agora entendia. Que ela participasse ou não do seu próprio defloramento não era coisa que pudesse interessar a Sua Excelência. Para se sentir saciado, bastava-lhe que tivesse a bocetinha fechada e ele pudesse abri-la fazendo-a gemer — urrar, gritar — de dor, com o pau esfolado e feliz lá dentro, apertadinho nas valvas dessa intimidade recém-invadida. Não era amor, nem sequer prazer o que ele esperava de Urania. Havia aceitado que a filhinha do senador Agustín Cabral viesse à Casa de Caoba só para provar que Rafael Leonidas Trujillo Molina ainda era, apesar dos seus setenta anos, apesar dos problemas de próstata, apesar das dores de cabeça provocadas pelos padres, pelos ianques, pelos venezuelanos e pelos conspiradores, um verdadeiro bode, um garanhão com o pau ainda capaz de ficar ereto e de furar as bocetinhas virgens que encontrasse pela frente.

— Apesar da minha falta de experiência, percebi — a tia, as primas e a sobrinha esticam os pescoços para ouvir o seu sussurro. — Estava acontecendo alguma coisa com ele, quer dizer, lá embaixo. Não conseguia nada. Ia ficar bravo, ia esquecer as boas maneiras.

— Chega de se fazer de morta, beleza — ouviu-o ordenar, alterado. — Fique de joelhos. Entre as minhas pernas. Assim. Segure aqui com as mãozinhas e meta na boca. E chupe, como eu chupei sua bocetinha. Até que levante. E ai de você se não levantar, beleza.

— Eu tentei, tentei. Apesar do terror, do nojo. Fiz de tudo. Fiquei de cócoras, enfiei aquilo na boca, beijei, chupei até quase vomitar. Mole, mole. Eu implorava a Deus que subisse.

— Chega, Urania, chega! — Tia Adelina não está chorando. Olha para ela espantada, sem compaixão. Tem o supercílio levantado, o branco do olho dilatado; está pasma, convulsionada. — Para quê, filhinha. Meu Deus, chega!

— Mas não consegui — insiste Urania. — Ele pôs o braço em cima dos olhos. Não disse nada. Quando o tirou, já me odiava.

Estava com os olhos vermelhos e em suas pupilas ardia uma luz amarela, febril, de raiva e vergonha. Olhava para ela sem nenhum sinal da cortesia de antes, com uma hostilidade beligerante, como se Urania lhe tivesse feito um mal irreparável.

— Você está muito enganada se acha que vai sair daqui virgem, para depois caçoar de mim lá com o seu pai. — Separava as sílabas, com uma cólera surda, soltando notas esganiçadas.

Ele a segurou pelo braço e deitou-a ao seu lado. Com movimentos de pernas e de cintura, montou sobre ela. Aquela massa de carne a esmagava, afundando-a no colchão; o bafo de conhaque e a raiva lhe davam náuseas. Sentia seus músculos e ossos sendo triturados, pulverizados. Mas nada disso impediu que notasse a rudeza daquela mão, daqueles dedos que exploravam, escavavam e entravam nela à força. Sentiu-se rachada, esfaqueada; um relâmpago percorreu seu corpo do cérebro aos pés. Gemeu, sentindo que ia morrer.

— Grite, sua cadelinha, vamos ver se você aprende — cuspiu a vozinha ferina e ofendida de Sua Excelência. — Agora,

abra-se. Deixe eu ver se está furada mesmo, se você não está gritando só de farsante que é.
— Era verdade. Tinha sangue nas pernas; manchava o corpo dele, e a colcha e a cama.
— Chega, chega! Para que mais, minha filha — berra a tia. — Venha cá, vamos fazer o sinal da cruz, rezar. Pelo amor de Deus, filhinha. Você acredita em Deus? Em Nossa Senhora da Altagracia, padroeira dos dominicanos? Sua mãe era tão devota, Uranita. Eu me lembro dela se preparando, todo dia 21 de janeiro, para a peregrinação à Basílica de Higuey. Você está cheia de rancor e de ódio. Isso não é bom. Mesmo tendo acontecido o que aconteceu. Vamos rezar, filhinha.
— E então — diz Urania, sem prestar atenção —, Sua Excelência voltou a deitar-se de costas, a cobrir os olhos. Ficou quieto, quietinho. Não estava dormindo. Deu um soluço. Começou a chorar.
— A chorar? — exclama Lucindita.
Uma súbita algazarra lhe responde. As cinco viram as cabeças: Sansón tinha acordado e anunciava isso, tagarelando.
— Não por minha causa — diz Urania. — Mas por ter a próstata inchada, o pau morto, por ter que foder as meninas virgens com os dedos, como Petán gostava.
— Meu Deus, filhinha, pelo amor de Deus — implora a tia Adelina, benzendo-se. — Não continue.
Urania acaricia a mão enrugada e sardenta da velha.
— São palavras horríveis, eu sei, coisas que não deveria dizer, tia Adelina — adoça a voz. — Eu nunca falo, juro. Mas a senhora não queria saber por que eu disse aquelas coisas sobre o papai? Por que não quis saber mais da família, quando fui para Adrian? Agora sabe por quê.
De vez em quando ele soluça, e os suspiros levantam o seu peito. Há pelos esbranquiçados e ralos entre os mamilos e em volta do umbigo escuro. Continua com os olhos escondidos sob o braço. Terá se esquecido dela? Será que a amargura e o sofrimento que se apoderaram dele a aboliram? Urania está mais assustada do que antes, enquanto ele a acariciava ou violava. Esquece a ardência, a ferida entre as pernas, o medo que lhe dão as manchinhas nas suas coxas e na colcha. Não se mexe. Queria tornar-se invisível, inexistente. Se a vê, esse homem de pernas im-

berbes que está chorando não vai perdoar, lançará sobre ela toda a ira da sua impotência, a vergonha desse choro, e a aniquilará.

— Ele dizia, não há justiça neste mundo. Por que lhe acontecia aquilo depois de lutar tanto, por esse país ingrato, por essa gente sem honra. Falava com Deus. Com os santos. Com Nossa Senhora. Ou com o diabo, talvez. Rugia e implorava. Por que tantas provações. A cruz que eram os seus filhos, as conspirações para matá-lo, para destruir a obra de toda uma vida. Mas não se queixava disso. Ele sabia lutar contra inimigos de carne e osso. Fazia isso desde jovem. Mas não podia tolerar aquele golpe baixo, não poder se defender. Parecia meio maluco, desesperado. Agora sei por quê. Porque aquele pau que tinha furado tantas bocetinhas não ficava mais duro. Era isso que fazia o titã chorar. Engraçado, não é mesmo?

Mas Urania não ria. Ouvia imóvel tudo aquilo, quase não se atrevendo a respirar, para que Trujillo não se lembrasse que ela estava lá. O monólogo não era contínuo, era fraturado, incoerente, interrompido por longos silêncios; às vezes levantava a voz e gritava, ou a apagava até ficar inaudível. Um rumor dolorido. Urania estava fascinada com aquele peito que subia e descia. Procurava não olhar para o corpo, mas, às vezes, seus olhos corriam pelo abdômen um tanto flácido, o púbis embranquecido, o pequeno sexo morto e as pernas lisas. Aquele era o Generalíssimo, o Benfeitor da Pátria, o Pai da Pátria Nova, o Restaurador da Independência Financeira. Este era o Chefe a quem papai havia servido com devoção e lealdade durante trinta anos, a quem dera o mais delicado dos presentes: a própria filha de quatorze anos. Mas as coisas não transcorreram como o senador esperava. De modo que — o coração de Urania se alegrou — ele não reabilitaria papai; talvez o pusesse na cadeia, talvez o mandasse matar.

— De repente, Trujillo levantou o braço e me olhou com os olhos vermelhos, inchados. Eu tenho quarenta e nove anos e, quando penso nisso, ainda tremo. Passei trinta e cinco anos tremendo, desde aquele momento.

Estende as mãos e a tia, as primas e a sobrinha comprovam: estão tremendo.

Olhava-a com surpresa e ódio, como se ela fosse uma aparição maligna. Vermelhos, ígneos, fixos, aqueles olhos a deixaram congelada. Não atinava nem a se mexer. O olhar de Trujillo a percorreu, desceu até as coxas, saltou para a colcha com manchinhas de sangue e voltou a fulminá-la. Sufocado de nojo, ordenou:

— Vá se lavar, não vê como deixou a cama? Fora daqui!
— Foi um milagre ele me deixar sair — reflete Urania. — Depois de vê-lo desesperado, chorando, gemendo, com piedade de si mesmo. Um milagre da padroeira, tia.

Ela se levantou, saiu da cama, pegou a roupa espalhada pelo chão e, tropeçando numa cômoda, foi se refugiar no banheiro. Havia uma banheira de louça branca, cheia de esponjas e sabões, e um perfume penetrante que lhe deu enjoo. Com as mãos que quase não obedeciam, limpou as pernas, colocou uma toalhinha para parar a hemorragia e se vestiu. Foi um custo abotoar o vestido, afivelar o cinto. Não pôs as meias, só os sapatos, e, quando se viu num dos espelhos, constatou que seu rosto estava todo manchado de batom e de rímel. Não perdeu tempo se limpando; ele poderia mudar de ideia. Correr, sair da Casa de Caoba, fugir. Quando voltou para o quarto, Trujillo não estava mais nu. Tinha vestido o roupão de seda azul e segurava na mão o copo de conhaque. Apontou para a escada:

— Vá, vá embora — ele se engasgava. — Diga a Benita que traga lençóis limpos e uma colcha, que troque esta imundície.

— No primeiro degrau, tropecei e quebrei o salto do sapato, quase rolei os três andares escada abaixo. Depois meu tornozelo inchou muito. Benita Sepúlveda estava no primeiro andar. Muito sossegada, sorrindo para mim. Eu quis lhe dizer o que ele tinha mandado. Não me saiu uma palavra. Só consegui apontar para cima. Ela me pegou pelo braço e me levou para perto dos guardas, na entrada. Mostrou um canto com uma cadeira: "É aqui que engraxam as botas do Chefe." Nem Manuel Alfonso nem o carro estavam lá. Benita Sepúlveda mandou eu me sentar na cadeira de engraxate, rodeada de guardas. Depois saiu e, quando voltou, me levou pelo braço até um jipe. O motorista era um militar; ele me trouxe para Trujillo. Quando perguntou "onde fica a sua casa?", eu respondi: "Vou para o Colégio Santo Domingo. Moro lá." Ainda estava escuro. Três da manhã. Quatro, quem sabe. Demoraram a abrir o portão. Quando apareceu o zelador, eu ainda não conseguia falar. Só consegui com *sister*

Mary, a freira que tanto me amava. Ela me levou para o refeitório, deu-me água, molhou a minha testa.

Sansón, calado há muito tempo, volta a manifestar a sua felicidade ou seu desagrado, inflando a plumagem e gritando. Ninguém diz nada. Urania pega o seu copo, mas está vazio. Marianita vai enchê-lo, mas, nervosa, derruba a jarra. Urania bebe uns goles de água fresca.

— Espero que me faça bem contar essa história truculenta. Agora, esqueçam. Já passou. Passou e não tem mais jeito. Outra pessoa poderia ter superado, talvez. Eu não quis, e nem pude.

— Uranita, prima, o que você está dizendo — protesta Manolita. — Como não? Olhe só tudo o que você fez. Tudo o que tem. Uma vida que todas as dominicanas invejariam.

Levanta-se e vai até Urania. Abraça-a, beija seu rosto.

— Você me deixou arrasada, Uranita — Lucinda a repreende, com carinho. — Mas como pode reclamar, garota. Você não tem esse direito. No seu caso, pode-se dizer que há males que vêm para o bem. Você estudou na melhor universidade, teve sucesso na carreira. Tem um homem que a faz feliz e não atrapalha o seu trabalho...

Urania lhe dá uma palmadinha no braço e nega com a cabeça. O papagaio se cala e escuta.

— Eu menti, não tenho nenhum amante, prima. — Dá um sorriso apagado, a voz ainda entrecortada. — Nunca tive, nem terei. Quer mesmo saber tudo, Lucindita? Nunca mais um homem voltou a botar as mãos em mim, desde aquela vez. Meu único homem foi Trujillo. Isso mesmo. Cada vez que um homem se aproxima de mim e me olha como mulher, sinto nojo. Horror. Tenho vontade de que ele morra, de matá-lo. É difícil explicar. Eu estudei, tenho trabalho, ganho bem a vida, é verdade. Mas ainda estou vazia e cheia de medo. Como aqueles velhos de Nova York que passam o dia nas praças, olhando para o nada. Trabalhar, trabalhar, trabalhar até cair extenuada. Vocês não têm nada a invejar, acreditem. Eu é que as invejo. Sim, sim, eu sei, vocês têm problemas, dificuldades, decepções. Mas, também, uma família, um companheiro, filhos, parentes, um país. Essas coisas preenchem a vida. Quanto a mim, papai e Sua Excelência me transformaram num deserto.

Sansón começou a andar, nervoso, entre as grades da gaiola; rebola, para, afia o bico contra as patas.

— Eram outros tempos, Uranita querida — balbucia tia Adelina, engolindo as lágrimas. — Você tem que perdoá-lo. Ele sofreu, ele sofre. Foi terrível, filhinha. Mas eram outros tempos. Agustín estava desesperado. Podia ir para a cadeia, podiam assassiná-lo. Ele não queria magoar você. Pensou, talvez, que aquela era a única forma de salvar você. Essas coisas aconteciam, embora agora sejam incompreensíveis. A vida era assim, aqui. Agustín amou você mais que a qualquer outra pessoa no mundo, Uranita.

A velha torce as mãos, cheia de desassossego, e se mexe na cadeira de balanço, fora de si. Lucinda se aproxima dela, alisa seus cabelos e lhe dá umas gotinhas de valeriana: "Acalme-se, mãezinha; não fique assim."

Pela janela do jardim, brilham as estrelas na pacífica noite dominicana. Eram outros tempos? Ondas de brisa morna entram no salão, de vez em quando, e agitam as cortininhas e as flores de um vaso, entre estatuetas de santos e fotos de família. "Eram e não eram", pensa Urania. "Ainda flutua por aqui qualquer coisa daqueles tempos."

— Foi terrível, mas isso me permitiu conhecer a generosidade, a delicadeza, a humanidade de *sister* Mary — diz, suspirando. — Sem ela, eu estaria louca ou morta.

Sister Mary encontrou soluções para tudo e foi um modelo de discrição. Desde os primeiros socorros, na enfermaria do colégio, para cortar a hemorragia e aliviar a dor, até, em menos de três dias, mobilizar a superiora das Dominican Nuns e convencê-la, apressando as coisas, a dar a Urania Cabral, uma aluna exemplar cuja vida corria perigo, aquela bolsa de estudos na Siena Heights University, em Adrian, Michigan. *Sister* Mary falou com o senador Agustín Cabral (acalmando-o? assustando-o?) no gabinete da diretora, os três a sós, pressionando-o para que autorizasse a viagem da filha para os Estados Unidos. E, também, persuadindo-o a desistir de vê-la, porque a menina estava muito perturbada após os acontecimentos de San Cristóbal. Que cara Agustín Cabral fizera diante da *sister*? Urania se perguntou muitas vezes: de surpresa hipócrita? de constrangimento? de confusão? de remorso? de vergonha? Ela não perguntou, nem *sister* Mary lhe disse. As freiras foram ao consulado norte-americano solicitar o visto e pediram, em audiência com o Presidente Balaguer, que este apressasse a autorização que os dominicanos precisavam ter para viajar ao estrangeiro, um trâmite que demorava semanas. O colégio pagou a sua passagem, já que o senador Cabral estava insolvente. *Sister* Mary e *sister* Helen Claire a levaram até o aeroporto. Quando o avião decolou, o que Urania mais agradeceu foi que as freiras cumpriram a promessa de não deixá-la ver papai, nem mesmo de longe. Agora, também agradecia a elas por salvá-la da cólera tardia de Trujillo, que poderia confiná-la nesta ilha ou transformá-la em comida para os tubarões.

— Já é tardíssimo — diz, consultando o relógio. — Quase duas da manhã. Ainda nem fiz a mala, e meu avião sai bem cedinho.

— Vai voltar amanhã para Nova York? — lamenta Lucindita. — Pensei que ficaria alguns dias por aqui.

— Preciso trabalhar — diz Urania. — No escritório, tenho uma pilha de papéis à minha espera, chega a dar vertigem.

— Agora vai ser tudo diferente, não é mesmo, Uranita? — Manolita a abraça. — Vamos nos escrever e você vai responder as cartas. De vez em quando, vem tirar umas férias, visitar a família. Não é mesmo, moça?

— Claro que sim — confirma Urania, abraçando-a também. Mas não tem certeza. Talvez, quando sair desta casa, deste país, prefira esquecer de novo esta família, esta gente, seu passado; talvez se arrependa de ter vindo e falado como esta noite. Ou não? Quem sabe vai querer reconstruir, de algum modo, o vínculo com aqueles resíduos de família que lhe restam? — Dá para chamar um táxi, a esta hora?

— Nós vamos levá-la. — Lucindita se levanta.

Quando Urania se inclina para abraçar tia Adelina, a velha se agarra a ela e a aperta com seus dedinhos afiados e curvos como ganchos. Antes parecia ter se serenado, mas agora está agitada outra vez, com um medo angustiante nos olhinhos fundos, nas órbitas rodeadas de rugas.

— Talvez Agustín não soubesse de nada — gagueja, com dificuldade, como se sua dentadura fosse se soltar. — Manuel Alfonso pode ter enganado o meu irmão, ele no fundo era muito ingênuo. Não tenha tanto rancor, filhinha. Ele viveu muito sozinho, sofreu muito. Deus nos ensina a perdoar. Em nome de sua mãe, que era tão católica, filhinha.

Urania tenta acalmá-la: "Sim, sim, tia, tudo bem, não se agite, eu lhe peço." As duas filhas rodeiam a velha para fazer com que se acalme. Ela, por fim, cede e se encolhe na poltrona, com o rosto desfigurado.

— Desculpe por ter contado essas coisas. — Urania beija a testa da tia. — Foi um disparate. Mas é que isso estava me queimando por dentro fazia tantos anos.

— Agora ela vai se acalmar — diz Manolita. — Eu fico aqui com ela. Você fez bem em nos contar. Por favor, escreva, telefone de vez em quando. Não vamos perder o contato outra vez, prima.

— Prometo — diz Urania.

Manolita a acompanha até a porta e se despede dela ao lado do velho carro de Lucinda, um Toyota de segunda mão estacionado na entrada. Quando a abraça de novo, a prima está com os olhos úmidos.

No carro, enquanto percorrem as solitárias ruas de Gazcue rumo ao Hotel Jaragua, Urania se angustia. Por que fizera aquilo? Será que agora vai se sentir diferente, livre dos íncubos que lhe secaram a alma? Claro que não. Tinha sido uma fraqueza, uma queda na suscetibilidade, na autocompaixão que você sempre detestou nos outros. Esperava que elas ficassem com pena, que tivessem piedade de você? Queria esse desagravo?

E, então — às vezes isso é um remédio para as suas depressões —, lembra o final de Johnny Abbes García. Quem lhe contou, anos atrás, foi Esperancita Bourricaud, uma colega do Banco Mundial sediada em Porto Príncipe, onde o ex-chefe do SIM parou depois de circular pelo Canadá, França e Suíça — nunca pisou no Japão — durante o exílio dourado que Balaguer lhe impôs. Esperancita e os Abbes García eram vizinhos. Ele estava no Haiti como assessor do Presidente Duvalier. Mas, com o passar do tempo, começou a conspirar contra o novo chefe, apoiando os planos subversivos de um genro do ditador haitiano, o coronel Dominique. Papa Doc resolveu o problema em dez minutos. Esperancita viu, no meio da manhã, uns vinte Tontons Macoutes descerem de duas caminhonetes e invadirem a casa dos vizinhos, atirando. Dez minutos, apenas. Mataram

Johnny Abbes, mataram a mulher de Johnny Abbes, mataram os dois filhos pequenos de Johnny Abbes, mataram as duas empregadas de Johnny Abbes, e também mataram as galinhas, os coelhos e os cachorros de Johnny Abbes. Depois, atearam fogo na casa e foram embora. Esperancita Bourricaud precisou fazer um tratamento psiquiátrico quando voltou a Washington. Essa é a morte que você queria para papai? Estará mesmo cheia de mágoa e de ódio, como disse tia Adelina? Ela se sente — outra vez — vazia.

— Lamento muito toda essa cena, esse melodrama, Lucindita — diz, na porta do Jaragua. Ela tem que falar alto, porque a música do cassino do primeiro andar abafa a sua voz.
— Estreguei a noite da tia Adelina.

— Nem pense nisso, garota. Agora eu entendo o que aconteceu com você, esse silêncio que nos magoava tanto. Por favor, Urania, volte a nos procurar. Somos sua família, este é o seu país.

Quando Urania se despede de Marianita, esta a abraça como se quisesse se soldar, fundir nela. O corpinho fino da menina treme como papel.

— Eu sempre vou gostar muito de você, tia Urania — sussurra em seu ouvido, e Urania se sente embargada de tristeza. — Vou lhe escrever todos os meses. Não faz mal se não responder.

Ela a beija várias vezes no rosto, com seus lábios fininhos, como o bico de um passarinho. Antes de entrar no hotel, Urania espera que o velho carro da prima desapareça no cais George Washington, ao som de uma série de ondas ruidosas e branquíssimas. Entra no Jaragua, e, do lado esquerdo, o cassino e a boate contígua estão em brasa: ritmos, vozes, música, as máquinas caça-níqueis e as exclamações dos jogadores na roleta.

Quando se dirige para os elevadores, uma figura masculina a intercepta. É um turista quarentão, ruivo, com camisa xadrez, calça jeans e mocassins, ligeiramente bêbado:

— *May I buy you a drink, dear lady?* — diz, fazendo um gesto cortês.

— *Get out of my way, you dirty drunk* — responde Urania, sem parar, chegando a captar a expressão de desconcerto, de susto, do incauto.

No quarto, começa a fazer a mala, mas, logo depois, vai se sentar em frente à janela, para ver as estrelas brilhantes e a espuma das ondas. Sabe que não vai dormir e que, portanto, tem todo o tempo do mundo para acabar de fazer a mala.

"Se Marianita me escrever, vou responder a todas as cartas dela", decide.

1ª EDIÇÃO [2011] 9 reimpressões

ESTA OBRA FOI COMPOSTA EM ADOBE GARAMOND PELA ABREU'S SYSTEM
E IMPRESSA EM OFSETE PELA LIS GRÁFICA SOBRE PAPEL PÓLEN DA
SUZANO S.A. PARA A EDITORA SCHWARCZ EM ABRIL DE 2025

A marca FSC® é a garantia de que a madeira utilizada na fabricação do papel deste livro provém de florestas que foram gerenciadas de maneira ambientalmente correta, socialmente justa e economicamente viável, além de outras fontes de origem controlada.